여러분의 합격을 응원하는

해커스공무원의 특별 혜택

FREE 공무원 한국사 **특강**

해커스공무원(gosi.Hackers.com) 접속 후 로그인 ▶ 상단의 [무료강좌] 클릭 ▶
[교재 무료특강] 클릭하여 이용

회독용 답안지(PDF)

해커스공무원(gosi.Hackers.com) 접속 후 로그인 ▶ 상단의 [교재 · 서점 → 무료 학습 자료] 클릭 ▶
본 교재의 [자료받기] 클릭

해커스공무원 온라인 단과강의 **20% 할인쿠폰**

AE343777F55389XT

해커스공무원(gosi.Hackers.com) 접속 후 로그인 ▶ 상단의 [나의 강의실] 클릭 ▶
좌측의 [쿠폰등록] 클릭 ▶ 위 쿠폰번호 입력 후 이용

* 등록 후 7일간 사용 가능(ID당 1회에 한해 등록 가능)

쿠폰 이용 관련 문의 **1588-4055**

단기 합격을 위한 해커스공무원 커리큘럼

입문

탄탄한 기본기와 핵심 개념 완성!

누구나 이해하기 쉬운 개념 설명과 풍부한 예시로 부담없이 쌩기초 다지기

TIP 베이스가 있다면 **기본 단계**부터!

▼

기본+심화

필수 개념 학습으로 이론 완성!

반드시 알아야 할 기본 개념과 문제풀이 전략을 학습하고
심화 개념 학습으로 고득점을 위한 응용력 다지기

▼

기출+예상 문제풀이

문제풀이로 집중 학습하고 실력 업그레이드!

기출문제의 유형과 출제 의도를 이해하고 최신 출제 경향을 반영한
예상문제를 풀어보며 본인의 취약영역을 파악 및 보완하기

▼

동형문제풀이

동형모의고사로 실전력 강화!

실제 시험과 같은 형태의 실전모의고사를 풀어보며 실전감각 극대화

▼

최종 마무리

시험 직전 실전 시뮬레이션!

각 과목별 시험에 출제되는 내용들을 최종 점검하며 실전 완성

PASS

* 커리큘럼 및 세부 일정은 상이할 수 있으며,
자세한 사항은 해커스공무원 사이트에서 확인하세요.

해커스공무원

단원별 기출문제집 한국사

2권 | 근현대사

해커스공무원

gosi.Hackers.com

“기출문제” 그냥 풀어 보기만 하면 될까?

—

합격자들이 모두 강조하니까 풀어봐야 할 것 같긴 한데
문제를 풀고 채점한 후 무엇을 더 해야 할지 모르겠어요.
틀린 문제를 다시 풀어보면 또 틀리기까지 해요…

기출문제, 그냥 풀어보기만 하면 되나요?

해커스는 자신 있게 대답합니다.
기출문제는 반복 학습을 통해 눈에 익히고 출제된 개념을 암기해야 합니다! 또한, 문제 풀이 후 취약한 부분은 개념을 확실하게 보완해야 실전에 대비할 수 있는 진짜 실력을 얻을 수 있습니다.

「해커스공무원 단원별 기출문제집 한국사」는
한 문제를 풀더라도 완벽하게 내 것으로 만들 수 있도록 꼼꼼한 해설을 제공합니다.
‘출제 포인트 + 정답 해설 + 오답 분석 + 이것도 알면 합격!’의 해설 구성으로 한 문제를 풀더라도 여러 문제를 푼 것 같은 효과를 얻을 수 있으며, 부족한 개념을 바로 채울 수 있습니다.

회독 학습에 최적화된 학습 장치를 제공합니다!
적어도 세 번은 기출문제집을 풀어보는 수험생들을 위해 ‘회독용 답안지’를 제공하고, 스스로 회독 학습을 점검할 수 있도록 ‘회독 학습 점검표’를 제공하여 공무원 한국사에 최적화된 회독 학습을 할 수 있습니다.

합격이 보이는 기출문제 풀이,
해커스가 여러분과 함께 합니다.

2권 근현대사

Ⅵ. 근대 사회의 전개

Ⅶ. 민족 독립운동의 전개

Ⅷ. 현대 사회의 발전

다회독에 최적화된 **회독용 답안지**
해커스공무원(gosi.Hackers.com) ▶ 교재·서점 ▶ 무료학습자료

1권 전근대사

Ⅰ. 우리 역사의 형성

Ⅱ. 고대의 발전

Ⅲ. 고려의 발전

Ⅳ. 조선의 발전

Ⅴ. 조선의 변화

만점이 보이는 회독 학습 가이드

> 30일 맞춤 회독 학습 플랜

- 단원별 난이도와 문항 수 등을 고려하여 수립된 해커스의 30일 맞춤 회독 학습 플랜과 회독별 학습 방법을 활용하여 효과적으로 학습하세요.
- 기출 문제를 풀이하고 대단원마다 수록된 최빈출 다지선다 문제를 통해 출제 가능성이 높은 기출개념을 확실하게 복습하여 실력을 다지세요.

1일	2일	3일	4일	5일	6일	7일	8일	9일	10일
I 선사 01 ~ 03	I 선사 - 복습	II 고대 - 01		II 고대 - 02	II 고대 - 03	II 고대 - 복습	III 고려 - 01		III 고려 - 02
11일	**12일**	**13일**	**14일**	**15일**	**16일**	**17일**	**18일**	**19일**	**20일**
III 고려 - 03	III 고려 - 복습	IV 조선 전기 - 01	IV 조선 전기 - 02	IV 조선 전기 - 03	IV 조선 전기 - 복습	IV 조선 후기 - 01	IV 조선 후기 - 02	IV 조선 후기 - 03	IV 조선 후기 - 04
21일	**22일**	**23일**	**24일**	**25일**	**26일**	**27일**	**28일**	**29일**	**30일**
V 조선 후기 - 복습	VI 근대 - 01 ~ 02	VI 근대 - 03 ~ 04	VI 근대 - 복습	VII 일제 강점기 - 01 ~ 02	VII 일제 강점기 - 03 ~ 05	VII 일제 강점기 - 복습	VIII 현대 - 01 ~ 02	VIII 현대 - 03 ~ 04	VIII 현대 - 복습

* 학습 플랜은 '대단원(I, II, III) - 중단원(01, 02, 03)'의 순서로 표시하였습니다.

> 회독별 학습 방법

1회독 기출 개념 정리 단계

- 상단의 30일 맞춤 회독 학습 플랜에 맞춰 **회독용 답안지에 기출 문제 풀이를 진행**합니다.
- 기출문제를 풀어보며 단원별로 **어떤 개념과 사료들이 출제**되었는지 확인합니다.
- 다지선다 문제 풀이 후 **해커스공무원 한국사 기본서와 함께 개념 학습을 진행**하고자 할 경우 회독 학습 점검표의 기본서 페이지를 참고하여 학습합니다.

2회독 지엽 개념 암기 단계

- 상단의 30일 맞춤 회독 학습 플랜을 활용하되, **1회독 때보다 학습 시간을 단축**하여 학습합니다.
- '난이도 상' 문제를 중점적으로 풀어보고, 자주 출제되지 않았던 **지엽적인 개념들을 암기**합니다.
- 문제 풀이 후 기본서와 함께 개념 학습을 진행하고자 할 경우 회독 학습 점검표의 기본서 페이지를 참고하여 학습합니다.

3회독 약점 극복 단계

- 1, 2회독 때 **틀렸거나 애매하게 맞춘 문제**를 위주로 학습을 진행합니다.
- **헷갈렸던 개념·어려웠던 문제**의 '이것도 알면 합격!'을 빠르게 복습합니다.
- 회독 학습 점검표에 학습한 단원의 회독일을 기입하여 학습 상황을 확인합니다.

> 회독 학습 점검표

※ 기출문제를 풀면서 개념이 부족한 부분이 있다면 해커스공무원 한국사 기본서의 페이지를 참고해 꼭 보충하셔야 합니다.
※ 회독 후 학습일을 기록하면 전체적인 학습 상황을 확인할 수 있습니다.

단원	기본서	1회독	2회독	3회독
I 우리 역사의 형성				
01 한국사의 이해	1권 20p ~ 23p	월 일	월 일	월 일
02 선사 시대의 전개	1권 24p ~ 37p	월 일	월 일	월 일
03 고조선과 여러 나라의 성장	1권 38p ~ 53p	월 일	월 일	월 일
II 고대의 발전				
01 고대의 정치	1권 60p ~ 105p	월 일	월 일	월 일
02 고대의 경제·사회	1권 106p ~ 123p	월 일	월 일	월 일
03 고대의 문화	1권 124p ~ 149p	월 일	월 일	월 일
III 고려의 발전				
01 고려의 정치	1권 156p ~ 197p	월 일	월 일	월 일
02 고려의 경제·사회	1권 198p ~ 215p	월 일	월 일	월 일
03 고려의 문화	1권 216p ~ 247p	월 일	월 일	월 일
IV 조선의 발전				
01 조선 전기의 정치	1권 254p ~ 291p	월 일	월 일	월 일
02 조선 전기의 경제·사회	1권 292p ~ 309p	월 일	월 일	월 일
03 조선 전기의 문화	1권 310p ~ 335p	월 일	월 일	월 일
V 조선의 변화				
01 조선 후기의 정치	1권 342p ~ 365p			
02 조선 후기의 경제	1권 366p ~ 385p	월 일	월 일	월 일
03 조선 후기의 사회	1권 386p ~ 399p	월 일	월 일	월 일
04 조선 후기의 문화	1권 400p ~ 423p	월 일	월 일	월 일
VI 근대 사회의 전개				
01 외세의 침략적 접근과 개항	2권 10p ~ 23p			
02 개화 운동의 추진과 반발	2권 24p ~ 39p	월 일	월 일	월 일
03 구국 민족 운동과 근대적 개혁의 추진	2권 40p ~ 75p	월 일	월 일	월 일
04 개항 이후의 변화 모습	2권 76p ~ 93p	월 일	월 일	월 일
VII 민족 독립운동의 전개				
01 일제의 식민 통치와 민족의 수난	2권 100p ~ 111p			
02 3·1 운동과 대한민국 임시 정부	2권 112p ~ 127p			
03 무장 독립 전쟁의 전개	2권 128p ~ 141p	월 일	월 일	월 일
04 사회·경제적 민족 운동	2권 142p ~ 161p	월 일	월 일	월 일
05 민족 문화 수호 운동	2권 162p ~ 175p	월 일	월 일	월 일
VIII 현대 사회의 발전				
01 광복과 대한민국 수립	2권 182p ~ 205p			
02 민주주의의 시련과 발전	2권 206p ~ 229p	월 일	월 일	월 일
03 평화 통일의 과제	2권 230p ~ 241p	월 일	월 일	월 일
04 경제 발전과 사회·문화의 변화	2권 242p ~ 255p	월 일	월 일	월 일

공무원시험전문 해커스공무원
gosi.Hackers.com

근대 출제 경향

1. 주요 직렬별 출제 비중(2019 ~ 2024)

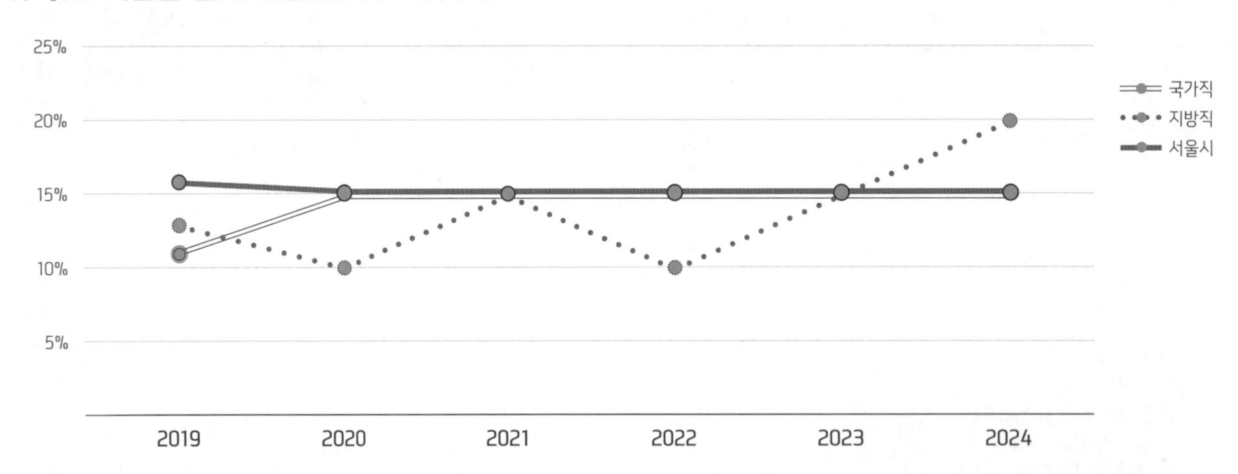

국가직 시험의 경우 2020년 시험부터 꾸준히 3문제씩 출제되고 있습니다. 지방직과 서울시 시험의 경우 매년 차이는 있으나 평균적으로 2문제 이상씩 출제되고 있습니다.

해커스공무원 단원별 기출문제집
한국사

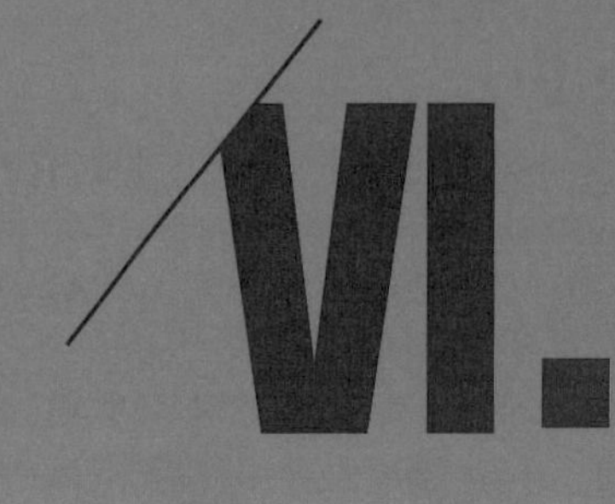

VI. 근대 사회의 전개

2. 주요 직렬별 최근 출제 경향 및 학습 방법

국가직	국가직 시험은 주로 정치사에서 출제됩니다. 2024년 국가직 9급 시험에서는 『조선책략』, 조·청 상민 수륙 무역 장정, 장지연에 대한 문제가 출제되었습니다. 특히 장지연을 묻는 문제는 익숙하지 않은 사료가 제시되어 까다롭게 출제되었습니다. ▶ 개항기에 외국과 체결한 조약을 꼼꼼히 학습해야 하며 최익현, 장지연 등 주요 인물에 대해서도 정리해야 합니다.
지방직	지방직의 경우 매회 2~3문제씩 꾸준히 출제되고 있습니다. 2024년 지방직 9급 시험에서는 병인양요, 제1차 동학 농민 운동, 대한국 국제가 발표된 시기를 묻는 문제는 쉽게 출제되었습니다. 반면, 조·청 상민 수륙 무역 장정과 시모노세키 조약 체결 사이의 사실을 묻는 문제는 생소한 사료가 제시되어 까다롭게 출제되었습니다. ▶ 각 조약의 원문과 세부 조항을 꼼꼼히 학습해야합니다. 또한 동학 농민 운동의 전개 과정을 시기 순서대로 암기해야 합니다.
서울시*	서울시 시험의 경우 주요 사건이나 단체에 대한 문제가 자주 출제되는 편입니다. 2024년 서울시 9급 시험에서는 러시아, 독립 협회, 시일야방성대곡 발표 이후의 사실을 묻는 문제가 무난한 난이도로 출제되었습니다. ▶ 1880년대 개화를 둘러싼 노력과 갈등 과정을 비교하여 학습해야 하며, 독립 협회 등 주요 단체들의 활동에 대해서 정리해 두어야 합니다.

* 서울시 9급(특수직렬) 문제는 인사혁신처에서 출제한 문제가 아니고, 서울시에서 자체 출제한 문제입니다.

1 | 흥선 대원군의 개혁 정치

01

2020년 국가직 9급

다음 사건이 일어난 왕의 재위 기간에 있었던 사실로 옳은 것은?

> 그들 조선군은 비상한 용기를 가지고 응전하면서 성벽에 올라 미군에게 돌을 던졌다. 창칼로 상대하는데 창칼이 없는 병사들은 맨손으로 흙을 쥐어 적군 눈에 뿌렸다. 모든 것을 각오하고 한 걸음 한 걸음 다가드는 적군에게 죽기로 싸우다 마침내 총에 맞아 죽거나 물에 빠져 죽었다.

① 군포에 대한 양반들의 면세특권이 폐지되었다.
② 금난전권을 제한하려는 통공 정책이 시작되었다.
③ 결작세가 신설되면서 지주들의 부담이 증가하였다.
④ 영정법이 제정되어 복잡한 전세 방식이 일원화되었다.

문제풀이 고종 재위 기간의 사실 난이도 중

제시문에서 조선군과 미군이 전투를 벌인 점을 통해 신미양요임을 알 수 있으며, 신미양요는 고종 재위 기간에 일어났다.

① 고종 때 흥선 대원군은 군정의 문란을 시정하기 위해 상민에게만 거두던 군포를 양반에게도 징수하는 호포제를 실시하였다.

오답 분석

② 금난전권을 제한하려는 통공 정책이 시작된 것은 영조 때이며, 육의전을 제외한 시전 상인의 금난전권을 폐지하는 통공 정책인 신해통공이 반포된 것은 정조 때이다.

③ **영조:** 결작세가 신설되어 지주들의 부담이 증가한 것은 영조 때이다. 영조는 균역법을 실시하여 1년에 군포를 2필씩 내던 것을 1필로 감면하였는데, 이로 인해 부족해진 재정을 보충하기 위하여 토지 소유자에게 결작의 명목으로 토지 1결당 미곡 2두를 부과하였고, 이에 따라 지주들의 부담이 증가하게 되었다.

④ **인조:** 영정법이 제정되어 풍흉에 관계없이 전세를 토지 1결당 4~6두로 고정하여 전세 방식을 일원화 한 것은 인조 때이다.

이것도 알면 **합격!**

흥선 대원군의 삼정의 문란 시정

전정	토지 겸병 금지, 양전 사업 실시, 은결 색출
군정	호포법 실시(집집마다 군포 징수) → 양반에게도 군포 징수
환곡	사창제 실시(향촌민들이 자치적으로 운영)

02

2019년 지방직 9급

밑줄 친 '이때' 재위한 국왕 대에 있었던 사실로 옳은 것은?

> 이때 거두어들인 돈을 '스스로 내는 돈'이라는 뜻에서 원납전이라 하였다. 그런데 백성들은 입을 삐쭉거리면서 '원납전 즉 원망하며 바친 돈이다.' 라고 하였다.
>
> -『매천야록』에서

① 세한도가 제작되었다.
② 삼정이정청이 설치되었다.
③ 삼군부가 부활되고 삼수병이 강화되었다.
④ 비변사 당상들이 중요한 권력을 장악하였다.

문제풀이 고종 재위 시기의 사실 난이도 중

제시된 자료에서 백성들이 원납전을 바친다는 내용을 통해 밑줄 친 '이때'가 흥선 대원군이 집권한 고종 재위 시기임을 알 수 있다. 흥선 대원군은 임진왜란 때 소실된 경복궁을 중건하는 과정에서 공사비 충당을 위해 원납전을 강제로 징수하여 백성들의 원성을 야기하였다. 원납전은 '스스로 원해서 납부하는 돈'이라는 의미로 일종의 기부금이었으나 실제로는 강제로 징수되었다.

③ 고종 때 흥선 대원군은 비변사를 축소·폐지하고, 삼군부와 의정부의 기능을 부활시켜 각각 군사와 정치의 최고 기관으로 삼았으며, 국방력 강화를 위해 삼수병을 강화하였다.

오답 분석

① **헌종:** 김정희의 세한도는 헌종 재위 시기에 제작되었다.

② **철종:** 삼정이정청이 설치된 것은 철종 때이다. 철종 때 발생한 임술 농민 봉기 당시 농민들은 삼정의 문란을 시정할 것을 요구하였고, 정부는 삼정이정청을 설치해 농민의 불만을 해결하고자 하였다.

④ **세도 정치기:** 비변사 당상들이 중요한 권력을 장악한 것은 세도 정치기이다. 흥선 대원군이 집권한 고종 때는 비변사가 혁파되었다.

03

2023년 국가직 9급

(가) 인물이 추진한 정책으로 옳지 않은 것은?

> 선비들 수만 명이 대궐 앞에 모여 만동묘와 서원을 다시 설립할 것을 청하니, (가) 이/가 크게 노하여 한성부의 조례(皂隸)와 병졸로 하여금 한강 밖으로 몰아내게 하고 드디어 천여 곳의 서원을 철폐하고 그 토지를 몰수하여 관에 속하게 하였다. – 『대한계년사』

① 사창제를 실시하였다.
② 『대전회통』을 편찬하였다.
③ 비변사의 기능을 강화하였다.
④ 통상 수교 거부 정책을 추진하였다.

문제풀이 흥선 대원군의 정책 난이도 하

제시문에서 선비들이 만동묘와 서원을 다시 설립할 것을 청하니 크게 노하였고, 천여 곳의 서원을 철폐하였다는 내용을 통해 (가) 인물이 흥선 대원군임을 알 수 있다.

③ 흥선 대원군은 세도 정치 시기의 핵심 기구였던 비변사의 기능을 축소·폐지하고, 의정부와 삼군부의 기능을 부활시켜 각각 정치와 군사의 최고 기관으로 삼았다.

오답 분석

① 흥선 대원군은 고리대로 변질되어 농민들을 괴롭히던 환곡의 폐단을 해결하기 위해 향촌민들이 자치적으로 환곡을 운영하도록 하는 사창제를 실시하였다.
② 흥선 대원군은 국가의 통치 기강을 확립하고자 『대전통편』 이후 발표된 국왕의 명령, 각종 조례 등을 정리한 법전인 『대전회통』과 6조의 역할에 관한 규칙을 정리한 『육전조례』를 편찬하였다.
④ 흥선 대원군은 외세의 침투를 막기 위해 대외적으로 다른 나라와의 통상 및 교역을 허용하지 않는 통상 수교 거부 정책을 추진하였다.

04

2023년 계리직 9급

〈보기〉에서 흥선 대원군이 추진한 정책을 모두 고른 것은?

> **보기**
> ㉠ 서원 철폐 ㉡ 호포제 시행
> ㉢ 원납전 징수 ㉣ 『대전통편』 편찬

① ㉠, ㉡
② ㉢, ㉣
③ ㉠, ㉡, ㉢
④ ㉡, ㉢, ㉣

문제풀이 흥선 대원군이 추진한 정책 난이도 하

③ 옳은 것을 모두 고르면 ㉠, ㉡, ㉢이다.

㉠ 흥선 대원군은 면세의 특권을 누리며 국가 재정을 악화시키고 백성을 수탈해 온 서원을 전국 600여 개 중 47개만 남겨두고 모두 철폐하였다.
㉡ 흥선 대원군은 군정의 문란을 시정하기 위해 양반에게도 군포를 징수하는 호포제를 시행하였다.
㉢ 흥선 대원군은 임진왜란 때 소실된 경복궁을 중건하는 과정에서 공사비 충당을 위해 원납전을 징수하였다. 원납전은 '스스로 원해서 납부하는 돈'이라는 의미로 일종의 기부금이었으나, 실제로는 강제로 징수되었다.

오답 분석

㉣ **정조:** 『대전통편』을 편찬하여 통치 체제를 정비한 인물은 정조이다. 한편, 흥선 대원군은 국가의 통치 기강을 확립하고자 『대전회통』을 편찬하였다.

이것도 알면 **합격!**

경복궁 타령

> 남문을 열고 파루를 치니 계명산천이 밝아온다.
> 석수장이 거동보소. 방 망치를 갈라 잡고 눈만 꿈벅거린다.
> 도편수란 놈 거동보소. 먹통 들고 갈팡질팡한다.
> 우리 나라 좋은 나무, 이 궁궐 짓는 데 다 들어간다.

사료 분석 | 경복궁 타령은 흥선 대원군이 경복궁 중건을 위해 무리한 공사를 강행한 것을 풍자하는 내용이다.

정답 01 ① 02 ③ 03 ③ 04 ③

05

2022년 국가직 9급

밑줄 친 '그'에 대한 설명으로 옳은 것은?

> 고종이 즉위한 직후에 실권을 장악한 그는 러시아를 견제하기 위해 천주교 선교사를 통해 프랑스와 교섭하려 했다. 하지만 천주교를 금지해야 한다는 유생의 주장이 높아지자 다수의 천주교도와 선교사를 잡아들여 처형한 병인박해를 일으켰다. 이후 고종의 친정이 시작됨에 따라 물러난 그는 임오군란이 일어났을 때 잠시 권력을 장악했지만, 청군의 개입으로 곧 물러났다.

① 미국에 보빙사라는 사절단을 파견하였다.
② 전국 여러 곳에 척화비를 세우도록 했다.
③ 국경을 획정하고자 백두산 정계비를 세웠다.
④ 통리기무아문을 설치하고 그 아래에 12사를 두었다.

문제풀이 흥선 대원군 난이도 하

제시문에서 고종이 즉위한 직후에 실권을 장악하고 병인박해를 일으켰으며, 고종의 친정이 시작됨에 따라 물러났다가 임오군란이 일어났을 때 잠시 권력을 장악하였다는 내용을 통해 밑줄 친 '그'가 흥선 대원군임을 알 수 있다.

② 흥선 대원군은 신미양요 직후 서양 세력에 대한 척화 의지를 표명하는 척화비를 전국 여러 곳에 세우도록 하였다.

오답 분석

① **고종**: 미국에 보빙사라는 사절단을 파견한 것은 고종이다. 고종은 조·미 수호 통상 조약 체결 이후 미국 공사의 파견에 대한 답례로 민영익, 홍영식, 서광범 등을 보빙사로 파견하였다.

③ **숙종**: 청과의 국경을 획정(劃定, 경계 따위를 명확히 구별하여 정함)하고자 백두산 정계비를 세운 것은 숙종이다. 숙종 때 조선과 청은 대표를 파견하여 서쪽으로 압록강, 동쪽으로 토문강을 경계로 국경을 확정하고 백두산 정계비를 건립하였다.

④ **고종**: 통리기무아문을 설치하고 그 아래에 12사를 둔 것은 고종이다. 고종은 개화 정책을 추진하는 기구로 통리기무아문을 설치하고 그 아래에 군사, 통상, 재정 등의 업무를 담당하는 12사를 두었다.

06

2021년 법원직 9급

(가) 인물에 대한 설명으로 가장 옳은 것은?

> 8도의 선비들이 서원을 건립하여 명현을 제사하고 …… 그 폐단이 백성의 생활에 미쳤다. (가) 은/는 만동묘를 철폐하고 폐단이 큰 서원을 각 도에 명하여 철폐하도록 하였다. 선비들 수만 명이 대궐 앞에 모여 만동묘와 서원을 다시 설립할 것을 청하니, (가) 이/가 크게 노하여 한성부의 조례와 병졸로 하여금 한강 밖으로 몰아내게 하고 …… 드디어 1천여 개소의 서원을 철폐하고 그 토지를 몰수하여 관에 속하게 하였다. 이 때문에 선비들의 기운이 크게 막혔다.

① 일본에 조사 시찰단을 파견하였다.
② 은결을 색출하고 호포제를 실시하였다.
③ 탕평파를 육성하고 탕평비를 건립하였다.
④ 『대전통편』을 편찬해 통치 체제를 정비하였다.

문제풀이 흥선 대원군 난이도 하

제시문에서 만동묘를 철폐하고 서원을 철폐하도록 하였다는 것을 통해 (가) 인물이 흥선 대원군임을 알 수 있다. 흥선 대원군은 면세·면역의 특권을 향유하던 서원을 47개소만 남기고 철폐하여 지방에 대한 국가 통제력을 강화시키고자 하였다.

② 흥선 대원군은 은결을 색출하고 호포제를 실시하였다. 그는 전정의 문란을 시정하기 위해 양전 사업을 실시하여 은결을 색출하고 세금을 징수함으로써 국가 재정을 확충하였다. 또한 군정의 문란을 시정하기 위해 양반에게도 군포를 징수하는 호포법을 실시하였다.

오답 분석

① **고종**: 일본에 조사 시찰단을 파견한 인물은 고종이다. 고종은 일본의 정세를 파악하고, 각종 산업 시설을 시찰하기 위해 박정양, 어윤중, 홍영식 등으로 구성된 조사 시찰단을 일본에 파견하였다.

③ **영조**: 탕평파를 육성하고 탕평비를 건립한 인물은 영조이다. 영조는 성균관 입구에 붕당의 폐단을 경계하라는 내용이 담긴 탕평비를 세워 탕평 정치의 의지를 드러내고, 온건하고 타협적인 인물을 고루 등용하는 완론 탕평을 시행하였다.

④ **정조**: 『대전통편』을 편찬해 통치 체제를 정비한 인물은 정조이다. 정조는 왕조의 통치 규범을 전반적으로 재정리하기 위해 『대전통편』을 편찬하였다.

07

2021년 국가직 9급

밑줄 친 '그'에 대한 설명으로 옳은 것은?

> 군역에 뽑힌 장정에게 군포를 거두었는데, 그 폐단이 많아서 백성들이 뼈를 깎는 원한을 가졌다. 그런데 사족들은 한평생 한가하게 놀며 신역(身役)이 없었다. …(중략)… 그러나 유속(流俗)에 끌려 이행되지 못하였으나 갑자년 초에 그가 강력히 나서서 귀천이 동일하게 장정 한 사람마다 세납전(歲納錢) 2민(緡)을 바치게 하니, 이를 동포전(洞布錢)이라고 하였다.
>
> －『매천야록』

① 만동묘 건립을 주도하였다.
② 군국기무처 총재를 역임하였다.
③ 통리기무아문을 폐지하고 5군영을 부활하였다.
④ 탕평 정치를 정리한 『만기요람』을 편찬하였다.

문제풀이 흥선 대원군 난이도 하

제시문에서 군포의 폐단이 많아 귀천이 동일하게 장정 한 사람마다 세납전(동포전)을 거두었다는 내용을 통해 밑줄 친 '그'가 흥선 대원군임을 알 수 있다. 흥선 대원군은 호포법을 실시하여 종래 상민에게만 징수하던 군포를 양반에게도 징수하였다.

③ 임오군란의 사태 수습을 위해 일시적으로 재집권한 흥선 대원군은 개화 정책을 추진하던 통리기무아문을 폐지하였으며, 무위영·장어영의 2영을 없애고 5군영과 삼군부를 부활시켰다.

오답 분석

① **권상하**: 만동묘 건립을 주도한 인물은 권상하이다. 권상하는 송시열의 유언에 따라 조선 숙종 때 명나라 신종과 의종의 제사를 지내기 위한 만동묘 건립을 주도하였다. 한편 흥선 대원군은 만동묘를 철폐하고, 전국 600여 개의 서원을 47개소만 남기고 모두 철폐하였다.

② **김홍집**: 군국기무처 총재를 역임한 인물은 김홍집이다. 군국기무처는 제1차 갑오개혁을 추진한 최고 정책 결정 기관으로 총재 김홍집, 부총재 박정양, 회의원 김윤식, 유길준 등으로 구성되었다.

④ **서영보·심상규 등**: 『만기요람』을 편찬한 인물은 서영보·심상규 등이다. 1808년 순조의 명으로 서영보·심상규 등은 18세기 후반부터 19세기 초에 이르는 조선 왕조의 재정과 군정에 관한 내용을 정리한 『만기요람』을 편찬하였다.

08

2021년 지방직 9급

(가) 인물에 대한 설명으로 옳은 것은?

> 철종이 죽고 고종이 어린 나이로 왕이 되자, 고종의 아버지인 (가) 가/이 실권을 장악하였다. (가) 는/은 임진왜란 때 불탄 후 방치되어 있던 경복궁을 중건하였다. 이때 원납전이라는 기부금을 징수하는 일이 벌어졌으며 당백전이라는 화폐도 발행되었다.

① 대한국 국제를 만들어 공포하였다.
② 서원을 대폭 줄이는 정책을 추진하였다.
③ 우정총국 개국 축하연을 이용해 정변을 일으켰다.
④ 황쭌셴의 『조선책략』을 가져와 널리 유포하였다.

문제풀이 흥선 대원군 난이도 하

제시문에서 고종의 아버지라는 내용과 임진왜란 때 불탄 경복궁을 중건하고 원납전을 징수하였다는 내용, 당백전이라는 화폐도 발행하였다는 내용을 통해 (가)에 들어갈 인물이 흥선 대원군임을 알 수 있다.

② 흥선 대원군은 면세·면역의 특권을 향유하며 국가 재정을 악화시키고 백성을 수탈해 온 서원을 전국 600여 개 중 47개만 남겨두고 모두 철폐하였다.

오답 분석

① **고종**: 대한국 국제를 만들어 공포한 인물은 고종이다. 고종은 1899년에 일종의 헌법인 대한국 국제를 반포하여 대한 제국이 전제 정치 국가이며 황제권이 무한함을 강조하고, 통수권·입법권·행정권·사법권·외교권 등을 모두 황제의 대권으로 규정하여 전제 군주 체제를 더욱 강화하였다.

③ **김옥균·박영효 등**: 우정총국 개국 축하연을 이용해 정변을 일으킨 사람은 김옥균·박영효 등이다.

④ **김홍집**: 황쭌셴(황준헌)의 『조선책략』을 가져와 널리 유포한 사람은 김홍집이다. 김홍집은 제2차 수신사로 일본에 다녀오면서 황쭌셴(황준헌)이 쓴 『조선책략』을 가져와 국내에 소개하였다.

정답 05 ② 06 ② 07 ③ 08 ②

09

2024년 지방직 9급

병인양요에 대한 설명으로 옳지 않은 것은?

① 프랑스 함대가 강화부를 점령하였다.

② 외규장각이 소실되었고 『의궤』 등을 약탈당했다.

③ 어재연이 강화도 광성보 전투에서 전사하였다.

④ 프랑스 선교사와 천주교도가 처형당한 것이 원인이 되었다.

문제풀이 병인양요 난이도 하

③ 어재연이 강화도 광성보 전투에서 전사한 것은 신미양요이다. 미국이 제너럴셔먼호 사건을 구실로 통상을 요구하며 강화도에 침입한 신미양요 때 어재연이 이끄는 부대가 광성보에서 항전하였으나, 전력의 열세로 결국 어재연은 전사하였다.

오답 분석

①, ②, ④ 병인양요는 프랑스 선교사와 천주교도가 처형당한 병인박해가 원인이 되어 발생한 사건으로, 로즈 제독이 이끄는 프랑스 함대는 우세한 화력을 앞세워 강화부를 점령하였다. 이에 정족산성에서 양헌수, 문수산성에서 한성근의 활약으로 프랑스군을 물리쳤으나, 프랑스군은 퇴각 과정에서 외규장각 등의 주요 시설을 불태우고 『의궤』 등을 약탈하였다.

이것도 알면 **합격!**

병인양요 때 양헌수의 활약

> 양헌수가 순무중군으로 있었다. …… 광성보에서 몰래 전등사로 가서 주둔하였다. …… 전등사는 높은 산 위라 매복하고 있다가 한꺼번에 북과 나발을 불며 좌우에서 총을 쏘았다. 혼풀이 난 서양인들을 쫓아가니 제 동료의 시체를 옆에 끼고 급히 본진으로 도망갔다.

사료 분석 | 병인양요 때 양헌수 부대는 정족산성에서 프랑스군을 물리쳤다.

10

2015년 지방직 9급

다음 설명과 관련된 사건으로 옳은 것은?

> 1975년 서지학자 박병선 박사는 이곳 도서관에서 조선 시대 도서가 보관되어 있음을 발견하고 목록을 정리하여 그 존재를 알렸다. 그 후 1990년대 초 한국 정부가 반환을 공식 요청하기에 이르렀다. 그 결과 2011년에 '5년마다 갱신이 가능한 대여 방식'으로 반환되었다.

① 어재연이 광성보에서 결사 항전하였다.

② 제너럴셔먼호 사건을 빌미로 일어났다.

③ 프랑스가 강화도 외규장각 도서를 약탈하였다.

④ 조선이 처음으로 서양 국가와 외교 관계를 맺었다.

문제풀이 병인양요 난이도 하

제시문에서 5년마다 갱신이 가능한 대여 방식으로 한국에 반환된 것은 병인양요(1866) 때 프랑스가 약탈한 외규장각 도서이다.

③ 병인양요 때 프랑스군은 강화도에서 퇴각하면서 외규장각 도서를 약탈해 갔다. 이후 외규장각 도서는 프랑스 국립 도서관에 보관되어 있었다가 박병선 박사에 의해 처음 발견되었고, 외규장각 도서의 반환 문제를 둘러싸고 한국 정부와 프랑스 정부의 협상 결과 2011년에 5년마다 갱신 가능한 대여 방식으로 한국에 반환되었다.

오답 분석

①, ② **신미양요**(1871): 제너럴셔먼호 사건(1866)이 계기가 되어 일어난 것은 신미양요이다. 미국은 제너럴셔먼호 사건의 책임을 추궁하고 이를 빌미로 통상 수교를 요구하기 위해 강화도에 침입하였는데, 이때 어재연이 이끄는 수비대가 광성보에서 결사 항전하였다.

④ **조·미 수호 통상 조약**(1882): 조선이 처음으로 서양 국가와 외교 관계를 맺은 것은 미국과 체결한 조·미 수호 통상 조약이다.

이것도 알면 **합격!**

고(故) 박병선 박사

- 프랑스 국립 도서관에서 근무하던 중 『직지심체요절』과 『외규장각 의궤』를 발견
- 『직지심체요절』이 세계에서 가장 오래된 금속 활자본으로 공인받는 데 큰 역할을 함
- 병인양요 때 프랑스 군이 가져간 외규장각 도서를 환수하는 데 큰 역할을 함

11

2023년 지방직 9급

여름 휴가를 맞아 강화도로 답사 여행을 떠나고자 한다. 다음 중 유적(지)과 주제의 연결이 옳지 않은 것은?

유적(지)	주제
① 외규장각	동학 농민 운동
② 고려궁지	대몽 항쟁
③ 고인돌	청동기 문화
④ 광성보	신미양요

문제풀이 강화도의 유적지 난이도 하

① 외규장각은 정조가 왕실 관련 서적을 보관할 목적으로 강화도에 설치한 규장각의 부속 도서관으로, 동학 농민 운동과 관련이 없다. 한편, 외규장각에 보관되어 있던 『의궤』와 여러 서적은 병인양요 때 프랑스군에 의해 약탈당하였다.

오답 분석

② 고려궁지는 고려가 몽골의 침입에 대항하여 개경에서 강화도로 천도한 시기(1232~1270)에 사용하던 궁궐 터이다. 최우에 의해 창건된 강화도의 고려궁은 1270년에 고려가 개경으로 환도할 때 모두 허물어졌으며, 현재는 조선 시대 관아 건물 몇 채와 복원된 외규장각이 남아 있다.

③ 고인돌은 강화도에 많은 수가 분포해 있으며, 대표적인 유적으로는 강화 부근리, 삼거리, 오상리 유적 등이 있다. 고인돌은 청동기 시대 지배 계층의 무덤으로, 규모가 큰 수십 톤 이상의 덮개돌을 채석하여 운반하고 무덤에 설치하기까지 많은 인력이 필요하였기 때문에 당시 지배층이 가진 정치 권력과 경제력을 반영하고 있다.

④ 광성보는 강화 해협을 지키는 중요한 요새로, 신미양요 때 격전이 벌어졌다. 미국이 제너럴셔먼호 사건을 구실로 통상을 요구하며 강화도에 침입한 신미양요 때 어재연이 이끄는 부대가 광성보에서 항전하였지만 전력의 열세로 결국 어재연은 전사하였다.

12

2018년 서울시 9급(6월 시행)

두 차례의 양요에 대한 설명으로 가장 옳은 것은?

① 어재연이 이끄는 조선군은 프랑스군을 상대로 승리를 거두었다.

② 미국 상선 제너럴셔먼호는 평양 주민을 약탈하였다.

③ 양헌수 부대는 광성보 전투에서 결사 항전 하였으나 퇴각하였다.

④ 박규수는 화공 작전을 펴서 프랑스 군대를 공격하였다.

문제풀이 병인양요와 신미양요 난이도 하

② 미국 상선 제너럴셔먼호는 대동강을 통해 평양까지 들어와서 통상을 요구하였으며, 조선이 통상을 거부하자 평양 주민을 약탈하고 조선인 관리를 살해하였다(1866). 이에 평안도 관찰사 박규수와 평양 주민들이 제너럴셔먼호를 공격하여 불태웠다. 이후 미국은 이 사건을 구실로 조선에 통상을 요구하며 강화도를 공격하였다(1871, 신미양요).

오답 분석

① 어재연이 이끄는 조선군은 신미양요 때 미국군을 상대로 항전하였다. 신미양요 때 광성보에서 어재연이 이끄는 조선군의 결사 항전으로 미국군이 퇴각하였지만 이 과정에서 어재연이 전사하고, 수(帥)자기를 약탈 당했다. 한편 프랑스군이 조선에 쳐들어온 것은 병인양요 때이다.

③ 양헌수 부대는 병인양요 때 광성보가 아닌 정족산성에서 프랑스군을 상대로 결사 항전하여 승리하였다. 병인박해를 구실로 프랑스군이 강화도를 공격한 병인양요가 발생하자 한성근 부대는 문수산성에서 항전하였으며, 양헌수 부대는 정족산성에서 승리하였다. 한편 광성보에서 결사 항전한 것은 신미양요 때 활약한 어재연 부대이다.

④ 박규수는 화공 작전을 펴서 프랑스 군대가 아닌 미국 상선 제너럴셔먼호를 공격하였다. 제너럴셔먼호 사건 당시 평안도 관찰사였던 박규수는 평양 군민들과 함께 화공 작전을 전개하여 제너럴셔먼호를 침몰시켰다.

정답 09 ③ 10 ③ 11 ① 12 ②

13

2023년 국가직 9급

밑줄 친 '이곳'에 대한 설명으로 옳은 것은?

> ㅇ 장수왕은 남진 정책의 일환으로 수도를 이곳으로 천도하였다.
> ㅇ 묘청은 이곳으로 수도를 옮길 것을 주장하였다.

① 쌍성총관부가 설치되었다.

② 망이·망소이가 반란을 일으켰다.

③ 제너럴셔먼호 사건이 발생하였다.

④ 1923년 조선 형평사가 결성되었다.

문제풀이 평양 난이도 하

제시문에서 장수왕이 남진 정책의 일환으로 천도하였다는 것과 묘청이 이곳으로 수도를 옮길 것을 주장했다는 내용을 통해 밑줄 친 '이곳'이 평양임을 알 수 있다.

③ 평양에서는 제너럴셔먼호 사건이 발생하였다. 제너럴셔먼호 사건은 미국 상선 제너럴셔먼호가 통상을 요구하였으나 거부당하자 관리를 살해하고 민가를 약탈하다가, 평안도 관찰사 박규수와 평양 주민들에 의해 침몰된 사건이다.

오답 분석

① **영흥**: 원이 철령 이북 지역을 직접 통치하기 위해 설치한 통치 기구인 쌍성총관부가 설치된 지역은 영흥이다. 한편, 평양에는 원에 의해 동녕부가 설치되었다.

② **공주**: 망이·망소이가 반란을 일으킨 지역은 공주이다.

④ **진주**: 1923년에 조선 형평사가 결성된 지역은 진주이다.

이것도 알면 **합격!**

평양의 역사

시대	내용
고대	• 장수왕 때 천도(국내성 → 평양) • 고구려 멸망 이후 안동 도호부가 설치됨
고려	인종 때 묘청이 서경 천도 운동을 전개함
근대	제너럴셔먼호 사건이 발생함
일제 강점기	조만식의 주도로 물산 장려 운동이 전개됨

14

2018년 법원직 9급

(가) 시기에 발생한 사건으로 옳은 것은?

> 너희 나라와 우리나라의 사이에는 애당초 소통이 없었고, 또 서로 은혜를 입거나 원수 진 일도 없었다. 그런데 이번 덕산 묘소에서 저지른 변고야말로 어찌 인간의 도리상 차마 할 수 있는 일이겠는가?

↓

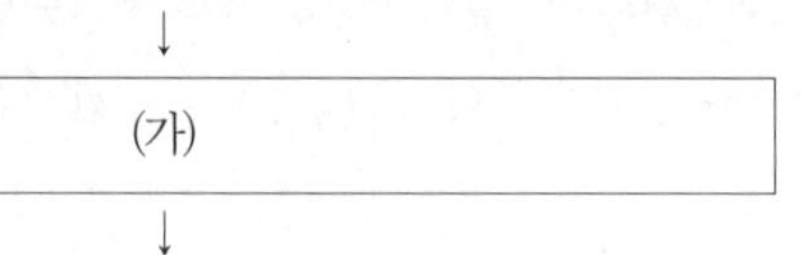

(가)

↓

> 조약 체결 이후 조선국 항구에 거주하는 일본인은 쌀과 잡곡을 수출, 수입할 수 있게 되었으며, 일본국 소속의 선박은 항세를 납부하지 않게 되었다.

① 영남 유생들은 『조선책략』의 내용을 비판하였다.

② 원산과 인천이 개항되어 일본과의 무역이 시작되었다.

③ 정부는 통리기무아문을 새로 설치하여 정국을 운영하였다.

④ 어재연이 이끄는 부대가 전력의 열세로 결국 함락 당하였다.

문제풀이 오페르트 도굴 사건과 조·일 무역 규칙 사이의 사실 난이도 중

(가) 시기 이전의 제시문에서 덕산 묘소에서 저지른 변고라는 내용을 통해 1868년에 일어난 오페르트 도굴 사건임을 알 수 있고, (가) 시기 이후의 제시문에서는 일본인의 곡물 유출이 허용되었으며, 일본 선박의 항세를 납부하지 않게 되었다는 내용을 통해 1876년에 체결된 조·일 무역 규칙(조·일 통상 장정)임을 알 수 있다. 따라서 (가)는 오페르트 도굴 사건(1868)과 조·일 무역 규칙 체결(1876) 사이의 시기임을 알 수 있다.

④ (가) 시기인 1871년에 미국이 제너럴셔먼호 사건(1866)을 구실로 통상을 요구하며 강화도에 침입하였다. 이때 어재연이 이끄는 부대가 광성보에서 항전하였으나, 전력의 열세로 결국 어재연은 전사하였다.

오답 분석

모두 조·일 무역 규칙 체결 이후의 일이다.

① 영남 유생들이 『조선책략』의 내용을 비판한 것은 조·일 무역 규칙 체결 이후의 일이다. 2차 수신사(1880)로 일본에 파견되었던 김홍집에 의해 소개된 『조선책략』의 영향으로 조·미 수호 통상 조약이 추진되었다. 이에 이만손을 비롯한 영남 지역의 유생들은 만인소를 올려 반발하였다.

② 원산과 인천이 개항되어 일본과의 무역이 시작된 것은 조·일 무역 규칙 체결 이후의 일이다. 조선은 강화도 조약(조·일 수호 조규)을 통하여 부산 외에 2개 항구를 개항하기로 하였다. 이에 원산(1880), 인천(1883)이 차례로 개항되었다.

③ 통리기무아문이 새로 설치된 것은 조·일 무역 규칙 체결 이후의 일이다. 조선 정부는 1880년에 개화 정책을 추진하는 핵심 기구로 통리기무아문을 설치하였다.

15

2021년 지방직 9급

(가) 시기에 있었던 사실로 옳은 것은?

평양의 관민이 제너럴셔먼호를 불태웠다.

↓

(가)

↓

미군이 광성보를 공격해 점령하였다.

① 고종이 홍범 14조를 발표하였다.

② 일본의 운요호가 초지진을 포격하였다.

③ 오페르트가 남연군의 묘 도굴을 시도하였다.

④ 차별 대우에 불만을 품은 군인이 임오군란을 일으켰다.

문제풀이 제너럴셔먼호 사건과 신미양요 사이의 사실 난이도 하

제시된 자료에서 제너럴셔먼호 사건은 1866년, 미군이 광성보를 공격해 점령한 신미양요는 1871년의 일이다. 따라서 (가) 시기는 제너럴셔먼호 사건(1866)과 신미양요(1871) 사이의 시기임을 알 수 있다.

③ (가) 시기인 1868년에 독일 상인 오페르트가 조선에 통상을 요구하였다가 거절당하자, 흥선 대원군의 부친인 남연군의 묘를 도굴하여 유해와 부장품을 미끼로 다시 통상을 요구하려고 하였으나 실패하였다.

오답 분석

모두 신미양요 이후의 일이다.

① 고종이 문무 백관을 거느리고 종묘에 나가 국가의 전반적인 제도와 근대적 개혁안을 담은 홍범 14조를 발표한 것은 2차 갑오개혁 때인 1894년이다.

② 일본의 운요호가 강화도 초지진을 포격한 것은 1875년이다. 일본은 조선의 문호를 개방하기 위해 군함 운요호를 조선 연해에 보냈다. 일본의 도발에 대응하여 조선의 수비대가 경고 사격을 하자 운요호는 강화도 초지진에 함포 공격을 가하였다(운요호 사건). 이 사건을 계기로 조선은 일본과 강화도 조약(조·일 수호 조규)을 체결하게 되었다.

④ 신식 군대인 별기군과의 차별 대우에 불만을 품은 구식 군인이 임오군란을 일으킨 것은 1882년이다.

16

2022년 소방간부후보생

다음 사건을 계기로 일어난 역사적 사실에 대한 설명으로 가장 적절한 것은?

평안 감사가 보고하기를, "대동강에 정박한 이양선이 더욱 방자히 날뛰며 대포와 총을 쏘면서 우리나라 사람을 살해하였습니다. 이에 승리할 방책은 화공(火攻)보다 나은 것이 없었습니다. 일제히 불을 질러 그 배를 불태워버렸습니다."라고 하였다.

-『승정원일기』

① 프랑스 선교사들이 처형되었다.

② 운요호가 영종도 일대에 출몰하였다.

③ 강화도의 외규장각 도서가 약탈당하였다.

④ 천주교도 황사영의 백서 사건이 벌어졌다.

⑤ 어재연의 부대가 광성보 전투에서 항전하였다.

문제풀이 신미양요 난이도 하

제시문에서 대동강에 정박한 이양선이 대포와 총을 쏘면서 우리나라 사람을 살해하자, 불태워버렸다는 내용을 통해 제너럴셔먼호 사건임을 알 수 있으며, 제너럴셔먼호 사건을 계기로 일어난 것은 신미양요이다.

⑤ 신미양요 때 어재연의 부대가 광성보 전투에서 항전하였다. 이 과정에서 어재연이 전사하고, 수(帥)자기를 약탈당하였다.

오답 분석

모두 제너럴셔먼호 사건과는 관련이 없다.

① 프랑스 선교사들이 처형된 것은 병인박해로, 프랑스군이 강화도를 침입한 병인양요의 계기가 되었다.

② 운요호가 영종도 일대에 출몰한 것은 운요호 사건으로, 우리나라 최초의 근대적 조약인 강화도 조약이 체결되는 계기가 되었다.

③ 강화도의 외규장각 도서가 약탈당한 것은 병인양요 때이다. 병인양요 때 프랑스군은 강화도에서 퇴각하면서 외규장각 도서를 약탈해 갔다. 이후 외규장각 도서는 프랑스 국립 도서관에 보관되어 있다가 박병선 박사에 의해 처음 발견되었고, 이후 한국 정부와 프랑스 정부의 협상 결과 2011년에 5년마다 갱신 가능한 대여 방식으로 한국에 반환되었다.

④ 천주교도 황사영의 백서 사건은 신유박해가 일어나자 황사영이 북경에 있는 주교에게 군대를 동원하여 조선에서 신앙과 포교의 자유를 보장받을 수 있도록 청하는 서신을 보내려 하다가 발각된 사건이다.

정답 13 ③ 14 ④ 15 ③ 16 ⑤

17

2022년 간호직 8급

다음 사건에 대한 설명으로 옳은 것은?

> 아시아 함대 사령관 로저스 제독이 군함을 이끌고 강화도에 상륙하여 덕진진을 점령하고 광성보를 공격하였다. 어재연 등이 이끄는 조선의 수비대는 광성보에서 격렬하게 항전하였으나 결국 패배하였다. 광성보를 점령한 외국 부대는 조선 정부에 통상을 요구하였으나 조선 정부가 수교 협상에 응하지 않고 맞서자 철수하였다.

① 병인박해 사건이 일어난 계기가 되었다.
② 운요호 사건이 일어난 직후에 발생하였다.
③ 미국이 제너럴셔먼호 사건을 구실로 일으켰다.
④ 독일 상인 오페르트의 남연군 묘 도굴 사건으로 이어졌다.

문제풀이 신미양요 난이도 하

제시문에서 로저스 제독이 강화도에 상륙하여 덕진진을 점령하였다는 것과 어재연 등이 이끄는 조선의 수비대가 광성보에서 격렬하게 항전하였다는 것을 통해 신미양요(1871)에 대한 설명임을 알 수 있다.

③ 신미양요는 미국이 제너럴셔먼호 사건을 구실로 책임을 추궁하고 이를 빌미로 통상 수교를 요구하기 위해 강화도에 침입한 사건이다.

오답 분석

① 신미양요는 병인박해 사건(1866) 이후에 일어났다. 병인박해는 흥선 대원군이 프랑스 선교사와 수천 명의 천주교 신자를 처형한 사건으로, 병인양요가 일어나는 계기가 된 사건이다.
② 신미양요는 운요호 사건(1875) 이전에 일어났다. 운요호 사건은 일본이 조선에 개항을 요구하기 위해 일으킨 사건으로, 강화도 조약이 체결되는 계기가 되었다.
④ 오페르트의 남연군 묘 도굴 사건(1868)은 신미양요 이전에 일어났다. 오페르트의 남연군 묘 도굴 사건은 독일 상인인 오페르트가 통상 수교를 요구하기 위해 흥선 대원군의 아버지인 남연군의 묘 도굴을 시도하였다가 실패한 사건이다. 이 사건으로 인해 흥선 대원군의 통상 수교 거부 의지는 더욱 강화되었다.

18

2024년 서울시 9급(2월 시행)

〈보기〉의 (가)~(다)에 들어갈 사건을 시간 순으로 바르게 나열한 것은?

> **보기**
> 병인박해 – (가) – 문수산성·정족산성 전투 – (나) – 신미양요 – (다)

	(가)	(나)	(다)
①	제너럴셔먼호 사건	척화비 건립	오페르트 도굴 사건
②	제너럴셔먼호 사건	오페르트 도굴 사건	척화비 건립
③	오페르트 도굴 사건	제너럴셔먼호 사건	척화비 건립
④	오페르트 도굴 사건	척화비 건립	제너럴셔먼호 사건

문제풀이 외세의 침략적 접근 난이도 중

제시문에서 병인박해는 1866년 1월, 문수산성·정족산성 전투(병인양요)는 1866년 9월, 신미양요는 1871년에 발생하였다.

② 시간 순으로 바르게 나열하면 (가) 제너럴셔먼호 사건(1866. 7.) → (나) 오페르트 도굴 사건(1868) → (다) 척화비 건립(1871)이 된다.

(가) **제너럴셔먼호 사건**: 미국의 상선인 제너럴셔먼호가 대동강을 거슬러 평양까지 와서 통상을 요구하였으나 조선에서는 이를 거부하였다. 이에 제너럴셔먼호는 관리를 살해하고 민가를 약탈하였으나, 당시 평안도 관찰사였던 박규수와 평양 관민들에 의해 불태워졌다(1866. 7.). 이후 미국은 이 사건을 구실로 조선에 통상을 요구하며 강화도를 공격하였다(1871, 신미양요).

(나) **오페르트 도굴 사건**: 독일 상인 오페르트가 조선에 통상을 요구하였다가 거절당하자, 흥선 대원군의 부친인 남연군의 묘를 도굴하여 유해와 부장품을 미끼로 다시 통상을 요구하려고 하였으나 실패하였다(1868).

(다) **척화비 건립**: 신미양요 직후 흥선 대원군은 서양 세력에 대한 척화 의지를 표명하는 척화비를 전국 여러 곳에 건립하였다(1871).

19

2024년 법원직 9급

(가)~(라) 사건이 일어난 순서대로 바르게 나열된 것은?

(가) 삼가 말하건대 남의 무덤을 파는 것은 예의가 없는 행동에 가깝지만 무력을 동원하여 백성들을 도탄 속에 빠뜨리는 것보다 낫기 때문에 하는 수 없이 그렇게 하였습니다.
(나) 정족산성 수성장 양헌수가 …… 우리 군사들이 좌우에 매복했다가 일제히 총탄을 퍼부었습니다. 저들은 죽은 자가 6명이고 아군은 죽은 자가 1명입니다.
(다) 흉악한 적들을 무찌르다가 수많은 총알을 고슴도치의 털처럼 맞아서 순직하였으니 …… 죽은 진무중군 어재연에게 특별히 병조판서와 지삼군부사의 관직을내리노라.
(라) 일본국 인민이 조선국의 각 항구에서 머무르는 동안 죄를 범한 것이 조선국 인민과 관계되는 사건일 때에는 모두 일본국 관원이 심판한다.

① (가) - (나) - (다) - (라)
② (가) - (다) - (라) - (나)
③ (나) - (가) - (다) - (라)
④ (나) - (다) - (라) - (가)

문제풀이 외세의 침략적 접근과 개항 난이도 중

③ **순서대로 나열하면 (나) 병인양요(1866) → (가) 오페르트 도굴 사건(1868) → (다) 신미양요(1871) → (라) 강화도 조약 체결(1876)이 된다.**

(나) **병인양요**: 프랑스가 병인박해를 빌미로 강화도를 침략하자 양헌수는 정족산성에서 항전하여 프랑스군을 격퇴하였다(병인양요, 1866).

(가) **오페르트 도굴 사건**: 독일 상인 오페르트가 조선에 통상을 요구하였다가 거절당하자, 덕산에 상륙하여 흥선 대원군의 부친인 남연군의 묘를 도굴하여 유해와 부장품을 미끼로 통상을 요구하려고 하였으나 실패하였다(오페르트 도굴 사건, 1868).

(다) **신미양요**: 미국이 제너럴셔먼호 사건(1866)을 구실로 통상 수교를 요구하기 위해 강화도에 침입하여 초지진을 함락하고 광성보를 공격하였다(신미양요 1871). 이때 어재연이 이끄는 부대가 격렬하게 항전하였으나 전력의 열세로 어재연은 전사하였다.

(라) **강화도 조약 체결**: 운요호 사건(1875)을 계기로 일본인에 대한 치외 법권, 조선의 해안을 자유롭게 측량할 수 있는 해안 측량권, 부산 외 2개의 항구를 개항한다는 내용을 담은 강화도 조약(조·일 수호 조규)이 체결되었다(1876).

20

2022년 법원직 9급

(가)~(라) 사건이 일어난 순서대로 바르게 나열된 것은?

(가) 운요호가 강화도의 초지진을 포격하고 군대를 영종도에 상륙시켜 살인과 약탈을 자행하였다.
(나) 독일 상인 오페르트가 덕산군에 상륙하여 남연군의 무덤을 도굴하다가 실패하고 돌아갔다.
(다) 미군이 강화도의 초지진을 함락하고 광성보를 공격하였다.
(라) 프랑스군이 강화도의 주요 시설을 불태우고 외규장각 도서를 약탈하였다.

① (가) → (나) → (라) → (다)
② (나) → (라) → (가) → (다)
③ (다) → (나) → (가) → (라)
④ (라) → (나) → (다) → (가)

문제풀이 외세의 침략적 접근 난이도 하

④ **일어난 순서대로 바르게 나열하면 (라) 병인양요(1866) → (나) 오페르트 도굴 사건(1868) → (다) 신미양요(1871) → (가) 운요호 사건(1875)이 된다.**

(라) **병인양요(1866)**: 프랑스가 병인박해를 빌미로 조선을 침략하자 정족산성에서 양헌수의 부대가 항전하여 프랑스군을 격퇴하였다. 한편 프랑스군은 퇴각하면서 강화도의 주요 시설을 불태우고 『의궤』 등 외규장각 도서를 약탈해 갔다.

(나) **오페르트 도굴 사건(1868)**: 독일 상인 오페르트가 조선에 통상을 요구하였다가 거절당하자, 덕산에 상륙하여 흥선 대원군의 부친인 남연군의 묘를 도굴하여 유해와 부장품을 미끼로 통상을 요구하려고 하였으나 실패하였다.

(다) **신미양요(1871)**: 미국의 로저스 제독이 제너럴셔먼호 사건(1866)을 구실로 통상 수교를 요구하기 위해 강화도에 침입하여 초지진을 함락하고 광성보를 공격하였다. 이때 어재연이 이끄는 부대가 격렬하게 항전하였다.

(가) **운요호 사건(1875)**: 일본이 조선의 문호를 개방하기 위해 군함 운요호를 조선 연해에 보냈다. 일본의 도발에 대응하여 조선의 수비대가 경고 사격을 하자 운요호는 강화도 초지진에 함포 공격을 가하고, 일본군은 영종도에 상륙하여 관아와 민가를 노략질하였다.

정답 17 ③ 18 ② 19 ③ 20 ④

2 | 개항과 불평등 조약 체제

01

2020년 서울시 9급(특수 직렬)

<보기>의 조약이 체결된 이후에 일어난 사건으로 가장 옳지 않은 것은?

> **보기**
> 〈제1관〉 조선국은 자주국으로서 일본국과 평등한 권리를 보유한다.
> 〈제7관〉 조선의 연해 도서는 지극히 위험하므로 일본의 항해자가 자유로이 해안을 측량함을 허가한다.

① 만동묘가 철폐되었다.
② 이범윤이 간도 시찰원으로 파견되었다.
③ 통리기무아문이 설치되었다.
④ 영남 유생들이 만인소를 올렸다.

문제풀이 강화도 조약 체결 이후의 사건 난이도 하

제시문에서 조선국은 자주국으로서 일본국과 평등한 권리를 보유한다는 것과 일본의 항해자가 해안 측량권을 가진다는 내용을 통해 강화도 조약(조·일 수호 조규, 1876)임을 알 수 있다.

① 만동묘가 철폐(1865)된 것은 흥선 대원군 집권기로 강화도 조약 체결 이전의 사실이다. 흥선 대원군은 임진왜란 당시 조선을 도와주었던 명나라 신종과 명나라의 마지막 황제인 의종의 제사를 지내던 만동묘를 철폐하였다.

오답 분석
모두 강화도 조약 이후의 사실이다.
② 대한 제국 시기인 1902년에 이범윤이 간도 시찰원으로 파견되었으며, 이듬해에는 간도 관리사가되어 간도 지방의 한인을 보호하였다.
③ 조선 정부는 1880년에 개화 정책을 추진하는 기구로 통리기무아문을 설치하고, 군국 기밀과 일반 정치를 총괄하도록 하였다.
④ 1881년에 이만손을 중심으로 하는 영남 유생들이 『조선책략』의 유포에 반대하며 만인소를 올렸다.

02

2018년 서울시 9급(3월 시행)

<보기>는 개항 이후 각국과 맺은 조약이다. ㉠과 ㉡에 들어갈 용어로 옳은 것은?

> **보기**
> (가) 조선국은 ___㉠___으로 일본국과 평등한 권리를 보유한다. 금후 양국이 화친의 성의를 표하고자 할진대 모름지기 서로 동등한 예의로써 상대할 것이며 추호도 경계를 넘어 침입하거나 시기하여 싫어함이 있어서는 아니될 것이다.
> (나) 수륙 무역 장정은 중국이 ___㉡___을 우대하는 후의에서 나온 것인 만큼 다른 각국과 일체 균점하는 예와는 같지 않으므로 여기에 각항 약정을 한다.

① ㉠ 인근국 – ㉡ 속방
② ㉠ 자주국 – ㉡ 우방
③ ㉠ 인근국 – ㉡ 우방
④ ㉠ 자주국 – ㉡ 속방

문제풀이 조·일 수호 조규와 조·청 상민 수륙 무역 장정 난이도 중

제시문에서 (가)는 조선국이 일본국과 평등한 권리를 보유한다는 내용을 통해 조선이 외국과 맺은 최초의 근대적 조약인 조·일 수호 조규(강화도 조약)임을 알 수 있고, (나)는 수륙 무역 장정이라는 내용을 통해 임오군란 이후 체결된 조·청 상민 수륙 무역 장정임을 알 수 있다.

④ ㉠에 들어갈 용어는 자주국이고, ㉡에 들어갈 용어는 속방이다.
㉠ 일본은 조·일 수호 조규의 제1관에 조선이 자주국임을 명시하여 청의 종주권을 부인하고, 일본과 조선과의 문제에 청이 개입하는 것을 방지하고자 하였다.
㉡ 청나라는 임오군란 이후 체결된 조·청 상민 수륙 무역 장정의 전문에 조선을 청의 속방으로 규정하여 조선에 대한 청의 종주권을 확인하였다. 청은 이를 통해 일본을 견제하고, 조선에서의 주도권을 확보하고자 하였다.

 이것도 알면 **합격!**

조·청 상민 수륙 무역 장정의 주요 내용

- 조선이 청의 속방임을 규정
- 조선 국왕과 청의 북양 대신이 대등한 지위를 가짐을 명시
- 개항장에서 청의 영사 재판권 규정(치외 법권 인정)
- 청나라 사람들의 조선 연안 어업권 보장
- 서울 양화진에서 청 상인의 상업 활동 허용(내륙 진출)

03

2019년 서울시 9급(2월 시행)

1876년 체결된 조·일 수호 조규에 들어있지 않은 조항은?

① 조선은 자주국으로 일본과 동등권을 갖는다.

② 인천과 부산에 일본 공관을 둔다.

③ 일본인 거주 지역 내에서의 치외 법권을 인정한다.

④ 일본 선박의 조선 연해 측량을 인정한다.

문제풀이 조·일 수호 조규(강화도 조약) 난이도 중

② 조·일 수호 조규(강화도 조약)에 인천과 부산에 일본 공관을 둔다는 조항은 없다. 조·일 수호 조규의 제4·5관에는 세견선과 관련된 일들을 담당하던 부산의 공관(왜관을 지칭함)의 업무를 무역 사무 중심으로 개편한다는 내용과, 조약 체결 이후 부산 외에 두 개의 항구를 더 개항한다는 내용이 있었다. 이에 따라 조·일 수호 조규 체결 이후 원산(1880)과 인천(1883)이 추가로 개항되었다.

오답 분석

① 조·일 수호 조규 제1관에는 '조선국은 자주국이며 일본국과 평등한 권리를 가진다'는 내용이 있다.

③ 조·일 수호 조규 제10관에는 '일본국 인민이 조선국이 지정한 각 항구에 머무르는 동안 죄를 범한 것이 조선국 국민에게 관계되는 사건일 때는 모두 일본 관원이 심판한다'는 치외 법권을 인정하는 내용이 포함되어 있다.

④ 조·일 수호 조규 제7관에는 '조선국 연해의 섬과 암초는 극히 위험하므로 일본국의 항해자가 해안을 자유롭게 측량하도록 허가한다'는 연해 측량권에 대한 내용이 있다.

04

2015년 사회복지직 9급

다음 사건으로 맺은 조약에 대한 설명으로 옳은 것은?

> 1875년 9월 일본 군함의 불법 침입으로 조선군과 일본군이 포격전을 벌였다. 조선이 문호 개방에 미온적인 태도를 보인다는 이유였다. 이에 일본은 포격전의 책임을 조선 측에 씌워 전권 대사를 파견하고 무력으로 개항을 강요하였다.

① 일본의 자유로운 연해 측정을 허용하였다.

② 청은 랴오둥 반도와 타이완 등을 일본에 할양하였다.

③ 청과 일본은 조선에 대한 파병권을 동등하게 가졌다.

④ 공사관 경비를 구실로 일본 군대가 주둔하게 되었다.

문제풀이 강화도 조약 난이도 중

제시된 자료는 1875년 일본 군함이 조선에 불법 침입하여 포격전을 벌인 운요호 사건에 대한 내용이다. 일본은 운요호 사건을 빌미로 조선 정부에 개항을 요구하였고, 결국 조선은 일본과 강화도 조약을 맺어 문호를 개방하였다.

① 강화도 조약 체결의 결과 일본은 조선의 해안을 자유롭게 측량할 수 있는 해안 측량권을 보장받았다.

오답 분석

② **시모노세키 조약**: 청이 랴오둥 반도와 타이완 등을 일본에 할양한 것은 시모노세키 조약(1895)을 통해서이다. 청·일 전쟁에서 패배한 청은 조선이 자주국임을 인정할 것, 일본에 랴오둥(요동) 반도와 타이완 등을 할양할 것, 배상금 2억 냥을 지급할 것 등을 내용으로 하는 시모노세키 조약을 일본과 체결하였다.

③ **톈진 조약**: 청과 일본이 조선에 대한 동등한 파병권을 가지게 된 것은 톈진 조약을 통해서이다. 갑신정변 이후 청과 일본은 조선에서 양국 군의 공동 철수와 조선 파병 시 상대방 국가에 미리 알릴 것을 규정하는 톈진 조약(1885)을 체결하였다.

④ **제물포 조약**: 공사관 경비를 구실로 일본 군대가 조선에 주둔하게 된 것은 임오군란을 계기로 체결된 제물포 조약을 통해서이다. 임오군란 이후 조선은 일본에 배상금을 지급하고, 일본 공사관의 경비 병력 주둔을 허용하는 제물포 조약(1882)을 체결하였다. 이를 통해 일본 군대가 조선 내에 공식적으로 주둔할 수 있게 되었다.

정답 01 ① 02 ④ 03 ② 04 ①

05

2013년 법원직 9급

밑줄 친 '수호 조약'에 대한 설명으로 옳은 것은?

> 저번에 사절선이 온 것은 오로지 수호(修好) 때문이니 우리가 선린(善隣)하는 뜻에서도 이번에는 사신을 전위(專委)하여 수신(修信)해야겠습니다. 사신의 호칭은 수신사라 하고 김기수를 특별히 차출하고 따라가는 인원은 일을 아는 자로 적당히 가려서 보내십시오. 이는 수호 조약을 체결한 뒤에 처음 있는 일이니, 이번에는 특별히 당상관을 시켜 서계(書契)를 가지고 들어가게 하고, 이 뒤로는 서계를 옛날처럼 동래부에 내려 보내어 에도로 옮겨 보내는 것이 어떠하겠습니까. －『승정원일기』

① 거중조정을 규정하였다.

② 내지 통상권을 허용하였다.

③ 해안 측량권을 인정하였다.

④ 『조선책략』의 영향으로 체결되었다.

문제풀이 강화도 조약(조·일 수호 조규) 난이도 중

제시문에서 김기수를 수신사로 보냈다는 내용을 통해 밑줄 친 '수호 조약'이 강화도 조약임을 알 수 있다. 조선 정부는 강화도 조약의 제2관인 '일본국 정부는 조선국에 수시로 사신을 파견(교환)한다'는 내용에 따라 김기수, 김홍집을 수신사로 일본에 파견하였다.

③ 강화도 조약의 체결 결과 일본은 해안 측량권을 보장받았는데, 이는 일본이 주요 군사 기지를 점령하기 위해 요구한 것으로 주권 침해에 해당하였다.

오답 분석

① **조·미 수호 통상 조약**: 거중조정을 규정한 조약은 조·미 수호 통상 조약(1882)이다. 거중조정이란 조약을 체결한 양 국가 중 한 국가가 제3국의 압박을 받을 때 서로 도와주도록 규정한 것이다. 그러나 을사늑약 때(1905) 고종이 거중조정을 근거로 미국에 도움을 요구하였지만, 미국은 이를 묵인하였다.

② 강화도 조약은 외국의 상인이 우리나라 내륙 지방까지 들어가 통상할 수 있는 권리인 내지 통상권을 허용하지 않았다.

④ **조·미 수호 통상 조약**: 『조선책략』의 영향으로 체결된 조약은 조·미 수호 통상 조약(1882)이다. 2차 수신사로 일본에 다녀온 김홍집이 조선에 유포한 『조선책략』에는 친중·결일·연미의 내용이 있었는데, 특히 미국과 연합해야 한다는 내용을 조선 정부가 수용하여 청의 알선을 통해 미국과 수교하게 되었다.

06

2013년 지방직 9급

다음 조약과 관련한 설명으로 가장 적절한 것은?

> • 양국 관리는 양국 인민의 자유로운 무역 활동에 일체 간섭하지 않는다. － ○○ 수호 조규
> • 개항장 부산에서 일본인 간행이정(間行里程)은 10리로 한정한다. － ○○ 조규 부록
> • 조선국 여러 항구에 거주하는 일본인은 쌀과 잡곡을 수출입할 수 있다. － ○○ 무역 규칙

① 쌀 유출이 허용되면서 쌀값이 폭등하고 쌀의 상품화가 촉진되었다.

② 개항지 지정이 약정되면서 군산항, 목포항, 양화진이 차례로 개항되었다.

③ 은행권의 발행이 용인되면서 제일은행권이 조선의 본위 화폐가 되었다.

④ 최혜국 대우와 무관세 조항이 함께 명문화되면서 불평등 무역이 조장되었다.

문제풀이 강화도 조약과 부속 조약 난이도 중

제시된 자료는 조·일 수호 조규(강화도 조약)와 그 부속 조약과 관련된 내용이다. 조·일 수호 조규(강화도 조약)에서는 조선에서 일본인의 자유로운 무역 활동을 보장하였고, 조·일 수호 조규 부록에서는 일본 상인의 활동 범위(간행이정)를 개항장 사방 10리로 한정하였다. 또한 조·일 무역 규칙(조·일 통상 장정)에서는 조선국 항구에 거주하는 일본인에게 양곡의 무제한 유출을 허용하고 무관세 무역을 규정하였다.

① 쌀의 무제한 유출을 허용하는 것은 강화도 조약의 부속 조약인 조·일 무역 규칙에 규정된 내용이다. 이후 쌀의 무제한 유출로 조선 내에서 쌀값이 폭등하고, 쌀의 상품화가 촉진되었다.

오답 분석

② 강화도 조약에 따라 설정된 개항지는 부산, 원산, 인천이다. 1876년에 부산이 먼저 개항되었고, 이후 원산(1880)과 인천(1883)이 추가로 개항되었다.

③ 제일은행권이 조선의 본위 화폐가 된 것은 1905년에 시행된 메가타의 화폐 정리 사업을 통해서이다. 일본은 대한 제국의 경제를 일본에 예속시키기 위해 화폐를 주조하던 전환국을 폐지하고 일본 제일은행에서 발행한 제일은행권을 조선의 본위 화폐로 지정하였다.

④ 일본과 체결한 조약에서 최혜국 대우와 무관세 조항은 함께 명문화되지 않았다. 최혜국 대우를 규정한 조약은 1883년에 개정된 조·일 통상 장정이고, 무관세 조항이 명문화된 조약은 강화도 조약의 부속 조약으로 체결된 조·일 무역 규칙(조·일 통상 장정, 1876)이다.

07

2021년 법원직 9급

(ㄱ), (ㄴ) 조약이 체결된 시기로 옳은 것은?

> (ㄱ) 제7관 일본국 인민은 본국의 현행 여러 화폐를 사용해 조선국 인민이 소유한 물품과 교환할 수 있다. 조선국 인민은 그 교환한 일본국의 여러 화폐로 일본국에서 생산한 여러 가지 화물을 구매할 수 있다.
> (ㄴ) 제6칙 이후 조선국 항구에 거주하는 일본 인민은 양미와 잡곡을 수출입할 수 있다.

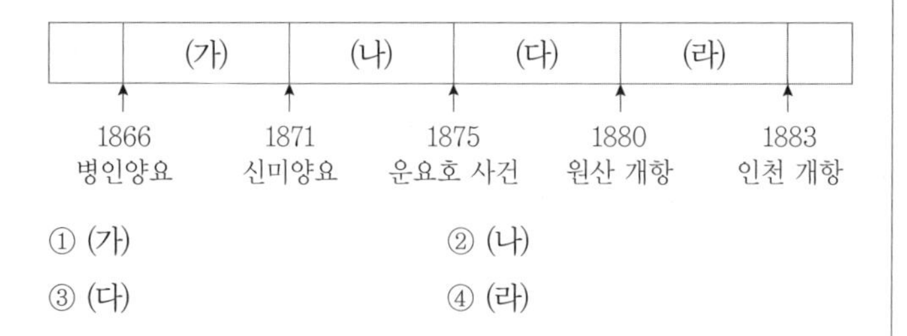

① (가) ② (나)
③ (다) ④ (라)

08

2019년 국가직 9급

(가), (나)가 설명하는 조약을 옳게 짝지은 것은?

> (가) 강화도 조약에 이어 몇 달 뒤 체결되었다. 양곡의 무제한 유출을 가능하게 한 규정과 일본 정부에 소속된 선박은 항세를 납부하지 않는다는 규정이 들어 있었다.
> (나) 김홍집이 일본에서 황준헌의 『조선책략』을 가져 오면서 그 내용의 영향으로 체결되었으며, 청의 적극적인 알선이 있었다. 거중조정 조항과 최혜국 대우의 규정이 포함되어 있었다.

	(가)	(나)
①	조·일 무역 규칙	조·미 수호 통상 조약
②	조·일 무역 규칙	조·러 수호 통상 조약
③	조·일 수호 조규 부록	조·미 수호 통상 조약
④	조·일 수호 조규 부록	조·러 수호 통상 조약

문제풀이 조·일 수호 조규 부록과 조·일 무역 규칙의 체결 시기 난이도 중

(ㄱ)은 일본국 인민은 본국의 현행 여러 화폐를 사용해 조선국 인민이 소유한 물품과 교환할 수 있다는 내용을 통해 조·일 수호 조규 부록(1876. 7.)임을 알 수 있다.

(ㄴ)은 조선국 항구에 거주하는 일본 인민은 양미와 잡곡을 수출입할 수 있다는 내용을 통해 조·일 무역 규칙(1876. 7.)임을 알 수 있다.

③ (ㄱ) 조·일 수호 조규 부록과 (ㄴ) 조·일 무역 규칙이 체결된 시기는 (다) 시기인 1876년이다. 조선과 일본은 운요호 사건 이후 강화도 조약(조·일 수호 조규, 1876)을 체결하였고, 이후 강화도 조약(조·일 수호 조규)의 세부 사항을 규정하기 위해 조·일 수호 조규 부록과 조·일 무역 규칙을 체결하였다. 조·일 수호 조규 부록은 일본 외교관의 내지 여행을 허용하고, 개항장에서 일본 거류민의 거주 지역 설정과 일본 상인의 활동 범위를 개항장 사방의 10리로 설정하였으며, 일본 화폐의 유통 등을 허용하였다. 조·일 무역 규칙은 무역에 관한 세부적인 시행 규칙을 정한 것으로, 조선에서 일본으로의 양곡 무제한 유출을 허용하고, 일본 수출입 상품에 대한 무항세, 무관세 등이 규정되었다.

문제풀이 조·일 무역 규칙과 조·미 수호 통상 조약 난이도 중

(가)는 강화도 조약(1876. 2.)에 이어 몇 달 뒤에 체결되었으며 양곡의 무제한 유출을 가능하게 하고, 일본 선박의 항세를 면제한다는 규정이 들어 있다는 것을 통해 조·일 무역 규칙(1876. 7.)에 대한 내용임을 알 수 있다.

(나)는 김홍집이 가져 온 황준헌의 『조선책략』의 영향과 청의 알선으로 체결되었으며, 한 나라가 제3국의 압박을 받을 경우 서로 도와줄 것을 규정한 거중조정과 최혜국 대우의 규정이 포함되었다는 내용을 통해 조·미 수호 통상 조약(1882)에 대한 내용임을 알 수 있다.

① 옳게 짝 지은 것은 (가) 조·일 무역 규칙, (나) 조·미 수호 통상 조약이다.

오답 분석

- **조·일 수호 조규 부록:** 조·일 수호 조규 부록(1876. 7.)은 강화도 조약(조·일 수호 조규)의 부속 조약으로, 이 조약을 통해 일본 외교관의 내지 여행과 일본 화폐의 유통이 허용되었고, 일본 상인의 활동 범위(거류지, 간행이정)가 설정되었다.
- **조·러 수호 통상 조약:** 조·러 수호 통상 조약(1884)은 청의 알선으로 체결된 미국, 영국, 독일 등과의 통상 조약과는 달리, 조선 정부가 청의 내정 간섭에서 벗어나고자 독자적으로 교섭을 전개하여 체결한 조약이다. 당시 외교 고문이던 독일인 묄렌도르프가 양국의 교섭을 주선하였으며, 최혜국 대우와 치외 법권 등이 규정되었다.

정답 05 ③ 06 ① 07 ③ 08 ①

09

2021년 국가직 9급

밑줄 친 '조약'에 대한 설명으로 옳지 않은 것은?

> 1905년 8월 4일 오후 3시, 우리가 앉아있는 곳은 새거모어 힐의 대기실. 루스벨트의 저택이다. 새거모어 힐은 루스벨트의 여름용 대통령 관저로 3층짜리 저택이다. …(중략)… 대통령과 마주하자 나는 말했다. "감사합니다. 각하. 저는 대한 제국 황제의 친필 밀서를 품고 지난 2월에 헤이 장관을 만난 사람입니다. 그 밀서에서 우리 황제는 1882년에 맺은 조약의 거중조정 조항에 따른 귀국의 지원을 간곡히 부탁했습니다."

① 영사 재판권이 인정되었다.
② 임오군란을 계기로 체결되었다.
③ 최혜국 대우 조항이 포함되었다.
④ 『조선책략』의 영향을 받았다.

10

2024년 국가직 9급

(가)에 들어갈 말로 옳은 것은?

> 정부의 개화 정책이 추진되면서 구식 군인과 도시 하층민이 반발하였다. 제대로 봉급을 받지 못한 구식 군인들이 난을 일으키고 도시 하층민이 여기에 합세하였으나 청군에 의해 진압되었다. 이후 청은 조선에 군대를 주둔시키고 조선의 내정에 개입하였다. 또 (가) 을 체결하여 조선이 청의 속방임을 명문화하고 청 상인의 내륙 진출을 인정받았다.

① 한성 조약
② 톈진 조약
③ 제물포 조약
④ 조·청 상민 수륙 무역 장정

문제풀이 조·미 수호 통상 조약 난이도 하

제시문에서 미국 대통령 루스벨트에게 1882년 맺은 조약의 거중조정 조항(두 나라 중 한 나라가 제3국의 위협을 받을 경우 도와주는 조항)에 따른 지원을 부탁한다는 내용을 통해 밑줄 친 '조약'이 조·미 수호 통상 조약임을 알 수 있다.

② 임오군란(1882. 6.)을 계기로 체결한 조약은 제물포 조약, 조·청 상민 수륙 무역 장정 등이다. 조·미 수호 통상 조약은 임오군란이 발생하기 전인 1882년 4월에 체결되었으며, 조선이 서양 국가와 최초로 맺은 조약이다.

오답 분석

① 조·미 수호 통상 조약은 제4관을 통해 영사 재판권이 인정되었다. 영사 재판권이란 국제법상 외국인이 범죄를 지었을 경우 체류하고 있는 국가의 국내법 적용으로부터 면제되고 자국의 영사 및 관원이 자국의 법률에 따라 재판하는 권리이다.

③ 조·미 수호 통상 조약의 제14관에는 최혜국 대우 조항이 포함되었다. 최혜국 대우는 한 나라가 어떤 외국에 부여하고 있는 가장 유리한 대우를 최혜국 대우를 체결한 상대국에게도 동일하게 부여하는 것을 의미한다.

④ 조·미 수호 통상 조약은 제2차 수신사(1880)로 일본을 다녀온 김홍집이 가져온 황쭌셴의 『조선책략』의 영향을 받아 체결되었다. 『조선책략』에는 중국과 친하고, 일본과 맺고, 미국과 이어져야 한다는 내용이 있었는데, 특히 미국과 연합해야 한다는 내용을 조선 정부가 수용하여 청의 알선을 통해 미국과 수교하게 되었다.

문제풀이 조·청 상민 수륙 무역 장정 난이도 하

제시문에서 구식 군인들이 난을 일으키고(임오군란) 청군에 의해 진압된 이후에 체결하여 조선이 청의 속방임을 명문화하고 청 상인의 내륙 진출을 인정받았다는 내용을 통해 (가)가 조·청 상민 수륙 무역 장정임을 알 수 있다.

④ 조·청 상민 수륙 무역 장정은 임오군란의 결과 조선과 청 사이에 체결된 조약으로, 조약의 전문에 조선을 청의 속방으로 규정하여 조선에 대한 청의 종주권을 명문화 하였다. 또한 한성과 양화진에서 청 상인의 통상을 허용한다는 규정을 포함시켜 청 상인의 내륙 진출을 허용하였다.

오답 분석

① **한성 조약**: 한성 조약은 갑신정변 이후 조선과 일본이 체결한 조약으로, 조선이 일본에 배상금을 지불하고, 일본 공사관 신축 비용을 조선이 부담한다는 내용을 담고 있다.

② **톈진 조약**: 톈진 조약은 갑신정변 이후 청과 일본이 체결한 조약으로, 청·일 양국 군대의 동시 철병과 조선으로 출병할 시 상대국에게 미리 알릴 것을 규정하였다.

③ **제물포 조약**: 제물포 조약은 임오군란이 진압된 이후 조선과 일본이 체결한 조약으로, 일본에 배상금 지불 및 일본 공사관 경비를 위한 일본군 주둔을 허용하는 내용을 담고 있다.

11

2024년 지방직 9급

(가), (나) 사이에 있었던 사실로 옳지 않은 것은?

> (가) 조선은 오랫동안 제후국으로서 중국에 대해 정해진 전례가 있다는 것은 다시 의논할 여지가 없다. …(중략)… 이번에 제정한 수륙 무역 장정은 중국이 속방을 우대하는 뜻이니만큼, 다른 조약 체결국들이 모두 똑같은 이익을 균점하도록 하는 데 있지 않다.
>
> (나) 제1조 청국은 조선국이 완전무결한 독립 자주국임을 확인한다. 아울러 조선의 청에 대한 공물 헌납 등은 장래에 완전히 폐지한다.
> 제4조 청국은 군비 배상금으로 은 2억 냥을 일본국에 지불할 것을 약정한다.

① 영국이 거문도를 점령하였다.
② 한·청 통상 조약이 체결되었다.
③ 김옥균 등이 갑신정변을 일으켰다.
④ 청과 일본 사이에 전쟁이 발발하였다.

문제풀이 조·청 상민 수륙 무역 장정과 시모노세키 조약 체결 사이의 사실 난이도 상

(가)는 이번에 제정한 수륙 무역 장정은 중국이 속방을 우대하는 뜻이라는 내용을 통해 1882년에 체결된 조·청 상민 수륙 무역 장정임을 알 수 있다.
(나)는 청국은 조선국이 완전무결한 독립 자주국임을 확인하고, 조선의 청에 대한 공물 헌납 등을 완전히 폐지한다는 내용과 청국은 군비 배상금으로 은 2억 냥을 일본국에 지불한다는 내용을 통해 1895년 4월에 체결된 시모노세키 조약임을 알 수 있다.

② 한·청 통상 조약이 체결된 것은 (나) 이후인 1899년의 사실이다. 한·청 통상 조약은 대한 제국이 성립된 이후에 대한 제국 황제와 청 황제가 속방이 아닌 대등한 위치에서 체결한 조약이라는 의의를 가지고 있다.

오답 분석
모두 조·청 상민 수륙 무역 장정 체결과 시모노세키 조약 체결 사이의 사실이다.
① 영국이 러시아의 남하를 견제한다는 구실로 거문도를 불법 점령한 것은 1885년 3월의 사실이다.
③ 김옥균 등의 급진 개화파들이 갑신정변을 일으킨 것은 1884년의 사실이다.
④ 청과 일본 사이에 전쟁이 발발(청·일 전쟁)한 것은 1894년의 사실이다. 한편, 청·일 전쟁의 결과 청은 일본에게 패배하였고, 청과 일본 사이에 시모노세키 조약이 체결되었다. 이 조약을 통해 청은 일본에 배상금을 지불하고, 랴오둥(요동) 반도와 타이완을 일본에게 할양하였으며 조선에 대한 종주권을 포기하였다.

12

2020년 국회직 9급

(가) ~ (마)에 들어갈 내용으로 옳지 않은 것은?

연도	조약명	주요 내용
1876	조·일 수호 조규	(가)
1876	조·일 무역 규칙	(나)
1882	조·청 상민 수륙 무역 장정	(다)
1882	조·미 수호 통상 조약	(라)
1883	조·일 통상 장정	(마)

① (가) – 조선이 자주국임을 명시하였다.
② (나) – 일본 정부에 소속된 선박의 항세를 면제하였다.
③ (다) – 청의 북양 대신과 조선 국왕은 대등한 권리를 갖는다고 규정하였다.
④ (라) – 거중조정의 원칙과 최혜국 대우 조항을 규정하였다.
⑤ (마) – 일본 물품에 대한 관세를 폐지하였다.

문제풀이 개항기 외국과 체결한 조약의 내용 난이도 중

⑤ 일본 물품에 대한 관세가 폐지된 것은 1923년이다. 1883년에 개정된 조·일 통상 장정은 1876년에 체결되었던 조·일 무역 규칙(조·일 통상 장정)의 불합리하고 불평등한 내용이 개정된 것으로, 일본과 수출입하는 물품에 일정 세율의 관세를 부과하는 조항이 규정되었다.

오답 분석
① 조·일 수호 조규의 제1관에는 조선이 자주국임이 명시되었다. 이는 일본이 청의 종주권을 부인하고, 일본과 조선과의 문제에 청이 개입하는 것을 방지하고자 하는 목적이었다.
② 조·일 무역 규칙의 제7조에는 일본국 정부에 소속된 선박은 항세를 납부하지 않는다는 내용이 명시되었다.
③ 조·청 상민 수륙 무역 장정의 제1조에는 청의 상무위원을 서울에 파견하고 조선의 관리를 톈진에 파견하며, 청의 북양 대신과 조선 국왕은 대등한 지위를 가진다고 규정되었다.
④ 조·미 수호 통상 조약의 제1관에는 타국이 불미스러운 사건을 일으키면 즉각 통지하여 반드시 서로 돕고, 적절한 조치를 취한다는 거중조정의 원칙이 규정되었으며, 제14관에는 타국에 부여한 혜택을 미국의 관민에게도 동일하게 부여한다는 최혜국 대우 조항이 규정되었다.

정답 09 ② 10 ④ 11 ② 12 ⑤

13

2016년 국가직 9급

개항기 체결된 통상 협약에 대한 설명으로 옳지 않은 것은?

① 조·일 통상 장정(1876) – 곡물 유출을 막는 방곡령 규정이 합의되었다.

② 조·청 수륙 무역 장정(1882) – 서울에서 청국 상인의 개점이 허용되었다.

③ 개정 조·일 통상 장정(1883) – 일본과 수출입하는 물품에 일정 세율이 부과되었다.

④ 한·청 통상 조약(1899) – 대한 제국 황제와 청 황제가 대등한 위치에서 조약을 체결하였다.

문제풀이 개항기에 체결된 통상 협약 난이도 중

① 곡물 유출을 막는 방곡령 규정은 1883년에 개정된 조·일 통상 장정에서 합의되었다. 강화도 조약의 부속 조약으로 체결된 조·일 통상 장정(조·일 무역 규칙, 1876)에는 곡물 유출을 규제하는 내용이 없어 곡물의 무제한 유출이 가능하였다.

오답 분석

② 조·청 수륙 무역 장정의 체결로 청나라 상인의 내지 통행권 및 내륙 통상권이 허용되었으며, 그 결과 청나라 상인들은 서울에 점포를 설치할 수 있는 권리를 얻게 되었다.

③ 개정된 조·일 통상 장정은 1876년에 체결되었던 조·일 통상 장정의 불합리하고 불평등한 내용이 개정된 것으로, 일본과 수출입하는 물품에 일정 세율의 관세를 부과하는 조항이 규정되었다.

④ 한·청 통상 조약은 대한 제국이 성립된 이후에 대한 제국 황제와 청 황제가 속방이 아닌 대등한 위치에서 체결하였다는 의의를 지닌 조약이다.

이것도 알면 **합격!**

조·일 통상 장정

구분	시기	내용
조·일 통상 장정 (조·일 무역 규칙)	1876년 체결	• 양곡의 무제한 유출 허용 • 수출입 상품에 대한 관세 없음
개정 조·일 통상 장정	1883년 개정	• 관세 및 최혜국 대우 규정 • 방곡령 규정(시행 1개월 전에 통고해야 함)

14

2022년 국가직 9급

(가) 시기에 있었던 일로 옳은 것은?

	(가)	

신미양요 ↑ 갑오개혁 ↑

① 을사늑약 체결

② 정미의병 발생

③ 오페르트 도굴 미수 사건

④ 조·미 수호 통상 조약 체결

문제풀이 신미양요와 갑오개혁 사이의 사실 난이도 하

제시된 자료에서 신미양요는 1871년, 갑오개혁은 1894년에 일어났다. 따라서 (가) 시기는 1871~1894년이다.

④ **(가) 시기인 1882년에 조·미 수호 통상 조약이 체결되었다. 조·미 수호 통상 조약은 조선과 서양이 맺은 최초의 근대적 조약이며, 치외 법권과 최혜국 대우 등이 규정된 불평등 조약이었다.**

오답 분석

① **(가) 이후:** 을사늑약이 체결된 것은 1905년으로, (가) 시기 이후의 사실이다. 일제는 을사늑약을 통해 대한 제국의 외교권을 박탈하고 대한 제국을 일제의 보호국으로 만들었다.

② **(가) 이후:** 정미의병이 일어난 것은 1907년으로, (가) 시기 이후의 사실이다. 정미의병은 고종의 강제 퇴위와 한·일 신협약의 부속 조약으로 인한 군대 해산에 반발하여 일어났다.

③ **(가) 이전:** 오페르트 도굴 미수 사건이 일어난 것은 1868년으로, (가) 시기 이전의 사실이다. 독일 상인인 오페르트가 조선에 통상을 요구하였다가 거절당하자, 흥선 대원군의 부친인 남연군의 묘를 도굴하여 유해와 부장품을 미끼로 다시 통상을 요구하려고 하였으나 실패하였다.

15

2024년 서울시 9급

〈보기〉의 (가)에 들어갈 나라에 대한 설명으로 가장 옳은 것은?

> **보기**
>
> (가) 은/는 본래 우리와 혐의가 없는 나라입니다. 공연히 남의 말만 듣고 틈이 생기게 된다면 우리의 위신이 손상될 뿐 아니라, 이를 구실로 침략해 온다면 장차 이를 어떻게 막을 것입니까?
>
> –『일성록』, 영남 만인소

① 거문도를 불법 점령하였다.

② 일본과 포츠머스 강화 조약을 맺었다.

③ 외규장각의 문서와 문화재를 약탈하였다.

④ 제너럴셔먼호 사건을 구실로 광성보를 공격하였다.

문제풀이 러시아 난이도 중

제시문에서 본래 우리와 혐의가 없는 나라라는 내용을 통해 (가) 나라가 러시아임을 알 수 있다. 이만손은 영남 만인소에서 러시아와는 아무런 혐의(감정)가 없는데, 『조선책략』의 내용만 따라 배척하게 된다면 전쟁의 원인을 제공할 수 있다고 주장하였다.

② 러시아는 러·일 전쟁에서 패배한 이후 일본과 포츠머스 강화 조약을 맺었다. 포츠머스 조약에서는 일본이 대한 제국의 정치·군사·경제 등에 관한 특수 권익을 갖는 것을 러시아가 인정하고, 이를 간섭하지 않는다고 규정하여 사실상 일본이 대한 제국을 지배하는 것을 인정하였다.

오답 분석

① **영국**: 거문도를 불법 점령한 나라는 영국이다. 영국은 러시아의 남하 정책을 저지한다는 구실로 거문도를 약 2년간 불법 점령하였다.

③ **프랑스**: 외규장각의 문서와 문화재를 약탈한 나라는 프랑스이다. 프랑스는 병인양요 때 퇴각하는 과정에서 강화도의 외규장각에서 보관 중이던 『의궤』를 비롯한 각종 문서와 문화재를 약탈하였다.

④ **미국**: 제너럴셔먼호 사건을 구실로 광성보를 공격한 나라는 미국이다. 미국은 제너럴셔먼호 사건의 책임을 추궁하고 이를 빌미로 통상 수교를 요구하기 위해 광성보를 공격하였다(신미양요).

16

2020년 법원직 9급

(가)에 대한 다음 설명 중 가장 옳은 것은?

> 조선 땅은 실로 아시아의 요충을 차지하고 있어 열강들이 서로 차지하려고 할 것이다. 조선이 위태로우면 중국도 위급해진다. (가) 이/가 영토를 넓히고자 한다면 반드시 조선이 첫 번째 대상이 될 것이다. …… 그렇다면 오늘날 조선이 세워야 할 책략으로 (가) 을/를 막는 것보다 더 급한 일이 없다. (가) 을/를 막는 책략은 무엇인가? 중국과 친하고, 일본과 맺고, 미국과 이어짐으로써 자강을 도모할 뿐이다.

① (가)는 남해의 전략적 요충지인 거문도를 불법 점령하였다.

② (가)는 자국인 신부의 처형을 구실로 강화도를 침략하였다.

③ (가)의 공사관으로 을미사변 이후 신변의 위협을 느낀 고종이 피신하였다.

④ (가)와 조선은 서양 국가 중에 최초로 조약을 체결하였다.

문제풀이 러시아 난이도 하

제시문에서 중국과 친하고, 일본과 맺고, 미국과 이어짐으로써 자강을 도모한다는 내용을 통해 『조선책략』의 내용임을 알 수 있고, (가)는 러시아임을 알 수 있다. 『조선책략』은 청나라의 황쭌셴이 쓴 책으로, 러시아를 막기 위한 방법으로 미국과의 수교를 주장하였다. 이러한 『조선책략』은 조선에 유포되자마자 유생 계층의 커다란 반발을 불러 일으켰다.

③ 을미사변 이후 신변의 위협을 느낀 고종은 러시아 공사관으로 피신하였다(아관 파천, 1896. 2.).

오답 분석

① **영국**: 남해의 요충지인 거문도를 불법 점령한 나라는 영국이다. 갑신정변 이후 청의 간섭이 심해지자 조선은 러시아와 접촉하였고, 이에 영국은 러시아의 남하를 견제하기 위해 거문도를 불법으로 점령하였다(거문도 사건, 1885~1887).

② **프랑스**: 자국인 신부의 처형을 구실로 강화도를 침략한 나라는 프랑스이다. 프랑스는 병인박해(1866)에서 프랑스 선교사들이 처형된 것을 구실로 강화도로 군대를 파견하였다(병인양요, 1866. 9.).

④ **미국**: 서양 국가 중 최초로 조선과 조약을 체결한 국가는 미국이다. 조선에서는 2차 수신사 김홍집에 의해 『조선책략』이 유포되면서 미국의 역할에 대한 기대감이 상승하였다. 또한 청이 적극적으로 조선과 미국의 수교를 알선하면서 조선은 미국과 조약을 체결하였다. 조선과 미국이 체결한 조·미 수호 통상 조약(1882)은 조선과 서양이 맺은 최초의 근대적 조약이며 치외 법권과 최혜국 대우를 규정한 불평등 조약이었다.

정답 13 ① 14 ④ 15 ② 16 ③

1 | 개화를 둘러싼 갈등

01

2020년 지방직 9급

(가) 시기에 있었던 일로 옳은 것은?

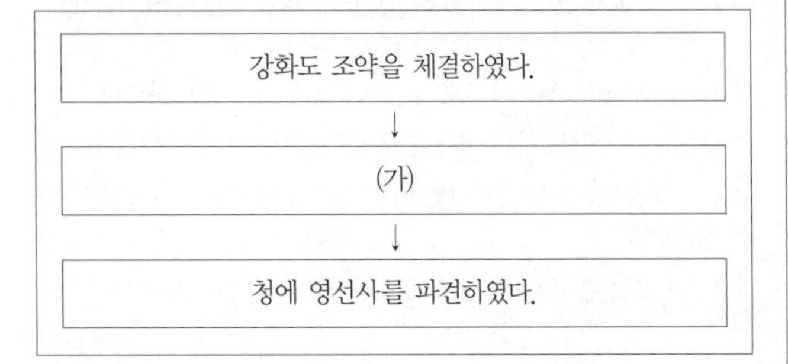

① 군국기무처를 두고 여러 건의 개혁안을 처리하였다.
② 개화 정책을 추진할 기구로 통리기무아문을 설치하였다.
③ 국정 개혁의 기본 방향을 담은 홍범 14조를 공포하였다.
④ 구본신참의 개혁 원칙을 정하고 대한국 국제를 선포하였다.

문제풀이 강화도 조약 체결과 영선사 파견 사이의 사실 난이도 중

제시된 자료에서 강화도 조약 체결은 1876년, 청에 영선사를 파견한 것은 1881년의 일이다. 따라서 (가) 시기에는 1876년~1881년의 사실이 들어갈 수 있다.

② (가) 시기인 1880년에 조선 정부는 개화 정책을 추진할 기구로 통리기무아문을 설치하였다. 통리기무아문은 청의 제도(총리각국사무아문)를 모방하여 설치된 기구로 장관을 총리대신이라고 하였고, 그 아래에 12사를 두어 실무를 분담하게 하였다.

오답 분석
모두 청에 영선사가 파견된 이후의 일이다.
① 군국기무처를 두고 여러 건의 개혁안을 처리한 것은 1차 갑오개혁(1894) 때의 일이다. 군국기무처는 1차 갑오개혁 때의 초정부적 입법·정책 결정 기구로, 1894년 6월 25일 설치되어 같은 해 12월 17일에 폐지되었다.
③ 국정 개혁의 기본 방향을 담은 홍범 14조를 공포한 것은 2차 갑오개혁(1894. 12.) 때의 일이다. 홍범 14조는 2차 갑오개혁 당시 국정 개혁의 기본 강령이었다.
④ 구본신참의 개혁 원칙을 정하고 대한국 국제를 선포(1899)한 것은 대한 제국 시기의 일이다. 대한국 국제는 대한 제국의 일종의 헌법으로, 대한 제국이 전제 정치 국가임과 황제가 무한한 권한을 행사함을 강조하였고, 육해군 통수권·입법권·행정권·사법권·외교권 등을 황제의 대권으로 규정하였다.

02

2016년 국가직 7급

(가)와 (나)를 주장한 인물의 활동으로 옳은 것은?

> (가) 서양 종교는 사교이므로 마땅히 음탕한 음악이나 미색처럼 여겨서 멀리해야겠지만, 서양 기계는 이로워서 진실로 백성의 생활을 편리하게 할 수 있다.
> (나) 오늘날 급선무는 인재를 등용하며 국가 재정을 절약하고 사치를 억제하며, 문호를 개방하고 이웃 나라와 친선을 도모하는 데 있다. …(중략)… 일본은 법을 변경한 이후로 모든 것을 바꾸었다[更張]고 한다.

① (가) – 개벽 사상을 담은 동학을 창도하였다.
② (가) – 갑신정변이 일어나자 청국 군대의 개입을 요청하였다.
③ (나) – 만동묘 철폐를 주도하였다.
④ (나) – 보부상단을 통괄하는 혜상공국의 설치를 주장하였다.

문제풀이 온건 개화파와 급진 개화파 난이도 중

제시문 (가)에서 서양 종교는 사교이므로 멀리해야 하지만 기계 등과 같은 선진 문물은 수용해야 한다고 주장하고 있으므로 김윤식 등 온건 개화파의 주장임을 알 수 있으며, (나)에서 문호를 개방하는 것뿐만 아니라 법도 변경해야 한다고 주장하고 있으므로 김옥균 등 급진 개화파의 주장임을 알 수 있다.

② 김옥균, 박영효 등의 급진 개화파가 갑신정변을 일으키자 민비와 온건 개화파는 청에게 원병을 요청하였으며, 그 결과 청군이 개입하여 갑신정변을 진압하였다.

오답 분석
① **최제우**: 개벽 사상을 담은 동학을 창도한 인물은 최제우이다. 동학은 외세를 배격하자는 입장을 취했기 때문에 서양의 문물을 부정적으로 보았다.
③ **흥선 대원군**: 만동묘 철폐를 주도한 인물은 흥선 대원군이다. 만동묘는 명나라 신종과 의종의 제사를 지내던 곳이었는데 점차 노론의 소굴이 되어 상소와 비판을 일삼고, 양민을 수탈하는 등의 폐단이 심해지자 흥선 대원군에 의해 철폐되었다.
④ **김병국**: 보부상단을 통괄하는 혜상공국의 설치를 주장한 인물은 김병국이다. 한편 급진 개화파는 갑신정변 때 14개조 혁신 정강을 통해 혜상공국의 폐지를 주장하였다.

03

2020년 국가직 9급

다음 자료에 나타난 사상에 대한 설명으로 옳은 것은?

> 군신, 부자, 부부, 붕우, 장유의 윤리는 인간의 본성에 부여된 것으로서 천지를 통하는 만고불변의 이치이고, 위에 존재하는 것으로서 도(道)가 됩니다. 이에 대해 배, 수레, 군사, 농사, 기계가 국민에게 편리하고 나라에 이롭게 하는 것은 외형적인 것으로서 기(器)가 됩니다. 신이 변혁을 꾀하고자 하는 것은 기(器)이지 도(道)가 아닙니다.

① 왜양 일체론(倭洋一體論)을 주장하였다.
② 근대 문물 수용의 사상적 기반이 되었다.
③ 갑신정변 주도 세력의 견해를 대변하였다.
④ 우등한 사회가 열등한 사회를 지배하는 것이 당연하다고 보았다.

문제풀이 동도 서기론 난이도 하

제시문에서 변혁을 꾀하는 것이 기(器)이지 도(道)가 아니라는 내용을 통해 동도 서기론임을 알 수 있다. 동도 서기론은 김홍집, 어윤중 등으로 대표되는 온건 개화파의 주장으로, 동양의 도를 유지하면서 서양의 기를 받아들이자는 것으로, 전통적인 유교 사상을 지키면서 서양의 과학 기술은 수용하자는 논리이다.

② 전통적인 사상과 가치관, 문화와 풍습 등인 동양의 도(道)는 지키면서, 서양의 기술과 기기 등인 서양의 기(器)는 받아들임으로써 점진적으로 개혁을 실시하자는 동도 서기론은 1880년대 초반 우리나라 근대 문물 수용의 사상적 기반이 되었다.

오답 분석
① **왜양 일체론**: 일본과 서양 세력은 실체와 의도가 동일하다는 논리로, 1870년대 일본이 운요호 사건을 일으키며 개항을 요구하자 최익현을 비롯한 위정척사 계열의 유생들이 주장하였다.
③ **문명 개화론**: 갑신정변을 주도한 급진 개화파의 견해를 대변하는 논리는 문명 개화론이다. 이들은 일본의 메이지유신에 영향을 받아 국가 발전을 위해 서양의 과학 기술과 제도는 물론 사상, 종교까지 받아들여야 한다고 주장하였다.
④ **사회 진화론**: 우등한 사회가 열등한 사회를 지배하는 것은 당연하다고 인식하는 논리는 사회 진화론이다. 사회 진화론은 제국주의 열강들의 식민지 침략을 정당화하는 데 이용되었다.

04

2012년 지방직(하) 9급

밑줄 친 '이들'에 대한 설명으로 옳은 것은?

> <u>이들</u>이 받은 교육 내용은 주로 서양의 말과 문장, 탄약 제조, 화약 제조, 제도, 전기, 소총 수리 등이었다. 그러나 <u>이들</u> 가운데에는 자질이 부족하여 교육에 어려움을 느끼다가 자퇴하는 사람들도 있었다.

① 갑신정변을 주도하였다.
② 일본에 파견되어 활동하였다.
③ 정부의 재정 지원으로 외국에서 3년 간 교육을 받았다.
④ 이들의 활동을 계기로 근대적 병기 공장인 기기창이 설치되었다.

문제풀이 영선사 난이도 중

제시문에서 서양의 말과 문장, 탄약 제조, 화약 제조 등을 교육받았다는 내용을 통해 밑줄 친 '이들'이 영선사임을 알 수 있다. 영선사는 청의 근대 무기 제조술을 배우기 위해 김윤식을 중심으로 청나라에 파견(1881)되었다.

④ 귀국한 영선사 일행을 중심으로 우리나라 최초의 근대 무기 제조창인 기기창이 설치(1883)되었다.

오답 분석
① 갑신정변을 주도한 것은 김옥균 등의 급진 개화파이다.
② 일본에 파견되어 활동한 것은 조사 시찰단, 수신사이다. 영선사는 청나라에 파견되었다.
③ 영선사는 사전 지식 부족과 정부의 예산 부족으로 1년 만에 귀국하였다.

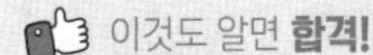

이것도 알면 **합격!**

시찰단 파견

일본	• 수신사: 1차(1876), 2차(1880), 3차(1882) 파견, 강화도 조약 체결 이후 일본 문물의 시찰을 위해 파견 • 조사 시찰단(1881): 박정양·홍영식 등 파견, 일본의 산업 시찰
청	영선사(1881): 김윤식 등 파견, 톈진 기기국에서 무기 제조 기술과 군사 훈련법 습득, 귀국 후 기기창 설치(1883)
미국	보빙사(1883): 민영익·홍영식·유길준 등 파견

정답 01 ② 02 ② 03 ② 04 ④

05

2024년 법원직 9급

(가)~(다) 국가에 대한 설명으로 가장 옳은 것은?

> 조선은 김기수와 김홍집을 수신사로 (가) 에 파견하였다. (나) 에는 김윤식을 영선사로 삼아 무기 제조 기술 등을 배우는 유학생을 보냈다. 또한 조선은 민영익 등을 보빙사로 (다) 에 파견하였다.

① (가) – 흥선 대원군을 자국으로 납치하였다.
② (나) – 조선과 강화도 조약을 맺었다.
③ (다) – 거문도를 불법 점령하였다.
④ (가)와 (나) – 톈진 조약을 체결하였다.

06

2024년 국가직 9급

다음 자료에 대한 설명으로 옳은 것은?

> 조선이라는 땅덩어리는 실로 아시아의 요충을 차지하고 있어 그 형세가 반드시 다툼을 불러올 것이다. 조선이 위태로우면 중동(中東)의 형세도 위급해진다. 따라서 러시아가 강토를 공략하려 한다면 반드시 조선이 첫 번째 대상이 될 것이다. … (중략)… 러시아를 막을 수 있는 조선의 책략은 무엇인가? 오직 중국과 친하며, 일본과 맺고, 미국과 연합함으로써 자강을 도모하는 길뿐이다.

① 강화도 조약 체결 이전 조선에 널리 퍼졌다.
② 흥선 대원군이 척화비를 세우는 계기가 되었다.
③ 이만손 등 영남 유생들의 반발을 불러일으켰다.
④ 청에 영선사로 파견된 김윤식에 의해 소개되었다.

문제풀이 일본, 청, 미국

난이도 중

(가)는 김기수와 김홍집을 수신사로 파견하였다는 내용을 통해 일본임을 알 수 있다.

(나)는 김윤식을 영선사로 삼아 무기 제조 기술 등을 배우는 유학생을 보냈다는 내용을 통해 청임을 알 수 있다.

(다)는 민영익 등을 보빙사로 파견하였다는 내용을 통해 미국임을 알 수 있다.

④ 일본과 청은 갑신정변 이후 톈진 조약을 체결하여 조선에서 양국 군의 공동 철수와 조선 파병 시 상대방 국가에 미리 알릴 것을 합의하였다.

오답 분석

① 흥선 대원군을 자국으로 납치한 국가는 청이다. 청은 민씨 정권의 요청을 받아 군대를 파견하여 임오군란을 진압한 이후, 흥선 대원군을 임오군란의 책임자로 지목하여 청으로 납치하였다.

② 조선과 강화도 조약을 맺은 국가는 일본이다. 일본은 조선의 문호를 개방하기 위해 군함 운요호를 조선 연해에 보냈다. 이에 조선의 수비대가 경고 사격을 하자 운요호는 강화도 초지진에 함포 공격을 가하였다(운요호 사건). 이 사건을 계기로 조선은 일본과 강화도 조약(조·일 수호 조규)을 맺었다.

③ 거문도를 불법 점령한 국가는 영국이다. 영국은 러시아의 남하 정책을 저지하기 위해 거문도를 약 2년간(1885~1887) 불법 점령하였다.

문제풀이 『조선책략』

난이도 중

제시문에서 러시아를 막을 수 있는 조선의 책략은 중국과 친하며, 일본과 맺고, 미국과 연합함으로써 자강을 도모하는 길뿐이라는 내용을 통해 『조선책략』의 내용임을 알 수 있다. 『조선책략』은 일본 주재 청나라 공사관의 외교관인 황준헌(황쭌셴)이 저술한 것으로, 러시아의 남하정책에 대비하기 위한 조선, 일본, 청 등 동양 3국의 외교 정책에 대한 내용을 담고 있다.

③ 『조선책략』이 국내에 소개되자 이만손 등 영남 유생들은 정부의 개화 정책에 반발하고, 『조선책략』을 들여온 김홍집의 처벌을 요구하며 영남 만인소를 올려 개화 반대 운동을 전개하였다.

오답 분석

①, ④ 『조선책략』은 강화도 조약 체결(1876) 이후인 1880년에 일본에 2차 수신사로 파견되었던 김홍집에 의해 소개되어 조선에 널리 퍼지게 되었다.

② 흥선 대원군이 척화비를 세우는 계기가 된 것은 신미양요로, 『조선책략』과는 관련이 없다. 흥선 대원군은 신미양요 직후 서양 세력에 대한 척화 의지를 표명하는 척화비를 전국 여러 곳에 세우도록 하였다.

07

2022년 서울시 9급(6월 시행)

〈보기〉의 내용과 직접적인 관련이 가장 없는 것은?

> **보기**
> 조선은 실로 아시아의 요충을 차지하여 지리적으로 반드시 쟁탈의 대상이 될 것인 바, 조선이 위태로워지면 중앙 및 동아시아의 정세도 날로 위급해질 것이므로 러시아가 영토를 확장하려 한다면 반드시 조선으로부터 시작할 것이다. …… 그렇다면, 오늘날 조선의 책략은 러시아를 막는 일보다 더 급한 것이 없을 것이다. 러시아를 막는 책략은 무엇인가? 중국과 친하고 일본과 맺고, 미국과 연결함으로써 자강을 도모할 따름이다.

① 이만손 등이 만인소를 올렸다.
② 일본과 제물포 조약을 체결하였다.
③ 고종은 척사윤음을 내려 유생들의 불만을 달랬다.
④ 청나라 사람 황준헌이 작성한 『조선책략』의 내용이다.

문제풀이 『조선책략』

난이도 중

제시문에서 중국과 친하고, 일본과 맺고, 미국과 연결함으로써 자강을 도모한다는 것을 통해 『조선책략』의 내용임을 알 수 있다.

② 일본과 제물포 조약을 체결한 것은 임오군란(1882)의 결과로, 『조선책략』과 관련이 없다. 임오군란의 결과 조선은 일본과 제물포 조약을 체결하여 배상금을 지불하였으며, 일본 공사관 경비를 위한 일본군의 주둔을 허용하였다.

오답 분석

①, ③, ④ 『조선책략』은 일본 주재 청나라 공사관의 외교관인 황준헌(황쭌셴)이 저술한 것으로, 1880년 2차 수신사로 일본에 파견되었던 김홍집에 의해 조선에 소개되었다. 한편 『조선책략』이 국내에 소개되자 이만손 등은 김홍집의 처벌을 요구하며 영남 만인소를 올려 개화 반대 운동을 전개하였고, 이에 고종은 척사윤음을 내려 유생들의 불만을 달래기도 하였다.

08

2017년 지방직 9급(6월 시행)

다음 자료가 조선 조정에 소개된 이후에 일어난 사건으로 옳지 않은 것은?

> 러시아를 막을 수 있는 조선의 책략은 무엇인가? 중국과 친하고(親中) 일본과 맺고(結日) 미국과 연합해(聯美) 자강을 도모하는 길 뿐이다.

① 육영 공원(育英公院)을 설립해 서양의 새 학문을 교육했다.
② 임오군란이 일어나고 제물포 조약이 체결되어 일본에 배상금을 지불하였다.
③ 개화파가 우정총국 개국 축하연을 이용해 정변을 일으켜 정권을 장악하였다.
④ 최익현은 일본과 통상을 반대하는 오불가소(五不可疏)를 올렸다.

문제풀이 『조선책략』 소개 이후의 사실

난이도 하

제시문에서 러시아를 막을 수 있는 조선의 책략은 중국과 친하고, 일본과 맺으며, 미국과 연합해야 한다는 주장을 통해 황쭌셴이 저술한 『조선책략』의 내용임을 알 수 있다. 이 책은 2차 수신사로 일본에 파견되었던 김홍집에 의해 조선에 소개되었다(1880).

④ 최익현이 일본과의 강화도 조약 체결에 반대하는 다섯 가지 근거를 적은 상소문인 5불가소를 올린 것(1876)은 『조선책략』이 조선 조정에 소개되기 이전이다.

오답 분석

① 최초의 공립 학교인 육영 공원이 설립된 것(1886)은 『조선책략』이 조선 조정에 소개된 이후의 사건이다.
② 임오군란을 계기로 제물포 조약(1882)이 체결된 것은 『조선책략』이 조선 조정에 소개된 이후의 사건이다. 제물포 조약의 체결로 조선은 일본에 배상금을 지불하였으며, 일본 공사관 경비를 위한 일본군의 주둔을 허용하고, 박영효 등을 3차 수신사로 파견하였다.
③ 김옥균, 박영효 등의 급진 개화파가 우정총국 개국 축하연을 이용해 정변을 일으켜 정권을 장악한 갑신정변(1884)은 『조선책략』이 조선 조정에 소개된 이후의 사건이다.

정답 05 ④ 06 ③ 07 ② 08 ④

09

2015년 법원직 9급

위정척사 운동을 다음 표와 같이 정리할 때, (가)~(라)에 들어갈 인물과 활동 내용이 맞는 것은?

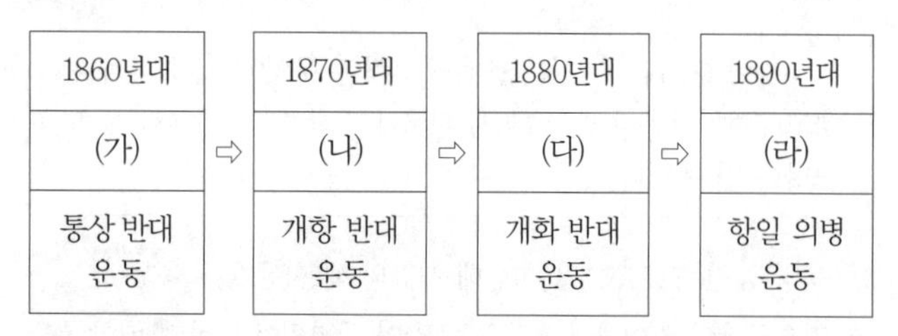

1860년대	⇨	1870년대	⇨	1880년대	⇨	1890년대
(가)		(나)		(다)		(라)
통상 반대 운동		개항 반대 운동		개화 반대 운동		항일 의병 운동

① (가): 최익현 – 일본의 세력 확대에 맞서 척화 주전론을 주장하였다.

② (나): 이항로 – 미국 및 러시아와의 수교를 모두 반대하는 상소를 올렸다.

③ (다): 이만손 –『조선책략』의 유포에 반대하고 영남 만인소를 올렸다.

④ (라): 신돌석 – 평민 의병장으로서 일월산을 근거로 유격전을 펼쳤다.

10

2023년 지방직 9급

다음과 같은 주장을 한 인물은?

> 일단 강화를 맺고 나면 저 적들의 욕심은 물화를 교역하는 데 있습니다. …(중략)… 저들이 비록 왜인이라고 하나 실은 양적(洋賊)입니다. 강화의 일이 한번 이루어지면 사학(邪學)의 서적과 천주의 상(像)이 교역하는 가운데 섞여 들어갈 것입니다.

① 박규수　　② 최익현

③ 김홍집　　④ 김윤식

문제풀이 위정척사 운동 난이도 중

③ 1880년대에 이만손 등은 정부의 개화 정책 추진과『조선책략』의 유포에 반발하며 영남 만인소를 올려 개화 반대 운동을 전개하였다.

오답 분석

① 최익현은 1870년대에 일본이 운요호 사건을 일으키며 개항을 요구하자 왜양 일체론을 주장하며 개항 반대 운동을 전개하였다. 척화 주전론을 주장한 인물은 1860년대의 이항로, 기정진 등이다.

② 이항로는 1860년대에 서양과의 교역을 반대하는 통상 수교 반대 운동을 전개하였다.

④ 신돌석은 1905년 을사의병 때 활약한 평민 의병장이다. 1890년대 항일 의병 운동을 전개한 유생 의병장으로는 유인석, 이소응 등이 있다.

이것도 알면 **합격!**

위정척사 운동의 전개

시기	내용
1860년대	• 계기: 프랑스가 병인양요를 일으키며 통상 요구 • 전개: 이항로, 기정진 등이 통상 수교 반대 운동 전개
1870년대	• 계기: 일본이 운요호 사건을 일으키며 개항 요구 • 전개: 최익현 등이 왜양 일체론을 주장, 개항 반대 운동 전개
1880년대	• 계기: 정부의 개화 정책 추진과『조선책략』의 유포 • 전개: 이만손의 영남 만인소를 시작으로 개화 반대 운동 전개
1890년대	• 계기: 을미사변과 단발령 시행 • 전개: 유인석·이소응 등이 항일 의병 운동(을미의병) 전개

문제풀이 최익현 난이도 중

제시문에서 저들이 비록 왜인이라고 하나 실은 양적이라는 내용을 통해 왜양 일체론을 주장한 최익현임을 알 수 있다.

② 최익현은 위정척사파의 대표적인 인물로, 1870년대에 일본이 운요호 사건을 일으키며 개항을 요구하자 일본도 서양과 다를 바 없다는 왜양 일체론을 주장하며 개항 반대 운동을 전개하였다.

오답 분석

① **박규수**: 박규수는 최익현 등의 척화 주장을 물리치고 일본과의 수교를 주장하여 강화도 조약을 맺게 하였다.

③ **김홍집**: 김홍집은 온건 개화파의 대표적인 인물로, 제1차 갑오개혁을 추진한 최고 정책 결정 기관인 군국기무처의 총재를 역임하였다.

④ **김윤식**: 김윤식은 온건 개화파의 대표적인 인물로, 청의 무기 제조법을 배우기 위하여 영선사로 청에 파견되었다.

이것도 알면 **합격!**

최익현

활동	내용
서원 철폐 정책 비판	흥선 대원군의 서원 철폐 정책을 비판하는 상소를 올림
개항 반대 운동 전개	1870년대에 왜양 일체론을 주장하며 개항 반대 운동 전개
을사의병 주도	• 을사늑약이 체결되자 전북 태인에서 의병을 일으킴 • 체포된 이후 대마도(쓰시마 섬)에서 순국

11

2020년 국가직 7급

다음 주장을 펼친 인물에 대한 설명으로 옳은 것은?

> 일단 강화를 맺고 나면 저 적들의 욕심은 물화를 교역하는 데 있습니다. 저들의 물화는 모두 지나치게 사치하고 기이한 노리개이고 손으로 만든 것이어서 그 양이 무궁합니다. …(중략)… 저들은 비록 왜인이라고 하나 실은 양적입니다. 강화가 한번 이루어지면 사학의 서적과 천주의 초상화가 교역하는 속에서 들어올 것입니다.

① 『조선책략』을 입수하여 국내에 소개하였다.

② 임병찬과 함께 독립 의군부를 조직하려고 하였다.

③ 서원 철폐 조치 등에 반대하면서 흥선 대원군을 탄핵하였다.

④ 일제의 침략상을 고발한 『한국독립운동지혈사』를 저술하였다.

12

2022년 법원직 9급

다음 군대가 창설된 시기를 연표에서 옳게 고른 것은?

> 개항 후 국방을 강화하고 근대화하기 위하여 윤웅렬이 중심이 되어 5군영으로부터 80명을 선발하여 별기군을 창설하였다. 또한 서울의 일본 공사관에 근무하는 공병 소위 호리모토를 교관으로 초빙하였다.

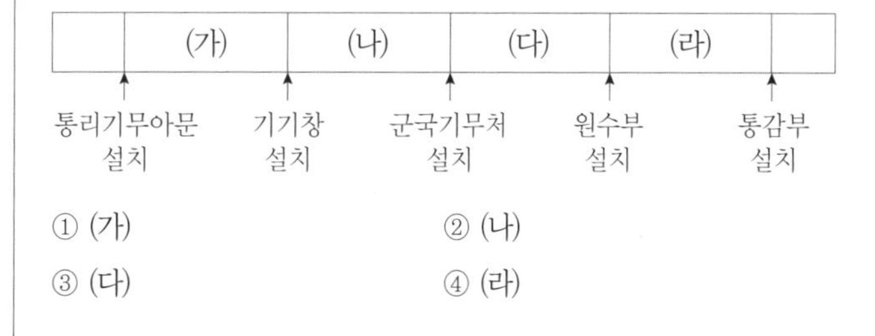

① (가) ② (나)

③ (다) ④ (라)

문제풀이 최익현 난이도 중

제시문에서 비록 왜인이라고 하나 실은 양적이라는 내용을 통해 왜양 일체론을 주장한 최익현임을 알 수 있다.

③ 최익현은 서원 철폐 조치 등에 반대하며 흥선 대원군의 정책을 비판하는 상소를 올렸다. 이로 인해 흥선 대원군이 하야하였으며, 고종이 직접 나라를 다스리게 되었다.

오답 분석

① **김홍집**: 『조선책략』을 입수하여 국내에 소개한 인물은 제2차 수신사로 일본에 파견되었던 김홍집이다. 일본에 있는 중국(청나라) 공사관의 외교관인 황쭌셴이 저술한 『조선책략』은 러시아의 남하를 견제하기 위하여 조선에게 중국과 친하게 지내며 미국과 연대하고 일본과의 관계를 돈독히 할 것을 제시하였다.

② 최익현은 을사늑약(을사조약)이 체결되자 제자인 임병찬과 함께 의병을 일으켰지만 관군과 일본군에 의하여 체포되어 1906년에 순국하였다. 독립 의군부는 1912년 임병찬이 조직한 단체로 최익현과는 관련이 없다.

④ **박은식**: 일제의 침략상을 고발한 『한국독립운동지혈사』를 저술한 인물은 박은식이다. 박은식은 대한민국 임시 정부의 사료 편찬 위원으로 있으면서 수집된 자료를 기초로 갑신정변부터 1920년까지 일제의 침략상을 고발한 『한국독립운동지혈사』를 저술하였다.

문제풀이 별기군이 창설된 시기 난이도 하

(가) 통리기무아문 설치(1880) ~ 기기창 설치(1883)

(나) 기기창 설치(1883) ~ 군국기무처 설치(1894)

(다) 군국기무처 설치(1894) ~ 원수부 설치(1899)

(라) 원수부 설치(1899) ~ 통감부 설치(1906)

① 별기군은 (가) 시기인 1881년에 창설되었다. 우리나라 최초의 근대적 신식 군대인 별기군은 일본인 교관을 초빙하여 군사 훈련을 실시하였으나, 임오군란(1882)으로 폐지되었다.

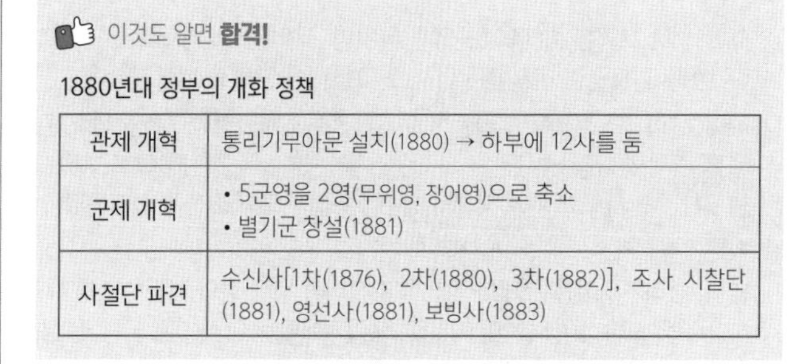

이것도 알면 **합격!**

1880년대 정부의 개화 정책

관제 개혁	통리기무아문 설치(1880) → 하부에 12사를 둠
군제 개혁	• 5군영을 2영(무위영, 장어영)으로 축소 • 별기군 창설(1881)
사절단 파견	수신사[1차(1876), 2차(1880), 3차(1882)], 조사 시찰단(1881), 영선사(1881), 보빙사(1883)

정답 09 ③ 10 ② 11 ③ 12 ①

02 개화 운동의 추진과 반발

2 | 임오군란과 갑신정변

01

2023년 국회직 9급

다음 (가) 시기에 있었던 사실로 옳지 않은 것은?

[강화도 조약] → (가) → [임오군란]

① 종래의 5군영을 2영으로 개편하였다.

② 『조선책략』이라는 책이 국내에 소개되었다.

③ 개화 정책 추진 기구로 통리기무아문을 설치하였다.

④ 수호 통상 조약을 체결한 미국에 보빙사를 파견하였다.

⑤ 청나라에 영선사를 파견하여 무기 제조 기술을 배우게 하였다.

문제풀이 강화도 조약과 임오군란 사이의 사실 난이도 중

제시된 자료에서 강화도 조약은 1876년에 체결되었으며, 임오군란은 1882년에 일어났다. 따라서 (가) 시기는 1876~1882년이다.

④ 수호 통상 조약을 체결한 미국에 보빙사를 파견한 것은 1883년으로 (가) 시기 이후의 사실이다. 보빙사는 최초의 구미 사절단으로, 조·미 수호 통상 조약 체결 이후 미국 공사의 파견에 대한 답례로 민영익, 홍영식, 서광범 등이 파견되었다.

오답 분석

모두 (가) 시기에 있었던 사실이다.

① 1881년에 고종은 종래의 5군영을 무위영·장어영의 2영으로 개편하였다. 한편, 임오군란 이후에는 다시 2영에서 5군영으로 복설되었다.

② 1880년에 『조선책략』이라는 책이 국내에 소개되었다. 『조선책략』은 일본 주재 청나라 공사관의 외교관인 황쭌셴이 저술한 책으로, 1880년 2차 수신사로 일본에 파견되었던 김홍집에 의해 조선에 소개되었다.

③ 1880년에 조선 정부는 개화 정책 추진 기구로 통리기무아문을 설치하였다. 통리기무아문은 개화 정책을 추진하기 위해 청의 제도(총리각국사무아문)를 모방하여 설치한 기구로, 통리기무아문 아래에는 군사, 통상, 재정 등의 업무를 담당하는 12사를 두었다.

⑤ 1881년에 조선 정부는 청나라에 영선사를 파견하여 무기 제조 기술을 배우게 하였다. 영선사는 톈진의 기기국에서 청의 근대 무기 제조술과 군사 훈련법을 배우고 돌아와 우리나라 최초의 근대식 무기 제조창인 기기창이 설립되는 데 기여하였다.

02

2018년 지방교행직

다음 사건의 결과로 옳은 것은?

> 대원군에게 군국사무를 처리하라는 명이 내려지자 대원군은 궐내에서 거처하며 기무아문과 무위·장어 2영을 폐지하고 5영의 군제를 복구하라는 명령을 내려 군량을 지급하도록 하였다. 그리고 난병(亂兵)은 물러가라는 명을 내렸다. … (중략) … 이때 별안간 마건충 등은 호통을 치면서 대원군을 포박하여 교자(轎子) 안으로 밀어 넣어 그 교자를 들고 후문으로 나가 마산포로 가서 배를 타고 훌쩍 떠나버렸다. – 『매천야록』

① 청에 영선사가 파견되었다.

② 외규장각의 도서가 약탈당하였다.

③ 스티븐스가 외교 고문에 임명되었다.

④ 조·청 상민 수륙 무역 장정이 체결되었다.

문제풀이 임오군란의 결과 난이도 중

제시문에서 흥선 대원군이 (통리)기무아문과 2영을 폐지하고 5영의 군제를 복구하였다는 내용과, 대원군이 마건충(마젠창)에 의해 청나라에 납치 당했다는 내용을 통해 임오군란(1882)임을 알 수 있다.

④ 민씨 정권의 요청에 따라 조선에 출병한 청나라군에 의해 임오군란이 진압된 이후 조선과 청나라 간에 조·청 상민 수륙 무역 장정이 체결되었다. 이를 통해 청나라 상인이 조선의 내지에서 상행위를 할 수 있게 되었다.

오답 분석

① 청에 영선사가 파견된 것은 1881년으로 임오군란이 발발하기 이전의 사실이다. 조선 정부는 청의 근대 무기 제조술을 습득하기 위해 김윤식 등을 영선사로 파견하였는데, 1년 뒤 임오군란이 발발하자 영선사를 조기 귀국시켰다.

② 외규장각의 도서가 약탈 당한 것은 병인양요(1866)의 결과로, 임오군란이 발발하기 이전의 사실이다. 병인양요 때 한성근과 양헌수의 활약으로 강화도에 침입한 프랑스군을 물리쳤으나, 프랑스군은 퇴각 과정에서 『의궤』 등 외규장각에 보관되어 있던 도서들을 약탈하였다.

③ 스티븐스가 외교 고문에 임명된 것은 제1차 한·일 협약(1904)의 결과이다. 러·일 전쟁의 주도권을 장악한 일본은 대한 제국을 식민지화하기 위해 제1차 한·일 협약을 강제로 체결하였다. 그 결과 대한 제국의 재정 고문으로 메가타가, 외교 고문으로는 스티븐스가 임명되었다.

03
2016년 지방직 9급

다음 사건에 대한 설명으로 옳은 것은?

> 임오년 서울의 영군(營軍)들이 큰 소란을 피웠다. 갑술년 이후 대내의 경비가 불법으로 지출되고 호조와 선혜청의 창고도 고갈되어 서울의 관리들은 봉급을 못 받았으며, 5영의 병사들도 가끔 결식을 하여 급기야 5영을 2영으로 줄이고 노병과 약졸들을 쫓아냈는데, 내쫓긴 사람들은 발붙일 곳이 없으므로 그들은 난을 일으키려 했다.

① 군대 해산에 반발한 군인들은 의병 부대에 합류하였다.
② 보국안민, 제폭구민의 대의를 위해 봉기할 것을 호소하였다.
③ 정부의 개화 정책에 반대하는 서울의 하층민들도 참여하였다.
④ 충의를 위해 역적을 토벌한다는 명분을 내걸고 유생들이 주동하였다.

문제풀이 임오군란 난이도 중

제시문에서 임오년 서울의 영군들이 소란을 피웠다는 내용과 5영의 병사들이 봉급을 제대로 받지 못하였으며, 급기야 5영이 2영으로 줄었다는 내용을 통해 임오군란에 대한 내용임을 알 수 있다.

③ 임오군란이 일어날 당시 민씨 정권의 주도로 추진된 개화 정책은 하층민의 생활 개선과는 거리가 멀었으며, 오히려 민씨 일족에 의한 부정부패와 하층민에 대한 착취가 성행하였다. 이와 더불어 강화도 조약 이후 가속화된 일본의 경제 침투로 대량의 쌀이 지속적으로 일본에 유출되어 조선 내의 쌀값이 폭등하면서 하층민의 생활은 더욱 힘들어졌다. 이에 하층민들이 구식 군인들의 봉기에 합세하여 민씨 정권의 고관들을 살해하고, 일본 공사관을 습격하였다.

오답 분석

① **정미의병**: 군대 해산에 반발한 군인들이 의병 부대에 합류하여 전투력을 향상시킨 것은 정미의병(1907) 때의 일이다.
② **제1차 동학 농민 운동**: '나라를 보호하고 백성을 평안하게 한다'는 보국안민과 '폭정을 제거하고 백성을 구한다'는 제폭구민을 위해 봉기할 것을 호소한 것은 제1차 동학 농민 운동(1894) 때의 일이다. 안핵사 이용태가 고부 민란에 참여한 농민들을 가혹하게 탄압하자 전봉준 등은 창의문을 발표하여 보국안민과 제폭구민을 위해 봉기에 참여해 줄 것을 호소하였고, 이를 시작으로 제1차 동학 농민 운동이 전개되었다.
④ 충의를 위해 역적을 토벌한다는 명분을 내걸고 유생들이 주동한 것은 을미의병, 을사의병, 정미의병 등의 의병 운동이다. 임오군란을 주동한 계층은 구식 군인들과 하층민이었다.

04
2022년 소방직

(가)와 (나) 사건 사이에 있었던 사실로 옳은 것은?

> (가) 임금은 변이 일어났다는 소식을 듣고 급히 대원군을 불렀으며 대원군은 난병들을 따라 들어갔다. (중략) 민겸호가 황급히 대원군을 쳐다보고 호소하되, "대감, 날 좀 살려주시오!" 하였다. 대원군은 쓴웃음을 지으며, "내 어찌 대감을 살릴 수 있겠소."하였다. －『매천야록』
> (나) 청나라 제독군문 원세개가 대궐에 들어와 호위했다. 일본군대는 퇴각했으며 임금은 북관묘에 행차하셨다. 홍영식과 박영교는 죽임을 당했다. 박영효, 김옥균, 서광범, 서재필 등은 일본군을 끼고 도망쳤다. 임금이 환궁할 때에 원세개는 하도감에 주둔하고 있었다. －『매천야록』

① 군국기무처가 설치되었다.
② 이만손 등이 영남 만인소를 올렸다.
③ 영국이 거문도를 불법으로 점령하였다.
④ 조선은 일본과 제물포 조약을 체결하였다.

문제풀이 임오군란과 갑신정변 사이의 사실 난이도 중

(가) 임금이 변이 일어났다는 소식을 듣고 급히 대원군을 불렀다는 것과 대원군이 난병을 따라 들어갔다는 내용 등을 통해 임오군란(1882)임을 알 수 있다.
(나) 청나라 원세개가 대궐에 들어와 호위하고 박영효, 김옥균, 서광범, 서재필 등이 일본군을 끼고 도망쳤다는 내용 등을 통해 갑신정변(1884)임을 알 수 있다.

④ 임오군란의 결과 조선은 일본에 배상금을 지급하고, 일본 공사관의 경비 병력 주둔을 허용하는 제물포 조약(1882)을 체결하였다. 이를 통해 일본 군대가 조선 내에 공식적으로 주둔할 수 있게 되었다.

오답 분석

① **(나) 이후**: 군국기무처가 설치된 것은 1894년으로, (나) 이후의 사실이다. 군국기무처는 제1차 갑오개혁 때의 초정부적 입법·정책 결정 기구로, 1894년 6월 25일에 설치되어 같은 해 말에 폐지되었다.
② **(가) 이전**: 이만손 등이 영남 만인소를 올린 것은 1881년으로, (가) 이전의 사실이다. 이만손 등은 정부의 개화 정책 추진과 『조선책략』의 유포에 반발하며 영남 만인소를 올려 개화 반대 운동을 전개하였다.
③ **(나) 이후**: 영국이 거문도를 불법으로 점령한 것은 1885~1887년으로, (나) 이후의 사실이다. 갑신정변 이후 청의 내정 간섭이 심해지자 조선은 청을 견제하기 위해 러시아를 끌어들이려 하였고, 이때를 이용해 러시아는 조선에서의 세력을 확대하고자 하였다. 이에 영국은 러시아의 남하 정책을 저지하기 위해 거문도를 불법 점령하였다(거문도 사건).

정답 01 ④ 02 ④ 03 ③ 04 ④

05

2024년 서울시 9급(2월 시행)

〈보기〉의 밑줄 친 ㉠, ㉡에 대한 설명으로 가장 옳지 않은 것은?

> **보기**
>
> - 대원군은 이 ㉠ 변란으로 인하여 다시 정권을 잡았으며, 크고 중요한 벼슬자리가 많이 바뀌었다. …… 대세를 좇는 무리들은 다시 운현궁으로 돌아오니 수레와 말이 구름과 같았다. 민씨 일가는 모두 숨어서 나타나지 못했다. …… 왕후는 충주에 있으면서 몰래 사람을 보내 소식을 보냈으며, 민태호에게 밀사를 보내 청국 정부에 급박함을 알리도록 명하였다.
> - "가히 아까운 일이다. 일류 재사(才士)가 일본인에게 팔려 이러한 ㉡ 큰일을 저질렀다." …… "저들 일본인이 어찌 다른 나라의 백성을 위하여 남의 아름다운 덕을 진실로 도와 이루고자 하는 사람이겠는가 …… 김옥균이 망명하여 도쿄에 있으면서 다시 거사를 도모하려 했으나 저들은 이내 추방하여 오가사와라 섬에 유폐시켰으니 어찌 그를 아껴서 도와준다고 하겠는가."

① ㉠의 책임을 물어 청은 흥선 대원군을 자국으로 압송하였다.

② ㉠의 결과, 조선은 일본과 제물포 조약을 체결하여 배상금을 지불하였다.

③ ㉡의 영향으로 청과 일본은 향후 조선에 군대 파병 시 서로 알린다는 내용의 톈진 조약을 체결하였다.

④ ㉡의 결과, 조선은 청과 조·청 상민 수륙 무역 장정을 체결하여 청이 조선에 간섭하는 근거가 되었다.

문제풀이 임오군란과 갑신정변 난이도 중

㉠은 대원군이 이 변란으로 인하여 다시 정권을 잡았다는 내용을 통해 임오군란임을 알 수 있다.

㉡은 일류 재사(인재)가 일본인에게 팔려 큰일을 저질렀다는 내용과 김옥균이 망명하여 도쿄에 있으면서 다시 거사를 도모하려 했다는 내용을 통해 갑신정변임을 알 수 있다.

④ 조선이 청과 조·청 상민 수륙 무역 장정을 체결하여 청이 조선에 간섭하는 근거가 된 것은 갑신정변이 아닌 임오군란의 결과이다.

오답 분석

① 청은 민씨 정권의 요청을 받아 군대를 파견하여 임오군란을 진압한 이후, 흥선 대원군을 임오군란의 책임자로 지목하여 청으로 압송하였다.

② 임오군란의 결과, 조선은 일본과 제물포 조약을 체결하여 일본에 배상금을 지불하고, 일본 공사관의 경비 병력 주둔을 허용하였다.

③ 갑신정변의 결과, 청과 일본은 조선에서 양국 군대를 공동 철수하고, 향후 조선에 군대를 파병할 경우 서로 알린다는 내용의 톈진 조약을 체결하였다.

06

2023년 서울시 9급

〈보기〉의 밑줄 친 '이 사건'에 대한 설명으로 가장 옳지 않은 것은?

> **보기**
>
> (가) 전에는 개화당을 꾸짖는 자도 많이 있었으나, 개화가 이롭다는 것을 말하면 듣는 사람들도 감히 크게 반대하지 않았다. 그런데 이 사건을 겪은 뒤부터 조정과 민간에서 모두 "이른바 개화당이라고 하는 자들은 충의를 모르고 외국인과 연결하여 나라를 팔고 겨레를 배반하였다."라고 말하고 있다. -『윤치호 일기』
>
> (나) 임오군란 이후부터 청은 우리나라에 자주 내정 간섭을 하였다. 나는 청나라 당으로 지목되었고, 청국이 우리의 자주권을 침해하는 데 분노해 이 사건을 일으켰던 이는 일본 당으로 지목되었다. 그 후 일이 허사로 돌아가자 세상은 그를 역적이라 하였는데, 나는 정부에 몸을 담고 있어 그를 공격할 수밖에 없었다. 그러나 그 마음은 결코 다른 나라에 있지 않았고, 애국하는 데 있었다. -『속음청사』

① 이 사건을 진압한 청은 조선과 조·청 상민 수륙 무역 장정을 체결하였다.

② 우정총국의 낙성 축하연을 기회로 정변을 일으켜 새로운 정부를 수립하였다.

③ 이 사건의 주모자들은 청과 종속 관계를 청산하여 자주 독립을 확고히 하고자 하였다.

④ 이 사건 이후 청과 일본은 톈진 조약을 체결해 향후 조선으로 군대 파견 시 상대국에게 알리도록 하였다.

문제풀이 갑신정변 난이도 중

제시문 (가)에서 개화당이라고 하는 자들은 충의를 모르고 외국인과 연결하여 나라를 팔고 겨레를 배반하였다는 것과, (나)에서 임오군란 이후 청국이 우리의 자주권을 침해하는 데 분노하여 일으켰다는 내용을 통해 밑줄 친 '이 사건'이 갑신정변임을 알 수 있다.

① 조·청 상민 수륙 무역 장정은 갑신정변이 아닌 임오군란의 결과로 체결되었다. 임오군란을 진압한 청은 조선과 북경 및 서울의 양화진에서 각각 무역을 허락하는 내용을 담은 조·청 상민 수륙 무역 장정을 체결하였다.

오답 분석

②, ③ 갑신정변을 일으킨 김옥균, 박영효, 홍영식 등의 급진 개화파들은 청과 종속 관계를 청산하여 자주 독립을 확고히 하고자 하였으며, 우정총국의 낙성 축하연을 기회로 정변을 일으켜 새로운 개화당 정부를 수립하였다. 이들은 조선의 자주 독립, 인민 평등권 제정, 내각제 수립 등을 포함한 14개조 혁신 정강을 발표하여 개혁을 추진하고자 하였지만, 청군의 개입으로 3일 만에 실패로 끝났다.

④ 갑신정변 이후 청과 일본은 톈진 조약을 체결하여 양국 군대가 조선에서 공동으로 철수하고, 향후 조선으로 군대 파견 시 상대국에게 알리기로 하였다.

07

2021년 소방직

다음 사건에 대한 설명으로 옳은 것은?

> 이날 밤 우정국에서 낙성연을 열었는데 총판 홍영식이 주관하였다. 연회가 끝나갈 무렵 담장 밖에 불길이 일어나는 것이 보였다. 이때 민영익도 우영사로서 연회에 참가하였다가 불을 끄기 위해 먼저 일어나 문 밖으로 나갔다. 밖에 흉도 여러 명이 휘두른 칼을 맞받아치다가 민영익이 칼에 맞아 당상 위로 돌아와 쓰러졌다. …… 왕이 경우궁으로 거처를 옮기자 각 비빈과 동궁도 황급히 따라갔다. …… 깊은 밤, 일본 공사가 군대를 이끌고 와 호위하였다. –「고종실록」

① 한성 조약 체결의 계기가 되었다.

② 보국안민, 제폭구민을 기치로 내걸었다.

③ 최익현 등의 유생들에 의해 주도되었다.

④ 구식 군인에 대한 차별 대우가 발단이 되었다.

08

2022년 서울시 9급(2월 시행)

〈보기〉에서 역사적 사건을 시간순으로 바르게 나열한 것은?

> **보기**
> ㉠ 임오군란
> ㉡ 강화도 조약
> ㉢ 갑신정변
> ㉣ 톈진 조약

① ㉠ → ㉡ → ㉢ → ㉣

② ㉠ → ㉣ → ㉡ → ㉢

③ ㉡ → ㉠ → ㉢ → ㉣

④ ㉡ → ㉢ → ㉠ → ㉣

문제풀이 갑신정변 난이도 중

제시문에서 우정국 낙성연에 흉도가 나타났다는 내용과 왕이 경우궁으로 거처를 옮기고 일본 공사가 군대를 파견하였다는 내용을 통해 김옥균·홍영식 등의 급진 개화파가 일으킨 갑신정변(1884)임을 알 수 있다.

① **갑신정변의 결과 조선이 일본에 배상금을 지불한다는 내용의 한성 조약이 체결되었다(1884). 또한 갑신정변의 결과로 청과 일본 사이에 양국 군의 공동 철수와 조선 파병 시 상대방 국가에 미리 알릴 것을 규정한 톈진 조약이 체결되기도 하였다(1885).**

오답 분석

② **동학 농민 운동**: 보국안민과 제폭구민을 기치로 내걸고 농민군이 봉기한 사건은 동학 농민 운동이다. 동학 농민 운동 시기에 안핵사 이용태가 고부 민란에 참여한 농민들을 탄압하자, 전봉준 등 농민군은 보국안민·제폭구민을 외치며 백산에서 봉기한 후 격문과 4대 강령을 발표하였다(백산 봉기, 1894. 3.).

③ **위정척사 운동 및 의병 항쟁**: 최익현 등 유생들에 의해 주도된 것은 위정척사 운동과 의병 항쟁이다. 최익현은 일본이 운요호 사건(1875)을 일으키며 개항을 요구하자 왜양 일체론을 주장하며 개항 반대 운동을 전개하였다. 이후 최익현은 일본의 강요로 체결된 을사늑약에 반발하며 의병 항쟁을 주도하기도 하였다(을사의병).

④ **임오군란**: 신식 군대인 별기군과의 차별 대우가 발단이 되어 구식 군인들이 일으킨 사건은 임오군란(1882)이다.

문제풀이 근대의 주요 사건 난이도 하

③ **시간순으로 바르게 나열하면 ㉡ 강화도 조약(1876) → ㉠ 임오군란(1882) → ㉢ 갑신정변(1884) → ㉣ 톈진 조약(1885)이 된다.**

㉡ **강화도 조약**(조·일 수호 조규): 운요호 사건을 계기로 조선의 해안을 자유롭게 측량할 수 있는 해안 측량권, 일본인에 대한 치외 법권, 부산 외 2개의 항구를 개항한다는 내용을 담은 강화도 조약(조·일 수호 조규)이 체결되었다(1876).

㉠ **임오군란**: 구식 군인들이 신식 군대인 별기군과의 차별 대우에 불만을 품고 임오군란을 일으켰다(1882).

㉢ **갑신정변**: 김옥균, 박영효 등의 급진 개화파가 우정총국 개국 축하연을 이용해 갑신정변을 일으켰으나(1884), 청군의 개입으로 3일 만에 실패하였다.

㉣ **톈진 조약**: 갑신정변 이후 청과 일본이 조선에서 양국 군의 공동 철수와 조선 파병 시 상대방 국가에 미리 알릴 것을 규정한 톈진 조약을 체결하였다(1885).

정답 05 ④ 06 ① 07 ① 08 ③

09

2017년 사회복지직 9급

다음의 자료와 관련된 조약에 해당하는 것은?

> 1. 청·일 양국 군대는 4개월 이내에 조선에서 동시 철병할 것
> 2. 청·일 양국은 조선국왕의 군대를 교련하여 자위할 수 있게 하되, 외국 무관 1인 내지 여러 명을 채용하고 두 나라의 무관은 조선에 파견하지 않을 것
> 3. 장차 조선에서 변란이나 중대사로 두 나라 중 한 나라가 출병할 필요가 있을 때는 먼저 문서로 조회하고 사건이 진정된 뒤에는 즉시 병력을 전부 철수하여 잔류시키지 않을 것

① 한성 조약

② 제물포 조약

③ 시모노세키 조약

④ 톈진 조약

문제풀이 톈진 조약 난이도 하

제시문에서 청·일 양국 군대가 조선에서 동시 철병할 것과 두 나라 중 한 나라가 조선으로 출병할 필요가 있을 때 먼저 문서로 조회할 것 등의 내용을 통해 톈진 조약의 내용임을 알 수 있다.

④ 톈진 조약(1885)은 갑신정변 이후 청과 일본이 체결한 조약으로 양국 군대의 동시 철병과 조선으로 출병할 시 상대국에게 미리 알릴 것을 규정하였다. 이로써 일본은 청과 동등하게 조선에 대한 파병권을 획득하게 되었다.

오답 분석

① **한성 조약(1884)**: 한성 조약은 갑신정변 이후 조선과 일본이 체결한 조약으로, 조선이 일본에 배상금을 지불하고, 일본 공사관 신축 비용을 조선이 부담한다는 내용을 담고 있다.

② **제물포 조약(1882)**: 제물포 조약은 임오군란이 진압된 이후 조선과 일본이 체결한 조약으로, 일본에 배상금 지불 및 일본 공사관 경비를 위한 일본군 주둔을 허용하는 내용을 담고 있다.

③ **시모노세키 조약(1895)**: 시모노세키 조약은 청·일 전쟁의 결과 청과 일본이 체결한 조약으로, 청이 일본에 배상금 지불 및 랴오둥(요동) 반도와 타이완 할양, 조선에 대한 종주권 포기 등의 내용을 담고 있다.

10

2017년 국가직 9급(4월 시행)

갑신정변 이후 국내외 정세로 옳지 않은 것은?

① 독일 부영사 부들러는 조선의 영세 중립국화를 건의하였다.

② 러시아의 남하 정책에 대응하여 영국 함대가 거문도를 불법 점령하였다.

③ 조·청 상민 수륙 무역 장정을 체결하여 청나라 상인에게 통상 특혜를 허용하였다.

④ 청·일 양국 군대가 조선에서 철수하는 것 등을 내용으로 하는 톈진 조약이 체결되었다.

문제풀이 갑신정변 이후 국내외 정세 난이도 중

③ 조·청 상민 수륙 무역 장정이 체결된 것은 임오군란 이후인 1882년으로, 갑신정변(1884) 이전의 일이다. 조·청 상민 수륙 무역 장정의 체결로 청나라 상인은 조선 내지에서 통상할 수 있는 특혜를 얻게 되었다.

오답 분석

① 갑신정변 이후 한반도를 둘러싼 열강들의 대립과 경쟁이 심화되자, 조선 주재 독일 부영사 부들러는 일본과 청나라 사이의 충돌을 방지하기 위해 조선이 스위스와 같은 영세 중립국이 되어야 한다는 한반도 영세 중립화안을 조선 정부에 건의하였다.

② 갑신정변 이후 청의 내정 간섭이 심해지자 조선은 청을 견제하기 위해 러시아를 끌어들이려 하였고, 이때를 이용해 러시아는 조선에서의 세력을 확대하고자 하였다. 이에 영국은 러시아의 남하 정책을 저지하기 위해 함대를 보내 거문도를 불법 점령하였다(거문도 사건, 1885~1887).

④ 갑신정변 이후 청과 일본은 양국 군대가 조선에서 철수하고, 조선 파병 시 상대방 국가에 미리 알린다는 내용의 톈진 조약을 체결하였다(1885).

이것도 알면 **합격!**

한반도 중립화론

배경	• 한반도를 둘러싼 열강들의 경쟁 심화 • 거문도 사건(1885 ~ 1887)
내용	• 부들러: 청과 일본의 충돌에 대비하기 위한 한반도 영세 중립화안을 조선 정부에 제안 • 유길준: 열강의 침략으로부터 조선의 안전을 보장받기 위해 청·러·미·일·영 등 열강이 보장하는 조선 중립화론 주장

11

2015년 서울시 9급

밑줄 친 '그들'이 추진했던 정책에 대한 설명으로 옳은 것을 〈보기〉에서 모두 고른 것은?

> 그들의 실패는 우리에게 무척 애석한 일이다. 내 친구 중에 이 사건을 잘 아는 이가 있는데, 그는 어쩌다 조선의 최고 수재들이 일본인에게 이용당해서 그처럼 큰 잘못을 저질렀는지 참으로 애석하다고 했다. 진실로 일본인이 조선의 운명과 그들의 성공을 위해 노력을 다했겠는가? 우리가 만약 국가적 발전의 기미를 보였다면 일본인들은 백방으로 방해할 것이 자명한데 어찌 그들을 원조했겠는가? – 『한국통사』

보기

㉠ 토지의 평균 분작을 실현한다.
㉡ 러시아와 비밀 협약을 추진한다.
㉢ 보부상 단체인 혜상공국을 혁파한다.
㉣ 의정부, 6조 외의 불필요한 관청은 없앤다.

① ㉠, ㉡　　② ㉠, ㉢
③ ㉡, ㉣　　④ ㉢, ㉣

12

2015년 법원직 9급

밑줄 친 '혁신 정강 14개조'에 해당하는 내용으로 가장 옳은 것은?

> 급진 개화파는 우정총국 낙성 기념 축하연을 이용하여 정변을 개시하였다. 이후 급진 개화파는 국가 전반의 개혁 정책을 담고 있는 혁신 정강 14개조를 공포하였다.

① 토지는 평균으로 나누어 경작하게 할 것.
② 국내외의 공사 문서에는 개국 기원을 사용할 것.
③ 문벌을 폐지하고 인민 평등의 권리를 제정하고 능력에 따라 관리를 등용할 것.
④ 외국과의 이권에 관한 조약은 각 대신과 중추원 의장이 합동 날인하여 시행할 것.

문제풀이 급진 개화파의 정책 난이도 중

제시된 자료는 박은식이 『한국통사』에서 갑신정변을 평가한 내용으로, 박은식은 이 책에서 '일본인들이 진심으로 성공을 도모했을 리 없다'라고 말하면서 외세의 힘을 빌려 갑신정변을 주도한 급진 개화파를 비판하고 있다. 따라서 밑줄 친 '그들'은 급진 개화파이다.

④ 옳은 것을 모두 고르면 ㉢, ㉣이다.

㉢ 혜상공국 혁파는 갑신정변의 14개조 혁신 정강 중 제9조의 내용이다. 급진 개화파는 보부상을 총괄하는 기관인 혜상공국을 혁파하여 특권적 상업 체제를 폐지하고자 하였다.

㉣ 의정부, 6조 외의 불필요한 관청을 없애는 것은 갑신정변의 14개조 혁신 정강 중 제14조의 내용이다. 급진 개화파는 내각 제도의 수립과 정부 조직의 근대적 개편을 위해 불필요한 관청을 없애고자 하였다.

오답 분석

㉠ 토지의 평균 분작 실현을 주장한 것은 동학 농민 운동을 주도한 동학 농민군이다. 급진 개화파는 당시 농민들이 가장 원하였던 토지 제도 개혁에 소홀하였기 때문에 민중들의 지지를 받지 못하였다.

㉡ 조선이 러시아와 비밀 협약을 추진한 것은 급진 개화파의 정책과 관련이 없다. 갑신정변 이후 조선에 대한 청의 내정 간섭이 심화되고, 조선을 둘러싼 청·일 간의 경쟁도 치열해졌다. 이에 조선은 제3국의 분쟁 시 러시아 함대가 출동한다는 내용의 밀약을 체결하여 위기를 극복하고자 하였다.

문제풀이 14개조 혁신 정강 난이도 하

③ 문벌을 폐지하고 인민 평등의 권리를 제정하여 능력에 따라 관리를 등용하는 것은 갑신정변 때 발표된 14개조 혁신 정강 중 제2조의 내용이다. 급진 개화파는 이를 통해 양반 문벌 제도를 폐지하고자 하였다.

오답 분석

① **폐정 개혁안 12개조**: 토지의 평균 분작은 동학 농민군이 제시한 폐정 개혁안 12개조에 포함되어 있다. 갑신정변을 주도한 급진 개화파는 토지 개혁 문제에 소홀하였기 때문에 민중의 지지를 받지 못하였다.

② **제1차 갑오개혁 법령**: 공사 문서에 개국 기원을 사용하는 것은 제1차 갑오개혁의 법령에 포함되어 있다.

④ **헌의 6조**: 외국과의 이권에 관한 조약은 대신과 중추원 의장이 합동 날인하여 시행할 것은 독립 협회의 헌의 6조에 포함되어 있다.

이것도 알면 **합격!**

14개조 혁신 정강

정치	청에 대한 조공의 허례 폐지(청과의 사대 관계 청산), 문벌 폐지와 능력에 따른 관리 임명, 내시부 폐지(왕권 제한), 대신과 참찬은 의정부에 모여 의결(입헌 군주제 실시)
경제	지조법 개혁(조세 개혁), 환상미 영구 면제(환곡제 폐지), 혜상공국 혁파(특권적 상업 체제 폐지), 재정은 호조에서 관할(재정 일원화)
사회	탐관오리 처벌, 순사 설치(경찰제 실시)

정답 09 ④ 10 ③ 11 ④ 12 ③

1 | 동학 농민 운동

01

2024년 지방직 9급

다음 결의 사항을 실현하기 위해 일어난 사건에 대한 설명으로 옳은 것은?

> 1. 고부성을 격파하고 군수 조병갑의 목을 베어 매달 것
> 1. 군기창과 화약고를 점령할 것
> 1. 군수에게 아첨하여 백성을 침탈한 탐욕스러운 아전을 쳐서 징벌할 것
> 1. 전주 감영을 함락하고 서울로 곧바로 향할 것

① 혜상공국 폐지 등의 정강을 발표하였다.
② 집강소를 설치하고 폐정 개혁을 시도하였다.
③ 별기군에 비해 차별을 받던 구식 군인들이 일으켰다.
④ 13도 창의군을 조직하고 서울 진공 작전을 추진하였다.

02

2018년 국가직 9급

(가) 시기에 해당되는 사실로 옳은 것은?

> 방금 안핵사 이용태의 보고에 따르면 "죄인들이 대다수 도망치는 바람에 조사하지 못하였다."라고 하였다. -『승정원일기』

↓

> (가)

↓

> 전봉준은 금구 원평에 앉아 (전라)우도에 호령하였으며, 김개남은 남원성에 앉아 좌도를 통솔하였다. -『갑오약력』

① 논산에서 남·북접의 동학군이 집결하였다.
② 우금치 전투에서 동학군이 일본군과 격전을 벌였다.
③ 동학 교도가 궁궐 앞에서 교조 신원을 주장하는 집회를 열었다.
④ 백산에서 전봉준이 보국안민을 위해 궐기하라는 통문을 보냈다.

문제풀이 제1차 동학 농민 운동 난이도 중

제시문에서 고부성을 격파하고 군수 조병갑의 목을 베어 매달 것과 전주 감영을 함락하고 서울로 곧바로 향할 것이라는 내용을 통해 고부 민란 당시의 결의 사항(사발통문)임을 알 수 있다. 고부 민란이 일어나자 정부는 이를 수습하기 위해 안핵사 이용태를 파견하였으나, 이용태는 고부 민란의 주모자를 색출하여 가혹하게 처벌하였다. 이에 불만이 폭발한 농민들은 제1차 동학 농민 운동을 일으켰다.

② 제1차 동학 농민 운동 당시 전주성을 점령한 동학 농민군은 전라도 지역에 농민 자치 기구인 집강소를 설치하였다. 집강소에서는 치안과 행정을 담당하였고, 노비 문서 소각, 탐관오리 엄징, 과부의 재가 허용, 토지의 평균 분작, 관리 채용에 지벌 타파 등의 폐정 개혁을 추진하였다.

오답 분석

① **갑신정변**: 혜상공국 폐지 등의 정강을 발표한 것은 갑신정변이다. 갑신정변을 일으킨 급진 개화파는 보부상을 총괄하는 기관인 혜상공국을 폐지하고, 재정은 호조에서 관할할 것을 주장하는 등의 14개조 혁신 정강을 발표하였다.

③ **임오군란**: 신식 군대인 별기군에 비해 차별을 받던 구식 군인들이 일으킨 것은 임오군란이다.

④ **정미의병**: 13도 창의군을 조직하고 서울 진공 작전을 추진한 것은 정미의병이다. 정미의병 때 이인영을 총대장으로, 허위를 군사장으로 하는 13도 창의군을 조직하고 서울 진공 작전을 전개하여 서울 근교까지 진격하였으나 일본군의 반격으로 실패하였다.

문제풀이 제1차 동학 농민 운동 난이도 중

(가) 시기 이전의 자료는 안핵사 이용태가 보고하였다는 것을 통해 1894년 1월에 발생한 고부 민란 시기임을 알 수 있다. (가) 시기 이후의 자료는 전봉준이 (전라)우도, 김개남이 (전라)좌도를 통솔하였다는 것을 통해 전주 화약(1894. 5.) 이후 동학 농민군이 집강소를 설치한 시기임을 알 수 있다. 따라서 (가)는 고부 농민 봉기와 집강소 설치 사이의 시기이다.

④ (가) 시기인 1894년 3월에 전봉준을 중심으로 한 동학 농민군은 백산에 집결하여 보국안민의 뜻을 담은 격문과 4대 강령 등을 발표하였다. 고부 민란을 조사하기 위해 파견된 안핵사 이용태가 민란에 참여한 농민들을 탄압하자, 전봉준 등은 무장에서 보국안민과 제폭구민을 구호로 창의문을 발표하고, 농민군을 백산으로 소집하여 봉기하였다.

오답 분석

① 논산에서 남·북접의 동학군이 집결한 것(1894. 10.)은 집강소 설치 이후인 제2차 동학 농민 운동 시기의 사실이다. 톈진 조약을 근거로 조선에 상륙한 일본군이 무력으로 경복궁을 점령하자 동학 농민군은 다시 봉기하였고, 이때 전봉준이 이끄는 남접과 손병희가 이끄는 북접이 논산에서 집결하였다.

② 우금치 전투(1894. 11.)에서 동학 농민군이 일본군과 격전을 벌인 것은 집강소 설치 이후인 제2차 동학 농민 운동 시기의 사실이다.

③ 동학 교도가 궁궐 앞에서 교조 신원 운동을 벌인 것은 고부 민란 이전의 일이다. 동학 교도들은 1893년 2월에 서울 궁궐 앞에서 동학 교조 최제우의 명예를 회복하기 위한 교조 신원 운동을 전개하였다(복합 상소).

03

2017년 서울시 9급

(가)의 사건에 대한 설명으로 옳은 것은?

심문자: 작년 3개월간 무슨 사연으로 고부 등지에서 민중을 크게 모았는가?
답변자: 고부 군수의 수탈이 심하여 민심이 억울하고 통한스러워 의거를 하였다.
심문자: 흩어져 돌아간 후에는 무슨 일로 봉기하였는가?
답변자: 안핵사 이용태가 의거 참가자 대다수를 동학도로 몰아 체포하여 살육하였기 때문이다.
심문자: (가) 이후 다시 봉기를 일으킨 이유는 무엇인가?
답변자: 일본이 군대를 거느리고 경복궁을 침범하였기 때문이다.

① 일본군이 풍도의 청군을 공격하면서 성립하였다.
② 법규교정소를 설치한다는 내용이 들어 있었다.
③ 집강소 및 폐정 개혁에 관한 규정이 포함되었다.
④ 제물포 조약을 근거로 실행한 것이다.

문제풀이 전주 화약 난이도 중

제시문은 동학 농민 운동의 지도자였던 전봉준의 공초(법정의 심문에 대한 재판 기록)의 일부 내용이며, 제시문의 (가)는 제2차 동학 농민 봉기 이전에 체결된 전주 화약이다. 동학 농민군은 청·일 양군의 군사 주둔을 막기 위해 폐정 개혁을 조건으로 조선 정부와 1894년 5월에 전주 화약을 체결하였다.

③ 전주 화약에는 집강소 및 폐정 개혁에 관한 규정이 포함되었다. 이에 따라 농민군은 전라도 지역에 농민 자치 기구인 집강소를 설치하여 치안과 행정을 담당하였고, 노비 문서 소각, 탐관오리 엄징, 과부의 재가 허용, 토지의 평균 분작, 관리 채용에 지벌 타파 등의 폐정 개혁을 추진하였다.

오답 분석
① 일본군이 아산만 입구에 있는 풍도의 청군을 공격하면서 발발한 것은 청·일 전쟁이다.
② 법규교정소가 설치된 것은 대한 제국 성립 이후인 1899년의 일로, 전주 화약과는 관련이 없다. 대한 제국 정부는 1897년에 신·구법의 절충과 그에 관한 법전을 편찬하기 위하여 중추원 내에 교전소를 설치하였는데, 이 기관이 1899년에 법규교정소로 개편되었다.
④ 제물포 조약은 임오군란의 결과 1882년에 조선과 일본이 체결한 조약으로, 전주 화약과는 관련이 없다. 제물포 조약을 근거로 일본 군대가 조선 내에 공식적으로 주둔할 수 있게 되었다.

04

2024년 법원직 9급

(가)~(다)를 일어난 순서대로 가장 옳게 나열한 것은?

(가) 전라도 각지에 집강소가 설치되었다.
(나) 고부에서 만석보가 허물어졌다.
(다) 청과 일본이 시모노세키 조약을 체결하였다.

① (가) - (나) - (다)
② (가) - (다) - (나)
③ (나) - (다) - (가)
④ (나) - (가) - (다)

문제풀이 동학 농민 운동의 전개 과정 난이도 중

④ 순서대로 나열하면 (나) 고부 민란(1894. 1.) → (가) 집강소 설치(1894. 6.) → (다) 시모노세키 조약 체결(음 1895. 3. 23., 양 1895. 4. 17.)이 된다.

(나) **고부 민란**: 고부 군수 조병갑이 농민들을 동원하여 만석보를 짓고 과중한 세금을 거두는 등의 횡포를 부리자, 전봉준을 중심으로 농민들이 봉기하여 고부 관아를 습격하고 만석보를 허물었다(1894. 1.).

(가) **집강소 설치**: 제1차 동학 농민 운동 때 전주성을 점령한 동학 농민군은 정부와 전주 화약을 체결하고 전라도 각지에 농민 자치 조직으로 집강소를 설치하였다(1894. 6.)

(다) **시모노세키 조약 체결**: 전주 화약 이후 조선 정부는 동학 농민 운동의 진압을 명분으로 들어온 청·일 양국 군대의 철수를 요구하였다. 그러나 일본군이 경복궁을 점령하고 청국 군함을 공격하면서 청·일 전쟁을 일으켰다(1894. 6.). 이 전쟁에서 패배한 청은 일본과 시모노세키 조약을 체결하여 일본에 랴오둥(요동)반도를 할양하였다(음 1895. 3. 23., 양 1895. 4. 17.).

정답 01 ② 02 ④ 03 ③ 04 ④

05

2022년 법원직 9급

(가), (나) 격문이 발표된 사이의 시기에 있었던 사실로 옳은 것을 〈보기〉에서 모두 고른 것은?

> (가) 우리가 의로운 깃발을 들어 이곳에 이름은 그 뜻이 결코 다른 데 있지 아니하고 창생을 도탄 속에서 건지고 국가를 반석 위에 두고자 함이다. 안으로는 양반과 탐학한 관리의 목을 베고 밖으로 횡포한 강적의 무리를 내몰고자 함이다.
> (나) 일본 오랑캐가 분란을 야기하고 군대를 출동하여 우리 임금님을 핍박하고 우리 백성들을 뒤흔들어 놓았으니 어찌 차마 말할 수 있겠습니까. …… 지금 조정의 대신들은 망령되이 자신의 몸만 보전하고자 위로는 임금님을 협박하고 아래로는 백성들을 속이며 일본 오랑캐와 내통하여 삼남 백성들의 원망을 샀습니다.

> **보기**
> ㉠ 조선 정부가 개혁 기구인 교정청을 설치하였다.
> ㉡ 동학 농민군과 관군이 전주 화약을 체결하였다.
> ㉢ 조선 정부가 조병갑을 파면하고 박원명을 고부 군수로 임명하였다.
> ㉣ 동학교도들이 전라도 삼례에서 교조 신원을 요구하는 집회를 벌였다.

① ㉠, ㉡ ② ㉠, ㉣
③ ㉡, ㉢ ④ ㉢, ㉣

문제풀이 동학 농민군의 백산 봉기와 제2차 봉기 사이의 사실 난이도 중

제시된 (가)는 동학 농민군의 백산 봉기(1894. 3.) 때 발표한 호남 창의문이고, (나)는 제2차 봉기 때 남·북접 집결(1894. 10.) 직후에 발표한 격문이다. 따라서 1894년 3월~10월 사이의 사실을 고르면 된다.

① 옳은 것을 모두 고르면 ㉠, ㉡이다.

㉠, ㉡ 동학 농민군은 1894년 5월에 청·일 양군에 대한 철병 요구와 폐정 개혁을 조건으로 관군과 전주 화약을 체결하였다. 이후 조선 정부는 1894년 6월에 동학 농민군의 요구 사항을 수용하고 자주적 개혁을 추진하기 위해 개혁 기구인 교정청을 설치하였다.

오답 분석

㉢ **(가) 이전**: 조선 정부가 조병갑을 파면하고 박원명을 신임 고부 군수로 임명한 것은 1894년 2월로, (가) 이전의 사실이다.

㉣ **(가) 이전**: 동학교도들이 전라도 삼례에서 교조인 최제우의 신원을 요구하는 집회를 벌인 것은 1892년으로, (가) 이전의 사실이다.

이것도 알면 **합격!**

동학 농민 운동의 전개

고부 농민 봉기 → 안핵사 이용태 파견, 고부 봉기 관련자 탄압 → 무장 봉기 → 백산 집결, 창의문 및 4대 강령 발표 → 황토현 전투 → 황룡촌 전투 → 전주성 점령 → 청·일군 파병 → 전주 화약, 폐정 개혁안 12개조 건의, 집강소 설치 → 일본군 경복궁 점령, 청·일 전쟁 발발 → 동학 농민군의 재봉기 → 우금치 전투 → 농민군 패배, 전봉준 체포

06

2023년 서울시 9급

〈보기〉에서 동학 농민군의 폐정 개혁 12개 조항으로 옳지 않은 것을 모두 고른 것은?

> **보기**
> ㉠ 횡포한 부호를 엄히 다스린다.
> ㉡ 불량한 유림과 양반의 무리를 징벌한다.
> ㉢ 외국인에게 의지하지 말고 관민이 협력하여 전제 황권을 공고히 한다.
> ㉣ 무명의 잡세는 모두 폐지한다.
> ㉤ 중대 범죄를 공판하되 피고의 인권을 존중한다.

① ㉠, ㉢
② ㉢, ㉤
③ ㉠, ㉡, ㉣
④ ㉡, ㉢, ㉤

문제풀이 동학 농민군의 폐정 개혁 12개 조항 난이도 중

② 옳지 않은 것을 모두 고르면 ㉢, ㉤이다.

㉢ 외국인에게 의지하지 말고 관민이 협력하여 전제 황권을 공고히 한다는 것은 관민 공동회에서 결의한 헌의 6조 중 제1조의 내용이다.

㉤ 중대 범죄를 공판하되 피고의 인권을 존중한다는 것은 관민 공동회에서 결의한 헌의 6조 중 제4조의 내용이다.

오답 분석

㉠ 횡포한 부호를 엄히 다스린다는 것은 폐정 개혁안 12개 조항 중 제3조의 내용이다.

㉡ 불량한 유림과 양반의 무리를 징벌한다는 것은 폐정 개혁안 12개 조항 중 제4조의 내용이다.

㉣ 무명 잡세는 모두 폐지한다는 것은 폐정 개혁안 12개조 중 제8조의 내용이다.

이것도 알면 **합격!**

폐정 개혁 12개조의 내용

구분	내용
반봉건	• 탐관오리 처벌, 횡포한 부호 엄징, 불량한 유림과 양반 징벌 • 노비 문서 소각, 7종 천인의 대우 개선, 청상 과부의 재가 허용 • 토지 균등 분배, 잡세 폐지, 공·사채 폐지
반외세	왜와 내통하는 자 엄징

07

2020년 서울시 9급(특수 직렬)

〈보기〉는 동학 농민군이 제시한 「폐정 개혁안」 12개조 중 일부이다. 이 중 갑오개혁에 반영된 것을 모두 고른 것은?

> **보기**
> ㉠ 무명의 잡다한 세금은 일체 거두지 않는다.
> ㉡ 토지는 균등히 나누어 경작한다.
> ㉢ 왜와 통하는 자는 엄중히 징벌한다.
> ㉣ 젊어서 과부가 된 여성의 재혼을 허용한다.

① ㉠, ㉡

② ㉠, ㉣

③ ㉡, ㉢

④ ㉢, ㉣

문제풀이 폐정 개혁안 12개조 난이도 중

② 갑오개혁에 반영된 것을 모두 고르면 ㉠, ㉣이 된다.

㉠ 무명의 잡다한 세금은 일체 거두지 않는다는 내용은 갑오개혁 때 홍범 14조의 제6조인 납세는 법으로 정하고 함부로 세금을 징수하지 아니한다는 내용으로 반영되었다.

㉣ 젊어서 과부가 된 여성의 재혼을 허용한다는 내용은 1차 갑오개혁의 법령 중 과부의 재혼은 귀천을 막론하고 자유에 맡긴다는 내용으로 반영되었다.

오답 분석

㉡, ㉢ 토지는 균등히 나누어 경작한다는 내용과 왜와 통하는 자는 엄중히 징벌한다는 내용은 갑오개혁에 반영되지 않았다.

08

2019년 국가직 9급

(가)의 체결 이후에 일어난 사실로 옳은 것은?

> 청군과 일본군의 개입으로 사태가 악화되자 농민군은 폐정 개혁을 제시하며 정부와 (가) 을/를 맺었다. 이에 따라 농민군은 해산하였다.

① 농민군이 황토현에서 감영군을 격파하였다.

② 고부 군수 조병갑이 만석보를 쌓아 수세를 강제로 거두었다.

③ 안핵사 이용태가 농민을 동학도로 몰아 처벌하였다.

④ 남접군과 북접군이 논산에서 합류하여 연합군을 형성하였다.

문제풀이 전주 화약 체결 이후의 사실 난이도 중

제시문은 청군과 일본군의 개입으로 사태가 악화되자 동학 농민군이 정부와 전주 화약을 체결(1894. 5.)한 후 해산한 내용이다. 동학 농민군이 전주성을 점령한 이후 조선 정부로부터 군사 파견 요청을 받은 청군이 조선에 출병하자 일본군도 톈진 조약을 근거로 조선에 출병하였다. 이에 동학 농민군은 폐정 개혁안을 제시하며 정부에게 협상을 제의하였으며, 정부가 이에 응하면서 정부와 농민군 사이에 전주 화약이 체결되었고, 동학 농민군은 자진 해산하였다.

④ 전주 화약이 체결된 이후 조선 정부는 청군과 일본군에 동시 철수할 것을 요구하였으나, 일본은 경복궁을 무단 점령하고, 청·일 전쟁을 일으켰다. 이에 전봉준을 중심으로 한 남접군과 손병희를 중심으로 한 북접군이 논산에서 합류(1894. 10.)하여 연합 부대를 형성하고 반외세를 기치로 2차 봉기하였다.

오답 분석

모두 전주 화약이 체결되기 이전의 사실이다.

① 동학 농민군이 황토현 전투(1894. 4.)에서 전라 감영군을 격파한 것은 전주 화약이 체결되기 이전인 제1차 동학 농민 운동 시기의 사실이다.

②, ③ 전라북도 고부 군수 조병갑이 농민들을 동원하여 만석보를 짓고 과중한 세금을 거두는 등의 횡포를 부리자 전봉준을 중심으로 농민들이 봉기하였다(고부 민란, 1894. 1.). 정부는 이를 수습하기 위해 안핵사 이용태를 파견하여 민란의 진상을 조사하도록 하였는데, 이용태가 농민들을 동학도로 몰아 처벌하면서 농민들의 분노가 폭발하였다.

정답 05 ① 06 ② 07 ② 08 ④

09

2017년 국가직 7급(8월 시행)

다음 상황이 일어난 이후의 사실을 〈보기〉에서 모두 고른 것은?

> 일본군이 경복궁을 습격하자 이에 전봉준은 삼례에 대도소를 설치하여 농민군의 삼례 집결을 도모하였고, 기병을 촉구하는 통문을 돌렸다. 통문에는 "이번 거사에 호응하지 아니하는 자는 불충무도(不忠無道)한 자이다."라는 내용이 담겨 있었다.

보기

㉠ 농민군은 황토현에서 관군을 격파하였다.
㉡ 정부와 농민군은 전주에서 화약을 맺었다.
㉢ 북접군과 남접군이 논산에서 합류하여 집결하였다.
㉣ 농민군은 공주 우금치에서 관군과 일본군 연합 부대를 맞아 격돌하였다.

① ㉠, ㉡
② ㉠, ㉢
③ ㉡, ㉣
④ ㉢, ㉣

10

2016년 법원직 9급

다음 사건이 일어난 시기를 (가) ~ (라) 중에서 찾으면?

> 동학의 무리가 금구현을 거쳐 전주 삼천에 주둔하였다가 이날 전주부에 돌입한 것이다. 전주감사 김문현 등은 동학의 무리가 갑자기 뛰어듦을 보고 군졸을 급히 동원하여 전주부민과 더불어 사문(四門)을 파수하였으나 동학의 무리가 별안간 사방을 포위하고 기세가 심히 맹렬하매 성을 지키는 군졸 등이 놀라 흩어져 버렸다.

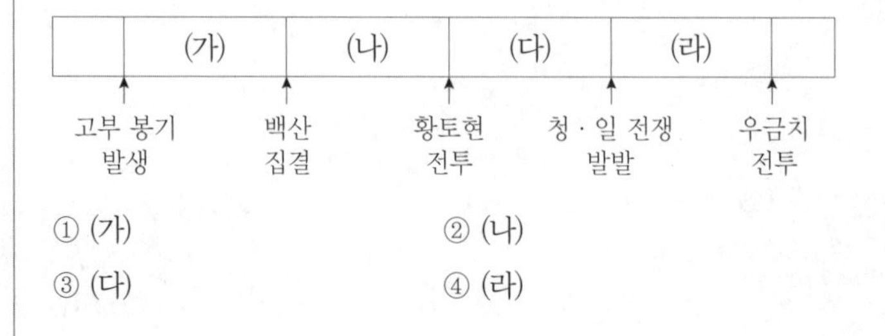

① (가)　② (나)
③ (다)　④ (라)

문제풀이 제2차 동학 농민 운동의 전개 과정

난이도 중

제시문에서 일본군이 경복궁을 습격하자 전봉준이 농민군의 집결을 도모하였다는 내용을 통해 제2차 동학 농민 운동의 발발과 관련된 내용임을 알 수 있다. 전주 화약 체결 이후 조선 정부는 청·일 양군의 철병을 요구하였으나, 오히려 일본군은 경복궁을 습격·점령한 뒤 청·일 전쟁을 일으켰다. 이러한 상황에서 위기 의식을 느낀 전봉준은 농민군을 삼례에 집결시켜 반외세의 기치를 내걸은 제2차 동학 농민 운동을 일으키고, 다른 지역의 농민군도 거병할 것을 촉구하는 통문을 돌렸다(1894. 9.).

④ 옳은 것을 모두 고르면 ㉢, ㉣이다.

㉢ 제2차 동학 농민 운동 때 전봉준이 지휘하는 남접 세력과 손병희가 지휘하는 북접 세력은 논산에서 합류하여 집결하였다(1894. 10).

㉣ 동학 농민군은 공주 우금치에서 관군과 일본군 연합 부대를 맞아 항전하였으나, 신식 무기로 무장한 관군과 일본군에게 패배하였다(1894. 11.).

오답 분석

㉠ 동학 농민군이 황토현에서 관군을 격파(1894. 4.)한 것은 제1차 동학 농민 운동 시기의 사실이다.

㉡ 정부와 동학 농민군이 전주에서 화약을 맺은(1894. 5.) 것은 제1차 동학 농민 운동 시기의 사실이다.

문제풀이 제1차 동학 농민 운동

난이도 하

제시문에서 동학의 무리가 전주부에 돌입하였다는 내용을 통해 제1차 동학 농민 운동 때 동학 농민군이 전주성을 점령한 사건임을 알 수 있다.

(가) 고부 봉기 발생(1894. 1.) ~ 백산 집결(1894. 3.)
(나) 백산 집결(1894. 3.) ~ 황토현 전투(1894. 4.)
(다) 황토현 전투(1894. 4.) ~ 청·일 전쟁 발발(1894. 6.)
(라) 청·일 전쟁 발발(1894. 6.) ~ 우금치 전투(1894. 11.)

③ 동학 농민군의 전주성 점령(1894. 4. 27.)은 황토현 전투(1894. 4. 7.)와 청·일 전쟁(1894. 6. 23.) 사이의 시기에 발생하였으므로 (다) 시기에 해당한다. 황토현 전투와 황룡촌 전투에서 승리한 동학 농민군은 이후 전주성에 입성하였다(1894. 4. 27.). 이에 조선 정부는 청에 군사 지원을 요청하였고, 이를 받아 들인 청군이 조선에 상륙하였다. 한편 톈진 조약에 따라 일본도 군대를 파병하였고, 이에 위기를 느낀 조선 정부는 동학 농민군과 전주 화약을 체결(1894. 5. 7.)하고 청·일 양군의 철병을 요구하였다. 그러나 일본군은 경복궁을 점령(1894. 6. 21.)하고 아산만 인근 풍도에 있던 청군을 공격하여 청·일 전쟁을 일으켰다.

11

2015년 국가직 9급

다음은 동학 농민 운동과 관련한 연표이다. (가) ~ (라) 시기에 있었던 사실로 옳은 것은?

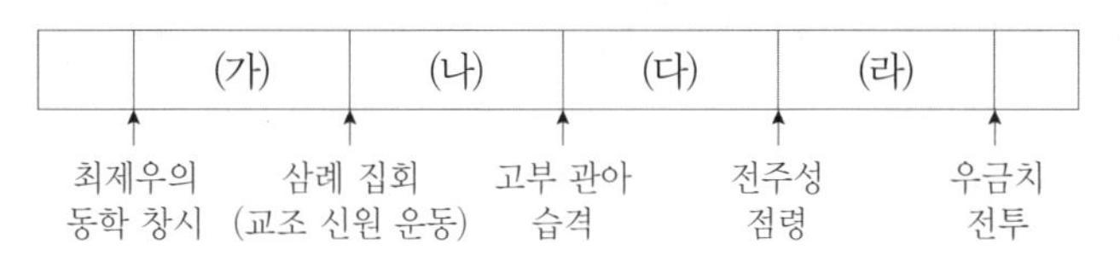

① (가) – 황토현 전투

② (나) – 청·일 전쟁의 발발

③ (다) – 남·북접군의 논산 집결

④ (라) – 일본군의 경복궁 점령

문제풀이 동학 농민 운동

난이도 중

(가) 최제우의 동학 창시(1860) ~ 삼례 집회(교조 신원 운동, 1892)

(나) 삼례 집회(교조 신원 운동, 1892) ~ 고부 관아 습격(1894. 1.)

(다) 고부 관아 습격(1894. 1.) ~ 전주성 점령(1894. 4. 27.)

(라) 전주성 점령(1894. 4. 27.) ~ 우금치 전투(1894. 11.)

④ 동학 농민군이 전주성을 점령한 이후 조선 정부의 요청으로 청군이 조선에 출병하자 일본군도 톈진 조약을 근거로 조선에 출병하였다. 이에 조선 정부는 동학 농민군과 전주 화약을 체결하고 청·일 양군의 철수를 요청하였으나 오히려 일본군은 경복궁을 점령하고, 청·일 전쟁을 일으켰다. 이에 동학 농민군은 반외세를 기치로 다시 봉기하였다.

오답 분석

① (다) 시기: 황토현 전투(1894. 4. 7.)는 제1차 동학 농민 운동 때 동학 농민군이 관군에 승리한 전투로, (다) 시기에 있었던 사실이다.

② (라) 시기: 청·일 전쟁(1894. 6.)은 (라) 시기에 발발하였다.

③ (라) 시기: 동학 농민군의 남접과 북접이 논산에 집결한 것(1894. 10.)은 2차 봉기인 (라) 시기에 있었던 사실이다.

12

2021년 서울시 9급(특수 직렬)

〈보기〉는 동학 농민 전쟁에 관련된 주요 사건을 표로 나타낸 것이다. 청·일 전쟁이 발발된 시기는?

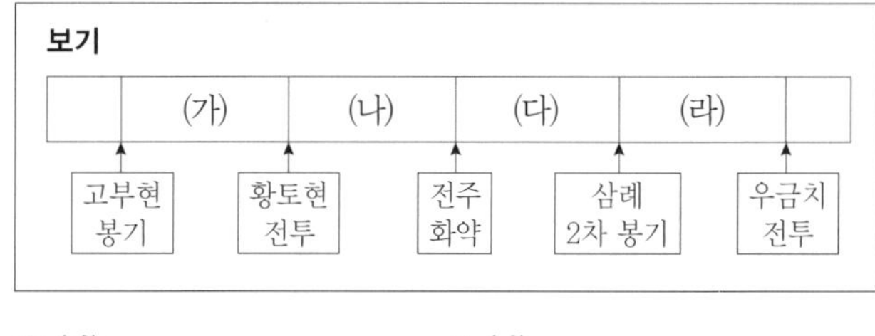

① (가)　② (나)

③ (다)　④ (라)

문제풀이 청·일 전쟁이 발발한 시기

난이도 하

(가) 고부현 봉기(1894. 1.) ~ 황토현 전투(1894. 4)

(나) 황토현 전투(1894. 4) ~ 전주 화약(1894. 5.)

(다) 전주 화약(1894. 5.) ~ 삼례 2차 봉기(1894. 9.)

(라) 삼례 2차 봉기(1894. 9.) ~ 우금치 전투(1894. 11)

③ 청·일 전쟁은 (다) 시기인 1894년 6월에 발발하였다. 제1차 동학 농민 운동을 진압하기 위해 조선 정부는 청에 원병을 요청하였고, 조선의 요청으로 청군이 아산만에 상륙하자 일본군이 톈진 조약을 구실로 제물포(인천)에 상륙하였다. 이에 위기감을 느낀 조선 정부는 동학 농민군과 전주 화약을 체결(1894. 5.)하고 청·일 양군의 철수를 요구하였으나, 오히려 일본군은 경복궁을 점령하고 아산만 인근의 풍도 앞바다에서 청 군함을 기습 공격하면서 청·일 전쟁을 일으켰다(1894. 6.). 이를 계기로 동학 농민군은 반외세의 기치 아래 삼례에서 2차 봉기하였다(1894. 9.).

정답 09 ④ 10 ③ 11 ④ 12 ③

2 | 갑오·을미개혁

01

2022년 서울시 9급(6월 시행)

〈보기〉에 해당하는 기관으로 가장 옳은 것은?

> **보기**
> • 1894년 국정 전반에 걸쳐 개혁을 수행하기 위해 신설된 기관
> • 3개월 동안 개혁 법령을 토의, 공포한 입법 기구
> • 총재 김홍집을 비롯하여 유길준 등 개혁 관료들이 주도

① 교전소

② 집강소

③ 군국기무처

④ 삼정이정청

02

2016년 지방직 9급

다음 내용이 포함된 개혁에 대한 설명으로 옳지 않은 것은?

> • 공·사 노비 제도를 모두 폐지하고, 인신매매를 금지한다.
> • 연좌법을 폐지하여 죄인 자신 외에는 처벌하지 않는다.
> • 과부의 재혼은 귀천을 막론하고 그 자유에 맡긴다.

① 중국 연호의 사용을 폐지하였다.

② 독립 협회 활동의 영향을 받았다.

③ 군국기무처의 주도 하에 추진되었다.

④ 동학 농민 운동의 요구를 일부 수용하였다.

문제풀이 군국기무처

난이도 하

제시된 자료에서 1894년에 국정 전반에 걸쳐 개혁을 수행하기 위해 신설된 입법 기구라는 것과 총재가 김홍집이었다는 내용을 통해 군국기무처에 대한 설명임을 알 수 있다.

③ 군국기무처는 제1차 갑오개혁 때 개혁 수행을 위해 설치된 최고 정책 결정 기관으로, 국가의 주요 정책에 대한 개혁을 추진하였다.

오답 분석

① **교전소**: 교전소는 대한 제국 때 중추원 내에 설치된 기관으로, 신·구법의 절충과 그에 관한 법전을 편찬하기 위해 설치되었다.

② **집강소**: 집강소는 동학 농민군이 정치·행정상의 폐단을 개혁하기 위해 전라도 일대의 고을에 설치한 농민 자치 조직이다.

④ **삼정이정청**: 삼정이정청은 철종 때 임술 농민 봉기가 일어나자, 삼정의 문란을 바로잡기 위해 설치한 기관이다.

이것도 알면 **합격!**

군국기무처

구분	내용
설립	제1차 갑오개혁 때 설립(1894. 6.)
구성	총재관인 김홍집과 유길준, 김가진, 박정양 등의 회의원으로 구성
성격	초정부적 정책 결정 기구
폐지	일본 공사 이노우에의 요구와 고종의 칙령에 의해 6개월 만에 폐지됨(1894. 12.)

문제풀이 제1차 갑오개혁

난이도 중

제시문에서 공·사 노비 제도의 폐지와 연좌법 폐지, 과부의 재혼 허용 등의 내용을 통해 1894년에 시행된 제1차 갑오개혁임을 알 수 있다.

② 독립 협회는 제1차 갑오개혁(1894) 이후인 1896년에 설립된 단체로, 제1차 갑오개혁에 영향을 줄 수 없다.

오답 분석

① 제1차 갑오개혁 때 중국의 연호 사용을 폐지하고 '개국' 기년을 사용하였다.

③ 제1차 갑오개혁은 군국기무처의 주도 하에 추진되었다. 군국기무처는 제1차 갑오개혁 때 정치와 군사 사무를 관장하던 최고 정책 결정 기관이었다.

④ 제1차 갑오개혁은 동학 농민군의 요구를 일부 수용하여 공·사 노비 제도를 폐지하고, 과부의 재가를 허용하는 조항을 포함하였다.

이것도 알면 **합격!**

제1차 갑오개혁

구분	내용
정치	• 청의 연호를 버리고 '개국' 기년 사용 • 궁내부(왕실 담당)와 의정부(정부 담당)로 사무를 분리 • 6조를 8아문으로 개편 • 과거제 폐지, 경무청 설치
경제	• 탁지아문으로 재정 일원화 • 은본위 화폐 제도 채택, 조세 금납제 시행, 도량형 통일
사회	• 공·사 노비 제도 폐지, 조혼 금지, 과부의 재가 허용 • 고문과 연좌법 폐지

03

2013년 국가직 9급

다음 기구에서 추진한 개혁 내용으로 옳은 것은?

> 총재 1명, 부총재 1명, 그리고 16명에서 20명 사이의 회의원으로 구성되었다. 이밖에 2명 정도의 서기관이 있어서 활동을 도왔고, 또 회의원 중 3명이 기초 위원으로 선정되어 의안의 작성을 책임졌다. 총재는 영의정 김홍집이 겸임하고, 부총재는 내아문독판으로 회의원인 박정양이 겸임하였다.

① 은본위 화폐 제도를 실시하였다.

② 의정부와 삼군부의 기능을 회복하였다.

③ 양전 사업을 실시하여 지계를 발급하였다.

④ 재판소를 설치하여 사법권과 행정권을 분리시켰다.

04

2018년 법원직 9급

다음 자료가 반포되기 이전에 실시된 정책으로 옳은 것은?

> 1. 청에 의존하는 생각을 버리고 자주 독립의 기초를 세운다.
> 2. 왕위 계승의 법칙과 종친·외척과의 구별을 명확히 한다.
> 6. 납세는 법으로 정하고 함부로 세금을 거두지 않는다.
> 9. 왕실과 관청의 1년 회계를 계획한다.

① 한성 사범 학교가 설립되었다.

② 중앙에 친위대, 지방에 진위대를 설치하였다.

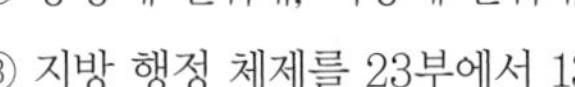

③ 지방 행정 체제를 23부에서 13도로 개편하였다.

④ 청의 연호를 쓰지 않고 개국 기년을 사용하였다.

문제풀이 제1차 갑오개혁

난이도 중

제시문에서 총재 1명, 부총재 1명으로 구성되며, 총재는 영의정 김홍집, 부총재는 박정양이 겸임한다는 내용을 통해 군국기무처에 대한 설명임을 알 수 있다. 군국기무처에서 추진한 개혁은 제1차 갑오개혁이다.

① 제1차 갑오개혁 때 신식 화폐 발행 장정을 제정하여 은본위 화폐 제도를 채택하여 시행하였다. 이외에도 경제 개혁의 일환으로 조세의 금납제를 시행하였으며, 도량형을 개정·통일하였다.

오답 분석

② **흥선 대원군의 개혁 정책**: 의정부와 삼군부의 기능을 회복한 것은 고종 집권 초기 흥선 대원군의 개혁 정책 내용이다.

③ **광무개혁**: 양전 사업을 실시하여 토지 소유권 증명서인 지계를 발급한 것은 대한 제국 시기 광무개혁에 대한 설명이다.

④ **제2차 갑오개혁**: 재판소를 설치하고 사법권을 행정권에서 분리시켜 국민의 체포·구금·재판 업무는 경찰관과 사법관만이 담당할 수 있도록 한 것은 제2차 갑오개혁 때의 개혁 정책이다.

문제풀이 홍범 14조 반포 이전의 사실

난이도 중

제시문은 제2차 갑오개혁(1894. 11.~1895. 7.) 때 발표된 홍범 14조의 내용으로, 1894년 12월에 발표되었다. 고종은 홍범 14조에서 청의 종주권을 부인하고, 조세법 개정과 예산 제도의 수립 등을 통한 경제 개혁을 추진할 것을 천명하였다.

④ 청의 연호를 쓰지 않고 개국 기년을 사용한 것은 홍범 14조가 반포되기 이전인 제1차 갑오개혁(1894. 6.~1894. 11.) 때이다.

오답 분석

모두 홍범 14조 반포 이후의 사실이다.

① 제2차 갑오개혁 때 발표된 교육 입국 조서에 의해 한성 사범 학교가 설립되었다. 고종은 제2차 갑오개혁 때 교육 입국 조서를 반포한 이후 한성 사범 학교를 설립(1895)하고 외국어 학교 관제를 공포하였다.

② 중앙에 친위대와 지방에 진위대가 설치된 것은 을미개혁(음력 1895. 8.~양력 1896. 2.) 때이다.

③ 지방 행정 체제가 23부에서 13도로 개편된 것은 제2차 갑오개혁 이후인 아관파천(1896) 시기의 사실이다. 제2차 갑오개혁 때에는 전국의 지방 행정 구역이 8도에서 23부로 개편되었다.

정답 01 ③ 02 ② 03 ① 04 ④

05

2021년 서울시 9급(특수 직렬)

〈보기〉의 자료와 관련된 개혁의 내용으로 가장 옳은 것은?

> **보기**
> - 청나라에 의존하는 생각을 끊어버리고 자주 독립의 터전을 튼튼히 세운다.
> - 왕실에 관한 사무와 나라 정사에 관한 사무는 반드시 분리시키고 서로 뒤섞지 않는다.
> - 조세나 세금을 부과하는 것과 경비를 지출하는 것은 모두 탁지아문에서 관할한다.
> - 의정부와 각 아문의 직무와 권한을 명백히 제정한다.
> - 지방 관제를 빨리 개정하여 지방 관리의 직권을 제한한다.

① 지방에 진위대를 설치하고, 건양이라는 연호를 제정하였다.
② 내각 제도를 수립하고, 인민 평등권 확립과 조세 개혁 등을 추진하였다.
③ 의정부를 내각으로 개편하고, 지방 제도를 8도에서 23부로 바꾸었다.
④ 전라도 53군에 자치적 민정 기구인 집강소가 설치되었다.

06

2023년 국가직 9급

밑줄 친 '14개 조목'에 해당하는 것만을 모두 고르면?

> 이제부터는 다른 나라를 의지하지 않으며 융성하도록 나라의 발걸음을 넓히고 백성의 복리를 증진하여 자주독립의 터전을 공고하게 할 것입니다. …(중략)… 이에 저 소자는 14개 조목의 홍범(洪範)을 하늘에 계신 우리 조종의 신령 앞에 맹세하노니, 우러러 조종이 남긴 업적을 잘 이어서 감히 어기지 않을 것입니다.

> ㉠ 탁지아문에서 조세 부과
> ㉡ 왕실과 국정 사무의 분리
> ㉢ 지계 발급을 위한 지계아문 설치
> ㉣ 대한천일은행 등 금융 기관 설립

① ㉠, ㉡
② ㉠, ㉣
③ ㉡, ㉢
④ ㉢, ㉣

문제풀이 제2차 갑오개혁

난이도 중

제시문은 제2차 갑오개혁 때 발표된 홍범 14조의 내용이다. 고종은 홍범 14조를 통해 청의 종주권을 부인하고 근대적 내각 제도의 확립, 재정의 일원화 등을 추진할 것을 천명하였다.

③ 제2차 갑오개혁 때 의정부를 폐지하고 내각제를 도입하였으며, 8아문을 7부로 개편하였다. 또한 8도의 지방 행정 구역을 23부로 개편하고 부·목·군·현 등의 행정 구역 명칭을 군으로 통일하였다.

오답 분석

① **을미개혁**: 중앙군으로 친위대, 지방군으로 진위대를 설치하고 건양이라는 연호를 제정한 것은 을미개혁 때이다.
② **갑신정변**: 내각 제도를 수립하고, 인민 평등권 확립과 조세 개혁 등을 추진한 것은 갑신정변 때의 일이다.
④ **동학 농민 운동**: 전라도의 53개 군에 자치적 민정 기구인 집강소가 설치되었던 것은 동학 농민군과 정부 간 맺어진 전주 화약의 결과이다. 집강소는 수령을 대신해 지방 행정권을 실질적으로 장악했으며 동학 농민군이 내세운 폐정 개혁안을 실천하였다.

이것도 알면 **합격!**

제2차 갑오개혁의 정치 개혁

내각제 도입	의정부와 8아문을 내각과 7부로 개편
지방 행정 개편	전국 8도를 23부 337군으로 개편
군제 개혁	훈련대·시위대 설치

문제풀이 홍범 14조

난이도 중

제시문에서 14개 조목의 홍범이라는 내용을 통해 밑줄 친 '14개 조목'이 제2차 갑오개혁 때 고종이 발표한 홍범 14조임을 알 수 있다.

① 옳은 것을 모두 고르면 ㉠, ㉡이다.
㉠ 홍범 14조의 제7조에는 조세의 부과는 탁지아문의 관할에 속한다는 내용이 포함되어 있다. 고종은 이를 통해 재정의 일원화를 추구하였다.
㉡ 홍범 14조의 제4조에는 왕실 사무와 국정 사무를 분리한다는 내용이 포함되어 있다. 고종은 이를 통해 근대적 내각 제도의 확립을 추구하였다.

오답 분석

㉢ 지계 발급을 위해 지계아문을 설치한다는 것은 대한 제국 시기에 실시된 양전 사업과 관련된 내용으로, 홍범 14조와는 관련이 없다. 한편, 대한 제국은 전국의 토지를 측정하고자 양지아문을 설치하고 양전 사업에 착수하였으며, 지계아문을 설치하고 토지 소유자에게 토지의 소유권을 법적으로 인정하는 문서인 지계를 발급하였다.
㉣ 대한천일은행은 개항 이후 일본의 금융 기관이 침투하고, 일본 상인의 고리대금업이 성행하자 이에 대응하기 위하여 설립된 은행으로, 홍범 14조와는 관련이 없다.

07
2019년 법원직 9급

다음 밑줄 친 '개혁'의 내용으로 옳은 것을 〈보기〉에서 고른 것은?

> 청·일 전쟁에서 승기를 잡은 일본은 조선의 내정에 적극 간섭하기 시작하였다. 흥선 대원군을 물러나게 하고 군국기무처를 폐지하였으며, 김홍집·박영효 연립 내각을 구성하고 개혁을 단행하였다.

보기
㉠ 과거제를 폐지하였다.
㉡ 재판소를 설치하였다.
㉢ 8도를 23부로 개편하였다.
㉣ 친위대, 진위대를 설치하였다.

① ㉠, ㉡ ② ㉠, ㉣
③ ㉡, ㉢ ④ ㉢, ㉣

문제풀이 제2차 갑오개혁 난이도 중

제시문에서 청·일 전쟁에서 승기를 잡은 일본이 흥선 대원군을 물러나게 하고 군국기무처를 폐지한 후 김홍집·박영효 연립 내각을 구성하였다는 내용을 통해 밑줄 친 '개혁'이 제2차 갑오개혁임을 알 수 있다.

③ 옳은 것을 모두 고르면 ㉡, ㉢이다.
㉡ 제2차 갑오개혁 때 지방 재판소, 순회 재판소, 고등 재판소 등 재판소를 설치하고 사법권을 행정권에서 분리시켰다.
㉢ 제2차 갑오개혁 때 8도의 행정 구역을 23부로 개편하였다.

오답 분석
㉠ **제1차 갑오개혁**: 과거제를 폐지한 것은 제1차 갑오개혁 때이다.
㉣ **을미개혁**: 서울에 친위대, 지방에 진위대를 설치한 것은 을미개혁 때이다.

08
2014년 지방직 7급

다음은 홍범 14조의 조항 일부이다. 이 발표에 따라 추진된 것만을 〈보기〉에서 모두 고른 것은?

> • 청에 의존하는 생각을 버리고, 자주 독립의 기초를 세운다.
> • 종실, 외척의 정치 간섭을 용납하지 않는다.
> • 조세의 징수와 경비 지출은 모두 탁지아문의 관할에 속한다.
> • 문벌을 가리지 않고 인재 등용의 길을 넓힌다.

보기
㉠ 재판소를 설치하여 사법권을 행정부로부터 독립시켰다.
㉡ 지방의 군현제를 폐지하고 전국을 23부로 나누었다.
㉢ 은본위 제도와 조세 금납화를 실시하였다.
㉣ 지방의 영세 상인인 보부상을 지원하기 위하여 상무사를 조직하여 상업 특권을 부여하였다.

① ㉠, ㉡, ㉢ ② ㉡, ㉢
③ ㉠, ㉡ ④ ㉡, ㉢, ㉣

문제풀이 제2차 갑오개혁 난이도 중

제시문의 홍범 14조의 발표에 따라 추진된 개혁은 제2차 갑오개혁이다. 고종은 문무백관을 거느리고 종묘에 나가 독립 서고문을 바치고 갑오개혁의 목표를 명문화한 홍범 14조를 반포하였다.

③ 옳은 것을 모두 고르면 ㉠, ㉡이다.
㉠ 제2차 갑오개혁을 통해 재판소가 설치되어 사법권이 행정권에서 분리되었다.
㉡ 제2차 갑오개혁을 통해 지방의 군현제가 폐지되고 지방 제도가 8도에서 23부로 개편되었다.

오답 분석
㉢ 은본위 제도와 조세 금납화 실시는 제1차 갑오개혁의 내용이다.
㉣ 국제 무역, 보부상 등의 상행위 관리 기관인 상무사가 조직된 것(1899)은 광무개혁의 내용이다.

정답 05 ③ 06 ① 07 ③ 08 ③

09

2023년 법원직 9급

(가), (나) 시기 사이에 있었던 사실만을 〈보기〉에서 모두 고른 것은?

> (가) 수신사 김홍집이 가져와 유포한 황준헌의 사사로운 책자를 보노라면, …… 러시아·미국·일본은 같은 오랑캐입니다. ……
>
> (나) 이미 국모의 원수를 생각하며 이를 갈았는데, …… 이에 감히 먼저 의병을 일으키고서 마침내 이 뜻을 세상에 포고하노라. ……

> **보기**
> ㉠ 관민 공동회가 개최되었다.
> ㉡ 교육 입국 조서가 반포되었다.
> ㉢ 영국이 거문도를 불법 점령하였다.
> ㉣ 나철이 대종교를 창시하였다.

① ㉠, ㉡　　② ㉠, ㉣
③ ㉡, ㉢　　④ ㉢, ㉣

10

2013년 법원직 9급

다음과 같은 개혁이 단행될 수 있었던 배경으로 옳은 것은?

> 제1조　국내의 육군을 친위와 진위 2종으로 나눈다.
> 제2조　친위는 경성에 주둔하여 왕성 수비를 전적으로 맡는다.
> 제3조　진위는 부(府) 혹은 군(郡)의 중요한 지방에 주둔하여 지방 진무와 변경 수비를 전적으로 맡는다.

① 명성 황후 시해
② 러·일 전쟁의 발발
③ 통리기무아문의 설치
④ 동학 농민 운동의 전개

문제풀이 영남 만인소 사건과 을미의병 사이의 사실　난이도 상

(가)는 1881년에 이만손이 올린 영남 만인소의 일부 내용임을 알 수 있다.

(나)는 1895년 8월에 발생한 을미사변에 반발하여 의병을 일으킨 유인석이 의병 운동 동참을 위해 각지에 보낸 격문으로, 을미의병 때의 상황임을 알 수 있다.

③ 옳은 것을 모두 고르면 ㉡, ㉢이다.

㉡ **(가)와 (나) 사이 시기인 1895년 2월에 교육 입국 조서가 반포되었다. 교육 입국 조서는 고종이 교육의 중요성을 강조하며 반포한 조서로, 근대식 학제가 마련되고 한성 사범 학교가 설립되는 계기가 되었다.**

㉢ **(가)와 (나) 사이 시기인 1885년부터 1887년까지 영국이 러시아의 조선 진출을 견제하기 위해 거문도를 불법으로 점령하였다**(거문도 사건).

오답 분석

㉠ **(나) 이후**: 관민 공동회가 개최된 것은 1898년의 사실로, (나) 시기 이후의 사실이다. 관민 공동회는 1898년 10월 28일부터 11월 3일까지 독립 협회가 서울 종로에서 대소관민을 모아 국정 개혁안을 결의하고 이를 추진하기 위해 개최한 집회이다.

㉣ **(나) 이후**: 나철이 대종교를 창시한 것은 1909년의 사실로, (나) 시기 이후의 사실이다. 나철과 오기호는 단군 신앙을 기반으로 단군교를 창시하였고, 이후 단군교를 대종교로 개칭하였다.

문제풀이 을미개혁(1895)의 배경　난이도 중

제시문에서 국내의 육군을 친위와 진위 2종으로 나눠 친위는 중앙군으로 왕성 수비를 담당하며, 진위는 지방군으로 지방 진무와 변경 수비를 담당한다는 내용이 있으므로 을미개혁에 대한 설명임을 알 수 있다.

① **친러 정책을 주도한 명성 황후를 시해**(을미사변)**하고 친러파를 축출한 일본은 김홍집·어윤중 등을 중심으로 친일 내각**(제4차 김홍집 내각)**을 수립하고, 이를 통해 을미개혁을 단행하였다.**

오답 분석

② 러·일 전쟁은 을미개혁 이후에 전개되었다(1904 ~ 1905). 러·일 전쟁은 한반도와 만주에 대한 지배권을 둘러싸고 러시아와 일본 사이에 발발한 전쟁으로, 일본이 이 전쟁에서 승리하며 한반도에 대한 주도권을 장악하게 되었다.

③ 1880년에 설치된 통리기무아문은 을미개혁 이전에 폐지되었다(1882). 임오군란을 계기로 통리기무아문은 폐지되고 기무처 등으로 개편되었다.

④ 동학 농민 운동의 영향을 받은 개혁이 추진된 것은 제1차 갑오개혁이다.

11

2014년 국가직 7급

다음 법령을 만든 개화파 내각의 개혁으로 옳은 것을 〈보기〉에 서 모두 고르면?

> 제1조 소학교는 아동의 신체 발달에 맞추어 인민 교육의 기초와 생활상 필요한 보통 지식과 기능을 가르치는 것을 목적으로 한다.
> 제2조 소학교는 관립 소학교·공립 소학교·사립 소학교 등의 3종이며, 관립 소학교는 정부 설립, 공립 소학교는 부(府) 혹은 군(郡) 설립, 사립 소학교는 사립 학교 설립과 관계된 것을 말한다.
> – 소학교령

보기
㉠ 건양이라는 연호를 제정하였다.
㉡ 조·일 무역 규칙을 개정하였다.
㉢ 서울에 친위대를, 지방에 진위대를 두었다.
㉣ 단발령을 폐지하고 의정부를 다시 설치하였다.

① ㉠, ㉡ ② ㉠, ㉢
③ ㉡, ㉣ ④ ㉢, ㉣

문제풀이 을미개혁(1895) 난이도 중

제시문은 을미개혁을 주도했던 김홍집 내각에서 제정한 소학교령이다. 을미개혁 때는 이 법령을 근거로 전국 각지에 소학교가 설립되었다.

② 옳은 것을 모두 고르면 ㉠, ㉢이다.
㉠ 을미개혁 때에는 갑오개혁 때 사용하던 '개국' 기년을 폐지하고 '건양'이라는 연호를 제정하였다.
㉢ 을미개혁에 따라 서울에 친위대, 지방에 진위대가 설치되었다. 친위대는 왕성 수비를 위해 중앙군으로서 설치한 부대이고, 진위대는 지방군으로서 설치한 부대이다.

오답 분석
㉡ 조·일 무역 규칙은 을미개혁 시행 이전인 1883년에 개정되었다(조·일 통상 장정 개정).
㉣ 단발령이 폐지되고 의정부가 다시 설치된 것은 아관 파천 시기의 사실이다.

이것도 알면 **합격!**

을미개혁

정치	• 건양 연호 사용 • 군제 개편: 중앙군은 친위대, 지방군은 진위대로 편성
사회	• 단발령 시행, 종두법 실시, 태양력 사용, 소학교 설치 • 우체사 설치: 갑신정변으로 중단되었던 우편 사무 재개

12

2018년 서울시 9급(6월 시행)

〈보기〉의 사건을 시간 순으로 바르게 나열한 것은?

보기
㉠ 아관 파천
㉡ 전주 화약 체결
㉢ 홍범 14조 발표
㉣ 군국기무처 설치

① ㉠ → ㉢ → ㉡ → ㉣
② ㉡ → ㉣ → ㉢ → ㉠
③ ㉢ → ㉠ → ㉣ → ㉡
④ ㉣ → ㉡ → ㉠ → ㉢

문제풀이 근대사의 전개 난이도 중

② 순서대로 나열하면 ㉡ 전주 화약 체결(1894. 5.) → ㉣ 군국기무처 설치(1894. 6.) → ㉢ 홍범 14조 발표(1894. 12.) → ㉠ 아관 파천(1896)이 된다.
㉡ 전주 화약 체결: 동학 농민 운동을 진압하고자 조선 정부가 청나라에 군사를 요청하였고, 이를 수락한 청나라가 조선에 군대를 파견하자 톈진 조약에 따라 일본도 조선에 군대를 파견하였다. 이에 위기 의식을 느낀 조선 정부와 동학 농민군은 청나라와 일본의 철군과 폐정 개혁을 조건으로 전주 화약을 체결하였다(1894. 5.).
㉣ 군국기무처 설치: 경복궁을 강제로 점거한 일본은 흥선 대원군을 섭정으로 하는 제1차 김홍집 내각을 수립하고, 개혁을 추진하기 위해 초정부적 기구인 군국기무처를 설치(1894. 6.)하여 제1차 갑오개혁을 추진하였다.
㉢ 홍범 14조 발표: 고종은 문무백관을 거느리고 종묘에 나가서 자주 독립의 뜻을 담은 독립 서고문을 낭독하고 국가의 전반적인 제도와 근대적 개혁안을 담은 홍범 14조를 발표[1894. 12.(양력 1895. 1.)]하여 제2차 갑오개혁을 실시하였다.
㉠ 아관 파천: 고종은 을미사변 이후 일본의 간섭과 위협으로부터 벗어나고자 러시아 공사관으로 거처를 옮기는 아관 파천을 단행하였다(1896).

정답 09 ③ 10 ① 11 ② 12 ②

3 | 독립 협회와 대한 제국

01

2023년 계리직 9급

밑줄 친 (　　)를 간행한 인물의 활동으로 옳은 것은?

> 우리가 (＿＿＿)을/를 오늘 처음으로 출판하는데, 조선에 있는 내외국 인민에게 우리 주의를 미리 말하여 아시게 하노라. …(중략)… 우리가 이 신문 출판하기는 취리(取利)하려는 것이 아닌 고로 값을 헐하도록 하였고, 모두 언문으로 쓰기는 남녀 상하 귀천이 모두 보게 함이요, 또 구절을 띄어 쓰는 것은 알아보기 쉽도록 함이다.
>
> – 창간호 논설

① 아관 파천을 주도하였다.

② 독립 협회를 설립하였다.

③ 헌정 연구회를 조직하였다.

④ 국채 보상 운동을 전개하였다.

문제풀이 서재필 난이도 중

제시문에서 모두 언문(한글)으로 써 남녀 상하 귀천이 모두 보게 하고, 구절을 띄어 써 알아보기 쉽도록 하였다는 내용을 통해 밑줄 친 괄호가 독립신문임을 알 수 있으며, 독립신문을 간행한 인물은 서재필이다.

② 서재필은 근대적 자주 독립 국가의 건설을 목표로 독립 협회를 설립하여 민중 계몽 운동과 자주 국권 운동을 전개하였다.

오답 분석

① 서재필은 아관 파천을 주도하지 않았다. 한편, 을미사변 이후 신변의 위협을 느낀 고종이 러시아 공사관으로 거처를 옮긴 아관 파천을 주도한 인물은 이완용, 이범진 등의 친러파 관료들이다.

③ **이준, 윤효정 등**: 헌정 연구회를 조직한 인물은 이준, 윤효정 등이다. 헌정 연구회는 1905년에 이준과 윤효정 등을 중심으로 조직된 단체로, 입헌 정치의 수립을 목표로 대중 계몽 운동을 전개하였다.

④ **서상돈, 김광제 등**: 국채 보상 운동을 전개한 인물은 서상돈, 김광제 등이다. 국채 보상 운동은 국민들의 모금으로 국채를 갚기 위한 국권 회복 운동으로, 대구에서 서상돈, 김광제 등의 주도로 시작되어 전국민적인 모금 운동으로 전개되었다.

02

2024년 서울시 9급

〈보기〉의 내용을 주도한 세력이 취한 정책으로 가장 옳지 않은 것은?

> **보기**
>
> 1. 외국인에게 의지하지 말고 관민이 합심하여 황제권을 공고히 할 것.
> 2. 외국과의 이권에 관한 계약과 조약은 해당 부처의 대신과 중추원 의장이 함께 날인하여 시행할 것.
> 3. 재정은 탁지부에서 전담하여 맡고 예산과 결산을 국민에게 공포할 것.

① 독립신문을 발간하고 독립문을 건설하였다.

② 태양력과 '건양' 연호를 사용하고 단발령을 실시하였다.

③ 중대한 범죄는 공판하되 피고의 인권을 존중할 것을 주장하였다.

④ 만민 공동회를 열어 러시아의 내정 간섭을 규탄하였다.

문제풀이 독립 협회 난이도 중

제시문에서 외국인에게 의지하지 말고 관민이 합심하여 황제권을 공고히 할 것이라는 내용과 재정은 탁지부에서 전담하여 맡고 예산과 결산을 국민에게 공포할 것이라는 내용을 통해 헌의 6조임을 알 수 있다. 헌의 6조는 독립 협회의 주도로 개최한 관민 공동회에서 결의된 개혁안이다.

② 태양력과 '건양' 연호를 사용하고 단발령을 실시한 것은 을미개혁(1895) 때 추진된 정책으로, 독립 협회가 설립(1896)되기 이전의 사실이다.

오답 분석

① 독립 협회는 민중 계몽과 국내외 소식을 전하기 위하여 독립신문을 발간하였고, 기존에 중국 사신을 맞이하던 모화관 앞의 영은문을 없애고 그 자리에 독립 의식 고취를 위한 독립문을 건설하였다.

③ 독립 협회는 헌의 6조 중 4조에서 중대한 범죄는 공판하되 피고의 인권을 존중할 것을 주장하였다.

④ 독립 협회는 만민 공동회를 열어 한러 은행 폐쇄와 러시아 재정 고문 및 군사 교관의 철수 등을 주장하며 러시아의 내정 간섭과 이권 요구를 규탄하였다.

03

2022년 국가직 9급

(가) 단체에 대한 설명으로 옳은 것은?

> 아관 파천 이후 러시아의 영향력이 강화되고 열강의 이권 침탈이 가속화되었다. 이러한 가운데 서재필 등은 [(가)]을/를 만들었다. [(가)]은/는 고종에게 자주 독립을 굳건히 하고 내정 개혁을 단행하라는 내용이 담긴 상소문을 제출하였으며, 만민 공동회를 개최하여 외국의 간섭과 일부 관리의 부정부패를 비판하였다.

① 교육 입국 조서를 작성해 공포하였다.
② 영은문이 있던 자리 부근에 독립문을 세웠다.
③ 개혁의 기본 강령인 홍범 14조를 발표하였다.
④ 일본에 진 빚을 갚자는 국채 보상 운동을 일으켰다.

04

2023년 법원직 9급

밑줄 친 '이 단체'의 활동으로 옳은 것을 〈보기〉에서 모두 고른 것은?

정부의 지원을 받아 설립된 이 단체는 고종에게 아래의 문서를 재가 받았어요.

1. 외국인에게 의지하지 말고 관민이 합심하여 황제권을 공고히 할 것.
2. 외국과의 이권에 관한 계약과 조약은 해당 부처의 대신과 중추원 의장이 함께 날인하여 시행할 것.
......

보기
㉠ '구국 운동 상소문'을 지었다.
㉡ 고종 강제 퇴위 반대 운동에 앞장섰다.
㉢ 일제의 황무지 개간권 요구에 반대하였다.
㉣ 러시아의 내정 간섭과 이권 요구에 반대하였다.

① ㉠, ㉡ ② ㉠, ㉣
③ ㉡, ㉢ ④ ㉢, ㉣

문제풀이 독립 협회

난이도 하

제시문에서 서재필 등이 만들었으며, 만민 공동회를 개최하여 외국의 간섭과 일부 관리의 부정부패를 비판하였다는 내용을 통해 (가) 단체가 독립 협회임을 알 수 있다.

② 독립 협회는 기존에 중국 사신을 맞이하던 모화관 앞의 영은문을 없애고 그 자리에 독립 의식 고취를 위한 독립문을 세웠다.

오답 분석
모두 독립 협회와는 관련이 없는 설명이다.
① 고종은 제2차 갑오개혁 때 교육 입국 조서를 공포하여 근대적 교육 제도를 마련하였으며, 이에 따라 한성 사범 학교가 설립되었다.
③ 고종은 제2차 갑오개혁 때 문무 백관을 거느리고 종묘에 나가 국가의 전반적인 제도와 근대적 개혁안을 담은 홍범 14조를 발표하였다.
④ 국채 보상 운동은 일본에게 진 빚 1,300만원을 갚기 위해 대구에서 서상돈, 김광제 등이 일으켰다. 국채 보상 운동은 대한매일신보, 황성신문 등 여러 신문사의 적극적인 호응을 받아 전국적인 운동으로 확산되었다.

문제풀이 독립 협회

난이도 중

제시문에서 관민이 합심하여 황제권을 공고히 하고, 외국과의 이권에 관한 계약과 조약은 해당 부처의 대신과 중추원 의장이 함께 날인하여 시행할 것이라는 내용을 통해 헌의 6조의 일부임을 알 수 있으며, 밑줄 친 '이 단체'가 독립 협회임을 알 수 있다. 독립 협회는 정부의 지원을 받아 설립되었으며, 관민 공동회를 개최하고 국정 개혁안인 헌의 6조를 채택하여 고종의 재가를 받았다.

② 옳은 것을 모두 고르면 ㉠, ㉣이다.
㉠ 독립 협회는 고종에게 자주 독립을 굳건히 하고 내정 개혁의 단행을 요구하는 '구국 운동 상소문'을 지어 올렸다.
㉣ 독립 협회는 러시아의 절영도 조차를 저지하였고, 한러 은행 폐쇄와 러시아 재정 고문 및 군사 교관의 철수 등을 주장하며 러시아의 내정 간섭과 이권 요구에 반대하였다.

오답 분석
㉡ **대한 자강회**: 고종 강제 퇴위 반대 운동에 앞장선 단체는 대한 자강회이다. 대한 자강회는 고종의 강제 퇴위 반대 운동을 주도하다가 1907년 보안법에 의해 강제 해산되었다.
㉢ **보안회**: 일제의 황무지 개간권 요구에 반대한 단체는 보안회이다. 보안회는 원세성, 송수만 등 유생과 전직 관료 출신들이 중심이 되어 결성된 단체로, 일제의 황무지 개간권 요구에 반대하는 운동을 전개하여 결국 일제의 개간권 요구를 철회시켰다.

정답 01 ② 02 ② 03 ② 04 ②

05

2020년 지방직 9급

다음과 같은 주제로 토론회를 개최한 단체에 대한 설명으로 옳은 것은?

일자	주제
1897. 8. 29.	조선에 급선무는 인민의 교육
1897. 9. 5.	도로 수정하는 것이 위생에 제일 방책
⋮	⋮
1897. 12. 26.	인민의 귀로 듣고 눈으로 보는 것을 개명케 하려면 우리나라 신문지며 다른 나라 신문지들을 널리 반포하는 것이 제일 긴요함

① 헌정 연구회의 활동을 계승하여 월보를 간행하고 지회를 설치하였다.

② 국민 계몽을 위해 회보를 발간하고 만민 공동회 등 대규모 집회를 열었다.

③ 보부상 중심의 단체로 황권 강화를 통한 부국강병을 행동지침으로 삼았다.

④ 일본이 황무지 개간을 구실로 토지를 약탈하려 하자 대중적 반대 운동을 벌였다.

문제풀이 독립 협회 난이도 중

제시된 자료에서 인민의 교육을 중시하고, 인민의 계몽을 위해 토론회를 개최하는 것을 통해 독립 협회임을 알 수 있다. 독립 협회(1896)는 민중 계몽 운동, 자주 국권 운동, 자유 민권 운동, 자강 개혁 운동(의회 설립 운동) 등을 전개한 단체였다.

② 독립 협회는 국민 계몽을 위해 신문(독립 신문)을 발간하고, 만민 공동회 등 대규모 집회를 개최하였다.

오답 분석

① **대한 자강회**: 헌정 연구회의 활동을 계승하여 월보를 간행하고 지회를 설치한 단체는 대한 자강회이다. 대한 자강회는 헌정 연구회의 후신으로 윤효정, 장지연을 중심으로 설립되었으며, 전국 각지에 25개 지회를 설치하였고, 교육 진흥·산업 개발·월보 간행·강연회 개최 등의 활동을 전개하였다.

③ **황국 협회**: 보부상 중심의 단체로 황권 강화를 통한 부국강병을 행동지침으로 삼은 단체는 황국 협회이다.

④ **보안회**: 일본이 황무지 개간을 구실로 토지를 약탈하려 하자 대중적 반대 운동을 일으킨 단체는 보안회이다. 보안회는 원세성, 송수만 등의 유생과 관료 출신들이 중심이 되어 결성하였고, 일본이 황무지 개간권을 요구하자 보국안민을 내세우며 일본의 요구를 저지하였다.

06

2024년 지방직 9급

다음 법령이 반포된 시기는?

> 제1조 대한국은 세계 만국에 공인된 자주 독립한 제국이다.
> 제2조 대한 제국의 정치는 이전으로부터 500년이 내려왔고 이후로도 만세에 걸쳐 변치 않을 전제정치이다.
> 제3조 대한국 대황제는 무한한 군권을 향유하니 공법에서 말한바 자립 정체이다.
> 제4조 대한국 신민이 대황제가 향유하는 군권을 침해할 행위가 있으면 신민의 도리를 잃은 자로 인정할 것이다.

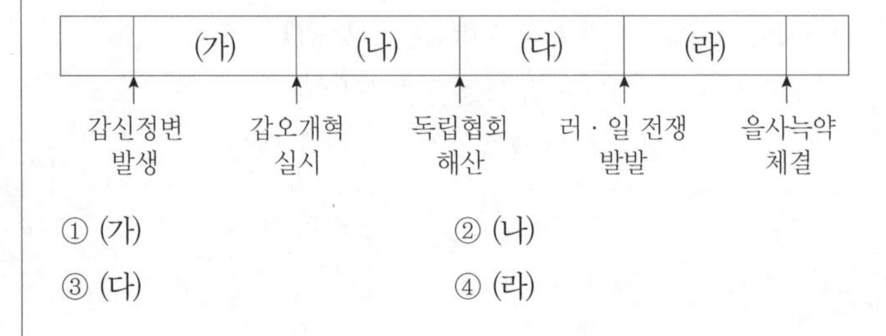

① (가) ② (나)
③ (다) ④ (라)

문제풀이 대한국 국제가 발표된 시기 난이도 중

제시문에서 대한국은 세계 만국에 공인된 자주 독립한 제국이라는 내용과 대한국 대황제는 무한한 군권을 향유한다는 내용을 통해 대한국 국제임을 알 수 있다.

(가) 갑신정변 발생(1884) ~ 갑오개혁 실시(1894)
(나) 갑오개혁 실시(1894) ~ 독립협회 해산(1898)
(다) 독립협회 해산(1898) ~ 러·일 전쟁 발발(1904)
(라) 러·일 전쟁 발발(1904) ~ 을사늑약 체결(1905)

③ 대한국 국제는 (다) 시기인 1899년에 반포되었다. 고종은 대한 제국을 선포(1897)한 뒤 1899년에 일종의 헌법인 대한국 국제를 반포하여 대한 제국이 전제 정치 국가이며 황제권이 무한함을 강조하고, 통수권·입법권·행정권·사법권·외교권 등을 모두 황제의 대권으로 규정하여 전제 군주 체제를 더욱 강화하였다.

07

2021년 서울시 9급(특수 직렬)

〈보기〉의 (가), (나) 문서에 대한 설명으로 가장 옳지 않은 것은?

> **보기**
> (가) 대한 제국의 정치는 이전으로 보면 500년 전래하시고 이후로 보면 만세에 걸쳐 불변하오실 전제 정치니라.
> (나) 외국인에게 의부 아니하고 관민이 동심합력하여 전제 황권을 견고케 할 것.

① (가)에서는 입법·사법·행정의 모든 권력이 황제에게 있음을 천명하였다.
② (나)에서는 정부의 예산과 결산을 인민에게 공표할 것을 주장하였다.
③ (나)를 수용한 고종은 조칙 5조를 반포하였다.
④ (가)에 따른 전제 정치 선포에 반발하며 독립 협회는 의회 개설 운동을 전개하였다.

문제풀이 대한국 국제와 헌의 6조 난이도 중

(가)는 대한 제국의 정치가 불변할 전제 정치라는 것을 통해 고종이 반포한 대한국 국제임을 알 수 있다.

(나)는 관·민이 협력하여 전제 황권을 견고하게 한다는 것을 통해 관민 공동회에서 채택된 헌의 6조임을 알 수 있다.

④ 독립 협회가 의회 설립 운동을 전개한 것과 대한국 국제가 반포된 것은 관련이 없다. 대한국 국제는 독립 협회가 해산된 이후 반포되었다.

오답 분석
① 고종은 대한국 국제를 통해 대한 제국이 전제 정치 국가임과 입법·사법·행정 등 국가의 모든 권력이 황제에게 있음을 천명하였다.
② 헌의 6조에서는 국가 재정을 탁지부에서 전관하고, 정부의 예산과 결산을 인민들에게 공개하여 국가 재정을 인민의 감시하에 둘 것을 주장하였다.
③ 관민 공동회에서 국정 개혁안인 헌의 6조를 채택하자, 고종은 이를 수용하는 동시에 국정의 쇄신을 다짐하는 조칙 5조를 추가로 반포하였다.

08

2019년 법원직 9급

다음 자료가 발표된 시기를 연표에서 옳게 고른 것은?

> 1. 외국인에게 의지하지 말고 관민이 한마음으로 힘을 합하여 전제 황권을 견고하게 할 것
> 2. 외국과의 이권에 관한 조약은 각 대신과 중추원 의장이 합동 날인하여 시행할 것
> 3. 국가 재정을 탁지부에서 전관하고 예산과 결산을 국민에게 공포할 것
> 4. 중대 범죄를 공판하되 피고의 인권을 존중할 것
> 5. 칙임관(勅任官)을 임명할 때는 정부의 자문을 받아 다수의 의견에 따를 것
> 6. 정해진 규칙을 실천할 것

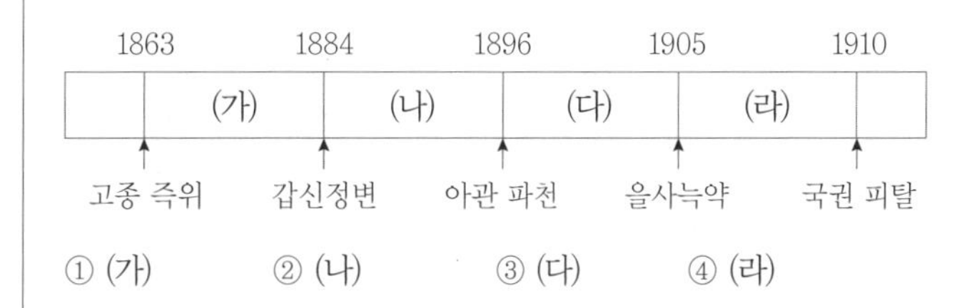

① (가) ② (나) ③ (다) ④ (라)

문제풀이 헌의 6조가 발표된 시기 난이도 중

제시문에서 외국과의 이권에 관한 조약은 각 대신과 중추원 의장이 합동 날인하여 시행하고, 국가 재정을 탁지부에서 전관하며, 피고의 인권을 존중하자는 내용을 통해 관민 공동회에서 결의한 헌의 6조임을 알 수 있다.

③ 헌의 6조는 독립 협회가 (다) 시기인 1898년 10월에 개최한 관민 공동회에서 결의한 것이다. 독립 협회는 관민 공동회를 열고 자주 국권 확립, 탁지부에서 재정 일원화, 피고 인권 존중 등을 내용으로 하는 헌의 6조를 결의하여 국왕(고종)의 재가를 받았다.

 이것도 알면 **합격!**

독립 협회의 활동

구분	내용
자주 국권 운동	• 만민 공동회 개최: 러시아의 침략 정책을 규탄하며 조선의 자주 독립권을 지키자는 결의안을 채택함 • 이권 수호 운동: 러시아의 절영도 조차 요구 저지, 한러 은행 폐쇄, 러시아 재정 고문과 군사 교관의 철수 주장
자유 민권 운동	• 국민 기본권 운동: 신체의 자유, 재산권, 언론·출판·집회·결사의 자유 보장 • 국민 참정권 운동: 민의를 국정에 반영
자강 개혁 운동 (의회 설립 운동)	• 국정 개혁 운동 전개 • 박정양의 진보 내각 수립, 관민 공동회에서 헌의 6조 결의, 이후 정부는 의회식 중추원 관제 반포

정답 05 ② 06 ③ 07 ④ 08 ③

09

2017년 국가직 9급(4월 시행)

다음 건의문이 결의된 이후에 일어난 사실로 옳은 것은?

> 1. 외국인에게 의지하지 말고, 관·민이 힘을 합하여 전제 황권을 견고하게 할 것
> 2. 외국과의 이권에 관한 조약은 각 대신과 중추원 의장이 합동 날인하여 시행할 것
> 3. 국가 재정은 탁지부에서 전관하고, 예산과 결산을 국민에게 공포할 것
> 4. 중대 범죄를 공판하되, 피고의 인권을 존중할 것
> 5. 칙임관을 임명할 때에는 정부의 자문을 받아 다수의 의견에 따를 것
> 6. 정해진 규정을 실천할 것

① 서재필을 중심으로 민중 계몽을 위한 독립신문이 창간되었다.

② 고종이 러시아 공사관으로 거처를 옮기게 되었다.

③ 황제권 강화 작업의 일환으로 원수부가 설치되었다.

④ 군국기무처를 중심으로 개혁이 추진되었다.

문제풀이 헌의 6조 결의 이후의 사실 난이도 하

제시문에서 외국과의 이권에 관한 조약은 각 대신과 중추원 의장이 합동 날인하여 시행하며, 국가 재정을 탁지부에서 전관한다는 내용 등을 통해 1898년 관민 공동회에서 결의한 헌의 6조임을 알 수 있다.

③ 고종은 1899년에 황제 직속의 최고 군통수 기관인 원수부를 설치하고, 황제가 육·해군을 통솔하도록 하였다. 고종은 서울과 지방의 모든 군대의 지휘·통제권을 원수부로 이관시킴으로써 황제권의 강화를 도모하였다.

오답 분석

모두 헌의 6조가 결의되기 이전의 사실이다.

① 서재필을 중심으로 민중 계몽을 위한 독립신문이 창간된 것은 1896년으로, 헌의 6조 결의 이전의 일이다.

② 고종이 러시아 공사관으로 거처를 옮긴 사건인 아관 파천이 발생한 것은 1896년으로, 헌의 6조 결의 이전의 사실이다.

④ 군국기무처를 중심으로 개혁이 추진된 시기는 제1차 갑오개혁 때인 1894년으로, 헌의 6조 결의 이전의 사실이다. 군국기무처는 제1차 갑오개혁 당시 설치된 최고 정책 결정 기구로, 정치·경제·사회 등 국가의 주요 정책에 대한 개혁을 추진하였다.

10

2022년 서울시 9급(6월 시행)

<보기>의 ㉠에 들어갈 단체의 활동에 대한 설명으로 가장 옳지 않은 것은?

> **보기**
> 1896년 4월 7일에 창간된 이 신문은 1899년 12월 4일 폐간될 때까지 약 3년 8개월 동안 발간되었다. 최초의 민간 신문인 동시에 처음으로 한글 전용과 띄어쓰기를 시도하며 한글판, 영문판을 발행하였다. ㉠ 와/과 만민 공동회의 정치적 활동을 옹호하고 대변하였다.

① 대한국 국제를 반포하였다.

② 반러 운동을 적극적으로 전개하였다.

③ 독립문 건립과 독립 공원 조성을 추진하였다.

④ 계몽적, 사회적, 정치적 주제의 토론회를 개최하였다.

문제풀이 독립 협회의 활동 난이도 중

제시문에서 최초의 민간 신문이자 한글판과 영문판을 발행한 이 신문은 독립신문으로, ㉠ 단체가 독립 협회임을 알 수 있다.

① 대한국 국제를 반포한 것은 고종이다. 고종은 대한 제국 수립 후 일종의 헌법과 같은 대한국 국제를 반포하여 대한 제국이 전제 정치 국가임과 황제가 무한한 권한을 행사함을 강조하였다.

오답 분석

② 독립 협회는 반러 운동을 전개하여 러시아의 절영도 조차 저지, 한러은행 폐쇄, 러시아 재정 고문과 군사 교련단 철수 등을 이끌어 냈다.

③ 독립 협회는 독립 의식의 고취를 위해 독립문 건립과 독립 공원의 조성을 추진하였다.

④ 독립 협회는 계몽적, 사회적, 정치적 주제의 강연회와 토론회를 개최하여 민중들에게 효과적인 의사 표현의 방법과 민주적인 행동 성향, 국권·민권·애국 사상 등을 교육하였다.

 이것도 알면 **합격!**

독립문

- 독립 협회가 1897년에 완공함
- 옛 모화관(중국 사신을 영접하던 곳) 앞의 영은문을 헐고 세움 → 자주 독립 의식을 고취하기 위한 목적
- 프랑스 파리의 개선문을 모방함

11

2020년 법원직 9급

(가)~(다)가 반포된 순서대로 바르게 나열한 것은?

> (가) 2. 모든 정부와 외국과의 조약에 관한 일은 각부 대신과 중추원 의장이 합동으로 서명, 날인하여 시행할 것.
> 4. 중대 범죄는 공개 재판을 시행하되, 피고가 죄를 자백한 후에 시행할 것.
>
> (나) 1. 이후 국내외 공사(公私)문서에 개국 기원을 사용한다.
> 6. 남자 20세, 여자 16세 이하의 조혼을 금지한다.
> 8. 공사 노비법을 혁파하고 인신 매매를 금지한다.
>
> (다) 1. 흥선 대원군을 빨리 귀국시키고 종래 청에 행하던 조공의 허례를 폐지한다.
> 9. 혜상공국을 혁파한다.
> 12. 모든 재정은 호조에서 관할한다.

① (가) – (다) – (나)

② (나) – (다) – (가)

③ (다) – (가) – (나)

④ (다) – (나) – (가)

문제풀이 근대 개혁안의 반포 순서

난이도 중

(가)는 외국과의 조약에 대신과 중추원 의장이 합동으로 서명, 날인할 것을 주장하는 것을 통해 헌의 6조임을 알 수 있다.

(나)는 개국 기원을 사용하고, 조혼을 금지하며, 노비 제도를 혁파한다는 것을 통해 1차 갑오개혁의 법령임을 알 수 있다.

(다)는 흥선 대원군을 귀국시키고 조공의 허례를 폐지한다는 것, 혜상공국을 혁파한다는 것, 모든 재정을 호조에서 관할한다는 것을 통해 갑신정변 때 반포된 14개조 혁신 정강임을 알 수 있다.

④ 순서대로 나열하면 (다) 갑신정변 14개조 혁신 정강 – (나) 1차 갑오개혁 법령 – (가) 헌의 6조이다.

(다) 갑신정변 14개조 혁신 정강은 갑신정변(1884) 때 반포된 것이다. 갑신정변은 김옥균을 비롯한 급진 개화파가 개화 사상을 바탕으로 조선의 자주 독립과 근대화를 목표로 일으킨 정변이다.

(나) 1차 갑오개혁의 법령은 1차 갑오개혁(1894) 때 반포된 것이다. 1차 갑오개혁은 1894년 6월 일본이 경복궁을 점령하면서 민씨 정권이 붕괴되고, 흥선 대원군을 섭정으로 하는 김홍집 내각이 설립되면서 추진된 일련의 개혁이다.

(가) 헌의 6조는 독립 협회에서 개최한 관민 공동회(1898)에서 채택되었으며, 고종의 재가를 받아 의회 설립 내용을 담은 중추원 관제가 반포되기까지 하였으나, 보수파의 반발로 실행되지는 못하였다.

12

2016년 서울시 9급

대한 제국의 성립 과정에 대한 설명으로 가장 옳지 않은 것은?

① 을미사변 이후 위축된 국가 주권을 지키고 고종의 위상을 높여야 한다는 여론이 높아졌다.

② 고종은 러시아 공사관에 있는 동안 경운궁을 증축하였다.

③ 고종은 연호를 광무라 하고 경운궁에서 황제 즉위식을 거행하였다.

④ 대한 제국의 헌법이라 할 수 있는 대한국 국제를 발표하였다.

문제풀이 대한 제국의 성립 과정

난이도 중

③ 고종이 연호를 광무라고 선포한 이후 황제 즉위식을 거행한 곳은 경운궁(덕수궁)이 아닌 환구단이다.

오답 분석

① 을미사변 이후 러시아 공사관으로 거처를 옮긴 고종이 환궁한 이후 자주 독립 국가임을 대내외에 과시해야 한다는 국민적 자각이 있었다.

② 고종은 러시아 공사관에 있는 동안 일본의 위협을 피하기 위해 서구 열강의 공사관이 밀집해 있던 경운궁을 정치적 중심지로 선택하고 경운궁을 증축하도록 명하였다.

④ 고종은 1899년에 일종의 헌법인 대한국 국제를 반포하여 대한 제국이 전제 정치 국가이며 황제권이 무한함을 강조하고, 통수권·입법권·행정권·사법권·외교권 등을 모두 황제의 대권으로 규정하여 전제 군주 체제를 더욱 강화하였다.

이것도 알면 **합격!**

대한 제국의 성립 배경

대내적	안으로는 외세의 간섭을 막고 자주 독립의 근대 국가를 세우려는 국민적인 자각
대외적	• 조선에서 러시아의 세력 독점을 견제하려는 국제적 여론 • 일본과 러시아의 세력 균형

정답 09 ③ 10 ① 11 ④ 12 ③

13

2022년 소방직

(가) 시기의 역사적 사실로 옳지 않은 것은?

> 어려운 때를 만났으나, 하늘이 도와 위기를 모면하고 안정되었으며 독립의 터전을 세우고 자주의 권리를 행사하게 되었다. 이에 여러 신하들과 백성들이 글을 올려 황제의 칭호를 올리라고 제의하였다. 여러 차례 사양하다가 끝내 사양할 수 없어서 하늘과 땅에 제사를 지내고 황제의 자리에 올라 국호를 (가) (으)로 정하였다. -『승정원일기』

① 대한국 국제를 반포하였다.

② 토지 소유자에게 지계를 발급하였다.

③ 근대식 교육 기관인 육영 공원을 설립하였다.

④ 청과 대등한 입장에서 통상 조약을 체결하였다.

문제풀이 대한 제국 시기의 역사적 사실

난이도 중

제시문에서 독립의 터전을 세우고 자주의 권리를 행사하게 되었다는 것과 여러 신하들과 백성들의 요청으로 황제의 자리에 올랐다는 것을 통해 (가)가 대한 제국임을 알 수 있다. 고종은 러시아 공사관으로 거처를 옮긴지 1년 만에 환궁하여 황제로 즉위하였으며, 대한 제국의 수립을 선포하였다. 따라서 (가) 시기는 대한 제국 시기(1897~1910)이다.

③ 근대식 교육 기관인 육영 공원이 설립된 것은 1886년으로, 대한 제국이 설립되기 이전의 사실이다. 육영 공원은 상류층 자제들을 대상으로 외국어와 근대 학문을 가르치기 위해 설립된 최초의 근대식 관립 학교이다.

오답 분석

모두 대한 제국 시기에 일어난 역사적 사실이다.

① 대한 제국은 1899년에 일종의 헌법인 대한국 국제를 반포하여 대한 제국이 전제 정치 국가이며 황제권이 무한함을 강조하고, 통수권·입법권·행정권·사법권·외교권 등을 모두 황제의 대권으로 규정하여 전제 군주 체제를 더욱 강화하였다.

② 대한 제국은 양전 사업의 일환으로 지계아문을 설치하고 토지를 가진 사람에게 토지의 소유권을 법적으로 인정하는 문서인 지계를 발급하였다.

④ 대한 제국은 1899년에 대한 제국 황제와 청 황제가 속방이 아닌 대등한 입장에서 한·청 통상 조약을 체결하였다.

14

2021년 경찰직(1차)

다음 관제를 발표했던 정부의 정책으로 옳은 것은?

> 제1조 중추원은 다음 사항을 심의하고 의정하는 처소로 할 것.
> ① 법률과 칙령의 제정, 폐지 혹은 개정에 관한 사항
> ② 의정부에서 토의를 거쳐 임금에게 상주하는 사항
> ③ 칙령에 의하여 의정부에서 문의하는 사항
> ④ 의정부에서 임시 건의에 대해 문의하는 사항
> ⑤ 중추원에서 임시 건의하는 사항
> ⑥ 인민이 건의하는 사항
>
> 제3조 의장은 대황제 폐하께옵서 문서로 임명하시고, 부의장은 중추원 공천에 의해 임명하시고, 의원 반수는 정부에서 공로가 있는 자로 회의하여 추천하고, 반수는 인민 협회에서 27세 이상의 사람이 정치, 법률, 학식에 통달한 자로 투표 선거할 것.

① 경무청을 창설하였다.

② 건양이란 연호를 사용하였다.

③ 지방 재판소와 고등 재판소를 개설하였다.

④ 이민 업무를 담당하는 수민원을 설치하였다.

문제풀이 대한 제국의 정책

난이도 중

제시문에서 중추원의 의원 반수는 정부에서 추천하고, 나머지 반수는 인민 협회에서 투표 선거한다는 내용을 통해 중추원 관제임을 알 수 있다. 중추원 관제는 대한 제국 시기에 발표되었다.

④ 대한 제국은 외국 여행권(여권) 발급 및 이민 업무를 담당하는 관청으로 궁내부 산하에 수민원을 설치하였다.

오답 분석

모두 대한 제국이 선포되기 이전에 시행된 정책이다.

① 경무청을 창설하여 경찰 업무를 담당하게 한 것은 제1차 갑오개혁 때이다.

② '건양'이라는 연호를 사용한 것은 을미개혁 때이다. 을미개혁 때에는 갑오개혁 때 사용하던 '개국' 기년을 폐지하고 '건양'이라는 연호를 제정하였다.

③ 지방 재판소와 고등 재판소 등을 개설하여 사법권을 행정권에서 분리시킨 것은 제2차 갑오개혁 때이다.

15

2020년 국가직 7급

자료에 나타난 정부의 정책에 대한 설명으로 옳지 않은 것은?

> 종래의 양전처럼 농지의 비척(肥瘠)이나 가옥의 규모를 조사하는 것에만 그치지 않고, 전국 토지 일체에 대한 조사를 목표로 지질과 산림·천택, 수풀과 해변, 도로에 이르기까지 광범위하게 조사하였다. 나아가 전국 토지의 정확한 규모와 소재를 파악하는 한편 소유권을 확인해주기 위해 지계(地契)를 발행하는 사업을 함께 전개하였다.

① 양지아문에서 양전 사업을 착수하였다.
② 조사한 토지의 지적도와 토지 대장을 작성하였다.
③ 지계아문에서 지계 발급 사무를 맡았다.
④ 러·일 전쟁 발발 직후 일본의 간섭으로 중단되었다.

문제풀이 대한 제국의 양전 사업

난이도 하

제시된 자료에서 전국 토지 일체에 대한 조사, 소유권을 확인해 주기 위해 지계를 발행하는 사업을 함께 전개했다는 내용을 통해 대한 제국 시기에 실시된 양전 사업임을 알 수 있다.

② 조사한 토지의 지적도와 토지 대장을 작성한 것은 대한 제국의 양전 사업이 아니라 1910년대 일제가 실시한 토지 조사 사업이다.

오답 분석
① 대한 제국은 전국의 토지를 측정하고자 양지아문을 설치해 양전 사업을 착수하였다.
③ 대한 제국은 양전 사업의 일환으로 지계아문을 설치하고 토지를 가진 사람에게 토지의 소유권을 법적으로 인정하는 문서인 지계를 발급하였다.
④ 대한 제국은 양전 사업을 통해 지계를 발급하여 근대적 토지 소유권 제도를 확립하려 하였으나, 러·일 전쟁의 발발(1904) 직후 일본의 간섭으로 중단되었다.

이것도 알면 **합격!**

대한 제국의 양전·지계 사업

구분	내용
목적	• 근대적 토지 소유권 제도의 확립, 국가 재정 확충 • 외국인 토지 침탈 저지
전개	• 양지아문을 설치하여 양전 사업 시작 • 지계아문을 설치하여 지계 발급
결과	러·일 전쟁의 발발과 일본의 간섭으로 중단

16

2019년 지방직 9급

대한 제국 시기에 추진된 정책으로 옳지 않은 것은?

① 시위대와 진위대를 증강하였다.
② 독립신문의 창간을 지원하였다.
③ 화폐 제도의 개혁과 중앙 은행의 창립을 추진하였다.
④ 황실 재정을 담당하는 내장원의 기능을 확대하였다.

문제풀이 대한 제국 시기에 추진된 정책

난이도 중

② 독립신문이 창간(1896)된 것은 대한 제국이 성립(1897)되기 이전의 사실이다. 독립신문은 우리나라 최초의 민간 신문으로, 한글판과 영문판으로 간행되었으며, 대중을 계몽하고, 외국인에게 국내 사정을 알리는 역할을 담당하였다.

오답 분석
① 대한 제국 정부는 황제를 호위하는 시위대, 서울의 중앙군인 친위대, 지방의 진위대의 군사 수를 증강하였다.
③ 대한 제국 정부는 중앙 은행의 창립을 추진하고 금 본위 화폐 제도를 추진하였으나 재정 부족 등으로 실패하였다.
④ 대한 제국 정부는 홍삼 전매, 광산 개발, 철도 부설 등의 수입을 궁내부 산하의 황실 재정 담당 기구인 내장원에서 관할하게 하여 황실 재정을 충당하고, 내장원의 기능을 확대하였다.

이것도 알면 **합격!**

광무개혁의 내용

구분	내용
정치	교전소(입법) 설치, 대한국 국제 반포
경제	양전 사업 실시, 식산흥업 정책, 금 본위제 시도, 황실 재정 확대, 양잠 사업 실시
사회	실업 학교 설립, 유학생 파견, 근대적 시설 확충
군사	원수부 설치, 시위대·친위대 등의 군사 수 증강, 무관 학교 설립

정답 13 ③ 14 ④ 15 ② 16 ②

17

2018년 지방직 9급

대한 제국 정부가 시행한 정책으로 옳은 것은?

① 별기군을 폐지하고 5군영을 복구하였다.

② 양전 사업을 시행하고자 양지아문을 설치하였다.

③ 통리기무아문을 설치하여 개화 정책을 추진하였다.

④ 화폐 제도를 은 본위제로 개혁하고자 신식 화폐 발행 장정을 공포하였다.

18

2016년 법원직 9급

다음 법령을 읽고 대한 제국에 대하여 추론한 내용으로 가장 적절한 것은?

> 제1조 대한국은 세계 만국에 공인된 자주 독립 제국이니라.
> 제2조 대한국의 정치는 만세 불변할 전제 정치이니라.
> 제3조 대한국 대황제께서는 무한한 군권을 향유하시느니라.
> 제5조 대한국 대황제께서는 육·해군을 통솔하시고 계엄·해엄을 명하시느니라.
>
> – 대한 제국에서 1899년 제정한 대한국 국제

① 원수부를 설치해 황제가 군대를 통솔하였다.

② 양전 사업을 실시해 지주 전호제를 폐지하였다.

③ 헌법을 제정해 '주권재민'의 원칙을 실현하려 하였다.

④ 입헌 군주제의 도입을 시도해 민주주의를 발전시켰다.

문제풀이 대한 제국 정부가 시행한 정책 난이도 중

② 대한 제국 정부는 양전 사업을 실시하고자 양지아문을 설치(1898)하고 지계아문을 설치(1901)하여 토지의 소유권을 법적으로 증명하는 지계를 발급하였다.

오답 분석

모두 대한 제국이 선포되기 이전에 시행된 정책이다.

① 별기군을 폐지하고 5군영을 복구한 것은 임오군란으로 재집권한 흥선 대원군이 시행한 정책이다. 임오군란(1882)으로 재집권하게 된 흥선 대원군은 2영과 별기군을 폐지하는 등 개화 정책을 중단하고 5군영과 삼군부를 부활시켰다.

③ 통리기무아문을 설치하여 개화 정책을 추진한 것은 1880년대에 조선 정부가 시행한 정책이다. 고종은 개화 정책을 추진하는 핵심 기구로 통리기무아문을 설치하고, 그 밑에 군사, 통상, 재정 등의 업무를 담당하기 위한 12사를 두었다.

④ 신식 화폐 발행 장정은 제1차 갑오개혁(1894) 때 공포되었다. 제1차 갑오개혁 때 신식 화폐 발행 장정을 공포하여 은 본위제로 화폐 제도를 채택하고 조세의 금납제를 시행하였다.

문제풀이 대한 제국 난이도 하

대한국 국제는 대한 제국이 자주 독립 국가임을 국내외에 천명하기 위해 선포한 일종의 헌법이다. 대한국 국제에서는 대한 제국의 정치 체제가 전제 정치이며, 황제권이 무한함을 규정하였다.

① 대한 제국은 1899년에 황제의 군권 장악을 위해 원수부를 설치하고, 황제가 육·해군을 통솔하도록 하였다.

오답 분석

② 대한 제국이 양전 사업을 실시하여 토지 소유권 증명서인 지계를 발급한 것은 맞지만, 이는 국가 재정을 확보하려는 것이지 지주 전호제를 폐지하고자 하는 의도는 아니었다.

③ 대한국 국제는 황제의 무한한 군권(군주의 권한)을 강조하였기 때문에, '주권재민(나라의 주권이 국민에게 있음)'의 원칙을 실현하려 한다고 볼 수 없다.

④ 대한 제국이 전제 군주권을 강화하는 방향으로 정책을 추진하면서, 독립 협회의 입헌 군주제에 입각한 의회 설립 운동을 탄압하였다.

19

2014년 지방직 9급

다음은 근대 개혁 방안에 관한 자료이다. 이를 시기 순으로 바르게 나열한 것은?

> ㉠ 내시부를 없애고 그 가운데서 재능있는 자가 있으면 뽑아 쓴다.
> ㉡ 왕실 사무와 국정 사무를 모름지기 나누어 서로 뒤섞지 아니한다.
> ㉢ 대한국 대황제는 육해군을 통솔하고 편제를 정하며 계엄과 해엄을 명한다.
> ㉣ 재정은 모두 탁지부에서 전담하여 맡고, 예산과 결산은 인민에게 공포한다.

① ㉠ → ㉡ → ㉢ → ㉣
② ㉠ → ㉡ → ㉣ → ㉢
③ ㉡ → ㉠ → ㉢ → ㉣
④ ㉡ → ㉠ → ㉣ → ㉢

20

2020년 국가직 9급

독도가 대한민국의 영토임을 알 수 있는 자료로 옳은 것만을 모두 고르면?

> ㉠ 일본의 『은주시청합기』(1667년)
> ㉡ 일본의 삼국접양지도(1785년)
> ㉢ 일본의 태정관 지령문(1877년)
> ㉣ 일본의 시마네 현 고시(1905년)

① ㉠, ㉡, ㉢
② ㉠, ㉡, ㉣
③ ㉠, ㉢, ㉣
④ ㉡, ㉢, ㉣

문제풀이 근대의 개혁 방안 난이도 중

② 시기 순으로 나열하면 ㉠ 14개조 혁신 정강(1884) → ㉡ 홍범 14조(1894. 12.) → ㉣ 헌의 6조(1898) → ㉢ 대한국 국제(1899)가 된다.

㉠ **14개조 혁신 정강**: 갑신정변을 일으킨 급진 개화파는 정부 조직의 근대적 개혁을 위해 내시부를 혁파하고, 능력에 따른 인재의 등용을 위해 문벌을 폐지할 것을 주장하는 등의 내용을 담은 14개조 혁신 정강을 발표하였다(1884).

㉡ **홍범 14조**: 제2차 갑오개혁 때 왕실 사무와 국정 사무를 분리한다는 내용을 담은 홍범 14조를 발표하였다(1894. 12.).

㉣ **헌의 6조**: 독립 협회는 관민 공동회를 통해 탁지부에서 모든 국가 재정을 전담하게 하며, 예산과 결산을 인민에게 공포한다는 내용을 담은 헌의 6조를 발표하였다(1898).

㉢ **대한국 국제**: 대한 제국은 황제가 육·해군을 통솔하고, 군대의 편제를 정하며 계엄과 해엄을 명하는 권한이 모두 황제에게 있음을 선포하는 대한국 국제를 발표하였다(1899).

문제풀이 독도의 역사 난이도 중

① 옳은 것을 모두 고르면 ㉠, ㉡, ㉢이다.

㉠ 『은주시청합기』(1667): 독도에 관한 일본 최초의 문헌으로, 일본 은주 지방의 관리 사이토 호센은 울릉도와 독도가 고려의 영토이고, 일본의 경계는 은기도까지임을 명기하였다.

㉡ 삼국접양지도(1785): 일본인 하야시 시헤이가 편찬한 지도로, 울릉도와 독도를 조선의 영토로 표시하였다.

㉢ 태정관 지령문(1877): 메이지 정부 최고 행정 기관인 태정관에서 '울릉도 외 1도(독도)는 일본과 관계없음을 명심할 것'이라는 지시를 시마네 현에 내린 지령문이다.

오답 분석

㉣ 시마네 현 고시(1905): 일본은 국제법상 명백한 불법 영토 침탈 행위임에도 불구하고 시마네 현 고시 제40호를 통해 러·일 전쟁 중 일방적으로 독도를 시마네 현에 편입하였다.

정답 17 ② 18 ① 19 ② 20 ①

21

2016년 국회직 9급

밑줄 친 ㉠에 대한 설명으로 옳은 것은?

> 대한 제국 칙령 제41호 제2조에는 "군청 위치는 태하동으로 정하고, 관할 구역은 울릉 전도와 죽도, ㉠ 석도(石島)로 한다."라고 기록되어 있다.

① 프랑스가 병인박해를 구실로 침입하였다.

② 영국이 러시아를 견제하기 위해 점령하였다.

③ 일본이 러·일 전쟁 중에 불법적으로 편입하였다.

④ 러시아가 저탄소 설치를 위해 조차를 요구하였다.

⑤ 일본이 안봉선 철도 부설권을 얻는 대가로 청에 귀속시켰다.

문제풀이 독도 영유권 문제

난이도 중

제시문의 석도는 지금의 독도로, 대한 제국은 1900년에 칙령 제41호를 발표하여 울릉도를 울도로 개칭하고, 그 관할 구역에 독도를 포함시켰다.

③ 일본은 러·일 전쟁 중인 1905년에 시마네 현 고시 제40호를 발표하여 독도를 일본의 영토로 불법적으로 편입시켰다.

오답 분석

① **강화도**: 프랑스가 병인박해를 구실로 침입한 곳은 강화도이다.

② **거문도**: 영국이 러시아의 남하 정책을 견제하기 위해 불법으로 점령한 곳은 거문도이다.

④ **절영도**: 러시아가 저탄소 설치를 위해 조차를 요구한 곳은 절영도이다.

⑤ **간도**: 일본이 남만주 지역의 안봉선 철도 부설권을 얻는 대가로 청에 귀속시킨 지역은 간도이다.

이것도 알면 **합격!**

독도 관련 주요 사건

고대	신라 지증왕 때 우산국 복속
조선	•『세종실록』「지리지」에 울릉도·독도 내용 수록 • 안용복이 2차례(1693, 1696) 일본으로 건너가 독도가 조선의 영토임을 확인 받음
근대	고종이 칙령 41호 발표(울도군이 석도(독도)를 관할함)
현대	이승만이 평화선 설정(독도를 대한민국 영토로 선언)

22

2017년 지방직 7급

㉠에 대한 설명으로 옳지 않은 것은?

> 칙령 제41호
>
> 제1조 울릉도를 울도라 개칭하여 강원도에 부속하고, 도감을 군수로 개정하여 관제 중에 편입하고, 군의 등급은 5등으로 한다.
>
> 제2조 군청 위치는 태하동으로 정하고, 구역은 울릉전도(鬱陵全島)와 죽도, (㉠)을/를 관할한다.

①『세종실록』「지리지」에는 강원도 울진현 소속으로 구분하고, 우산으로 표기하였다.

② 숙종 때 안용복은 일본에 건너가 울릉도와 더불어 조선의 영토임을 확인받았고, 당시 일본에서는 '송도(松島)'로 기록하였다.

③ 일본 정부는 1870년대에 조선의 영토임을 인정했으면서도, 1905년 국제법상 무주지(無主地)라는 명목으로 일본 영토에 편입시켰다.

④ 1952년 UN군 사령부와 협의 하에 이승만 정부는 '인접 해양의 주권에 관한 대통령 선언'을 발표하여 한국의 영토로 확인하였고, 당시 일본은 이를 묵인하였다.

문제풀이 독도

난이도 상

제시된 대한 제국 칙령 제41호 제2조의 내용은 울릉군청이 울릉전도와 죽도, 석도(독도)를 관할하게 한다는 내용이므로 ㉠은 석도, 즉 독도이다. 대한 제국은 1900년 10월 칙령 제41호를 반포하여 울릉도를 군으로 승격하고 독도를 울릉군의 관할 구역 안에 포함시켜 독도에 대한 영유권을 확인하였다.

④ 1952년에 이승만 정부가 '인접 해양의 주권에 관한 대통령 선언'을 발표하여 독도를 한국 영해로 포함시키자 일본이 이에 대해 반발하였다.

오답 분석

①『세종실록』「지리지」에서는 독도를 우산(于山)으로 표기하였으며, 우산과 무릉(울릉도) 두 섬이 강원도 울진현 정동 바다 가운데에 있다고 기록하였다.

② 숙종 때 안용복은 울릉도와 독도 주변에서 어로 활동을 하는 일본 어선을 쫓아내고, 일본에 건너가 울릉도와 함께 독도가 조선의 영토임을 확인받고 돌아왔다.

③ 1877년에 작성된 일본의 태정관 지령에 따르면 죽도(울릉도)와 일도(독도)가 본방(일본)과는 관계가 없다는 것을 명심할 것이라고 밝혔음에도 불구하고 1905년 러·일 전쟁 중 독도가 국제법상 무주지라는 명목 하에 독도를 자국 영토로 편입시켰다.

23

2017년 국가직 9급(4월 시행)

독도가 우리나라 영토임을 입증하는 근거로만 옳게 짝지어진 것은?

① 이범윤의 보고문 – 『은주시청합기』

② 대한 제국 칙령 제41호 – 삼국접양지도

③ 미쓰야 협정 – 시마네현 고시 제40호

④ 『조선국교제시말내탐서』 – 어윤중의 서북 경략사 임명장

24

2012년 기상직 9급

다음 ㉠과 ㉡에 대한 설명 중 틀린 것은?

> ㉠ 청과 조선은 1712년 백두산에 '서쪽은 압록강, 동쪽은 토문강을 경계로 한다'는 백두산 정계비를 세워 양국의 경계를 정하였다.
>
> ㉡ 우산, 무릉 두 섬이 울진현 정동쪽 바다 가운데에 있다. 두 섬의 거리가 멀지 아니하여 날씨가 맑으면 가히 바라볼 수 있다.

① 현재 중국은 ㉠의 토문강을 자신에 유리하게 쑹화 강의 한 지류로 해석하고 있다.

② ㉡의 우산, 무릉 두 섬의 존재를 통해 조선 전기에 울릉도와 독도의 관계를 명확히 파악하고 있었음을 알 수 있다.

③ 1909년 일본은 '간도에 관한 청·일 협정'을 체결하여 간도 영유권을 청에 넘겨 주었다.

④ 일본은 17세기 이래 독도가 일본 소유였다고 주장하면서 1905년 다시 일본 영토로 편입하는 조치를 취하였다.

문제풀이 독도 관련 문헌 난이도 상

② 대한 제국 칙령 제41호는 울릉도를 군으로 승격시킨 후 울릉 군수가 독도를 관할함을 명시한 것이다. 삼국접양지도는 일본인 하야시 시헤이가 1785년 편찬한 지도로, 울릉도와 독도를 조선의 영토로 표기해 놓았다.

오답 분석

① 이범윤의 보고문은 독도가 아닌 간도와 관련된 자료이다. 이범윤은 1902년에 간도 시찰원으로 파견되었으며, 이듬해에는 간도 관리사가 되어 간도 지방의 한인 보호에 힘썼다. 『은주시청합기』는 독도에 관한 일본 최초의 문헌으로, 일본 은주 지방의 관리 사이토 호센이 울릉도와 독도를 고려(조선)의 영토이며 일본의 영토는 은기도까지임을 명시하였다.

③ 미쓰야 협정은 일제가 만주 지역 독립군의 활동을 위축시키기 위해 만주 군벌과 체결한 상호 협정으로 독도와는 관련이 없다. 시마네현 고시 제40호는 일본이 독도를 시마네 현으로 강제 편입하기 위해 러·일 전쟁 중 반포한 것이다.

④ 일본 메이지 정부의 『조선국교제시말내탐서』에는 독도가 조선의 영토라는 내용이 기록되어 있다. 어윤중의 서북 경략사 임명장은 간도와 관련된 자료로, 어윤중은 간도 지역에 서북 경략사로 파견되어 청과 국경 문제를 협의하였다.

문제풀이 간도와 울릉도·독도 난이도 중

㉠은 '서쪽은 압록강, 동쪽은 토문강을 경계로 한다'는 백두산 정계비를 세워 양국의 경계를 정하였다는 내용이 언급되어 있으므로 간도 지역임을 알 수 있다.

㉡은 우산(독도), 무릉(울릉도) 두 섬이 울진현 정동쪽 바다 가운데에 있으며, 두 섬의 거리가 멀지 않다는 내용이 언급되어 있으므로 독도와 울릉도 지역임을 알 수 있다.

① 현재 중국은 백두산 정계비의 토문강을 두만강이라고 해석하고 있다. 한편, 우리나라는 토문강을 쑹화 강의 한 지류인 토문강으로 보고 있다.

오답 분석

② ㉡은 『세종실록』 「지리지」의 내용으로, 우산과 무릉은 독도와 울릉도를 의미한다. 이를 통해 조선 전기에 우리나라가 울릉도와 독도의 관계를 명확하게 파악하고 있었음을 알 수 있다.

③ 일본은 을사늑약으로 대한 제국의 외교권을 박탈한 상황에서 1909년 청과 간도 협약(간도에 관한 청·일 협정)을 체결하여 청으로부터 남만주 철도 부설권을 획득하는 대신 간도를 청의 영토로 인정하였다.

④ 일본 사료에서는 독도로 확증되는 섬에 대한 기록이 17세기 중반에 처음 나타난다. 일본은 이를 바탕으로 17세기 이래 독도가 일본 소유였다고 주장하면서 러·일 전쟁이 진행 중이던 1905년에 시마네 현 고시 제40호를 발표하여 독도를 일본 영토에 편입시켰다.

정답 21 ③ 22 ④ 23 ② 24 ①

4 | 항일 의병 운동과 애국 계몽 운동

01

2023년 국회직 9급

다음 밑줄 친 '의병'에 대한 설명으로 옳은 것은?

> 격문을 띄워 팔도의 여러 고을에 고하노라. …… 우리 국모의 원수를 생각하며 이미 이를 갈았는데, 참혹한 일이 더하여 우리 부모에게서 받은 머리털을 풀 베듯이 베어 버리니 이 무슨 변고란 말인가. 이에 감히 <u>의병</u>을 일으키고 마침내 이 뜻을 세상에 포고하노니, 위로는 공경에서 아래로는 서민에까지 어느 누가 애통하고 절박하지 않으랴.

① 위정척사론을 계승한 유생들이 주도하였다.
② 진위대의 해산 군인과 합세하여 전력을 강화하였다.
③ 각국 영사관에 통문을 보내는 등 외교 활동을 벌였다.
④ 논설 '시일야방성대곡'에 자극받아 활동을 전개하였다.
⑤ 다른 지방의 의병과 힘을 합쳐 서울 진공 작전을 시도하였다.

문제풀이 을미의병 난이도 중

제시문에서 우리 국모의 원수를 생각하며 이미 이를 갈았으며, 머리털을 풀 베듯이 베어 버려 의병을 일으킨다는 내용을 통해 밑줄 친 '의병'이 을미의병임을 알 수 있다.

① 을미의병은 을미사변과 단발령의 시행에 반발하여 유인석, 이소응 등의 위정척사론을 계승한 유생들이 주도하여 일으킨 의병이다.

오답 분석

② **정미의병**: 진위대의 해산 군인과 합세하여 전력을 강화한 것은 정미의병이다.
③ **정미의병**: 각국 영사관에 교전 단체로 인정해 줄 것을 요구하는 통문을 보내는 등 외교 활동을 벌였던 것은 정미의병이다.
④ **을사의병**: 논설 '시일야방성대곡'에 자극을 받아 활동을 전개한 것은 을사의병이다. 시일야방성대곡은 장지연이 황성신문에 게재한 논설로, 을사늑약의 체결 경위와 부당함을 알리고, 조약을 체결한 대신을 비난하는 내용을 담고 있다.
⑤ **정미의병**: 다른 지방의 의병과 힘을 합쳐 서울 진공 작전을 시도한 것은 정미의병이다. 정미의병은 다른 지방의 의병을 규합하여 13도 창의군을 결성하고 서울 진공 작전을 시도하였다.

02

2018년 경찰직(2차)

다음은 항일 의병에 대한 설명이다. 이를 일어난 순서대로 바르게 나열한 것은?

> ㉠ 그들은 국모 시해와 단발령에 반발하여 일어났다.
> ㉡ 평민 출신 의병장인 신돌석이 항일 의병 활동을 시작했다.
> ㉢ 일본군의 '남한 대토벌 작전' 이후 많은 의병들은 간도와 연해주 등으로 근거지를 옮겨 일제에 항전을 계속했다.
> ㉣ '한·일 신협약'으로 해산된 군인들이 의병에 합류하기 시작했다.

① ㉠ → ㉡ → ㉢ → ㉣
② ㉠ → ㉡ → ㉣ → ㉢
③ ㉠ → ㉣ → ㉡ → ㉢
④ ㉠ → ㉣ → ㉢ → ㉡

문제풀이 항일 의병의 전개 난이도 중

② 순서대로 나열하면 ㉠ 을미의병(1895) → ㉡ 을사의병(1905) → ㉣ 정미의병(1907) → ㉢ 남한 대토벌 작전(1909)이 된다.

㉠ **을미의병**: 을미사변과 단발령의 시행에 반발하여 유인석, 이소응 등의 유생들이 주도하여 을미의병을 일으켰다(1895). 이후 아관 파천으로 친일 정권이 무너지면서 단발령이 철회되고, 고종이 해산 권고 조칙을 내리면서 을미의병은 해산하였다.
㉡ **을사의병**: 을사늑약이 체결되자 최익현, 민종식 등의 유생들이 이에 반발하여 을사의병을 일으켰다(1905). 을사의병에서는 평민 출신 의병장인 신돌석이 본격적으로 활약하였다.
㉣ **정미의병**: 고종의 강제 퇴위와 한·일 신협약에 의한 군대 해산에 반발하여 정미의병이 일어났다(1907). 정미의병에는 해산당한 군인들이 합류하여 의병 운동이 의병 전쟁으로 확산되었으며, 특히 이인영을 총대장으로 결성된 13도 창의군은 서울 진공 작전을 전개하기도 하였다.
㉢ **남한 대토벌 작전**: 13도 창의군의 서울 진공 작전이 실패한 이후에도 호남 지방을 중심으로 의병 운동이 지속되자, 일본은 남한 대토벌 작전(1909)을 벌여 의병들을 탄압하였다. 이후 의병들은 일본의 탄압을 피해 간도와 연해주 등으로 이동하여 독립군으로 변모하였으며 일제에 항전을 계속하였다.

03

2017년 지방직 7급

다음 자료와 관련된 단체의 설명으로 옳지 않은 것은?

> • 시장에 외국 상인의 출입을 엄금할 것
> • 다른 나라에 철도 부설권을 허용하지 말 것
> • 시급히 방곡령을 실시하고 구민법을 채용할 것
> • 금광의 채굴을 금지하고 인민의 방책을 꾀할 것

① 정치적·경제적 각성을 촉진하고, 단결을 공고히 함을 강령으로 삼아 투쟁하였다.

② 1900년 전후 충청과 경기, 낙동강 동쪽의 경상도 등지에서 활동하였다.

③ '가난한 사람을 살려내는 무리'라는 뜻으로 「홍길동전」에서 이름을 따왔다.

④ 을사늑(조)약 이후에 이들 가운데 일부는 의병 운동에 참여하였다.

문제풀이 활빈당 난이도 중

제시문에서 '시장에 외국 상인의 출입을 엄금할 것', '다른 나라에 철도 부설권을 허용하지 말 것', '구민법을 채용할 것'과 같은 내용을 통해 활빈당이 행동 강령으로 발표한 대한사민논설(1900)임을 알 수 있다. 활빈당은 개항 이후 외국 자본의 침투와 일본의 주권 침해를 비판하였고, 평등 실현, 빈부 격차의 타파를 목표로 활동하였다.

① 정치적·경제적 각성을 촉진하고, 단결을 공고히 함을 강령으로 삼은 단체는 일제 강점기의 신간회이다.

오답 분석

② 활빈당은 동학 농민군의 잔여 세력 중 을미의병에 가담한 농민군 등 일반 민중들이 참여하였고, 1900년 전후 충청과 경기, 낙동강 동쪽의 경상도 등지에서 활약하였다.

③ 활빈의 의미는 '가난한 사람을 살린다'는 의미이며, 활빈당은 소설 「홍길동전」에서 이름을 따온 것이다. 활빈당은 그 이름에 맞게 탐관오리나 부호, 일본 상인을 습격하여 탈취한 재산을 빈민에게 나누어 주었다.

④ 활빈당 세력 중 일부는 을사늑약 체결을 계기로 발생한 을사의병에 참여하였다.

04

2024년 국가직 9급

다음의 논설을 작성한 인물에 대한 설명으로 옳은 것은?

> 이 날을 목 놓아 우노라(是日也放聲大哭). …(중략)… 천하만사가 예측하기 어려운 것도 많지만, 천만 뜻밖에 5개조가 어떻게 제출되었는가. 이 조건은 비단 우리 한국뿐 아니라 동양 삼국이 분열할 조짐을 점차 만들어 낼 것이니 이토(伊藤) 후작의 본의는 어디에 있는가?

① 한성순보를 창간하였다.

② 『한국통사』를 저술하였다.

③ 「독사신론」을 발표하였다.

④ 황성신문의 주필을 역임하였다.

문제풀이 장지연 난이도 중

제시문에서 '이 날을 목놓아 우노라' 라는 내용을 통해 시일야방성대곡임을 알 수 있으며, 이 논설을 작성한 인물은 장지연이다. 장지연은 을사늑약의 체결 경위와 부당함을 알리기 위해 시일야방성대곡을 작성하였다.

④ 장지연은 1898년에 창간된 황성신문의 기자로 활동하였으며, 1901년에는 황성신문의 주필을 역임하였다. 그는 을사늑약이 일제에 의해 강제로 체결되자 '시일야방성대곡'이라는 논설을 황성신문에 게재해 전국에 배포하였다.

오답 분석

① 한성순보를 창간한 것은 박문국으로, 장지연과는 관련이 없다. 한성순보는 정부의 개화 정책 취지를 전달하는 등 관보적 성격을 가진 순 한문체 신문으로, 10일에 한 번씩 간행되었다.

② **박은식**: 『한국통사』를 저술한 인물은 박은식이다. 박은식은 『한국통사』에서 나라는 형(형체)이고 역사는 신(정신)이며, 나라의 형체는 사라졌지만 그 정신(국혼)은 사라지지 않음을 강조하며 우리 민족의 독립 의식을 고취하였다.

③ **신채호**: 「독사신론」을 발표한 인물은 신채호이다. 신채호는 「독사신론」에서 역사 서술의 주체를 민족으로 설정하여 왕조 중심의 전통 사관을 극복하였으며, 일본의 식민주의 사학에 대항할 수 있는 민족주의 사학의 방향을 제시하였다.

정답 01 ① 02 ② 03 ① 04 ④

05

2018년 국가직 7급

다음과 같이 주장한 인물에 대한 설명으로 옳은 것만을 〈보기〉에서 모두 고르면?

> 오호라. 작년 10월에 저들이 한 행위는 만고에 일찍이 없던 일로서, 한 조각의 종이에 강제로 조인하게 하여 5백 년 전해 오던 종묘사직이 마침내 하룻밤 사이에 망했으니 … (중략) … 우리 의병군사의 올바름을 믿고, 적의 강대함을 두려워하지 말자. 이에 격문을 돌리니 다 함께 일어나라.

보기

ㄱ 의병을 이끌고 홍주성을 점령하였다.
ㄴ 대마도(쓰시마)로 압송된 후 순국하였다.
ㄷ 왜양 일체론을 주장하며 개항에 반대하였다.
ㄹ 13도 창의군을 이끌고 서울 진공 작전을 지휘하였다.

① ㄱ, ㄴ ② ㄱ, ㄹ
③ ㄴ, ㄷ ④ ㄷ, ㄹ

06

2022년 지방직 9급

(가) 시기에 있었던 사실로 옳은 것은?

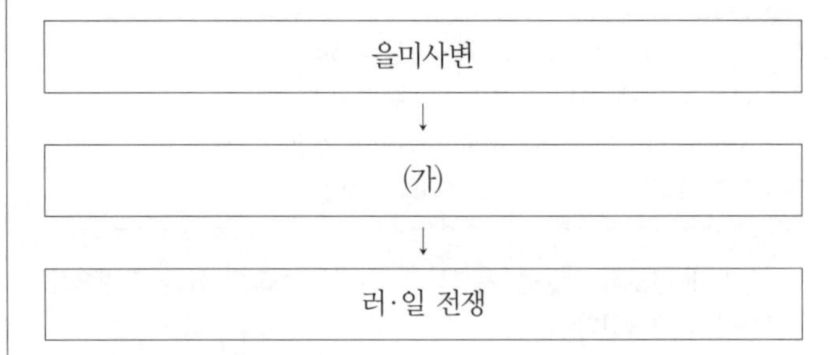

① 독립문이 건립되었다.
② 통감부가 설치되었다.
③ 동양 척식 주식회사가 설립되었다.
④ 임진왜란 때 소실된 경복궁이 중건되었다.

문제풀이 최익현 난이도 중

제시문은 최익현이 일본에 의해 강제로 체결된 을사늑약에 반발하며 의병 활동에 참여할 것을 촉구하는 내용이다.

③ 옳은 것을 모두 고르면 ㄴ, ㄷ이다.
ㄴ 을사의병을 일으킨 최익현은 체포된 후 대마도(쓰시마 섬)로 압송되어 1906년 11월에 순국하였다.
ㄷ 최익현은 1876년에 일본도 서양과 다를 바 없다는 '왜양 일체론'을 주장하며 개항을 반대하였다.

오답 분석

ㄱ **민종식**: 의병을 이끌고 홍주성을 점령한 것은 민종식이다. 민종식은 을사늑약이 체결되자 충남 정산에서 의병을 일으켜 홍주성을 점령하였다.
ㄹ **이인영, 허위**: 13도 창의군을 이끌고 서울 진공 작전을 지휘한 것은 이인영과 허위이다. 정미의병 당시 13도 창의군이 결성되자 이인영은 총대장으로, 허위는 군사장으로 추대되어 서울 진공 작전을 지휘하였다.

이것도 알면 **합격!**

을사늑약에 대한 민족의 저항

상소 운동	을사늑약에 서명한 대신들의 처벌과 조약의 폐기를 요구하는 상소 운동 전개(최익현, 이상설 등)
항일 순국	자결로써 을사늑약에 항거(민영환, 조병세 등)
5적 암살단	을사늑약에 찬성한 5적(이완용, 이근택, 박제순, 이지용, 권중현) 처단 시도(나철, 오기호 등)

문제풀이 을미사변과 러·일 전쟁 사이의 사실 난이도 하

제시된 자료에서 을미사변은 1895년, 러·일 전쟁은 1904년의 일이다. 따라서 (가) 시기에는 을미사변(1895)과 러·일 전쟁(1904) 사이의 사실이 들어갈 수 있다.

① (가) 시기인 1897년에 독립 협회에 의해 독립문이 건립되었다. 독립 협회는 독립 의식 고취를 위해 과거 청의 사신을 맞이하던 모화관 앞의 영은문을 헐고, 그 자리에 독립문을 건립하였다.

오답 분석

② **(가) 이후**: 통감부가 설치된 것은 1906년으로, (가) 이후이다. 을사늑약의 체결 이후 일본에 의해 서울에 통감부가 설치되고, 이토 히로부미가 초대 통감으로 부임하였다.
③ **(가) 이후**: 동양 척식 주식회사가 설립된 것은 1908년으로, (가) 이후이다. 일본은 대한 제국의 토지와 자원을 수탈할 목적으로 동양 척식 주식회사를 설립하였다.
④ **(가) 이전**: 임진왜란 때 소실된 경복궁이 중건된 것은 흥선 대원군 집권기인 1868년으로, (가) 이전이다. 흥선 대원군은 왕실의 위엄을 되찾기 위해 1865년부터 임진왜란 때 소실된 경복궁을 중건하기 시작하여 1868년에 완공하였다.

07

2015년 국가직 9급

다음 두 사건이 일어난 이후의 사실로 옳은 것만을 〈보기〉에서 모두 고른 것은?

- 고종 황제의 강제 퇴위
- 일제에 의한 군대 해산

보기

㉠ 안중근이 만주 하얼빈에서 이토 히로부미를 사살하였다.
㉡ 민영환이 일제에 대한 저항을 강력하게 표현한 유서를 남기고 자결하였다.
㉢ 장지연이 민족 의식을 고취하는 '시일야방성대곡'을 황성신문에 발표하였다.
㉣ 이인영을 총대장으로 하는 13도 연합 의병 부대(창의군)가 서울 진공 작전을 시도하였다.

① ㉠, ㉡　　② ㉠, ㉣
③ ㉡, ㉢　　④ ㉢, ㉣

08

2021년 법원직 9급

자료의 의병에 대한 설명으로 옳은 것을 〈보기〉에서 모두 고른 것은?

군사장은 미리 군비를 신속히 정돈하여 철통과 같이 함에 한 방울의 물도 샐 틈이 없는지라. 이에 전군에 명령을 전하여 일제히 진군을 재촉하여 동대문 밖으로 진격할 때, 대군은 긴 뱀의 형세로 천천히 전진하게 하고, …… 3백 명을 인솔하고 선두에 서서 동대문 밖 삼십 리 되는 곳에 나아가 전군이 모이기를 기다려 일거에 서울로 공격하여 들어가기로 계획하더니, 전군이 모이는 시기가 어긋나고 일본군이 갑자기 진격해 오는지라. 여러 시간을 격렬히 사격하다가 후원군이 이르지 않아 할 수 없이 퇴진하였다.

보기

㉠ 고종이 해산 권고 조칙을 내리자 대부분 해산하였다.
㉡ 13도 창의군을 결성하여 서울 진공 작전을 시도하였다.
㉢ 각국 영사관에 교전 단체로 인정해 줄 것을 요구하였다.
㉣ 의병 잔여 세력이 활빈당 등의 무장 결사를 조직하였다.

① ㉠, ㉡　　② ㉠, ㉣
③ ㉡, ㉢　　④ ㉢, ㉣

문제풀이 1907년 이후의 사실　　난이도 중

제시문의 고종의 강제 퇴위와 군대 해산은 1907년의 일이다. 고종은 을사늑약의 부당함을 알리기 위해 1907년 헤이그에 특사를 파견하였으나 일본의 방해로 구체적인 성과를 거두지 못하였고, 일본은 헤이그 특사 파견에 대한 책임을 물어 고종을 강제로 퇴위시키고 순종을 즉위시켰다. 이후 일본의 강요로 체결된 한·일 신협약과 비밀 각서에 의해 대한 제국의 군대가 해산되었다.

② 옳은 것을 모두 고르면 ㉠, ㉣이다.

㉠ 안중근이 만주 하얼빈 역에서 초대 통감 이토 히로부미를 사살한 것은 1909년의 일이므로, 1907년 이후의 사실이다. 이토 히로부미를 암살한 직후 체포된 안중근은 옥중에서 『동양평화론』을 집필하기 시작하여 이토 히로부미 암살이 동양 평화를 위한 의거였다고 하였다.

㉣ 이인영을 총대장으로 하는 의병 연합 부대인 13도 창의군이 서울 진공 작전을 시도한 것은 1908년의 일이므로, 1907년 이후의 사실이다.

오답 분석

㉡ 민영환이 을사늑약에 반발하여 유서를 남기고 자결한 것은 1905년의 일이므로, 1907년 이전의 사실이다.

㉢ 장지연이 민족 의식을 고취하고 일제를 규탄하는 내용을 담은 '시일야방성대곡'을 황성신문에 발표한 것은 1905년의 일이므로, 1907년 이전의 사실이다.

문제풀이 정미의병　　난이도 중

제시문에서 일거에 서울로 공격한다는 내용을 통해 자료의 의병이 서울 진공 작전을 시도한 정미의병임을 알 수 있다. 정미의병은 고종 황제의 강제 퇴위와 한·일 신협약의 부속 조약으로 인한 군대 해산에 반발하여 일어났다.

③ 옳은 것을 모두 고르면 ㉡, ㉢ 이다.

㉡ 정미의병은 13도 창의군을 결성하여 서울 진공 작전을 시도하였다. 13도 창의군은 이인영을 총대장, 허위를 군사장으로 하는 1만여 명의 의병 연합 부대로, 서울 근교까지 진격하였으나 일본군의 반격으로 실패하였다.

㉢ 13도 창의군은 스스로 독립군임을 내세우며 각국 영사관에 의병을 국제법상의 교전 단체로 인정해 줄 것을 요구하였다.

오답 분석

㉠, ㉣ 을미의병: 고종이 해산 권고 조칙을 내리자 대부분 해산하였고, 잔여 세력이 활빈당 등의 무장 결사를 조직한 의병은 을미의병이다. 을미의병은 을미사변과 단발령에 대한 반발로 일어났는데, 아관 파천으로 친일 정권이 무너지면서 단발령이 철회되고 고종이 해산을 권고하는 조칙을 내리자 해산되었다. 한편 을미의병에 가담했던 농민군 중 일부는 활빈당 등을 조직하여 반봉건·반침략 운동을 계속 전개하였다.

정답 05 ③ 06 ① 07 ② 08 ③

09

2012년 지방직 7급

다음 (가), (나)와 관련하여 나타난 사건에 대한 설명으로 옳지 않은 것은?

> (가) 시위대 참령 ○○○이 …… "내가 몇 해 동안 군사를 거느리고 있었는데, 갑자기 해산을 당하고 말았으니 차마 내 병정들을 대할 면목이 없다."라고 말하고 차고 있던 군도를 빼어 스스로 목을 찔러 죽으니 병정들이 분기를 이기지 못하였다고 한다.
>
> (나) 용병(用兵)의 요체는 고립을 피하고 일치 단결하는 데 있다. 각 도의 군사를 통일하여 뚝이 무너질 듯 근기(近畿) 지방으로 밀려들어가면 온 천하를 우리 보물로 하기는 불가능하더라도 한국 문제를 해결하는 데 유리하게 될 것이다.

① (가) – 의병과 연계하여 일본군과 접전을 벌였다.

② (나) – 13도 창의대진소가 설치되고 이인영을 창의 대장으로 뽑았다.

③ (가) – 고종이 퇴위하고 정미조약이 강요되는 계기가 되었다.

④ (나) – 허위가 이끄는 선발 부대는 동대문 인근까지 진출하였다.

문제풀이 정미의병 난이도 중

(가)는 1907년 대한 제국의 군대가 해산되는 상황을 보여주고 있다.

(나)는 각 도의 군사를 통일하여 근기(경기) 지방으로 밀려들어가면 한국 문제를 해결하는 데 유리할 것이라는 내용을 통해 정미의병 당시 이인영이 의병 부대의 연합을 촉구하며 전국에 발송한 격문임을 알 수 있다.

③ 대한 제국의 군대가 해산된 것은 일본에 의한 고종의 강제 퇴위와 정미 7조약(한·일 신협약) 강요 이후의 일이다. 헤이그 특사 사건을 빌미로 고종을 강제로 퇴위시킨 일본은 고종의 뒤를 이어 즉위한 순종에게 한·일 신협약의 체결을 강요하였다. 결국 통감의 권한 확대 등의 내용을 담은 한·일 신협약이 체결되었으며, 대한 제국의 군대 해산을 명시한 비밀 각서로 시위대와 진위대가 강제로 해산당했다.

오답 분석

① 해산된 군인들은 정미의병에 합류하여 일본군과 접전을 벌였다. 해산된 군인이 정미의병에 합류함으로써 의병 부대의 전력이 크게 강화되었다.

② 정미의병 때 이인영은 각 도의 의병 부대에 격문을 띄워 경기도 양주에 집결하도록 하였다. 이에 호응한 각 도의 의병 부대들은 13도 창의대진소(13도 창의군)를 설치하고 이인영을 총대장으로 추대하였다.

④ 서울 진공을 시도하기 위해 13도 창의군의 군사장인 허위가 이끄는 선발 부대가 동대문 인근까지 진격하였으나 일본군의 강한 반격으로 후퇴하였다.

10

2017년 국가직 9급(4월 시행)

다음 조칙이 발표된 이후의 상황에 대한 설명으로 옳은 것만을 〈보기〉에서 모두 고른 것은?

> ≪관보≫ 호외
>
> 짐이 생각건대 쓸데없는 비용을 절약하여 이용후생에 응용함이 급무라. 현재 군대는 용병으로서 상하의 일치와 국가 안전을 지키는 방위에 부족한지라. 훗날 징병법을 발표하여 공고한 병력을 구비할 때까지 황실 시위에 필요한 자를 빼고 모두 일시에 해산하노라.

> **보기**
>
> ㉠ 신돌석과 같은 평민 출신의 의병장이 처음으로 등장하였다.
>
> ㉡ 단발령의 실시로 위정척사 사상에 바탕을 둔 의병 운동이 시작되었다.
>
> ㉢ 연합 의병 부대인 13도 창의군이 결성되어 서울 진공 작전을 계획하였다.
>
> ㉣ 일본군의 '남한 대토벌 작전'으로 의병 부대의 근거지가 초토화되었다.

① ㉠, ㉡

② ㉠, ㉣

③ ㉡, ㉢

④ ㉢, ㉣

문제풀이 한·일 신협약 체결 이후의 상황 난이도 중

제시문에서 공고한 병력을 구비할 때까지 현재 군대 중 황실 시위에 필요한 자를 빼고 모두 일시에 해산한다는 내용을 통해 한·일 신협약(1907, 정미 7조약) 체결 이후 발표된 군대 해산 조칙임을 알 수 있다. 일본은 순종 황제와 한·일 신협약을 체결하여 통감의 권한을 확대하였다. 또한 한·일 신협약과 함께 대한 제국의 군대 해산을 명시한 비밀 각서가 체결되어, 이 각서에 따라 군대가 해산되었다.

④ 옳은 것을 모두 고르면 ㉢, ㉣이다.

㉢ 대한 제국의 군대가 해산되자 해산된 군인들이 의병에 합류하면서 의병 전쟁으로 발전하였고, 이인영 등을 중심으로 의병 연합 부대인 13도 창의군이 결성되어 서울 진공 작전을 계획하였다.

㉣ 서울 진공 작전 이후 흩어진 의병들이 소규모 부대로 나누어 의병 활동을 전개하자, 일본은 '남한 대토벌 작전'을 전개하여 의병 부대의 주요 근거지였던 호남 지역을 초토화하였다. 이로 인해 국내에서의 의병 활동이 어려워지자, 일부 의병들은 만주나 연해주로 이동하여 무장 독립 투쟁을 전개하였다.

오답 분석

㉠ 신돌석과 같은 평민 출신 의병장이 처음 등장한 것은 한·일 신협약 체결 이전의 일이다.

㉡ **을미의병**: 단발령의 실시와 을미사변을 계기로 위정척사 사상에 바탕을 둔 을미의병이 시작된 것(1895)은 한·일 신협약 체결 이전의 일이다.

11

2022년 소방간부후보생

다음 글을 발표한 단체에 대한 설명으로 가장 적절한 것은?

> 무릇 우리나라의 독립은 오직 자강(自强)의 여하에 있을 따름이다. 우리 대한이 종전에는 자강의 방법을 강구하지 않아 인민이 스스로 우매함에 묶여 있고 국력이 쇠퇴하여 마침내 오늘의 위기에 처하였고, 결국 외국인의 보호 아래 놓이게 되었으니, 이는 모두 자강의 도(道)에 뜻을 다하지 않았던 까닭이다. …(중략)… 한편 자강의 방법을 생각해보면, 다름 아니라 교육의 진작과 식산흥업에 있다. 무릇 교육이 일어나지 못하면 백성의 지혜가 제대로 열리지 못하고, 산업이 늘지 못하면 국부가 증가하지 못한다.

① 자치 운동을 주요 목표로 내세웠다.
② 국채 보상 운동의 참여를 결의하였다.
③ 국권 반환 요구서를 일제에 제출하였다.
④ 농광 회사를 설립하여 경제 침탈에 맞섰다.
⑤ 러시아의 절영도 조차 요구를 반대하였다.

12

2015년 지방직 9급

다음 취지서를 발표한 단체의 활동에 대한 설명으로 옳은 것은?

> 무릇 나라의 독립은 오직 자강(自强)의 여하에 달려 있는 것이다. …… 그러나 자강의 방도를 강구하려 할 것 같으면 다른 곳에 있지 않고 교육을 진작하고 산업을 일으키는 데 있으니 무릇 교육이 일어나지 않으면 민지(民智)가 열리지 않고 산업이 일어나지 않으면 국부가 증가하지 못하는 것이다. 교육과 산업의 발달이 곧 자강의 방도임을 알 수 있는 것이다.

① 만민 공동회를 개최하여 러시아의 침략 정책을 강력하게 규탄하였다.
② 고종의 강제 퇴위 반대 운동을 전개하다가 일본의 탄압으로 해산되었다.
③ 방직, 고무, 메리야스 공장을 육성하여 경제 자립을 이루자는 운동을 전개하였다.
④ 일본의 황무지 개간에 대한 대중적인 반대 운동을 일으켜 이를 철회시키는 데 성공하였다.

문제풀이 대한 자강회 난이도 중

제시문에서 우리나라의 독립은 자강의 여하에 있다는 내용 등을 통해 대한 자강회가 발표한 취지서임을 알 수 있다.

② 대한 자강회는 자강의 방법으로 교육과 산업의 발전을 강조하였으며, 국채 보상 운동 때 적극적인 참여를 결의하였다.

오답 분석

① 자치 운동은 1920년대에 이광수, 최린 등의 타협적 민족주의자들이 일제의 식민 지배를 인정하고, 자치권을 획득하여 실력을 기르자며 전개한 운동으로, 대한 자강회와는 관련이 없다.
③ **독립 의군부**: 한·일 병합의 부당함을 알리는 국권 반환 요구서를 일제에 제출한 단체는 독립 의군부이다.
④ 농광 회사는 일제의 황무지 개간권 요구에 대응하여 개간 사업을 진행할 목적으로 설립된 회사로, 대한 자강회와는 관련이 없다.
⑤ **독립 협회**: 러시아의 절영도 조차 요구를 반대한 단체는 독립 협회이다. 독립 협회는 만민 공동회를 개최하여 러시아의 절영도 조차 요구를 규탄하였다.

문제풀이 대한 자강회 난이도 중

제시문에서 나라의 독립은 자강에 달려 있으며, 자강의 방도는 교육과 산업의 발달에 있다는 내용을 통해 대한 자강회가 발표한 취지서임을 알 수 있다.

② 애국 계몽 단체인 대한 자강회는 고종 강제 퇴위 반대 운동을 전개하다 일본의 탄압으로 해산되었다.

오답 분석

① **독립 협회**: 만민 공동회를 개최하여 러시아의 침략 행위를 규탄한 단체는 독립 협회이다.
③ 방직, 고무, 메리야스 공장을 육성하여 경제 자립을 이루자는 것은 일제 강점기인 1920년대의 실력 양성 운동에 대한 설명이다.
④ **보안회**: 일본의 황무지 개간에 대한 반대 운동을 전개하여 이를 철회시키는 데 성공한 단체는 보안회이다.

이것도 알면 **합격!**

대한 자강회(1906)

조직	윤효정, 장지연 등을 중심으로 헌정 연구회를 계승하여 창립
목표	교육과 산업을 진흥시켜 독립의 기초를 만드는 것
활동	전국 각지에 지회 설치, 대한 자강회 월보 간행, 강연회 개최
해체	고종의 강제 퇴위 반대 운동을 주도하다가 1907년 보안법에 의해 강제 해체됨

정답 09 ③ 10 ④ 11 ② 12 ②

13

2024년 서울시 9급(2월 시행)

〈보기〉의 단체에 대한 설명으로 가장 옳은 것은?

> **보기**
> 안창호, 양기탁, 이승훈이 중심이 되어 조직한 비밀 결사 단체로, 국권을 회복한 뒤 공화정체의 국가를 수립하고자 하였다. 이를 위해서는 실력 양성에 온 힘을 쏟아야 한다고 규정하고 무엇보다 국민을 새롭게 할 것을 주장하였다.

① 일본의 황무지 개간권 요구 반대
② 교육·산업 진흥을 위한 지회 설치
③ 대성 학교, 오산 학교 설립
④ 금주·금연을 통한 모금 운동 전개

14

2020년 법원직 9급

(가)에 대한 설명으로 가장 옳은 것은?

> (가) 의 목적은 한국의 부패한 사상과 습관을 혁신하여 국민을 유신케 하며, 쇠퇴한 발육과 산업을 개량하여 사업을 유신케 하며, 유신한 국민이 통일 연합하여 유신한 자유 문명국을 성립케 한다고 말하는 것으로서, 그 깊은 뜻은 열국 보호 하에 공화 정체의 독립국으로 함에 목적이 있다고 함.
> – 일본 헌병대 기밀 보고(1908)

① 해외 독립 운동 기지 건설에 앞장섰다.
② 고종이 퇴위 당하자 의병 투쟁에 앞장섰다.
③ 입헌 군주제 수립을 목표로 활동하였다.
④ 5적 암살단을 조직하였다.

문제풀이 신민회 난이도 하

제시문에서 안창호, 양기탁, 이승훈이 중심이 되어 조직한 비밀 결사 단체로, 국권을 회복한 뒤 공화정체의 국가를 수립하고자 하였다는 내용과 무엇보다 국민을 새롭게 할 것을 주장하였다는 내용을 통해 신민회에 대한 설명임을 알 수 있다.

③ 신민회는 평양에 대성 학교, 정주에 오산 학교를 설립하여 교육을 통한 민족 실력 양성 운동을 전개하였다.

오답 분석

① **보안회**: 일본의 황무지 개간권 요구에 반대한 단체는 보안회이다. 보안회는 일본이 대한 제국 정부에 황무지 개간권을 요구하자 1904년에 이에 반대하는 원세성, 송수만 등의 유생 관료 출신들을 중심으로 결성된 단체이다. 보안회의 활동으로 일본의 황무지 개간권 요구가 저지되었다.

② **대한 자강회**: 교육·산업 진흥을 위한 지회를 설치한 단체는 대한 자강회이다. 대한 자강회는 교육·산업 진흥을 위하여 전국 각지에 25개 지회를 설치하였고, 월보 간행과 강연회 개최 등의 활동을 전개하였다.

④ **국채 보상 기성회 등**: 금주·금연을 통한 모금 운동을 전개한 단체는 국채 보상 기성회 등이다. 대구에서 서상돈, 김광제 등의 주도로 시작된 국채 보상 운동은 전국적인 모금 운동으로 확산되어 서울에는 국채 보상 기성회, 평양에서는 평양 국채 보상회가 조직되었다. 이 단체들은 금주, 금연을 통한 모금 운동과 반지와 비녀를 팔아 성금을 마련하였다.

문제풀이 신민회 난이도 중

제시문에서 여러 차례 유신이 등장하고, 공화 정체의 독립국으로 함에 목적이 있다는 내용을 통해 (가)가 신민회임을 알 수 있다.

① 신민회는 해외 독립 운동 기지 건설에 앞장서서 서간도 삼원보에 신한 민촌을 건설하였고, 사관 양성 기관으로 신흥 강습소(신흥 무관 학교)를 설립하였다.

오답 분석

② 신민회는 의병 투쟁을 지지하고 긍정적인 시각으로 바라보았지만 고종이 퇴위 당한 후 의병 투쟁에 앞장서지는 않았다.

③ 신민회는 입헌 군주제가 아닌 공화 정치 체제의 근대 국가 수립을 목표로 하였다. 입헌 군주제 수립을 목표로 활동한 단체는 독립 협회이다.

④ 신민회와 5적 암살단은 관계가 없다. 5적 암살단을 조직한 인물은 나철, 오기호 등이다. 5적 암살단은 을사늑약에 찬성한 을사 5적(이완용, 이근택, 박제순, 이지용, 권중현)을 처단하기 위한 활동을 전개하였다.

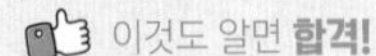

신민회의 활동

구분	내용
국내	민족 교육 추진: 대성 학교(평양), 오산 학교(정주) 조직
	민족 산업 육성: 자기 회사 설립(평양), 태극 서관 운영(평양, 대구)
	민족 문화 양성: 대한매일신보 발간, 조선 광문회 후원
국외	독립 기지 건설: 남만주 삼원보

15

2013년 법원직 9급

다음에서 설명하고 있는 독립운동 단체와 관련이 없는 것은?

> ㅇ 이 단체의 중심 인물은 안창호, 양기탁, 신채호 등이다.
> ㅇ 서북 지방의 기독교인들이 다수 참가한 항일 비밀 결사 조직이다.
> ㅇ 공화 정체의 근대 국가 수립을 목적으로 했다.
> ㅇ 일제가 날조한 105인 사건으로 국내 조직이 해체되었다.

① 국내의 요인 암살, 식민 통치 기관 파괴 활동을 전개하였다.
② 자기 회사·태극 서관을 설립하여 민족 산업 육성에 노력하였다.
③ 대성 학교와 오산 학교를 세워 민족 교육을 실시하였다.
④ 이회영 형제의 헌신으로 남만주에 독립운동 기지를 건설하였다.

16

2017년 지방직 9급(12월 시행)

(가), (나) 시기에 있었던 사실에 대한 설명으로 옳은 것은?

	(가)	(나)	
러·일 전쟁 발발		고종 강제 퇴위	대동 단결 선언 발표

① (가) – 독립 협회가 개최한 관민 공동회에서 헌의 6조가 결의되었다.
② (가) – 독도를 울릉군 관할로 한다는 내용의 대한 제국 칙령 제41호가 공포되었다.
③ (나) – 일제가 '105인 사건'을 일으켜 윤치호 등을 체포하였다.
④ (나) – 일본인 메가타가 재정 고문으로 부임하여 화폐 정리 사업을 시작하였다.

문제풀이 신민회

난이도 중

제시문에서 항일 비밀 결사 조직인 것, 공화 정체의 근대 국가 수립을 목적으로 한 것, 105인 사건으로 해체된 것 등의 내용을 통해 신민회에 대한 설명임을 알 수 있다.

① 신민회는 국내의 요인 암살, 식민 통치 기관 파괴 활동을 전개하지 않았다. 국내의 요인 암살 및 식민 통치 기관 파괴 활동은 일제 강점기에 의열 단체들이 전개하였으며, 대표적인 단체로는 의열단이 있다.

오답 분석

② 신민회는 평양에 자기 회사를 설립하고, 대구와 평양에 태극 서관을 개설하여 서적을 출판·보급하였으며, 방직 공장과 연초 공장 등을 운영하여 민족 산업을 육성하였다.
③ 신민회는 평양에 대성 학교, 정주에 오산 학교를 세워 민족 교육을 실시하였다.
④ 이회영 형제의 헌신으로 신민회는 남만주에 독립운동 기지인 삼원보를 건설하였다.

이것도 알면 **합격!**

신민회

조직	안창호, 윤치호, 신채호 등을 지도부로 사회 각계각층의 인사들을 망라하여 평양을 중심으로 조직된 비밀 결사 단체
목표	실력 양성을 통한 국권 회복과 공화 정치 체제의 근대 국가 수립
해산	일본이 날조한 105인 사건으로 와해

문제풀이 근대의 사건

난이도 중

(가) 러·일 전쟁 발발(1904) ~ 고종 강제 퇴위(1907)
(나) 고종 강제 퇴위(1907) ~ 대동 단결 선언 발표(1917)

③ (나) 시기인 1911년에 일제는 105인 사건을 일으켜 윤치호를 비롯한 신민회 회원 105인에 대한 유죄를 선고하였으며, 이 사건을 계기로 신민회가 와해되었다.

오답 분석

① **(가) 이전:** 독립 협회가 개최한 관민 공동회에서 헌의 6조가 결의된 것은 1898년으로, (가) 시기 이전의 사실이다. 독립 협회는 관민 공동회를 개최하여 자주 국권 확립, 이권 침탈 방지 등을 주요 내용으로 한 헌의 6조를 채택하였다.
② **(가) 이전:** 독도를 울릉군 관할로 한다는 대한 제국 칙령 제41호가 공포된 것은 1900년으로, (가) 시기 이전의 사실이다. 고종 황제는 칙령 제41호를 공포하여 울릉도를 군으로 승격시키며, 울릉 군수가 독도를 관할하게 하였다.
④ **(가) 시기:** 메가타가 재정 고문으로 부임하여 화폐 정리 사업을 시작한 것은 1905년으로, (가) 시기에 해당된다. 제1차 한·일 협약에 따라 재정 고문으로 파견된 메가타는 대한 제국의 경제를 일본에 예속시키기 위해 화폐 정리 사업을 실시하였다.

정답 13 ③ 14 ① 15 ① 16 ③

5 | 일제의 국권 피탈

01

2023년 서울시 9급

〈보기〉의 조약이 체결된 해에 일어난 사건으로 가장 옳은 것은?

> **보기**
> 제3국의 침해나 내란으로 인하여 대한 제국 황실의 안녕과 영토 보전에 위험이 있을 경우 대일본 제국 정부는 신속하게 상황에 따라 필요한 조치를 취할 수 있다. 그리고 대한 제국 정부는 이러한 대일본 제국의 행동이 용이하도록 충분한 편의를 제공한다. 대일본 제국 정부는 앞 조관의 목적을 성취하기 위하여 군사 전략상 필요한 지점을 상황에 따라 수용할 수 있다.

① 일본이 제물포에 있는 러시아 군함을 공격하며 러·일 전쟁을 일으켰다.
② 일본이 불법으로 독도를 자국 영토로 편입하였다.
③ 일본이 대한 제국 군대를 강제 해산시켰다.
④ 일본이 헤이그 특사 파견을 빌미 삼아 고종을 강제 퇴위시켰다.

문제풀이 1904년에 일어난 사건 난이도 중

제시문에서 대한 제국 황실의 안녕과 영토 보전에 위험이 있을 경우 대일본 제국 정부는 필요한 조치를 취할 수 있고, 대일본 제국 정부가 군사 전략상 필요한 지점을 상황에 따라 수용할 수 있다는 내용을 통해 1904년에 체결된 한·일 의정서임을 알 수 있다.

① 일본은 한·일 의정서가 체결된 해인 1904년에 중국 뤼순 앞바다와 인천 제물포에 있는 러시아 군함을 공격하여 러·일 전쟁을 일으켰다. 러·일 전쟁은 만주와 한반도를 놓고 벌어진 러시아와 일본 간의 주도권 쟁탈전으로, 전쟁에 승리한 일본은 1905년에 러시아와 포츠머스 조약을 체결하여 대한 제국에 대한 지도·보호 및 감독의 권리를 인정받았다.

오답 분석

② 일본이 불법으로 독도를 자국 영토로 편입한 것은 1905년이다. 일본은 독도를 어느 국가의 영토로 되어 있지 않은 지역인 무주지로 규정하고 시마네 현 고시 제40호를 통해 자국의 영토로 불법 편입하였다.
③ 일본이 대한 제국 군대를 강제 해산시킨 것은 1907년이다. 일본은 한·일 신협약의 비밀 각서(부속 조약)를 통해 대한 제국의 군대를 강제로 해산시켰다.
④ 일본이 헤이그 특사 파견을 빌미 삼아 고종을 강제 퇴위시킨 것은 1907년이다. 고종이 을사늑약 체결의 무효를 선언하고 이를 국제 사회에 알리기 위하여 제2차 만국 평화 회의가 열리고 있던 네덜란드 헤이그에 특사를 파견하자, 일본은 헤이그 특사 파견을 빌미 삼아 고종을 강제로 퇴위시키고 순종을 즉위시켰다.

02

2018년 서울시 9급(3월 시행)

〈보기〉의 사건을 시간순으로 바르게 나열한 것은?

> **보기**
> ㉠ 일본군이 인천항에 정박한 러시아 군함 2척을 공격
> ㉡ 대한 제국 정부의 국외 중립 선언
> ㉢ 일본군이 러시아에 선전 포고
> ㉣ 한·일 의정서 체결

① ㉠ → ㉣ → ㉡ → ㉢
② ㉡ → ㉠ → ㉢ → ㉣
③ ㉠ → ㉢ → ㉣ → ㉡
④ ㉡ → ㉣ → ㉢ → ㉠

문제풀이 러·일 전쟁과 한·일 의정서 체결 난이도 상

② 순서대로 나열하면 ㉡ 고종의 국외 중립 선언(1904. 1.) → ㉠ 일본군의 러시아 기습(1904. 2. 9.) → ㉢ 일본의 대러 선전 포고(1904. 2. 10.) → ㉣ 한·일 의정서 체결(1904. 2. 23.)이 된다.

㉡ 고종의 국외 중립 선언: 고종 황제는 한반도를 둘러싼 러시아와 일본의 대립이 격화되자 1904년 1월에 국외 중립을 선언하고 각국에 통보하였다.

㉠ 일본군의 러시아 기습: 일본은 1904년 2월 8일에 러시아가 점령하고 있던 뤼순(여순)을 기습 공격하고, 그 다음날인 2월 9일에 인천의 제물포에 주둔중인 러시아 군함 2척을 공격하여 침몰시켰다. 이로 인해 러·일 전쟁이 발발하였다.

㉢ 일본의 대러 선전 포고: 1904년 2월 10일에 일본은 러시아에게 정식으로 선전 포고를 하였다.

㉣ 한·일 의정서 체결: 일본은 1904년 2월 23일에 대한 제국의 국외 중립 선언을 무시하고, 일본이 한반도의 군사 요충지와 시설을 마음대로 사용할 수 있도록 규정한 한·일 의정서를 체결하였다.

03

2021년 국회직 9급

(가), (나)에 대한 설명으로 옳은 것은?

> 일본은 미국과 영국의 지원을 받고 (가) (을/를) 일으켰다. 이 전쟁이 일어날 위험이 닥치자 대한 제국은 국외 중립을 선언하였다. 그러나 일본은 개전하자마자 서울에 군대를 주둔시키고 (나) 의 체결을 강요하였다.

① (가) – 그 결과 일본은 청에게 랴오둥 반도와 타이완을 할양받았다.
(나) – 통감부를 설치하고 한국의 독자적인 외교권을 박탈하였다.

② (가) – 일본이 랴오둥 반도의 뤼순항을 기습 공격하였다.
(나) – 일본이 전략상 필요한 곳을 제공받게 되었다.

③ (가) – 조선에 대한 청의 종주권을 빼기 위한 목적이 컸다.
(나) – 그 결과 청·미국·영국 등의 주한 공사들이 철수하였다.

④ (가) – 포츠머츠 강화 조약을 체결하고 전쟁을 종결하였다.
(나) – 대한 제국의 군대를 해산하는 조항을 담았다.

⑤ (가) – 시모노세키 조약을 체결하고 전쟁을 종결하였다.
(나) – 일본인 고문관을 각 부처에서 의무적으로 고용하게 되었다.

04

2021년 법원직 9급

다음의 상황이 전개된 시기를 연표에서 옳게 고른 것은?

> 일본은 러시아의 발틱 함대를 격파하고 승기를 잡았지만, 전쟁 비용이 거의 바닥이 나고 있었다. 러시아도 국민의 봉기로 혼란에 빠져들고 있었다. 이에 양국은 한국에서 일본의 정치, 군사, 경제 등에 관한 특수 권익을 인정하는 내용의 포츠머스 조약을 체결하였다.

	(가)		(나)		(다)		(라)	
임오 군란		거문도 사건		갑오 개혁		대한 제국 설립		국권 강탈

① (가) ② (나)
③ (다) ④ (라)

문제풀이 러·일 전쟁과 한·일 의정서

난이도 중

제시문에서 (가)는 일본이 미국과 영국의 지원을 받고 전쟁을 일으켰으며, 대한 제국은 국외 중립을 선언하였다는 내용을 통해 러·일 전쟁임을 알 수 있다. (나)는 일본이 개전하자마자 서울에 군대를 주둔시키고 체결을 강요하였다는 내용을 통해 한·일 의정서임을 알 수 있다.

② (가) 러·일 전쟁은 일본이 러시아가 점령하고 있던 뤼순(여순)항을 기습 공격(1904. 2.)하며 시작되었다. 대한 제국은 러·일 전쟁 발발 이전 러시아와 일본의 대립이 격화되자 국외 중립을 선언(1904. 1.)하였지만 일본은 개전하자마자 서울에 군대를 주둔시키고 (나) 한·일 의정서 체결(1904. 2.)을 강요하였다. 이로써 일본은 전략상 필요한 지역을 마음대로 제공받을 수 있게 되었다.

오답 분석

① (가) 일본이 청에게 랴오둥 반도와 타이완을 할양받은 것은 청·일 전쟁의 결과이며, (나) 통감부를 설치하고 대한 제국의 독자적인 외교권을 박탈한 것은 을사늑약의 결과이다.

③ (가) 조선에 대한 청의 종주권을 빼기 위한 목적이 컸던 것은 청·일 전쟁이며, (나) 대한 제국의 외교권이 박탈되어 청·미국·영국 등의 주한 공사들이 철수한 것은 을사늑약의 결과이다.

④ (가) 포츠머츠 강화 조약 체결로 종결한 전쟁은 러·일 전쟁이 맞지만, (나) 대한 제국의 군대를 해산하는 조항을 담은 것은 한·일 신협약의 비밀 각서이다.

⑤ (가) 시모노세키 조약을 체결하고 전쟁을 종결한 것은 청·일 전쟁이며, (나) 일본인 고문관을 각 부처에서 의무적으로 고용하게 된 것은 제1차 한·일 협약(1904. 8.)의 결과이다.

문제풀이 포츠머스 조약 체결 시기

난이도 중

제시문의 내용은 러·일 전쟁(1904~1905)이 종전되고, 포츠머스 조약이 체결(1905. 9.)된 상황이다.

(가) 임오군란(1882) ~ 거문도 사건(1885)

(나) 거문도 사건(1885) ~ 갑오개혁(1894)

(다) 갑오개혁(1894) ~ 대한 제국 설립(1897)

(라) 대한 제국 설립(1897) ~ 국권 강탈(1910)

④ 포츠머스 조약은 (라) 시기인 1905년에 체결되었다. 러·일 전쟁에서 승리한 일본은 미국의 중재 아래 러시아와 포츠머스 조약(1905. 9.)을 맺었다. 포츠머스 조약에서는 일본이 대한 제국의 정치, 군사, 경제 등에 관한 특수 권익을 갖는 것을 러시아가 인정하고, 이를 간섭하지 않는다고 규정하여 사실상 일본이 대한 제국을 지배하는 것을 인정하였다. 이후 일본은 1910년에 한·일 병합 조약을 체결하여 대한 제국의 국권을 강탈하였다.

정답 01 ① 02 ② 03 ② 04 ④

05

2021년 지방직 9급

다음과 같은 내용이 담긴 조약에 대한 설명으로 옳은 것은?

> 일본 정부는 그 대표자로 한국 황제 밑에 1명의 통감을 두되, 통감은 전적으로 외교에 관한 사항을 관리하기 위하여 경성에 주재하고 친히 한국 황제를 만날 수 있는 권리를 가진다. 또한, 일본 정부는 한국의 개항장 및 일본 정부가 필요하다고 인정하는 지역에 이사관을 설치할 권리를 가지며, 이사관은 통감의 지휘하에 종래 재(在)한국 일본 영사에게 속하였던 모든 권리를 집행한다.

① 조선 총독부를 설치한다는 조항이 포함되어 있다.
② 헤이그 특사 사건 직후 일제의 강요로 체결되었다.
③ 방곡령 시행 전에 미리 통보해야 한다는 합의가 실려 있다.
④ 일본의 중재 없이 국제적 성격을 가진 조약을 체결할 수 없다는 내용이 담겨 있다.

문제풀이 을사늑약 난이도 하

제시문에서 한국 황제 밑에 1명의 통감을 두고, 통감은 전적으로 외교에 관한 사항을 관리하기 위해 경성에 주재한다는 내용을 통해 을사늑약(제2차 한·일 협약)임을 알 수 있다.

④ 을사늑약에는 일본의 중재 없이 국제적 성격을 가진 조약을 체결할 수 없다는 내용이 담겨 있다. 일본은 을사늑약을 통해 대한 제국의 외교권을 박탈하고 대한 제국을 일본의 보호국으로 만들었다.

오답 분석

① 을사늑약에는 조선 총독부를 설치한다는 조항이 없다. 을사늑약에서는 대한 제국 황제 아래에 통감을 두는 것을 규정하였으며, 이에 따라 서울에 통감부가 설치되었다.
② **한·일 신협약(정미 7조약)**: 헤이그 특사 사건 직후 일제의 강요로 체결된 것은 한·일 신협약(정미 7조약)이다(1907). 헤이그 특사 사건을 빌미로 고종을 강제로 퇴위시킨 일제는 고종의 뒤를 이어 즉위한 순종에게 한·일 신협약(정미 7조약)의 체결을 강요하였다.
③ **조·일 통상 장정 개정**: 방곡령 시행 1개월 전에 지방관이 일본 영사관에게 미리 통보해야 한다는 합의가 실려 있던 것은 조·일 통상 장정 개정이다(1883).

06

2020년 서울시 9급(특수 직렬)

〈보기〉의 사설이 발표되는 계기가 된 사건에 대한 설명으로 가장 옳은 것은?

> **보기**
> …… 그러나 슬프도다. 저 개돼지만도 못한 이른바 우리 정부의 대신이란 자들은 자기 일신의 영달과 이익이나 바라면서 위협에 겁먹어 머뭇대거나 벌벌 떨며 나라를 팔아먹는 도적이 되기를 감수하였던 것이다. 아, 4,000년의 강토와 500년의 사직을 다른 나라에 갖다 바치고, 2,000만 국민을 타국의 노예가 되게 하였으니, …… 아! 원통한지고, 아! 분한지고. 우리 2,000만 타국인의 노예가 된 동포여! 살았는가, 죽었는가? 단군, 기자 이래 4,000년 국민정신이 하룻밤 사이에 갑자기 망하고 말 것인가. 원통하고 원통하다. 동포여! 동포여!

① 친러 성향의 내각이 수립되어 러시아의 정치적 간섭이 강화되었고, 열강의 이권 침탈도 심해졌다.
② 러·일 전쟁 승리 이후 일본은 대한 제국의 외교권을 박탈하는 조약을 체결하여 대한 제국을 일본의 보호국으로 만들었다.
③ 일본은 헤이그 특사 파견을 문제 삼아 고종 황제를 강제로 퇴위시키고, 대한 제국의 군대를 해산하는 조약을 체결했다.
④ 총리 대신 이완용과 조선 통감 데라우치 사이에 조약이 체결되어 국권을 상실하였다.

문제풀이 을사늑약 체결 난이도 중

제시문의 '단군, 기자 이래 4,000년 국민정신이 하룻밤 사이에 갑자기 망하고 말 것인가. 원통하고 원통하다. 동포여! 동포여!' 부분을 통해 장지연이 황성신문에 게재한 '시일야방성대곡'임을 알 수 있다. 을사늑약이 체결되자 장지연은 '시일야방성대곡'이라는 논설을 황성신문에 게재하여 일제를 규탄하였다.

② 을사늑약은 일본이 러·일 전쟁에서 승리한 이후 대한 제국의 외교권을 박탈하고, 대한 제국을 보호국화하기 위해 강제로 체결한 조약이다. 을사늑약을 통해 일본은 대한 제국의 외교권을 박탈함과 동시에 통감부를 설치하여 통감 정치를 실시하였다.

오답 분석

① **아관 파천**: 친러 성향의 내각이 수립되어 러시아의 정치적 간섭이 강화되었고, 열강의 이권 침탈도 심해진 것은 고종이 러시아 공사관으로 거처를 옮긴 아관 파천의 결과이다.
③ **한·일 신협약의 비밀 각서**: 일본이 헤이그 특사 파견을 문제 삼아 고종 황제를 강제로 퇴위시키고, 대한 제국의 군대를 해산시킨 조약은 한·일 신협약의 비밀 각서(부속 조약)이다. 일본은 헤이그 특사 파견을 문제 삼아 고종을 강제로 퇴위시키고, 순종을 즉위시킨 뒤 한·일 신협약을 체결하였으며, 곧이어 비밀 각서(부속 조약)를 통해 대한 제국의 군대를 강제로 해산시켰다.
④ **한·일 병합 조약 체결**: 총리 대신 이완용과 조선 통감 데라우치 사이에 조약이 체결되어 국권을 상실하게 된 조약은 한·일 병합 조약이다. 일제는 한·일 병합 조약 체결 이후 서울에 조선 총독부를 설치하고, 조선을 식민 통치하기 시작하였다.

07

2024년 서울시 9급

〈보기〉의 사설이 나온 이후 일어난 사실로 가장 옳지 않은 것은?

> **보기**
> 오호라! 저 개, 돼지만도 못한 소위 우리 정부 대신이란 자들이 영달과 이득을 바라고 거짓된 위협에 겁을 먹고서 머뭇거리고 벌벌 떨면서 달갑게 나라를 파는 도적이 되어, 4천 년 강토와 5백 년 종사를 남에게 바치고 2천만 목숨을 몰아 다른 사람의 노예로 만들었으니, …… 아! 원통하고 분하도다. 우리 남의 노예가 된 2천만 동포여! 살았느냐? 죽었느냐? 단군 기자 이래 4천 년 국민 정신이 하룻밤 사이에 별안간 망하고 끝났도다! 아! 원통하고 원통하도다! 동포여 동포여!

① 헤이그에서 열린 제2차 만국 평화 회의에 특사가 파견되었다.
② 초대 통감으로 이토 히로부미가 임명되었다.
③ 일본이 러시아와의 전쟁을 개시했다.
④ 일본이 대한 제국 군대를 강제로 해산시켰다.

08

2023년 법원직 9급

㉠ 이후에 일어난 사건으로 가장 옳은 것은?

> 대한 제국 대황제는 대프랑스 대통령에게 글을 보냅니다. 일본은 우리나라에 ㉠불의한 일을 자행하였습니다. 다음은 그에 대한 증거입니다. 첫째, 우리 정무대신이 조인하였다고 운운하는 것은 정당하지 않으며 위협을 받아 강제로 이루어진 것입니다. 둘째, 저는 조인을 허가한 적이 없습니다. 셋째, 정부회의 운운하나 국법에 의거하지 않고 회의를 한 것이며 일본인들이 강제로 가둔 채 회의한 것입니다. 상황이 그런즉 이른바 조약이 성립되었다고 일컫는 것은 공법을 위배한 것이므로 의당 무효입니다. 당당한 독립국이 이러한 일로 국체가 손상당하였으므로 원컨대 대통령께서는 즉시 공사관을 이전처럼 우리나라에 다시 설치해주시기를 바랍니다.

① 포츠머스 조약이 체결되었다.
② 이사청에 관리가 파견되었다.
③ 러시아가 용암포를 점령하고 조차를 요구하였다.
④ 제1차 한·일 협약(한·일 외국인 고문 용빙에 관한 협정서)이 조인되었다.

문제풀이 시일야방성대곡 발표 이후의 사실

난이도 중

제시문의 '단군, 기자 이래 4천 년 국민정신이 하룻밤 사이에 갑자기 망하고 말 것인가. 원통하고 원통하다. 동포여! 동포여!' 부분을 통해 장지연이 황성신문에 게재한 '시일야방성대곡'임을 알 수 있다. 1905년에 을사늑약이 체결된 직후 장지연은 '시일야방성대곡'이라는 사설을 황성신문에 게재하여 일제를 규탄하였다.

③ 일본이 러시아와의 전쟁을 개시한 것은 1904년으로, 시일야방성대곡 발표 이전의 사실이다. 한반도와 만주에 대한 지배권을 둘러싸고 러시아와 일본 사이에 러·일 전쟁이 발발하였고, 일본이 이 전쟁에서 승리하며 한반도에 대한 주도권을 장악하게 되었다.

오답 분석
모두 시일야방성대곡 발표 이후의 사실이다.

① 헤이그에서 열린 제2차 만국 평화 회의에 이준, 이상설, 이위종이 특사로 파견된 것은 1907년이다. 이들은 을사늑약의 불법성과 일본의 한국 침략상을 폭로하기 위해 특사로 파견되었으나 일본의 방해와 열강의 무관심으로 실패하였고, 일본은 이를 구실로 고종을 강제 퇴위시켰다.
② 서울에 통감부가 설치되고, 이토 히로부미가 초대 통감으로 부임한 것은 1906년이다.
④ 일본이 대한 제국 군대를 강제로 해산 시킨 것은 1907년이다. 일본은 고종을 강제로 퇴위시킨 후 한·일 신협약(정미 7조약)을 체결하였으며, 곧이어 비밀 각서(부속 조약)를 통해 대한 제국의 군대를 강제로 해산시켰다.

문제풀이 을사늑약 이후에 일어난 사건

난이도 상

제시문에서 위협을 받아 강제로 이루어졌으며, 조인을 허가한 적이 없다는 내용과 프랑스 대통령에게 공사관을 이전처럼 다시 설치해주기를 바란다는 내용을 통해 ㉠이 1905년 11월에 체결된 을사늑약임을 알 수 있다. 을사늑약은 고종 황제의 서명도 없이 이완용과 박제순 등의 5인의 친일 대신의 찬성만으로 불법적으로 체결되었으며, 대한 제국의 외교권 박탈과 통감부 설치 등을 주요 내용으로 하였다.

② 을사늑약 체결 이후인 1906년에 일본은 개항장 및 필요한 곳에 통감의 지휘 하에 협약과 관련된 사무를 처리하는 이사청을 설치하고 관리를 파견하여 대한 제국에 대한 내정 간섭을 강화하였다.

오답 분석
모두 을사늑약 이전의 사실이다.

① 러·일 전쟁에서 일본이 승리한 후 일본과 러시아 사이에 포츠머스 조약이 체결된 것은 1905년 9월이다. 포츠머스 조약은 일본이 대한 제국의 정치, 군사, 경제 등에 관한 특수 권익을 갖는 것을 러시아가 인정하고, 이를 간섭하지 않는다고 규정한 조약이다.
③ 러시아가 압록강의 벌채 사업을 보호한다는 구실로 용암포를 점령하고 조차를 요구한 것은 1903년이다.
④ 제1차 한·일 협약(한·일 외국인 고문 용빙에 관한 협정서)이 조인된 것은 1904년이다. 제1차 한·일 협약에 따라 일본인 메가타가 대한 제국의 재정 고문으로, 미국인 스티븐스가 외교 고문으로 임명되었다.

정답 05 ④ 06 ② 07 ③ 08 ②

09

2023년 계리직 9급

다음 상황 이후에 전개된 사실로 옳지 않은 것은?

> 제1조 일본국 정부는 재동경 외무성을 경유하여 금후 한국의 외국에 대한 관계 및 서무를 감리 지휘할 것이며, 일본국의 외교 대표자 및 영사는 외국에 재류하는 한국의 신민 및 이익을 보호할 것이다.
>
> …(중략)…
>
> 제5조 일본국 정부는 한국 황실의 안녕과 존엄을 유지하기를 보증한다.

① 일본은 청과 간도 협약을 맺었다.
② 민종식, 최익현, 신돌석 등이 각각 의병 부대를 조직하였다.
③ 한국 정부는 일본의 은행과 1천만 엔의 차관 도입을 계약하였다.
④ 일본 제일은행권을 본위 화폐로 삼는 화폐 정리 사업이 시작되었다.

문제풀이 을사늑약 체결 이후에 전개된 사실 난이도 중

제시문에서 일본국 정부는 한국의 외국에 대한 관계 및 서무를 감리 지휘할 것이라는 내용을 통해 일제가 대한 제국의 외교권을 박탈한 을사늑약임을 알 수 있다. 을사늑약은 1905년 11월에 체결되었다.

④ 일본 제일은행권을 본위 화폐로 삼는 화폐 정리 사업이 시작된 것은 1905년 7월로, 을사늑약 체결 이전의 사실이다. 제1차 한·일 협약(1904)에 따라 대한 제국의 재정 고문으로 임명된 메가타는 대한 제국의 재정을 일본에 예속시키기 위해 백동화 등을 일본 제일은행권으로 교환하는 화폐 정리 사업을 실시하였다.

오답 분석
모두 을사늑약 체결 이후에 전개된 사실이다.

① 일본은 1909년에 만주 진출을 위해 안동(지금의 단둥)과 봉천(지금의 선양)을 연결하는 철도 부설권과 푸순 광산 채굴권을 차지하는 대가로 간도를 청의 영토로 인정하는 간도 협약을 청과 체결하였다.
② 을사늑약이 체결되자 민종식, 최익현, 신돌석 등이 이에 반발하여 을사의병을 일으켰다. 을사의병 당시 민종식은 충남 정산에서 의병을 일으켜 홍주성을 점령하였고, 최익현은 태인·순창 등에서 활약하였다. 또한, 평민 출신 의병장인 신돌석은 영덕, 울진 등에서 활약하였다.
③ 을사늑약 체결 이후 통감으로 부임한 이토 히로부미는 한국을 부강시키기 위해서는 자금이 필요하다고 주장하면서 일본에서 차관을 들여올 것을 요구하였다. 이에 따라, 한국 정부는 일본의 은행과 1천만 엔의 차관 도입을 계약하여 1906년 3월부터 차관을 도입하게 되었다.

10

2022년 간호직 8급

(가) 시기에 있었던 사실로 옳은 것은?

을사늑약이 체결되었다.
↓
(가)
↓
고종이 강제로 퇴위되었다.

① 러·일 전쟁이 발발하였다.
② 한·일 의정서가 체결되었다.
③ 안중근이 이토 히로부미를 사살하였다.
④ 이준이 헤이그 만국 평화 회의에 파견되었다.

문제풀이 을사늑약 체결과 고종 강제 퇴위 사이의 사실 난이도 중

제시된 자료에서 을사늑약 체결은 1905년 11월, 고종의 강제 퇴위는 1907년 7월이다. 따라서 (가) 시기에는 1905년 11월~1907년 7월 사이의 사실이 들어갈 수 있다.

④ (가) 시기인 1907년 6월에 고종의 명을 받은 이준이 을사늑약의 불법성과 일본의 한국 침략상을 폭로하여 열강의 지원을 받기 위해 헤이그 만국 평화 회의에 파견되었다. 한편, 일본은 헤이그 특사 파견을 빌미로 고종을 강제로 퇴위시켰다.

오답 분석
① **(가) 이전:** 러·일 전쟁이 발발한 것은 1904년으로, (가) 이전의 사실이다. 한반도와 만주에 대한 지배권을 둘러싸고 러시아와 일본 사이에 러·일 전쟁이 발발하였고, 일본이 이 전쟁에서 승리하며 한반도에 대한 주도권을 장악하게 되었다.
② **(가) 이전:** 한·일 의정서가 체결된 것은 1904년으로, (가) 이전의 사실이다. 일본은 대한 제국의 국외 중립 선언을 무시하고, 일본이 한반도의 군사 요충지와 시설을 마음대로 사용할 수 있도록 규정한 한·일 의정서를 체결하였다.
③ **(가) 이후:** 안중근이 초대 통감 이토 히로부미를 사살한 것은 1909년으로, (가) 이후의 사실이다.

11

2019년 서울시 9급(6월 시행)

〈보기〉의 협약 이후 일어난 사실로 가장 옳지 않은 것은?

> **보기**
> 제1조 한국 정부는 시정 개선에 관하여 통감의 지도를 받는다.
> 제2조 한국의 법령 제정 및 중요한 행정상의 처분은 미리 통감의 승인을 거친다.
> 제4조 한국 고등 관리의 임면은 통감의 동의로써 이를 시행한다.
> 제5조 한국 정부는 통감이 추천하는 일본인을 한국 관리에 임명한다.

① 각 부의 차관에 일본인이 임명되어 이른바 차관 정치가 시작되었다.

② 대한 제국 군대가 해산되었다.

③ 사법권과 경찰권을 빼앗겼다.

④ 만국 평화 회의에 이상설 등이 파견되었다.

문제풀이 한·일 신협약(정미 7조약) 난이도 중

제시문에서 대한 제국 정부는 시정 개선에 관하여 통감의 지도를 받아야 하고, 사법과 행정, 관리 임명 등에 있어 통감의 승인 및 동의를 얻어야 하는 등 통감의 권리가 강화된 것을 통해 한·일 신협약(정미 7조약, 1907)의 내용임을 알 수 있다.

④ 네덜란드 헤이그에서 열린 만국 평화 회의에 이상설, 이준, 이위종이 특사로 파견(1907. 6.)된 것은 한·일 신협약(1907. 7.)이 체결되기 이전의 사실이다. 고종은 을사늑약의 부당성을 알리기 위해 헤이그 만국 평화 회의에 특사를 파견하였으나 일본의 방해 등으로 성과를 거두지 못하였다. 오히려 일본은 헤이그 특사 파견을 구실로 고종을 강제로 퇴위시키고 순종에게 양위하게 한 뒤, 한·일 신협약을 강제로 체결하였다.

오답 분석

①, ② 한·일 신협약과 함께 작성된 비밀 부수 각서에 따라 일본인 차관의 채용과 대한 제국의 군대 해산이 약속되었다. 이에 따라 각 부의 차관에 일본인이 임명되어 차관 정치가 시작되었으며, 일본에 의해 대한 제국의 군대가 강제로 해산되었다.

③ 한·일 신협약 체결 이후인 1909년에 체결된 기유각서를 통해 대한 제국의 사법권을 일본에 빼앗겼으며, 1910년에는 경찰권까지 박탈 당하였다.

12

2017년 서울시 9급

다음의 협약 이후 일어난 일로 옳지 않은 것은?

> • 한국 정부는 시정 개선에 관하여 통감의 지도를 받을 것
> • 한국 정부의 법령 제정 및 중요한 행정상의 처분은 미리 통감의 승인을 거칠 것
> • 한국 고등 관리의 임면은 통감의 동의로써 이를 행할 것
> • 한국 정부는 통감이 추천하는 일본인을 한국 관리에 임명할 것

① 13도 창의군의 서울 진공 작전

② 고종의 헤이그 특사 파견

③ 대한 제국 군대 해산

④ 대한 제국 경찰권 박탈

문제풀이 한·일 신협약(1907) 이후의 사실 난이도 하

제시문의 '시정 개선에 관하여 통감의 지도를 받을 것', '통감이 추천하는 일본인을 한국 관리에 임명할 것' 등을 통해 1907년 7월에 체결된 한·일 신협약(정미 7조약)임을 알 수 있다.

② 고종이 네덜란드 헤이그에 특사를 파견한 것은 한·일 신협약 체결 이전의 일이다. 고종은 을사늑약 체결의 부당함과 무효를 주장하기 위해 1907년 6월 네덜란드 헤이그에서 열린 만국 평화 회의에 특사(이상설, 이준, 이위종)를 파견하였으나 일본의 방해와 열강의 무관심으로 실패하였다. 일본은 헤이그 특사 파견을 구실로 고종을 강제 퇴위시키고, 순종을 즉위시킨 후에 한·일 신협약을 체결하였다.

오답 분석

모두 한·일 신협약이 체결된 이후의 사실들이다.

① 한·일 신협약 체결 이후인 1908년에 이인영을 총대장으로 한 13도 창의군이 서울 진공 작전을 전개하였다.

③ 한·일 신협약 체결 직후 일제는 대한 제국의 군대를 해산시켰다. 한·일 신협약(정미 7조약)의 비밀 부수 각서에 따라 대한 제국 군대가 해산됨으로써 일제가 군사권을 장악하게 되었다.

④ 한·일 신협약 체결 이후인 1910년 6월에 대한 제국의 경찰권이 일제에 의해 박탈 당하였다.

정답 09 ④ 10 ④ 11 ④ 12 ②

13
2018년 지방직 9급

밑줄 친 '이 협약'에 대한 설명으로 옳은 것은?

> 일제는 군대를 증강해 강압적 분위기를 조성한 다음 친일 내각과 이 협약을 체결했다. 이 협약을 체결할 때, 일제는 대한 제국 군대의 해산을 요구해 관철시켰다. 이때 해산된 군인의 상당수는 일본군과 격전을 벌인 후 의병 부대에 합류하였다.

① 고종이 헤이그에 특사를 파견하는 계기가 되었다.
② 최익현이 의병 운동을 처음 시작한 원인이 되었다.
③ 재정 고문 메가타가 화폐 정리 사업을 실시하는 근거가 되었다.
④ 통감이 추천하는 일본인을 한국 관리에 임명한다는 내용을 담고 있다.

14
2022년 지방직 9급

밑줄 친 '나'에 대한 설명으로 옳은 것만을 모두 고르면?

> 오늘날 사람은 모두 법에 의하여 생활하고 있는데 실제로 사람을 죽인 자가 벌을 받지 않고 생존할 도리는 없는 것이다. …(중략)… 나는 한국의 의병이며 지금 적군의 포로가 되어 와 있으므로 마땅히 만국공법에 의해 처단되어야 할 것으로 생각한다.

> ㉠ 일본에서 순국하였다.
> ㉡ 한인 애국단 소속이었다.
> ㉢ 『동양평화론』을 집필하였다.
> ㉣ 연해주에서 의병 투쟁을 전개하였다.

① ㉠, ㉡ ② ㉠, ㉣
③ ㉡, ㉢ ④ ㉢, ㉣

문제풀이 한·일 신협약
난이도 중

제시된 자료에서 일제가 협약을 체결할 때 대한 제국 군대의 해산을 요구해 관철시켰다는 내용을 통해 밑줄 친 '이 협약'이 한·일 신협약임을 알 수 있다. 고종을 강제로 퇴위시킨 일본은 한·일 신협약(1907)을 체결하였으며, 부속 조약을 통해 대한 제국의 군대를 해산시켰다.

④ 한·일 신협약의 부속 조약에는 통감이 추천하는 일본인을 한국 관리에 임명한다는 내용을 담고 있다. 이를 통해 일본인이 대한 제국 정부의 차관으로 임명되었으며, 법령 제정과 관리의 임명, 행정상의 처분 등에 있어 통감의 동의를 받게 되었다.

오답 분석

① **제2차 한·일 협약(을사늑약)**: 고종이 헤이그에 특사를 파견하는 계기가 된 것은 제2차 한·일 협약(을사늑약, 1905)이다. 고종은 을사늑약의 부당함을 알리기 위해 1907년에 네덜란드 헤이그에서 열리는 만국 평화 회의에 이준, 이상설, 이위종을 특사로 파견하였으나 일본의 방해 등으로 실패하였다.

② **제2차 한·일 협약(을사늑약)**: 최익현이 의병 운동을 처음 시작한 원인이 된 협약은 제2차 한·일 협약(을사늑약)이다. 최익현은 제2차 한·일 협약(을사늑약)이 체결되자 임병찬 등과 함께 의병을 일으켜 태인, 순창, 곡성 등에서 활약하였다.

③ **제1차 한·일 협약**: 일본인 재정 고문 메가타가 화폐 정리 사업을 실시하는 근거가 된 것은 제1차 한·일 협약이다. 제1차 한·일 협약을 통해 대한 제국의 재정 고문으로 임명된 메가타는 대한 제국의 경제를 일본에 예속시키기 위하여 화폐 정리 사업을 실시하였다.

문제풀이 안중근
난이도 상

제시문은 안중근이 하얼빈에서 이토 히로부미를 처단한 후, 재판 과정에서 진술한 내용이다. 안중근은 자신이 한국의 의병으로서 포로가 된 것이기 때문에 만국공법에 의해 처리해 달라고 요구하였다.

④ 옳은 것을 모두 고르면 ㉢, ㉣이다.
㉢ 안중근은 이토 히로부미를 처단한 직후 체포되어, 옥중에서 『동양평화론』을 집필하였다.
㉣ 안중근은 한·일 신협약이 체결된 이후 러시아 연해주로 이동하여 의병 투쟁을 전개하였다.

오답 분석

㉠ 안중근은 일본이 아닌 중국의 뤼순 감옥에서 순국하였다.
㉡ 한인 애국단은 1931년에 김구가 조직한 단체로, 1910년에 순국한 안중근과는 관련이 없다.

이것도 알면 **합격!**

안중근

주요 활동	• 1904년: 러·일 전쟁이 발발하자 상해로 망명 • 1909년 3월: 비밀 결사 조직인 '단지회' 결성 • 1909년 10월: 만주 하얼빈 역에서 이토 히로부미 저격 • 1910년: 중국 뤼순(여순) 감옥에서 순국
저술	『동양평화론』 - 안중근이 뤼순 감옥에서 저술 → 미완성됨 - 동양의 평화를 위해서는 한·중·일의 동양 3국의 화합을 주장

15

2024년 법원직 9급

(가)~(다)에 대한 설명으로 가장 옳지 않은 것은?

> (가) 대한 정부는 일본 정부가 추천한 일본인 1명을 재정 고문으로 삼아 대한 정부에 용빙하여 재무에 관한 사항은 일체 그의 의견을 물어서 시행해야 한다.
> (나) 한국 정부는 금후 일본국 정부의 중개를 거치지 않고서는 국제적 성질을 가진 어떠한 조약이나 약속을 하지 않을 것을 약속한다.
> (다) 러시아는 일본이 한국에서 정치상 군사상 및 경제상의 특수한 이익을 갖는다는 것을 승인하고 일본 정부가 한국에서 필요하다고 인정하는 지도, 보호 및 감리의 조치에 대해 방해하거나 간섭하지 않을 것을 약속한다.

① (가) 조약 체결로 메가타는 화폐 정리 사업을 실시하였다.
② (나) 조약 체결로 청과 일본간의 간도 협약이 체결되었다.
③ (다) 조약 이후 일본은 독도를 불법 점령하였다.
④ (가) - (다) - (나) 순서로 조약이 체결되었다.

문제풀이 1900년대의 국권 피탈 조약 난이도 중

(가)는 대한 정부는 일본 정부가 추진한 일본인 1명을 재정 고문으로 삼아 재무에 관한 사항은 일체 그의 의견을 물어서 시행해야 한다는 내용을 통해 제1차 한·일 협약임을 알 수 있다.

(나)는 한국 정부는 금후 일본국 정부의 중개를 거치지 않고서는 국제적 성질을 가진 어떠한 조약이나 약속을 하지 않을 것을 약속한다는 내용을 통해 을사늑약임을 알 수 있다.

(다)는 러시아는 일본이 한국에서 정치상 군사상 및 경제상의 특수한 이익을 갖는다는 것을 승인한다는 내용을 통해 포츠머스 조약임을 알 수 있다.

③ 일본이 독도를 불법 점령한 것은 러·일 전쟁 중인 1905년 2월로, 포츠머스 조약이 체결(1905. 9.)되기 이전의 사실이다. 일본은 러·일 전쟁 중에 시마네 현 고시 제40호를 공포하여 일방적으로 독도를 일본 영토로 편입하였다.

오답 분석

① 제1차 한·일 협약에 따라 대한 제국의 재정 고문으로 임명된 메가타는 대한 제국의 재정을 일본에 예속시키기 위해 백동화 등을 일본 제일은행권으로 교환하는 화폐 정리 사업을 실시하였다.
② 을사늑약의 체결로 대한 제국의 외교권을 강탈한 일본은 만주 진출을 위해 청과 간도 협약을 체결하여 간도를 청나라의 영토로 인정해주는 대신, 안동(지금의 단둥)과 봉천(지금의 선양)을 연결하는 철도 부설권과 푸순 광산 채굴권을 획득하였다.
④ 제1차 한·일 협약(1904) → 포츠머스 조약(1905. 9.) → 을사늑약(1905. 11.) 순서로 조약이 체결되었다.

16

2017년 국가직 9급(4월 시행)

국권이 침탈되기까지의 과정을 시기 순으로 바르게 나열한 것은?

> ㉠ 헤이그 특사 파견을 문제 삼아 고종 황제를 강제로 퇴위시켰다.
> ㉡ 일본인 메가타를 재정 고문으로, 미국인 스티븐스를 외교 고문으로 임명하도록 하였다.
> ㉢ 대한제국의 사법권을 빼앗고 감옥 사무를 장악하였다.
> ㉣ 통감이 추천한 일본인을 대한 제국의 관리로 임명하도록 하였다.

① ㉠ → ㉡ → ㉢ → ㉣
② ㉡ → ㉠ → ㉣ → ㉢
③ ㉡ → ㉢ → ㉠ → ㉣
④ ㉣ → ㉡ → ㉠ → ㉢

문제풀이 국권 피탈 과정 난이도 중

② 제시된 사건을 시기 순으로 나열하면 ㉡ 제1차 한·일 협약(1904. 8.) → ㉠ 고종의 강제 퇴위(1907. 7. 20.) → ㉣ 한·일 신협약(정미 7조약, 1907. 7. 24.) → ㉢ 기유 각서(1909. 7.)가 된다.

㉡ **제1차 한·일 협약**: 일본은 대한 제국 정부에 외국인 고문을 고용하도록 강제하는 제1차 한·일 협약을 체결하였다(1904. 8.). 이 협약에 따라 일본인 메가타가 대한 제국의 재정 고문으로, 미국인 스티븐스가 외교 고문으로 임명되었다.

㉠ **고종의 강제 퇴위**: 고종은 을사늑약이 무효임을 알리기 위해 헤이그 만국 평화 회의에 이상설, 이준, 이위종을 특사로 파견하였는데, 일본은 이를 구실로 고종 황제를 강제 퇴위시켰다(1907. 7. 20.).

㉣ **한·일 신협약(정미 7조약)**: 고종의 뒤를 이어 순종이 즉위한 후 일본은 대한 제국과 한·일 신협약을 체결하여 통감의 권한을 강화하고, 부속 조약을 통해 통감이 추천한 일본인을 대한 제국의 관리(차관)로 임명하도록 하였다(1907. 7. 24.).

㉢ **기유 각서**: 일본은 대한 제국과 기유 각서를 체결하여 대한 제국의 사법권을 빼앗고 감옥 사무를 장악하였다(1909. 7.).

정답 13 ④ 14 ④ 15 ③ 16 ②

1 | 개항 이후의 경제와 사회

01

2021년 국가직 9급

개항기 무역에 대한 설명으로 옳지 않은 것은?

① 개항장에서 조선인 객주가 중개 활동을 하였다.
② 조·청 무역 장정으로 청국에서의 수입액이 일본을 앞질렀다.
③ 일본 상인은 면제품을 팔고, 쇠가죽·쌀·콩 등을 구입하였다.
④ 조·일 통상 장정의 개정으로 곡물 수출이 금지되기도 하였다.

문제풀이 개항기 무역 난이도 중

② 조·청 상민 수륙 무역 장정(1882)의 체결로 청 상인들이 내지 통상권을 획득하자 조선에서의 청과 일본의 상권 경쟁이 심화되었다. 조약 체결 이후 점차 조선과 청 사이의 무역 규모가 증가하여 청국에서의 수입액이 일본과 비슷해지기는 했으나, 한번도 일본을 앞지르지는 못하였다.

오답 분석

① 조·일 수호 조규 부록의 체결(1876)로 일본 상인의 활동 범위가 개항장으로부터 10리 이내로 제한(간행이정)되자, 개항장의 일본 상인과 내륙의 조선 상인을 이어주는 조선인 객주의 중개 활동이 활발해졌다.
③ 일본 상인은 영국산 면제품을 들여와 조선에 팔고 싼값에 조선의 쇠가죽·쌀·콩 등을 구입하였다.
④ 조·일 통상 장정을 개정(1883)하여 조선 정부가 곡물 수출을 금지하고자 할 때는 1개월 전에 통고해야 한다는 방곡령 규정을 마련하였으며, 1889년에 함경도에서 방곡령을 선포하여 곡물 수출을 금지하기도 하였다.

 이것도 알면 **합격!**

개항 초기의 무역 형태

- 일본 중심의 개항장 거류지 무역 전개 → 국내 중개 상인(객주, 여각, 보부상 등) 성장
- 일본이 영국산 면직물을 들여오고 곡물 등을 수입함(미면교환 체제 형성)
- 1880년대부터 외국 상인의 내륙 진출이 허용됨 → 국내 중개 상인의 몰락, 청과 일본의 조선 내 상권 경쟁 심화

02

2023년 국가직 9급

(가), (나) 조약 사이의 시기에 있었던 사실로 옳은 것은?

> (가) 제10관 일본국 인민이 조선국 지정의 각 항구에 머무는 동안에 죄를 범한 것이 조선국 인민에 관계되는 사건일 때에는 일본국 관원이 재판한다.
>
> (나) 제4관 중국 상인이 조선의 양화진 및 한성에 영업소를 개설할 경우를 제외하고, 각종 화물을 내륙으로 운반하여 상점을 차리고 파는 것을 허가하지 않는다. 단, 내륙 행상이 필요한 경우 지방관의 허가서를 받아야 한다.

① 개항장에서는 일본 화폐가 통용되었다.
② 러시아가 압록강 유역의 산림 채벌권을 획득하였다.
③ 황국 중앙 총상회가 조직되어 상권 수호 운동을 전개하였다.
④ 함경도의 방곡령에 불복하여 일본 상인이 손해 배상을 요구하였다.

문제풀이 강화도 조약과 조·청 상민 수륙 무역 장정 사이의 사실 난이도 하

(가)는 일본인이 조선에서 죄를 범한 것이 조선인에 관계되는 사건일 때는 일본 관원이 재판한다는 내용을 통해 1876년 2월에 체결된 강화도 조약임을 알 수 있다.

(나)는 중국 상인의 내륙 행상이 필요한 경우 지방관의 허가서를 받아야 한다는 내용을 통해 1882년에 체결된 조·청 상민 수륙 무역 장정임을 알 수 있다.

① 강화도 조약 체결 이후인 1876년 7월에 조·일 수호 조규 부록이 체결되어 개항장 내에서 일본 화폐의 통용이 허용되었다. 조·일 수호 조규 부록은 일본 외교관의 내지 여행을 허용하고, 일본인의 활동 범위를 개항장 사방의 10리로 설정하였으며, 일본 화폐의 유통을 허용하였다.

오답 분석

모두 (나) 이후의 사실이다.

② 러시아가 압록강 유역의 산림 채벌권을 획득한 것은 1896년의 사실이다. 아관 파천 이후 러시아는 압록강과 두만강, 울릉도의 산림 채벌권 등의 이권을 획득하였다.
③ 외국 상인의 상권 침탈에 대항하여 시전 상인들이 황국 중앙 총상회를 조직하고 상권 수호 운동을 전개한 것은 1898년의 사실이다.
④ 함경도의 방곡령 선포에 불복하여 일본 상인이 손해 배상을 요구한 것은 1889년 이후의 사실이다. 함경도 관찰사 조병식이 흉년을 이유로 1889년에 방곡령을 선포하자, 일본 상인들은 '방곡령을 시행하기 1개월 전에 통고해야 한다'는 조·일 통상 장정 개정(1883)의 규정을 구실로 조선 정부에 손해 배상을 요구하였다.

03

2019년 지방직 9급

조약 (가), (나) 사이 시기의 경제 상황으로 옳은 것은?

(가)	(나)
○ 조선국 항구에 머무르는 일본은 쌀과 잡곡을 수출·수입할 수 있다. ○ 일본국 정부에 소속된 모든 선박은 항세(港稅)를 납부하지 않는다.	○ 입항하거나 출항하는 각 화물이 세관을 통과할 때에는 세칙에 따라 관세를 납부해야 한다. ○ 조선 정부가 쌀 수출을 금지하고자 할 때에는 반드시 먼저 1개월 전에 지방관이 일본 영사관에게 통고해야 한다.

① 메가타 재정 고문이 화폐 정리 사업을 시도하였다.
② 혜상공국의 폐지 등을 주장한 정변이 발생하였다.
③ 양화진에 청국인 상점을 허용하는 조약이 체결되었다.
④ 함경도 방곡령 사건으로 일본과 외교적 마찰이 일어났다.

04

2018년 서울시 7급(6월 시행)

〈보기〉는 개항 이후 경제 상황이다. 시간 순으로 바르게 나열한 것은?

> **보기**
> ㉠ 청 상인들이 내지 통상권을 획득하였다.
> ㉡ 일본인 재정 고문이 화폐 정리 사업을 추진하였다.
> ㉢ 대한 천일 은행이 고종의 적극적인 지원 하에 설립되었다.
> ㉣ 일본 상인들이 개항장 중심의 거류지 무역을 시작하였다.

① ㉠ → ㉡ → ㉢ → ㉣
② ㉠ → ㉢ → ㉡ → ㉣
③ ㉣ → ㉠ → ㉢ → ㉡
④ ㉣ → ㉠ → ㉡ → ㉢

문제풀이 1876년 ~ 1883년 사이의 경제 상황

난이도 중

(가) 조선국 항구에 머무르는 일본은 쌀과 잡곡을 수출·수입할 수 있으며, 일본국 정부에 소속된 선박은 항세를 납부하지 않는다는 내용을 통해 1876년 체결된 조·일 통상 장정(조·일 무역 규칙)임을 알 수 있다.

(나) 입항하거나 출항하는 화물이 세관을 통과할 때에는 관세를 납부해야 하며, 조선 정부가 쌀 수출을 금지(방곡령)하고자 할 때는 1개월 전에 통고해야 한다는 내용을 통해 1883년에 체결된 개정 조·일 통상 장정임을 알 수 있다.

③ (가)와 (나) 사이 시기인 1882년 서울 양화진에 청국인 상점 설치를 허용하는 조·청 상민 수륙 무역 장정이 체결되었다.

오답 분석

① **(나) 이후:** 재정 고문 메가타가 화폐 정리 사업을 실시한 것은 1905년으로, (나) 이후의 사실이다. 제1차 한·일 협약에 따라 재정 고문으로 파견된 메가타는 대한 제국의 경제를 일본에 예속시키기 위해 화폐 정리 사업을 실시하였다.

② **(나) 이후:** 혜상공국의 폐지 등을 주장한 갑신정변이 발생한 것은 1884년으로, (나) 이후의 사실이다.

④ **(나) 이후:** 함경도 방곡령 사건(1889)으로 일본과 외교적 마찰이 일어난 것은 (나) 이후의 사실이다. 함경도 지방의 관찰사 조병식이 방곡령을 선포하였으나, 일본은 '방곡령을 시행하기 1개월 전에 통고해야 한다'는 개정 조·일 통상 장정(1883)의 규정을 구실로 방곡령 철회와 거액의 배상금을 요구하였다.

문제풀이 개항 이후 경제 상황

난이도 중

③ 순서대로 나열하면 ㉣ 일본 상인들의 거류지 무역 시작(1876) → ㉠ 청 상인들의 내지 통상권 획득(1882) → ㉢ 대한 천일 은행 설립(1899) → ㉡ 화폐 정리 사업 추진(1905)이 된다.

㉣ **일본 상인들의 거류지 무역 시작:** 조·일 수호 조규 부록의 체결(1876)로 개항장에 일본 거류민의 거주 지역이 설정되어, 개항장을 중심으로 한 거류지 무역이 시작되었다.

㉠ **청 상인들의 내지 통상권 획득:** 임오군란 결과 체결된 조·청 상민 수륙 무역 장정(1882)으로 청 상인들은 조선에서의 내지 통상권을 획득하였다. 이를 통해 청 상인들은 양화진 등에서 상업 활동을 전개하였다.

㉢ **대한 천일 은행 설립:** 개항 이후 조선에 일본의 제일 은행이 설립되는 등 외국 금융 기관과 상인의 침투가 본격화되자 고종의 지원으로 대한 천일 은행(1899) 등 민족계 은행이 설립되었다.

㉡ **화폐 정리 사업 추진:** 제1차 한·일 협약을 통해 대한 제국의 재정 고문으로 임명된 일본인 메가타는 화폐 정리 사업을 추진하였다(1905).

정답 01 ② 02 ① 03 ③ 04 ③

05

2019년 서울시 9급(6월 시행)

〈보기〉의 밑줄 친 (가) 국가에 대한 설명으로 가장 옳은 것은?

> **보기**
>
> 정부는 (가) 공사의 서울 부임에 답례할 겸 서구의 근대 문물을 시찰하기 위해 1883년 (가) 에 보빙사를 파견하였다. 보빙사의 구성원은 민영익, 홍영식, 서광범 등 11명이었다.

① 삼국 간섭에 참여하였다.

② 용암포를 강제 점령하고 조차를 요구하였다.

③ 거문도를 불법으로 점령하였다.

④ 운산 금광 채굴권을 차지하였다.

 **문제풀이 미국과의 관계** 난이도 중

제시문에서 서구의 근대 문물을 시찰하기 위해 민영익 등을 (가)에 보빙사로 파견하였다는 내용을 통해 (가) 국가가 미국임을 알 수 있다.

④ 아관 파천 이후 열강의 이권 침탈이 본격화되면서 미국은 평안도 운산의 금광 채굴권과 전화·전등·전차 부설권 등을 차지하였다.

오답 분석

① **러시아, 독일, 프랑스**: 삼국 간섭에 참여하였던 국가는 러시아, 독일, 프랑스이다. 청·일 전쟁 이후 체결된 시모노세키 조약으로 일본이 청으로부터 랴오둥(요동) 반도를 할양받게 되자, 러시아와 독일, 프랑스는 일본에 랴오둥(요동) 반도를 청에 반환할 것을 요구하였다(1895, 삼국 간섭).

② **러시아**: 용암포를 강제 점령하고 조차를 요구한 국가는 러시아이다. 적극적인 확장 정책을 전개하던 러시아와 이를 견제하려는 일본의 갈등이 지속되던 상황에서 러시아가 압록강 벌채 사업을 보호한다는 구실로 용암포를 강제 점령하고 이 지역을 러시아의 조차지로 인정해 줄 것을 대한 제국 정부에 요구(1903)하였다. 한편 이 사건은 러·일 전쟁이 일어나는 계기가 되었다.

③ **영국**: 러시아의 남하 정책을 견제하기 위하여 거문도를 불법으로 점령(1885~1887)하였던 국가는 영국이다.

06

2015년 법원직 9급

다음 지도의 (가)~(라) 국가에 관한 서술로 가장 옳지 않은 것은?

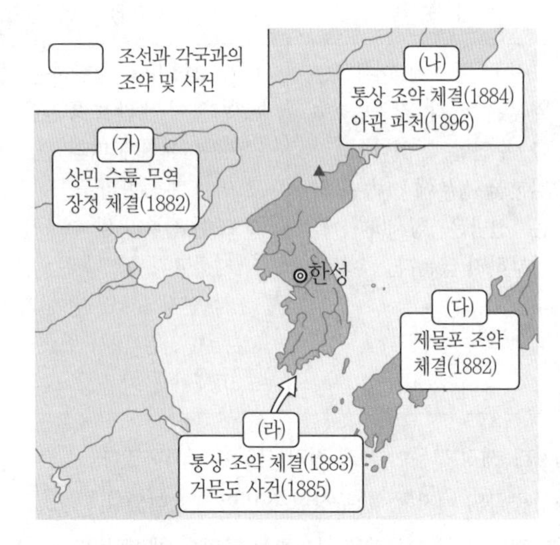

① (가) – 내지 통상권을 획득하여 일본을 경제적으로 압박하였다.

② (나) – 석탄 저장고를 확보하기 위해 절영도를 조차하고자 하였다.

③ (다) – 강화도 조약을 통해 치외 법권과 최혜국 대우를 보장 받았다.

④ (라) – 러시아를 견제하기 위해 일본과 동맹을 체결하였다.

 **문제풀이 열강의 이권 침탈** 난이도 중

제시된 지도의 (가)는 조·청 상민 수륙 무역 장정을 체결한 청, (나)는 통상 조약 체결과 아관 파천을 통해 러시아, (다)는 제물포 조약을 체결한 일본, (라)는 통상 조약 체결 및 거문도 사건을 통해 영국임을 알 수 있다.

③ 일본이 강화도 조약을 통해 치외 법권을 보장받은 것은 맞지만, 최혜국 대우는 1883년에 개정된 조·일 통상 장정을 통해 보장받았다.

오답 분석

① 청은 조·청 상민 수륙 무역 장정을 체결하여 내지 통상권을 획득하였고, 우세한 자본과 월등한 자원을 바탕으로 일본을 경제적으로 압박하였다.

② 러시아는 석탄 저장고를 확보하기 위해 절영도를 조차하고자 하였으나 독립 협회의 반대로 무산되었다.

④ 영국은 러시아의 남하 정책을 견제하기 위해 일본과 영·일 동맹을 체결하였다.

 이것도 알면 **합격!**

열강의 이권 침탈

국가	이권
러시아	경원·종성 광산 채굴권, 압록강·두만강·울릉도 삼림 채벌권
일본	경인선·경부선·경원선·경의선 부설권, 직산 금광 채굴권
미국	운산 광산 채굴권, 전등·전차·전화 부설권
영국	은산 광산 채굴권

07

2018년 국가직 9급

다음은 대한 제국 시기에 설립된 어느 회사에 관한 내용이다. 밑줄 친 '이 회사'에 대한 설명으로 옳은 것은?

> ○ 이 회사의 고금(股金, 주권)은 액면 50원씩이고, 총 1천만 원을 발행하고, 주당 불입금은 5년간 총 10회 5원씩 나눠서 낸다.
> ○ 이 회사는 국내 진황지 개간, 관개 사무와 산림천택(山林川澤), 식양채벌(殖養採伐) 등의 사무 이외에 금·은·동·철·석유 등의 각종 채굴 사무에 종사한다.

① 종로의 백목전 상인이 주도가 된 직조 회사였다.
② 역둔토나 국유 미간지를 약탈하려는 국책 회사였다.
③ 황무지 개간권 요구에 대응하여 설립된 특허 회사였다.
④ 외국 상인과의 상권 경쟁을 위해 시전 상인이 만든 척식 회사였다.

문제풀이 농광 회사 난이도 상

제시된 자료에서 국내 진황지 개간 등에 종사한다는 내용을 통해 밑줄 친 '이 회사'가 대한 제국 시기인 1904년에 설립된 농광 회사임을 알 수 있다. 일본의 토지 침탈에 맞서 설립된 농광 회사는 개간 사업은 물론 산림 채벌·관개 사업·광산 및 석유 채굴 사업을 시도하였으나 실현되지 못하였다.

③ 농광 회사는 일본의 황무지 개간권 요구에 대응하여 우리 손으로 직접 황무지를 개간하기 위해 설립된 특허 회사이다. 일본이 황무지 개간권을 요구하자 보안회를 중심으로 반대 운동이 전개되었고, 일부 민간 실업인과 관리들은 농광 회사를 설립하여 직접 황무지를 개간할 것을 주장하였다.

오답 분석

① **종로 직조사**: 종로의 백목전 상인이 주도가 된 직조 회사는 종로 직조사이다(1900). 청·일 전쟁 이후 일본산 면포가 조선에 대거 유입되자 이에 대항하기 위해 종로 직조사, 한성 제직 회사(1901) 등이 설립되었다.

② **동양 척식 주식회사**: 역둔토나 국유 미간지를 약탈하기 위해 일본이 세운 국책 회사는 동양 척식 주식회사이다(1908). 일본은 동양 척식 주식회사를 통해 토지의 매매와 임차, 일본인의 조선 이주 및 정착, 식민지 수탈 등의 업무를 수행하였다.

④ 외국 상인과 상권 경쟁을 위해 시전 상인이 만든 회사는 황국 중앙 총상회(1898)이나, 이는 척식 회사가 아니다. 서울의 시전 상인들은 외국 상인들의 국내 진출을 저지하고 국내 상인들의 권익을 보호하고자 황국 중앙 총상회를 설립하여 상권 수호 운동을 전개하였다.

08

2022년 소방직

다음 자료에 해당하는 정책에 대한 설명으로 옳지 않은 것은?

> 제1조 구 백동화 교환에 관한 사무는 금고로 처리하게 하여 탁지부 대신이 이를 감독한다.
> 제2조 교환을 위해 제출한 구 백동화는 모두 화폐 감정인이 감정하도록 한다. 화폐 감정인은 탁지부 대신이 임명한다.
> 제3조 구 백동화의 품질, 무게, 무늬, 형체가 정식 화폐 기준을 충족할 경우, 1개당 금 2전 5리로 새로운 화폐와 교환한다. (중략) 단, 형태나 품질이 조악한 백동화는 매수하지 않는다.

① 한국 상업 자본에 큰 타격을 주었다.
② 재정 고문 메가타의 주도로 시행되었다.
③ 전환국에서 새로운 화폐를 발행하게 되었다.
④ 일본 제일은행이 한국의 중앙 은행 지위를 확보하게 되었다.

문제풀이 화폐 정리 사업 난이도 중

제시문에서 구 백동화 교환에 관한 사무는 탁지부 대신이 감독하는 것과 구 백동화가 정식 화폐 기준을 충족할 경우 새로운 화폐와 교환하지만, 형태나 품질이 조악한 백동화는 매수하지 않는다는 내용을 통해 화폐 정리 사업임을 알 수 있다.

③ 전환국은 1883년에 설치된 화폐 발행 기관으로, 화폐 정리 사업 이전인 1904년에 메가타의 건의로 폐지되었다.

오답 분석

① 화폐 정리 사업에서 한국인들이 소유한 화폐 중 상당수가 을종이나 병종으로 분류되어 한국 상업 자본이 경제적으로 큰 타격을 입었다.

② 화폐 정리 사업은 제1차 한·일 협약(1904)에 따라 대한 제국의 재정 고문으로 임명된 메가타의 주도로 시행되었다.

④ 화폐 정리 사업으로 대한 제국의 백동화가 일본 제일은행권으로 교환됨으로써, 일본 제일은행이 대한 제국의 화폐 발행을 담당하는 중앙 은행의 지위를 확보하게 되었다.

정답 05 ④ 06 ③ 07 ③ 08 ③

09

2023년 지방직 9급

다음과 같은 취지로 전개된 운동에 대한 설명으로 옳은 것은?

> 지금 우리들은 정신을 새로이 하고 충의를 떨칠 때이니, 국채 1,300만 원은 우리 대한 제국의 존망에 직결된 것입니다. 이것을 갚으면 나라가 보존되고 이것을 갚지 못하면 나라가 망할 것은 필연적인 사실이나, 지금 국고에서는 도저히 갚을 능력이 없으며, 만일 나라에서 갚지 못한다면 그때는 이미 삼천리 강토는 내 나라 내 민족의 소유가 못 될 것입니다. –대한매일신보

① 조선 형평사를 조직하였다.

② 조선 물산 장려회를 조직하였다.

③ 신사 참배 거부 운동을 전개하였다.

④ 1907년 대구에서 시작되어 전국으로 확산되었다.

문제풀이 국채 보상 운동

난이도 하

제시문에서 국채 1,300만 원은 우리 대한 제국의 존망에 직결되고, 지금 국고에서는 도저히 갚을 능력이 없다는 내용을 통해 국민의 모금으로 나라의 빚을 갚고 국권을 지키자는 취지로 전개된 국채 보상 운동임을 알 수 있다.

④ 국채 보상 운동은 일본으로부터 도입한 차관을 국민의 모금으로 갚기 위하여 전개된 운동으로, 1907년 대구에서 서상돈 등의 주도로 시작되었으며 대한매일신보, 황성신문 등 언론 기관의 적극적인 호응으로 전국으로 확산되었다.

오답 분석

모두 국채 보상 운동과는 관련이 없는 설명이다.

① 조선 형평사는 이학찬 등이 진주에서 조직한 단체로, 백정에 대한 사회적 차별 철폐와 신분 해방을 주장하는 형평 운동을 전개하였다.

② 조선 물산 장려회는 1920년과 1923년 평양과 서울에서 각각 조직된 국산품 장려 단체이다. 조만식 등은 1920년에 평양에서 조선 물산 장려회를 조직하여 물산 장려 운동을 시작하였고, 1923년에는 서울에서도 조선 물산 장려회가 조직되어 물산 장려 운동이 전국적으로 확산되었다.

③ 신사 참배 거부 운동은 1930년대 후반부터 1945년 광복이 되기까지 주로 기독교인들이 중심이 되어 전개한 운동이다.

10

2016년 사회복지직 9급

다음의 경제적 구국 운동에 대한 설명으로 옳은 것은?

> 남자는 담배를 끊고 부녀자들은 비녀·가락지 등을 팔아서 민족언론 기관에 다양한 액수의 돈을 보내며 호응했다. 이는 정부가 일본으로부터 빌린 차관 1,300만 원이라는 액수를 상환하여 경제적 독립을 이룩하기 위한 것이었다.

① 보안회가 주도하였다.

② 총독부의 탄압과 방해로 실패하였다.

③ 대구에서 시작되어 전국적으로 확대되었다.

④ '내 살림 내 것으로', '조선 사람 조선 것' 등의 표어를 내걸었다.

문제풀이 국채 보상 운동

난이도 하

제시문에서 정부가 일본으로부터 빌린 차관 1,300만 원을 상환하기 위해 일반 민중들이 모금을 하고 있다는 내용이 언급되었으므로 1907년 대구에서 시작된 국채 보상 운동임을 알 수 있다.

③ 국채 보상 운동은 대구에서 서상돈, 김광제 등의 주도로 시작되어 전국민적인 모금 운동으로 확산되었다. 서울에서는 국채 보상 기성회, 평양에서는 평양 국채 보상회가 조직되었으며, 대한매일신보 등 여러 신문사들은 국채 보상 운동을 적극 후원하였다.

오답 분석

① **황무지 개간권 요구 철회 운동**: 보안회가 주도한 것은 일제의 황무지 개간권 요구 철회 운동이다. 보안회는 일제의 황무지 개간권 요구를 규탄하면서 거족적인 반대 운동을 전개한 결과 일제로 하여금 황무지 개간권 요구를 철회하게 하였다.

② 조선 총독부는 1910년에 설치된 기구이므로, 1907년부터 1년여간 전개된 국채 보상 운동을 탄압할 수 없었다. 국채 보상 운동은 통감부의 방해로 실패하였다.

④ **물산 장려 운동**: '내 살림 내 것으로', '조선 사람 조선 것' 등의 표어를 내건 경제적 구국 운동은 1920년대 전개된 물산 장려 운동이다.

11

2019년 국가직 9급

(가), (나) 시기에 있었던 사실로 옳은 것은?

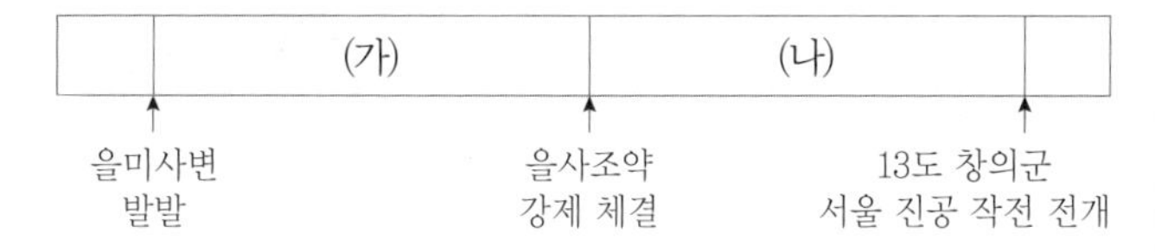

① (가) – 시전 상인을 중심으로 황국 중앙 총상회가 조직되었다.

② (가) – 신민회는 일제가 날조한 105인 사건으로 와해되었다.

③ (나) – 함경도 관찰사 조병식이 곡물 수출을 막는 방곡령을 내렸다.

④ (나) – 일제의 황무지 개간권 요구를 반대하기 위해 보안회가 창설되었다.

문제풀이 근대사의 흐름

난이도 중

(가) 을미사변 발발(1895) ~ 을사조약(을사늑약) 강제 체결(1905)

(나) 을사조약(을사늑약) 강제 체결(1905) ~ 13도 창의군 서울 진공 작전 전개(1908)

① (가) 시기에 서울의 시전 상인을 중심으로 황국 중앙 총상회가 조직되었다(1898). 시전 상인들은 외국 상인의 상권 침탈에 대항하여 황국 중앙 총상회를 결성한 후 상권 수호 운동을 전개하여 외국인의 불법적인 내륙 상업 활동을 엄단할 것을 요구하였다.

오답 분석

② **(나) 시기 이후:** 105인 사건(1911)으로 신민회가 와해된 것은 (나) 시기 이후에 해당한다. 신민회는 국권의 회복과 공화 정치 체제의 근대 국가 수립을 목표로 1907년부터 활동하였으나 일제가 날조한 105인 사건으로 와해되었다.

③ **(가) 시기 이전:** 함경도 관찰사 조병식이 곡물 수출을 막는 방곡령(1889)을 내린 것은 (가) 시기 이전에 해당한다. 이 시기에 일본으로 많은 곡물이 유출되어 조선 내에 식량이 부족해지자 황해도와 함경도의 관찰사들은 개정된 조·일 통상 장정(1883)을 근거로 방곡령을 선포하였으나, 일본은 규정 위반을 구실로 방곡령의 철회와 배상금을 요구하였다.

④ **(가) 시기:** 일제의 황무지 개간권 요구를 반대하기 위해 보안회가 창설(1904)된 것은 (가) 시기에 해당한다. 보안회는 송수만, 원세성 등의 유생과 관료 출신들이 중심이 되어 결성된 단체로, 일제의 황무지 개간권 요구 반대 운동을 전개하여 결국 일제의 개간권 요구를 철회시켰다.

12

2022년 서울시 9급(2월 시행)

〈보기〉 내용의 발표에 대한 설명으로 가장 옳은 것은?

> **보기**
>
> 우리보다 먼저 문명 개화한 나라들을 보면 남녀 평등권이 있는지라. 어려서부터 각각 학교에 다니며, 각종 학문을 다 배워 이목을 넓히고, 장성한 후에 사나이와 부부의 의를 맺어 평생을 살더라도 그 사나이에게 조금도 압제를 받지 아니한다. 이처럼 대접을 받는 것은 다름아니라 그 학문과 지식이 사나이 못지않은 까닭에 그 권리도 일반과 같으니 어찌 아름답지 않으리오.

① 평양의 양반 부인들이 발표하였다.

② 발표를 계기로 찬양회가 조직되었다.

③ 교육 입국 조서 발표의 배경이 되었다.

④ 이 발표에 따라 한성 사범 학교가 설립되었다.

문제풀이 여권 통문

난이도 상

제시문에서 문명 개화한 나라는 남녀 평등권이 있다는 것과 여성의 교육권을 주장하는 내용을 통해 1898년에 발표된 여권 통문임을 알 수 있다.

② 1898년 여성의 참정권·직업권·교육권 등을 주장하는 여권 통문을 발표한 것을 계기로 우리나라 최초의 여성 운동 단체인 찬양회가 조직되었다. 찬양회는 여성 계몽을 위한 연설회와 토론회를 개최하였으며, 여성 교육을 위해 순성 여학교(1899)를 설립하였다.

오답 분석

① 여권 통문은 평양의 양반 부인들이 발표한 것이 아니라 서울 북촌의 양반 부인들이 중심이 되어 발표한 것이다.

③ 교육 입국 조서는 제2차 갑오개혁 때인 1895년에 발표된 것으로, 여권 통문과 관련이 없다.

④ 한성 사범 학교는 제2차 갑오개혁 때 발표된 교육 입국 조서에 따라 설립되었다.

정답 09 ④ 10 ③ 11 ① 12 ②

2 | 근대 문물의 수용과 근대 문화의 형성

01

2021년 국회직 9급

다음 근대 문물과 관련된 설명으로 옳지 않은 것은?

① 1883년에 우리나라 최초의 근대 신문인 한성순보가 창간되었다.
② 1898년에 최초의 고딕식 벽돌 건축물인 명동 성당이 완공되었다.
③ 전차는 서대문과 청량리 구간에서 최초로 운행되었다.
④ 한성 전기 회사는 발전소를 세우고 서울에 전등을 가설하였다.
⑤ 경인선에 이어 일본이 경부선, 경의선을 가설하였다.

문제풀이 근대의 문물 난이도 중

② 1898년에 고딕식 벽돌 건축물인 명동 성당이 완공된 것은 맞지만, 우리나라 최초의 고딕식 벽돌 건축물은 명동 성당이 아닌 약현 성당(1892)이다.

오답 분석

① 1883년에 박문국에서 우리나라 최초의 근대 신문인 한성순보가 창간되었다. 한성순보는 관보적 성격을 가진 순 한문체 신문으로 10일에 한 번씩 간행되었으나, 갑신정변(1884)으로 박문국이 불에 타면서 간행이 중지되었다.
③ 전차는 대한 제국 황실과 미국인 콜브란의 합작으로 설립된 한성 전기 회사의 주도 하에 서대문과 청량리 구간에서 최초로 운행되었다(1899).
④ 한성 전기 회사는 전차·전등 사업을 운영하기 위하여 동대문 발전소를 세우고, 서울에 전등을 가설하였다(1900).
⑤ 경인선은 처음에 미국인 모스가 부설권을 획득(1896)하였으나 이후 일본이 인수받아 1899년에 개통하였으며, 경부선은 일본이 부설권을 획득하여 1905년에 개통하였다. 경의선 건설 사업은 처음 부설권을 획득하였던 프랑스가 자금난으로 포기하면서 대한 제국 정부에 의해 추진되기도 하였으나, 러·일 전쟁 중 군사적 목적에 의해 경의선 부설권이 일본에 넘어가게 되었다. 이후 1906년에 최종적으로 일본이 경의선 전 구간을 개통하였다.

02

2017년 서울시 9급

거문도 사건이 전개된 동안, 당시 사람들이 볼 수 있었던 모습은?

① 당오전을 발행하는 기사
② 한성순보를 배포하는 공무원
③ 『서유견문』을 출간한 유길준
④ 일본과의 무관세 무역을 항의하는 동래 부민

문제풀이 거문도 사건이 전개된 시기의 모습 난이도 상

거문도 사건은 영국이 러시아의 조선 진출을 견제하기 위해 거문도를 불법 점령한 사건으로, 1885년부터 1887년까지 전개되었다.

① 당오전은 1883년부터 1894년도까지 발행되었기 때문에 거문도 사건이 전개된 시기에 볼 수 있는 모습이다.

오답 분석

② 한성순보는 1883년에 발간되어 1884년 갑신정변 때 박문국이 불타버리면서 폐간되었기 때문에 한성순보를 배포하는 공무원은 거문도 사건이 전개된 동안 볼 수 없는 모습이다.
③ 『서유견문』은 거문도 사건이 종결된 이후인 1895년에 간행되었기 때문에 『서유견문』을 출간한 유길준은 거문도 사건이 전개된 동안 볼 수 없는 모습이다. 『서유견문』은 보빙사로 파견되었던 유길준이 미국을 유학하며 느낀 것들을 기록한 최초의 서양 기행문으로, 국·한문 혼용체로 서술되었다.
④ 일본과의 무관세 무역은 조·일 통상 장정이 체결된 1876년부터 조·일 통상 장정 개정이 체결된 1883년 사이에 전개되었으므로, 거문도 사건이 전개된 동안 볼 수 없는 모습이다. 1876년에 체결된 조·일 통상 장정(조·일 무역 규칙)을 통해 일본의 수출입 상품에 대한 무관세가 허용되었다가, 1883년에 조·일 통상 장정 개정을 체결하여 관세 조항을 규정함으로써 일본의 수출입 상품에 대한 관세가 부과되었다.

03

2020년 국가직 7급

밑줄 친 '철도'에 대한 설명으로 옳지 않은 것은?

> 그 종점이 되는 초량 등은 혹시 그럴 수도 있으므로 괴이할 것이 없으나 중간 장시나 향촌의 참(站)에는 화물이 풍부하지 않고 탑승객이 많지 않은데 어찌 그 부지로 20만 평이나 쓰는가. 이는 일본인의 식민 계략이니, …(중략)… 또한 본 철도 선로가 완성되면 물산 제조와 정치상 사업이 진보하여 얼마간 확장되는 면이 있겠으나 일본의 식민 욕심은 이 때문에 더욱 절실해질 것이다.
>
> – 황성신문, 1901년 10월 7일

① 군용 철도 명목으로 개통되었다.

② 부설을 위하여 한성 전기 회사가 설립되었다.

③ 부설 과정에서 한국인의 토지와 가옥이 강압적으로 수용되었다.

④ 일본은 부설에 따른 각종 이권을 획득하고자 군사적 위협을 가하였다.

문제풀이 경부선 철도 난이도 중

제시된 자료에서 종점이 되는 초량(부산)이라는 내용을 통해 밑줄 친 '철도'가 경부선 철도임을 알 수 있다.

② 한성 전기 회사가 설립된 것은 전등과 전차 등 근대적 시설을 설치하기 위해서이다. 한성 전기 회사는 1898년에 대한 제국 황실과 미국인 콜브란의 합자로 설립되었다.

오답 분석

①, ③, ④ 경부선은 서울과 부산 사이에 부설된 철도로, 일본에 의해 러·일 전쟁 중 군용 철도로 사용하기 위해 개통되었다. 한편, 일본은 경부선 부설에 따른 각종 이권을 획득하고자 군사적 위협을 가하였으며, 부설 공사를 진행하면서 필요한 한국인의 토지와 그에 딸린 가옥들을 강압적으로 약탈하였다.

이것도 알면 **합격!**

근대의 철도 부설

구분	내용
경인선 (1899)	• 1896년 미국이 부설권 획득 • 미국인 모스에 의하여 최초 착공, 일본이 완성
경부선 (1905)	• 1898년 일본이 부설권 획득 • 러·일 전쟁 중 일본이 부설(군사적 목적)
경의선 (1906)	• 1896년 프랑스가 부설권 획득 → 재정 문제로 부설권 상실 • 대한 제국 정부가 부설권을 회수하여 대한 철도 회사에서 부설을 시도하였으나 실패 • 러·일 전쟁 중 일본이 부설(군사적 목적)

04

2018년 지방직 9급

다음 각 문화재에 대한 설명으로 옳지 않은 것은?

① 화엄사 각황전은 다층식 외형을 지녔다.

② 수덕사 대웅전은 주심포 양식의 건물이다.

③ 부석사 무량수전은 배흘림 기둥을 갖고 있다.

④ 덕수궁 석조전은 서양 고딕 양식의 건물이다.

문제풀이 각 시대 문화재의 특징 난이도 중

④ 덕수궁 석조전은 고딕 양식이 아닌 신고전주의 건축 양식으로 지어진 건물이다. 덕수궁 석조전은 영국인 하딩이 설계하였으며, 1910년에 완성되었다. 한편 높은 첨탑이 특징인 고딕 양식의 건물로는 1898년 완공된 명동 성당이 있다.

오답 분석

① 화엄사 각황전은 조선 후기에 지어진 다층식 외형의 건물로 팔작 지붕의 2층으로 되어있고, 내부가 통층으로 되어있어 웅장하고 화려한 것이 특징이다.

② 수덕사 대웅전은 주심포 양식과 배흘림 기둥 양식이 사용된 고려 시대의 건축물이다.

③ 부석사 무량수전은 주심포 양식과 배흘림 기둥 양식이 사용된 고려 시대의 건축물이다. 부석사 무량수전의 내부에는 신라의 불상 제작 양식을 계승한 고려 시대의 불상인 소조 아미타여래 좌상이 있다.

정답 01 ② 02 ① 03 ② 04 ④

05

2019년 국회직 9급

대한 제국 시기에 볼 수 있는 모습으로 옳은 것은?

① 제국신문을 읽고 있는 여성

② 우정총국으로 출근하는 관리

③ 박은식이 저술한 『이순신전』을 읽고 있는 학생

④ 통리교섭통상사무아문에서 나오는 외국인

⑤ 근로 보국대 일원으로 공사장에서 일하는 아주머니

06

2016년 국가직 9급

다음 상황이 나타난 시기에 추진한 정부 정책으로 옳지 않은 것은?

> 외국 사람들이 조계지를 지키지 않고 도성의 좋은 곳에 있는 집은 후한 값으로 사고 터를 넓히니 잔폐(殘廢)한 인민의 거주지가 침범을 당한다. 또한 여러 해 동안 도로를 놓고 있기 때문에 집들이 줄어들었다. 탑동(塔洞) 등지에 집을 헐고 공원을 만든다 하니 … (중략) … 결국 집 없는 사람이 태반이 될 것이다.
>
> – 매일신문

① 경운궁을 정궁으로 삼았다.

② 한성은행, 대한천일은행 등 민족계 은행을 지원하였다.

③ 중추원을 개조하여 우리 옛 법령과 풍속을 연구하였다.

④ 한성 전기 회사를 통하여 서울에 전차 노선을 개통하였다.

문제풀이 대한 제국 시기(1897~1910)의 모습

난이도 중

① 제국신문은 1898~1910년에 발행되었으므로, 대한 제국 시기에 볼 수 있는 모습이다. 한편, 제국신문은 순 한글판으로 발간되어 부녀자 및 일반 서민들에게 인기가 많았다.

오답 분석

② 우정총국은 근대적 우편 사무를 담당하던 관청으로 1884년에 설치되었으나, 갑신정변으로 같은 해에 폐지되었으므로, 대한 제국 시기에 볼 수 없다. 한편 갑신정변으로 중단된 우편 업무는 을미개혁(1895) 때 우체사가 설치되면서 재개되었다.

③ 박은식이 『이순신전』을 저술한 것은 일제 강점기의 사실로, 대한 제국 시기에 볼 수 없다.

④ 통리교섭통상사무아문은 외교 통상 사무를 관장하던 통리아문이 확충·개편(1882. 12.)된 중앙 관청이었으나, 1885년에 의정부에 병합되었으므로 대한 제국 시기에 볼 수 없다.

⑤ 근로 보국대는 일제 강점기인 1938년에 조선인 학생, 여성과 농촌 노동력 동원을 위해 조직된 단체로, 대한 제국 시기에 볼 수 없다. 일제는 조선 내에서 부족한 노동력을 확충하기 위해 1938년부터 관제 근로 보국 운동을 일으켰고, 학생들은 학도 근로 보국대, 일반인들은 일반 근로 보국대 등으로 동원되었다.

문제풀이 대한 제국 시기의 정책

난이도 중

제시문의 매일신문은 1898년에 발행되어 1899년에 폐간되었던 최초의 일간 신문으로, 매일신문이 발간된 시기는 대한 제국 시기이다.

③ 중추원이 개편되어 우리 옛 법령과 풍속을 연구한 시기는 일제 강점기인 1915년의 일이다. 1898년에 독립 협회가 헌의 6조를 통해 중추원을 근대적 의회로 개편하고자 하였지만 실패하였다. 국권 피탈 이후 중추원은 조선 총독의 자문 기구가 되어 민족 세력의 분열과 친일 세력 회유에 활용되었고 1915년, 관제 개정에 따라 우리의 옛 법령과 풍습·관습 조사를 담당하게 되었다.

오답 분석

① 경운궁은 아관 파천 이후 고종이 환궁하여 대한 제국을 선포하면서 정궁이 되었다.

② 한성은행과 대한천일은행은 각각 1897년, 1899년에 일본 금융업계의 경제적 침탈에 대항하기 위해 민족 자본으로 설립된 은행이다.

④ 대한 제국 황실과 미국인 콜브란의 합작으로 1898년에 설립된 한성 전기 회사는 1899년에 서울 서대문과 청량리를 잇는 전차 노선을 개통하였다.

07

2017년 사회복지직 9급

다음 지문이 가리키는 신문과 관련된 내용으로 옳은 것은?

> 그러므로 우리 조정에서도 박문국을 설치하고 관리를 두어 외국의 기사를 폭넓게 번역하고 아울러 국내의 일까지 기재하여 국중에 알리는 동시에 열국에까지 널리 알리기로 하고, 이름을 旬報라 하며…

① 우리나라 최초의 신문으로 1883년 창간되었으며, 한문체로 발간된 관보의 성격을 띠었다.

② 최초로 국한문을 혼용하였고, 내용에 따라 한글 혹은 한문만을 쓰기도 하며 독자층을 넓혀 나가고자 하였다.

③ 한글판, 영문판을 따로 출간하여 대중 계몽을 통한 근대화를 촉진하고, 외국인에게 조선의 실정을 제대로 홍보하여 조선이 국제 사회에서 완전한 근대적 자주 독립 국가로 자리매김하는 것을 목표로 하였다.

④ 국한문 혼용체를 사용한 일간지로 주로 유학자층의 계몽에 앞장섰다.

문제풀이 한성순보

난이도 중

제시문에서 박문국을 설치하고 외국과 국내에서 일어난 일을 알리기 위해 순보(旬報)를 발간한다는 내용을 통해 한성순보임을 알 수 있다.

① 한성순보는 1883년에 창간된 우리나라 최초의 근대적 신문이다. 한성순보는 박문국에서 순한문체로 10일에 한 번씩 간행되었으며, 정부의 개화 정책 취지를 전달하는 관보적 성격을 띠었다.

오답 분석

② **한성주보**: 최초로 국한문을 혼용하고, 기사의 내용에 따라 한글 또는 한문만을 사용하여 독자층을 넓혀나가고자 하였던 신문은 한성주보이다.

③ **독립신문**: 한글판과 영문판을 따로 출간하여 개화 자강의 필요성을 대중에게 계몽하고, 외국인에게 국내 사정을 알리는 역할을 담당하였던 신문은 독립신문이다.

④ **황성신문**: 국한문 혼용체를 사용한 일간지로 주로 유학자층의 계몽에 앞장섰던 신문은 황성신문이다.

이것도 알면 **합격!**

관보적 성격(정부 발행)의 근대 신문

신문	내용
한성순보 (1883~1884)	• 박문국에서 10일에 한 번씩 간행한 우리나라 최초의 근대 신문, 순 한문체의 신문 • 갑신정변으로 박문국이 폐지되면서 폐간
한성주보 (1886~1888)	• 1885년에 재설치된 박문국에 의해 창간되었고, 최초로 국·한문 혼용체 사용 • 우리나라 신문 역사상 처음으로 사설과 상업 광고 게재

08

2023년 지방직 9급

다음에서 설명하는 신문은?

> ○ 서재필이 정부 지원을 받아 창간하였다.
> ○ 한글판을 발행하여 서양의 문물과 제도를 소개하였다.
> ○ 영문판을 발행하여 국내 사정을 외국인에게도 전달하였다.

① 제국신문 ② 독립신문

③ 한성순보 ④ 황성신문

문제풀이 독립신문

난이도 하

제시문에서 서재필이 정부 지원을 받아 창간하였다는 것과 한글판과 영문판을 발행하였다는 내용을 통해 독립신문임을 알 수 있다.

② 독립신문은 우리나라 최초의 민간 신문으로 서재필이 정부의 지원을 받아 1896년에 창간하였다. 독립신문은 한글판과 영문판의 두 종류로 발행되어 국민을 계몽하고, 국내의 사정을 외국인에게도 전달하였다.

오답 분석

① **제국신문**: 제국신문은 이종일 등이 창간하였으며, 순한글로 발행되어 주로 서민층과 부녀자들에게 인기가 많았다.

③ **한성순보**: 한성순보는 우리나라 최초의 신문으로 박문국에서 순한문체로 10일에 한 번씩 발행되었으며, 관보적 성격을 띠었다.

④ **황성신문**: 황성신문은 남궁억 등이 창간하였으며, 국한문 혼용체로 발행되어 주로 유학자들의 계몽에 앞장섰다. 또한, 1905년에 장지연의 '시일야방성대곡'을 게재하여 민족 의식을 고취하였다.

이것도 알면 **합격!**

독립신문

> 우리가 언문으로 쓰기는 알아보기 쉽도록 함이라. …… 또 외국 인민이 조선 사정을 자세히 모르기 때문에 혹 편벽된 말만 듣고 조선을 잘못 생각할까 보아 실상 사정을 알게 하고자 하여 영문으로 조금 기록한다.

사료 분석 | 서재필이 창간한 독립신문은 한글판뿐만 아니라 영문판으로도 발행되었다.

정답 05 ① 06 ③ 07 ① 08 ②

09

2018년 기상직 9급

다음을 일어난 순서대로 나열한 것은?

(가) 화폐 정리 사업 실시
(나) 만국 우편 연합 가입
(다) 대종교 창시
(라) 만세보 창간

① (라) → (나) → (가) → (다)
② (나) → (가) → (라) → (다)
③ (나) → (라) → (가) → (다)
④ (나) → (가) → (다) → (라)

10

2022년 소방간부후보생

(가) 학교가 운영된 시기에 있었던 사실로 옳은 것은?

○ 새로 설립된 학교를 (가) (이)라 부른다. 내무부 수문사 당상이 관할하며 별도로 주사를 정해 해당 당상의 명령에 따라 사무를 진행하도록 한다. 당상은 하루 건너 사진하며 주사는 매일 출근하게 한다.
○ 성품이 선량하고 재간 있으며 총명한 외국인 3명을 (가) (으)로 초빙하여 '교사'라고 부를 것이며 가르치는 일을 전적으로 맡도록 한다. 그리고 외국의 말과 글을 이미 배워 잘 아는 사람을 따로 선발하여 교사가 명령하는 대로 적당하게 학도를 가르치는 것을 도와주는 자를 '교습'이라고 부른다. 또한 각종 과정에 대해서는 자신이 직접 연습하여 본 학업을 넓히도록 한다.

① 경인선이 개통되었다.
② 대동상회가 설립되었다.
③ 국문 연구소가 설치되었다.
④ 대한매일신보가 발간되었다.
⑤ 함경도에서 방곡령이 반포되었다.

문제풀이 근대 사회의 변화 난이도 중

② 순서대로 나열하면 (나) 만국 우편 연합 가입(1900) → (가) 화폐 정리 사업 실시(1905) → (라) 만세보 창간(1906) → (다) 대종교 창시(1909)가 된다.

(나) **만국 우편 연합 가입**: 대한 제국은 국제 우편 업무를 실시하기 위해 만국 우편 연합에 가입하였다(1900).

(가) **화폐 정리 사업 실시**: 제1차 한·일 협약(1904)에 따라 대한 제국의 재정 고문으로 임명된 메가타는 대한 제국의 재정과 금융을 장악하여 경제적으로 일본에 예속시키기 위해 화폐 정리 사업을 실시하였다(1905).

(라) **만세보 창간**: 오세창 등에 의해 천도교의 기관지로 만세보가 창간되었다(1906). 만세보는 친일 단체인 일진회를 공격하였고, 여성 운동과 여권 신장을 강조하였다.

(다) **대종교 창시**: 나철과 오기호는 단군 신앙을 기반으로 단군교를 창시하고(1909), 이후 단군교를 대종교로 개편하였다(1910). 대종교는 국권 피탈 이후 북간도 지방에서 독립운동을 전개하였다.

문제풀이 육영 공원 운영 시기의 사실 난이도 중

제시문에서 외국인 3명을 초빙하여 '교사'로 부른다는 내용 등을 통해 (가) 학교는 육영 공원(1886~1894)임을 알 수 있다. 육영 공원에서는 헐버트, 길모어, 벙커의 미국인 3명이 교사로 초빙되어 학생들을 가르쳤다.

⑤ 육영 공원이 운영되던 시기인 1889년에 함경도에서는 관찰사 조병식이 방곡령을 반포하여 곡물의 수출을 금지하였다.

오답 분석

① 경인선이 개통된 것은 1899년으로, 육영 공원이 폐교된 이후의 사실이다. 경인선은 우리나라 최초의 철도로 서울과 인천을 연결하였다.
② 대동상회가 설립된 것은 1883년으로, 육영 공원이 설립되기 이전의 사실이다. 대동상회는 인천에 설립되었던 우리나라 최초의 근대적 회사이다.
③ 국문 연구소가 설치된 것은 1907년으로, 육영 공원이 폐교된 이후의 사실이다. 국문 연구소는 대한 제국 학부에 설치되었던 한글 연구 기관으로 주시경·지석영을 중심으로 국문의 정리와 국어의 이해 체계 확립을 위한 연구를 전개하였다.
④ 대한매일신보가 발간된 것은 1904년으로, 육영 공원이 폐교된 이후의 사실이다. 대한매일신보는 양기탁과 영국인 베델에 의해 창간되었으며, 영국인 베델이 발행인으로 있었기 때문에 일본의 검열을 피할 수 있어 다른 신문보다 자유롭게 기사를 게재할 수 있었다.

11

2017년 법원직 9급

다음 자료의 교육 기관에 대한 설명으로 가장 옳은 것은?

> 문·무관, 유생 중에 어리고 총명한 자 40명을 뽑아 입학 시키고 벙커와 길모어 등을 교사로 초빙하여 서양 문자를 가르쳤다. 문관으로는 김승규와 신대균 등 여러 명이 있고, 유사로는 이만재와 서상훈 등 여러 명이 있었다. 사색 당파를 골고루 배정하여 당대 명문 집안에서 선발하였다. -『매천야록』

① 관민이 합심하여 설립하였다.
② 경성 제국 대학으로 계승되었다.
③ 좌원과 우원의 두 반으로 편성되었다.
④ 근대식 사관 양성을 목적으로 하였다.

문제풀이 육영 공원

난이도 중

제시문에서 벙커와 길모어 등 외국인 교사를 초빙하여 서양 문자를 가르쳤다는 것을 통해 육영 공원(1886)에 대한 내용임을 알 수 있다.

③ 최초의 근대식 관립 학교인 육영 공원은 문·무 현직 관료 중 선발된 학생을 좌원반, 양반 자제 중 선발된 학생을 우원반으로 편성하였다.

오답 분석

① **원산 학사**: 덕원 부사 정현석과 주민들이 기금을 모으는 등 관민이 합심하여 1883년에 설립한 최초의 근대적 사립 학교는 원산 학사이다.
② 경성 제국 대학은 일제가 3·1 운동 이후 한국인의 대학 설립 주장을 무마하기 위해 1924년에 설립한 교육 기관으로, 육영 공원과는 관련이 없다.
④ **연무 공원**: 근대식 사관(장교)을 양성할 목적으로 설립된 교육 기관은 연무 공원(1888)이다.

이것도 알면 **합격!**

근대 교육 기관의 설립

원산 학사	최초의 근대식 사립 학교로 덕원 부사 정현석과 덕원·원산 주민들이 공동으로 설립, 근대 학문과 무술 교육
동문학	외국어 통역관 양성을 위해 설립
육영 공원	• 최초의 근대식 공립 학교, 상류층(양반) 자제를 대상으로 외국어와 근대 학문을 교육 • 헐버트·길모어·벙커 등 외국인 교사 초빙
연무 공원	신식 군대와 장교 양성을 위해 정부가 설립한 학교

12

2018년 서울시 9급(6월 시행)

근대 교육 기관에 대한 설명으로 가장 옳지 않은 것은?

① 배재 학당: 선교사 아펜젤러가 서울에 설립한 사립 학교이다.
② 동문학: 정부가 설립한 외국어 교육 기관으로 통역관을 양성하였다.
③ 경신 학교: 고종의 교육 입국 조서에 따라 설립된 관립 학교이다.
④ 원산 학사: 함경도 덕원 주민들이 기금을 조성하여 설립한 학교이다.

문제풀이 근대의 교육 기관

난이도 중

③ 고종의 교육 입국 조서에 따라 설립된 관립 학교로는 한성 사범 학교(1895) 등이 있다. 경신 학교(1886)는 미국 선교사 언더우드에 의해 설립된 사립 학교로, 우리나라에서 최초로 전문 실업 교육을 실시하였다.

오답 분석

① 배재 학당(1885)은 미국 선교사 아펜젤러가 서울에 설립한 사립 학교로, 우리나라 최초의 근대식 중등 교육 기관이다. 배재 학당에서는 영어, 지리학, 산술학, 화학 등을 학생들에게 가르쳤다.
② 동문학(1883)은 우리나라 통역관 양성을 위해 정부가 설립한 외국어 교육 기관이다. 1880년대 초반 서양 열강들과의 조약 체결로 외교 통상 업무가 중요해졌다. 이에 조선 정부는 외국어 교육과 근대적 지식을 갖춘 인재를 양성하기 위해 동문학을 설립하였다.
④ 원산 학사(1883)는 덕원 부사 정현석과 덕원·원산 주민들이 기금을 조성하여 설립한 우리나라 최초의 근대식 사립 학교이다. 이곳에서는 주로 외국어, 자연 과학 등과 같은 근대 학문과 무술 교육을 실시하였다.

정답 09 ② 10 ⑤ 11 ③ 12 ③

13

2015년 법원직 9급

다음 인물의 활동으로 옳은 것은?

> 1886년 우리나라에 왔다. 을사늑약 사건 후 고종의 밀서를 휴대하고 미국에 가서 국무장관과 대통령을 면담하려 했으나 실현하지 못하였다. 1906년 다시 내한하였으며, 고종에게 헤이그에서 열리는 제2차 만국 평화 회의에 밀사를 보내도록 건의하였다. 그는 이상설 등 헤이그 특사보다 먼저 도착하여 「회의시보」에 한국 대표단의 호소문을 싣게 하는 등 한국의 국권 회복을 위해 노력하였다.

① 대한매일신보의 발행인이었다.
② 육영 공원의 교사로 초빙되었다.
③ 광혜원의 설립에 깊이 관여하였다.
④ 우리나라 최초의 서양인 고문이었다.

문제풀이 헐버트 난이도 중

제시문에서 을사늑약 사건 이후 고종의 밀서를 가지고 미국의 국무장관과 대통령을 면담하려 시도하였으나 실현하지 못하였고, 1906년 다시 내한하여 고종에게 만국 평화 회의에 밀사 파견을 건의하였다는 내용이 언급되었으므로 제시문의 인물이 헐버트임을 알 수 있다.

② 헐버트는 1886년 육영 공원의 교사로 초빙되어 상류층 자제들을 대상으로 외국어를 가르쳤다.

오답 분석

① **베델**: 대한매일신보의 발행인은 영국인 베델이다. 당시 일본은 영국과 영·일 동맹을 맺고 있었기 때문에 영국인인 베델이 운영하는 대한매일신보를 함부로 할 수 없었다. 이에 따라 대한매일신보는 일본의 검열을 피해 다른 신문보다 자유롭게 기사를 게재할 수 있었고, 강경한 항일 논조를 펼칠 수 있었다.
③ **알렌**: 광혜원 설립에 깊이 관여한 인물은 미국의 개신교 선교사 알렌이다. 선교사 알렌은 조선 정부와 합작하여 최초의 근대식 병원인 광혜원을 설립(1885)하였다.
④ **묄렌도르프**: 우리나라 최초의 서양인 고문은 묄렌도르프이다. 묄렌도르프는 독일인으로 임오군란 이후 청에 의해 조선에 외교 고문으로 파견되었다.

14

2019년 국가직 9급

다음 글의 저자에 대한 설명으로 옳은 것은?

> 무릇 동양의 수천 년 교화계(敎化界)에서 바르고 순수하며 광대 정밀하여 많은 성현들이 전해주고 밝혀 준 유교가 끝내 인도의 불교와 서양의 기독교와 같이 세계에 큰 발전을 하지 못함은 어째서이며 …(중략)… 유교계에 3대 문제가 있는지라. 그 3대 문제에 대하여 개량하고 구신(求新)을 하지 않으면 우리 유교는 흥왕할 수가 없을 것이다.

① '조선얼'을 강조하며 '조선학 운동'을 펼쳤다.
② '나라는 형(形)이고 역사는 신(神)'이라고 주장하였다.
③ 주석·부주석 체제하의 대한민국 임시 정부에서 주석을 역임하였다.
④ 「독사신론」에서 민족을 역사 서술의 주체로 설정하고 사대주의를 비판하였다.

문제풀이 박은식 난이도 중

제시문에서 유교가 발전하지 못한 3대 문제를 지적하며 이를 개량하고 구신해야 유교가 부흥할 수 있음을 주장하는 것을 통해 박은식이 저술한 「유교구신론」의 내용임을 알 수 있다. 박은식은 「유교구신론」에서 성리학의 한계를 지적하고 새로운 시대에 맞게 유교를 전승시키려면 실천적인 양명학을 보급해야 한다고 주장하였다.

② 박은식은 『한국통사』에서 나라는 형(형체)이고 역사는 신(정신)이며, 나라의 형체는 사라졌지만 그 정신(국혼)은 사라지지 않음을 강조하며 우리 민족의 독립 의식을 고취하였다. 또한 박은식은 『한국독립운동지혈사』를 저술하여 3·1 운동 등의 항일 민족 운동의 역사를 정리하였다.

오답 분석

① **정인보**: 조선얼을 강조하며 조선학 운동을 전개한 인물은 정인보이다. 조선학 운동은 정인보, 문일평, 안재홍 등의 민족주의 사학자들이 다산 서거 99주기를 맞아 『여유당전서』를 간행한 것이 계기가 되어 전개된 것으로, 한글, 실학 연구 등을 통해 우리 민족 문화의 자주성을 찾으려고 하였다.
③ **김구**: 주석·부주석 체제하의 대한민국 임시 정부에서 주석을 역임한 인물은 김구이다. 대한민국 임시 정부의 제5차 개헌(1944)으로 정치 체제가 주석·부주석 체제로 개편되며 주석에 김구, 부주석에 김규식이 취임하였다.
④ **신채호**: 「독사신론」에서 민족을 역사 서술의 주체로 설정하고 사대주의를 비판한 인물은 신채호이다.

15

2013년 서울시 9급

다음 자료와 관련 있는 인물의 활동으로 옳은 것은?

> 무릇 동양의 수천 년 교화계(敎化界)에서 바르고 순수하며 광대 정미하여 많은 성인이 뒤를 이어 전하고 많은 현인이 강명(講明)하는 유교가 끝내 인도의 불교와 서양의 기독교와 같이 세계에 대발전을 하지 못함은 어째서이며, 근세에 이르러 침체 부진이 극도에 달하여 거의 회복할 가망이 없는 것은 무슨 까닭이뇨. …… 그 원인을 탐구하여 말류(末流)를 추측하니 유교계에 3대 문제가 있는지라. 그 3대 문제에 대하여 개량(改良) 구신(求新)을 하지 않으면 우리 유교는 흥왕할 수가 없을 것이며 …… 여기에 감히 외람됨을 무릅쓰고 3대 문제를 들어서 개량 구신의 의견을 바치노라.
>
> – 『서북학회월보』 제1권

① 양명학을 토대로 대동 사상을 주창하였다.

② 만세보를 발간하여 민족의식을 고취하였다.

③ 위정척사 운동의 계승과 실천을 강조하였다.

④ 「독사신론」을 통해 역사학의 방향을 제시하였다.

⑤ 신민족주의를 제창하여 민족주의의 한계를 극복하려 하였다.

16

2023년 계리직 9급

다음은 1910년에 초판이 발행된 『국어문법(國語文法)』이다. 이 저서를 쓴 인물에 대한 설명으로 옳은 것은?

① 가갸날을 제정하였다.

② 국문 연구소에서 활동하였다.

③ 조선어 학회 사건으로 구속되었다.

④ 한글 맞춤법 통일안의 원안 작성에 참여하였다.

문제풀이 박은식

난이도 중

제시된 자료에서 '유교계에 3대 문제가 있는데, 그 3대 문제에 대하여 개량 구신을 하지 않으면 유교는 흥할 수 없다'는 내용이 언급되었으므로 박은식의 「유교구신론」이라는 것을 알 수 있다.

① 박은식은 「유교구신론」을 통해 양명학과 사회 진화론의 진보 원리를 조화시킨 대동 사상을 주장하였고, 대동 사상을 기반으로 민족 종교인 대동교를 창설하였다.

오답 분석

② **손병희 등:** 천도교 기관지인 만세보를 발간하여 민족의식을 고취시킨 것은 손병희, 오세창 등이다.

③ 위정척사파는 성리학적 세계관과 지배 체제를 유지·강화하기 위해 반외세·반침략 운동을 전개하였기 때문에 성리학을 비판한 박은식과는 입장이 다르다.

④ **신채호:** 「독사신론」을 통해 역사학의 방향을 제시한 인물은 신채호이다. 「독사신론」에서 신채호는 역사 서술의 주체를 민족으로 설정하여 왕조 중심의 전통 사관을 극복하였으며, 일본의 식민주의 사학에 대항할 수 있는 민족주의 사학의 방향을 제시하였다.

⑤ **안재홍 등:** 신민족주의를 제창하여 민족주의의 한계를 극복하려 한 것은 안재홍, 손진태 등이다. 신민족주의 사학은 민족주의 사학을 계승한 것으로, 1940년대 이후 등장하였다.

문제풀이 주시경

난이도 중

제시된 『국어문법』을 쓴 인물은 주시경이다. 주시경은 국어 문법 서적인 『국어문법』, 『말의 소리』 등을 저술하는 등 우리말과 한글에 대한 이론을 전문적으로 연구하여 한글 연구의 근대화와 한글의 대중화에 큰 영향을 끼쳤다.

② 주시경은 지석영 등과 함께 대한 제국의 학부에 설치된 국문 연구 기관인 국문 연구소에서 국문의 정리와 국어의 이해 체계 확립을 위한 연구 활동을 하였다.

오답 분석

모두 주시경과 관련이 없는 설명이다.

① 가갸날을 제정한 인물은 조선어 연구회(1921)를 조직한 임경재, 장지영 등이다. 조선어 연구회는 주시경의 제자인 임경재, 장지영 등을 중심으로 조직된 단체로, 가갸날을 제정하고 잡지 『한글』을 간행하여 한글 대중화에 기여하였다.

③ 조선어 학회 사건으로 구속된 인물은 이윤재, 최현배 등이다. 조선어 학회 사건은 당시 국어(일본어) 상용 정책을 시행하던 일제가 조선어 학회를 독립운동 단체로 간주하여 회원들을 체포·투옥한 사건이다.

④ 한글 맞춤법 통일안의 원안을 작성한 인물은 조선어 학회를 조직한 이윤재, 최현배 등이다. 조선어 학회는 조선어 연구회가 1931년에 개편한 단체로, 한글 맞춤법 통일안과 표준어를 제정하였다. 또한 『우리말 큰사전』 편찬을 시도하였으나 일제의 방해로 실패하였다.

정답 13 ② 14 ② 15 ① 16 ②

최빈출 다지선다 문제로 단원 마무리

01 외세의 침략적 접근과 개항

밑줄 친 '그'의 활동에 대한 설명으로 옳은 것을 모두 고른 것은?

2017년 서울시 9급

> 그는 만동묘와 폐단이 큰 서원을 철폐하도록 명령을 내렸다. 선비들 수만 명이 대궐 앞에 모여 만동묘와 서원을 다시 설립할 것을 청하니, 그가 크게 노하여 병졸로 하여금 한강 밖으로 몰아내도록 하였다.

① 의정부의 기능을 부활시켰다. 15. 사회복지직 9급

② 대한국 국제를 만들어 공포하였다. 21. 지방직 9급

③ 은결을 색출하고 호포제를 실시하였다. 21. 법원직 9급

④ 별기군을 폐지하고 5군영을 복구하였다. 18. 지방직 9급

⑤ 전국 여러 곳에 척화비를 세우도록 했다. 22. 국가직 9급

⑥ 갑신정변 당시 청군의 원조를 요청하였다. 17. 서울시 9급

⑦ 탕평 정치를 정리한 『만기요람』을 편찬하였다. 21. 국가직 9급

⑧ 경기, 삼남, 해서 등지에 사창제를 실시하였다. 15. 사회복지직 9급

⑨ 『대전통편』을 편찬해 통치 체제를 정비하였다. 21. 법원직 9급

⑩ 통리기무아문을 설치하고 그 아래에 12사를 두었다. 22. 국가직 9급

⑪ 갑오개혁 당시 군국기무처의 총재관으로 활동하였다. 17. 서울시 9급

02 개화 운동의 추진과 반발

밑줄 친 '사건'에 대한 설명으로 옳은 것을 모두 고른 것은?

2016년 국가직 9급

> 4~5명의 개화당이 사건을 일으켜서 나라를 위태롭게 한 다음 청나라 사람의 억압과 능멸이 대단하였다. …(중략)… 종전에는 개화가 이롭다고 말하면 그다지 싫어하지 않았으나 이 사건 이후 조야(朝野) 모두 '개화당은 충의를 모르고 외인과 연결하여 매국배종(賣國背宗)하였다'고 하였다.
>
> -『윤치호일기』

① 외규장각의 도서가 약탈당하였다. 18. 지방교행직

② 일본과 제물포 조약을 체결하였다. 22. 서울시 9급(6월)

③ 톈진 조약이 체결되는 배경이 되었다. 22. 소방간부후보생

④ 구식 군인에 대한 차별 대우가 발단이 되었다. 21. 소방직

⑤ 일본 공사관이 불타고 일본군이 청군에 패퇴하였다. 16. 국가직 9급

⑥ 보국안민, 제폭구민의 대의를 위해 봉기할 것을 호소하였다. 16. 지방직 9급

⑦ 정부의 개화 정책에 반대하는 서울의 하층민들도 참여하였다. 16. 지방직 9급

⑧ 내각 제도를 수립하고, 인민 평등권 확립과 조세 개혁 등을 추진하였다. 21. 서울시 9급(특수)

⑨ 이 사건을 진압한 청은 조선과 조·청 상민 수륙 무역 장정을 체결하였다. 23. 서울시 9급

⑩ 우정총국의 낙성 축하연을 기회로 정변을 일으켜 새로운 정부를 수립하였다. 23. 서울시 9급

정답 및 해설 (01)

정답

①, ③, ④, ⑤, ⑧

자료분석

만동묘와 폐단이 큰 서원을 철폐하도록 명령을 내림 → 흥선 대원군

선택지 체크

① 흥선 대원군 ② 고종 **③ 흥선 대원군 ④ 흥선 대원군 ⑤ 흥선 대원군**
⑥ 민씨 일파 ⑦ 서영보, 심상규 등 **⑧ 흥선 대원군** ⑨ 정조 ⑩ 고종 ⑪ 김홍집

정답 및 해설 (02)

정답

③, ⑤, ⑧, ⑩

자료분석

개화당이 일으킴 + 외인과 연결하여 매국배종 함 → 갑신정변

선택지 체크

① 병인양요 ② 임오군란 **③ 갑신정변** ④ 임오군란 **⑤ 갑신정변**
⑥ 제1차 동학 농민 운동 ⑦ 임오군란 **⑧ 갑신정변** ⑨ 임오군란 **⑩ 갑신정변**

03 구국 민족 운동과 근대적 개혁의 추진

다음은 홍범 14조의 조항 일부이다. 이 발표에 따라 추진된 것만을 모두 고른 것은? 2014년 지방직 7급

> • 청에 의존하는 생각을 버리고, 자주 독립의 기초를 세운다.
> • 종실, 외척의 정치 간섭을 용납하지 않는다.
> • 조세의 징수와 경비 지출은 모두 탁지아문의 관할에 속한다.
> • 문벌을 가리지 않고 인재 등용의 길을 넓힌다.

① 재판소를 설치하였다. 19. 법원직 9급

② 과거제를 폐지하였다. 19. 법원직 9급

③ 중국 연호의 사용을 폐지하였다. 16. 지방직 9급

④ 지방의 군현제를 폐지하고 전국을 23부로 나누었다. 14. 지방직 7급

⑤ 양전 사업을 실시하고 지계(地契)를 발급하였다. 20. 지방직 7급

⑥ 서북 철도국을 설치하여 경의철도 부설을 시도하였다. 20. 지방직 7급

⑦ 원수부를 설치하여 황제가 군의 통수권을 장악하였다. 20. 지방직 7급

⑧ 건양이라는 연호를 제정하였다. 14. 국가직 7급.

⑨ 중앙에 친위대, 지방에 진위대를 설치하였다. 18. 법원직 9급

⑩ 화폐 제도를 은 본위제로 개혁하고자 신식 화폐 발행 장정을 공포하였다. 18. 지방직 9급

04 개항 이후의 변화 모습

다음과 같은 취지로 전개된 운동에 관한 설명으로 옳은 것을 모두 고른 것은? 2014년 경찰간부후보생

> 국채 1,300만 원은 바로 우리 대한의 존망에 직결된 것이다. 갚아 버리면 나라가 존재하고 갚지 못하면 나라가 망하는 것은 대세가 반드시 그렇게 이르는 것이다. …… 2천만 인이 3개월 동안 담배를 끊고 그 대금으로 매 1인마다 20전씩 징수하면 1,300만 원이 될 수 있다.

① 가뭄과 홍수로 인해 중단되었다. 22. 지방직 9급

② 서울에서는 국채 보상 기성회가 발족되었다. 14. 국가직 7급

③ 시전 상인들이 경제적 특권 회복을 요구하였다. 14. 사회복지직 9급

④ 재정 고문 메가타의 주도로 시행되었다. 22. 소방직

⑤ 조만식 등에 의해 평양에서 시작되어 전국으로 확산되었다. 18. 지방직 9급

⑥ 통감부는 양기탁을 횡령 혐의로 구속하는 등 탄압하였다. 14. 사회복지직 9급

⑦ '내 살림 내 것으로', '조선 사람 조선 것' 등의 표어를 내걸었다. 16. 사회복지직 9급

⑧ 대한매일신보 등의 적극적 홍보에 힘입어 전국으로 확산되었다. 14. 경찰간부후보생

⑨ 일부 사회주의자는 자본가 계급을 위한 운동이라고 비판하였다. 22. 지방직 9급

⑩ 일제는 화폐 정리 사업을 실시하여 이 운동의 확산을 막으려 하였다. 14. 경찰간부후보생

정답 및 해설

정답

①, ④

자료분석

홍범 14조 → 제2차 갑오개혁

선택지 체크

① **제2차 갑오개혁** ② 제1차 갑오개혁 ③ 제1차 갑오개혁 ④ **제2차 갑오개혁**
⑤ 광무개혁 ⑥ 광무개혁 ⑦ 광무개혁 ⑧ 을미개혁 ⑨ 을미개혁
⑩ 제1차 갑오개혁

정답 및 해설

정답

②, ⑥, ⑧

자료분석

국채 1,300만 원은 바로 우리 대한의 존망에 직결됨 → 국채 보상 운동

선택지 체크

① 민립 대학 설립 운동 ② **국채 보상 운동** ③ 상권 수호 운동
④ 화폐 정리 사업 ⑤ 물산 장려 운동 ⑥ **국채 보상 운동** ⑦ 물산 장려 운동
⑧ **국채 보상 운동** ⑨ 물산 장려 운동 ⑩ 국채 보상 운동 이전

공무원시험전문 해커스공무원
gosi.Hackers.com

일제 강점기 출제 경향

1. 주요 직렬별 출제 비중(2019~2024)

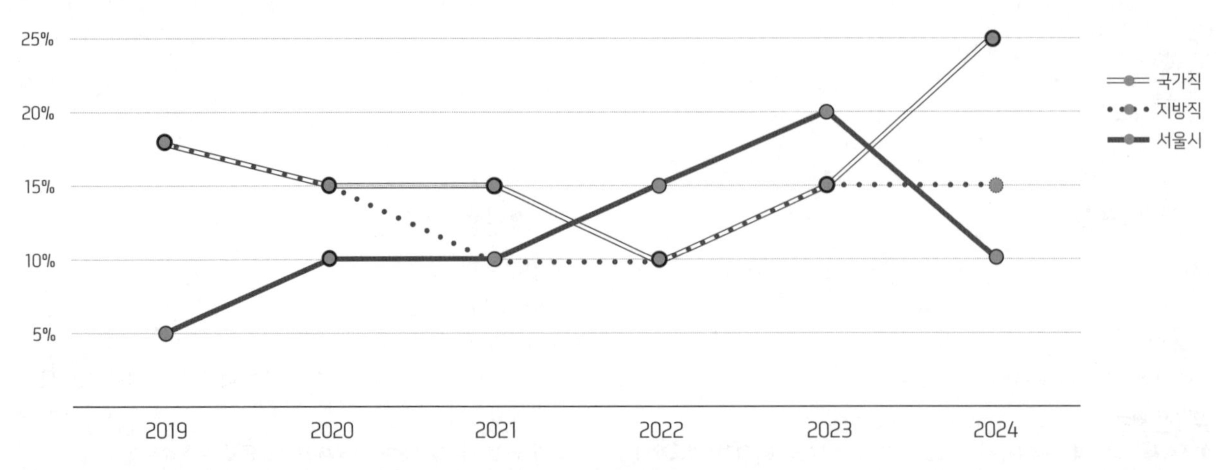

일제 강점기는 세 직렬의 시험에서 꾸준하게 2문제 이상씩 출제되고 있습니다. 2024년 시험의 경우 국가직은 출제 비중이 크게 상승하여 5문제가 출제되었으며, 지방직은 3문제가 출제되었습니다. 반면 서울시의 경우 출제 비중이 소폭 하락하여 2문제가 출제되었습니다.

VII. 민족 독립운동의 전개

2. 주요 직렬별 최근 출제 경향 및 학습 방법

국가직	국가직 시험에서는 특정 시기의 사실이나 이후의 사실을 묻는 문제가 자주 출제되는 편입니다. 2024년 국가직 9급 시험에서는 대한민국 임시 정부, 1930년대의 사실, 6·10 만세 운동과 광주 학생 항일 운동 사이의 사실, 조선어 연구회 등 다양한 개념을 묻는 문제가 출제되었습니다. ▶ 국내·외의 민족 독립운동 뿐 아니라, 당시의 경제·사회상과 문화계의 동향 및 흐름까지 꼼꼼하게 정리해야 합니다.
지방직	지방직 시험의 경우 매회 2~3문제씩 꾸준히 출제되고 있으며, 대한민국 임시 정부나 신간회 등 각종 단체의 활동에 대한 문제가 주로 출제되는 편입니다. 2024년 지방직 9급 시험에서는 생소한 사료를 통해 3·1 운동, 한인 애국단, 근우회를 묻는 문제가 출제되었으나, 선택지가 비교적 쉽게 제시되어 체감 난이도는 높지 않았습니다. ▶ 일제 강점기 주요 독립운동 단체와 인물들의 활동을 연결 지어 학습하는 것이 중요합니다.
서울시*	서울시 시험에서는 2020~2023년까지 출제 비중이 상승세였으나, 2024년 시험에서는 소폭 하락하여 10%의 출제 비중을 보이고 있습니다. 2024년 서울시 9급 시험에서는 일제 강점기 민족 해방 운동, 민족 혁명당을 묻는 문제가 출제되었습니다. ▶ 일제의 식민 통치 시기에 있었던 사실을 꼼꼼하게 정리해야 합니다.

* 서울시 9급(특수직렬) 문제는 인사혁신처에서 출제한 문제가 아니고, 서울시에서 자체 출제한 문제입니다.

1 | 일제의 식민 통치와 민족 경제의 변화

01

2024년 법원직 9급

다음 법령이 시행되던 시기의 모습으로 가장 옳은 것은?

> 제1조 회사의 설립은 조선 총독의 허가를 받아야 한다.
> 제2조 조선 밖에서 설립된 회사가 한국에 본점 또는 지점을 설치하고자 하는 경우, 조선 총독의 허가를 받아야 한다.
> 제3조 조선 밖에서 설립되어 조선에서 사업을 운영하는 것을 목적으로 하는 회사가 그 사업을 경영하는 경우, 조선에 본점 또는 지점을 설립하여야 한다.

① 국민학교에 등교하는 학생의 모습
② 대한 광복회를 체포하려는 헌병 경찰의 모습
③ 치안 유지법에 의해 구금되는 독립운동가의 모습
④ 농촌 진흥 운동을 홍보하는 조선 총독부 직원의 모습

문제풀이 회사령 시행 시기의 모습 난이도 중

제시문에서 회사의 설립은 조선 총독의 허가를 받아야 한다는 내용을 통해 회사령임을 알 수 있다. 회사령은 1910년에 제정되어 1920년까지 시행되었다.

② 회사령이 시행되던 시기인 1915년에 대한 광복회가 조직되었다. 대한 광복회는 의병 계열과 애국 계몽 운동 계열이 연합하여 조직된 단체로, 국권 회복과 공화주의 이념에 따라 공화 정치를 실현하는 것을 목표로 하였다. 또한 이 시기에는 헌병 경찰제가 시행되어 헌병 경찰이 대한 광복회와 같은 독립운동 단체를 탄압하였다.

오답 분석
모두 회사령이 폐지된 이후의 사실이다.
① 1941년에 국민학교령을 반포하여 소학교의 명칭이 '황국 신민 학교'라는 뜻의 국민학교로 변경되었다.
③ 1925년에 일제는 치안 유지법을 제정하여 식민 체제를 부인하는 반정부·반체제 사상이나 사회주의 단체의 조직, 독립운동가들의 활동을 탄압하였다.
④ 1930년대에 대공황의 여파와 사회주의 확산으로 인해 소작 쟁의가 극심해지자, 조선 총독부는 농민들을 회유하기 위해 농촌 진흥 운동을 시행하였다.

02

2023년 국가직 9급

다음 법령이 시행된 시기에 있었던 사실로 옳은 것은?

> 제1조 회사의 설립은 조선 총독의 허가를 받아야 한다.
> 제5조 회사가 본령이나 본령에 따라 나오는 명령과 허가 조건을 위반하거나 공공질서와 선량한 풍속에 반하는 행위를 할 때 조선 총독은 사업의 정지, 지점의 폐쇄, 또는 회사의 해산을 명할 수 있다.

① 산미 증식 계획이 폐지되었다.
② 국가 총동원법이 제정되었다.
③ 원료 확보를 위한 남면북양 정책이 추진되었다.
④ 보통학교 수업 연한을 4년으로 정한 조선 교육령이 공포되었다.

문제풀이 회사령 시행 시기의 사실 난이도 하

제시문에서 회사의 설립은 조선 총독의 허가를 받아야 한다는 것과 조선 총독이 회사의 해산을 명할 수 있다는 내용을 통해 회사령임을 알 수 있다. 회사령은 1911년 1월부터 1920년 3월까지 시행되었다.

④ 회사령이 시행되던 시기인 1911년 8월에 보통학교의 수업 연한을 4년으로 정한 제1차 조선 교육령이 공포되었다.

오답 분석
모두 회사령 폐지 이후의 사실이다.
① 경제 대공황으로 일본 지주들이 쌀 수입을 반대하면서 산미 증식 계획이 폐지된 것은 1934년의 사실이다. 산미 증식 계획은 일제가 자국의 부족한 식량을 한반도에서 보충하기 위해 1920년에 실시한 쌀 증식 정책으로 1934년에 폐지되었으나, 중·일 전쟁 발발 이후 군량 확보를 위해 1940년에 재개되었다.
② 국가 총동원법이 제정된 것은 1938년의 사실이다. 중·일 전쟁 발발 이후 일제는 국가 총동원법을 제정하여 전쟁 수행에 필요한 인적·물적 자원의 수탈을 강화하였다.
③ 공업 원료 확보를 위한 남면북양 정책이 추진된 것은 1930년대의 사실이다. 남면북양 정책은 일제가 공업 원료를 확보하고 한반도를 대륙 침략의 병참 기지로 활용하기 위해 남부 지방에서는 면화를 재배하고, 북부 지방에서는 양을 기르도록 강요한 정책이다.

03

2022년 국가직 9급

(가) 시기에 있었던 사실로 옳은 것은?

> 한국을 식민지로 삼은 일제는 헌병에게 경찰 업무를 부여한 헌병 경찰제를 시행했다. 헌병 경찰은 정식 재판 없이 한국인에게 벌금 등의 처벌을 가하거나 태형에 처할 수도 있었다. 한국인은 이처럼 강압적인 지배에 저항해 3·1 운동을 일으켰으며, 일제는 이를 계기로 지배 정책을 전환했다. 일제가 한국을 병합한 직후부터 3·1 운동이 벌어진 때까지를 (가) 시기라고 부른다.

① 토지 조사령이 공포되었다.
② 창씨개명 조치가 시행되었다.
③ 초등 교육 기관의 명칭이 국민학교로 변경되었다.
④ 전쟁 물자 동원을 내용으로 한 국가 총동원법이 적용되었다.

문제풀이 무단 통치 시기에 있었던 사실 난이도 하

제시문에서 헌병 경찰제를 시행하고 정식 재판 없이 한국인에게 태형을 처할 수도 있었으며, 일제가 한국을 병합한 직후부터 3·1 운동이 벌어진 때까지라는 내용을 통해 (가) 시기가 무단 통치 시기(1910~1919)임을 알 수 있다.

① 일제는 무단 통치 시기인 1912년에 근대적인 토지 제도의 확립을 통한 세원 확보와 토지 약탈을 위해 토지 조사령을 공포하여 토지 조사 사업을 시작하였다.

오답 분석

② **민족 말살 통치 시기:** 창씨개명 조치가 시행된 것은 민족 말살 통치 시기에 있었던 사실이다. 일제는 창씨개명 조치를 시행하여 한국인의 성과 이름을 일본식으로 바꾸도록 강요하였다(1939).

③ **민족 말살 통치 시기:** 초등 교육 기관의 명칭이 국민학교로 변경된 것은 민족 말살 통치 시기에 있었던 사실이다. 일제는 국민학교령을 제정하여 초등 교육 기관의 명칭을 소학교에서 '황국 신민의 학교'를 의미하는 '국민학교'로 변경하였다(1941).

④ **민족 말살 통치 시기:** 전쟁 물자 동원을 내용으로 한 국가 총동원법이 적용된 것은 민족 말살 통치 시기에 있었던 사실이다. 일제는 중·일 전쟁 수행에 필요한 인적·물적 자원을 마련하기 위해 국가 총동원법을 제정하고, 이를 식민지 조선에도 동일하게 적용하였다(1938).

04

2016년 지방직 9급

다음 법령이 시행되던 시기에 볼 수 있는 모습으로 옳은 것은?

> 제1조 3개월 이하의 징역 또는 구류에 처하여야 할 자는 그 정상에 따라 태형에 처할 수 있다.
> 제6조 태형은 태로써 볼기를 치는 방법으로 집행한다.
> 제13조 본령은 조선인에 한하여 적용한다.

① 회사령 공포를 듣고 있는 상인
② 경의선 철도 개통식을 보는 학생
③ 동양 척식 주식회사의 설립식에 참석한 기자
④ 대한 광복군 정부의 군사 훈련에 참여한 청년

문제풀이 무단 통치 시기 난이도 중

제시문에서 조선인에 한하여 태형을 적용한다는 내용을 통해 제시문의 법령이 무단 통치 시기인 1912년에 시행된 조선 태형령임을 알 수 있다.

④ 대한 광복군 정부는 1914년에 이상설을 중심으로 연해주 블라디보스토크에서 수립된 정부로, 무단 통치 시기에 볼 수 있는 단체이다. 대한 광복군 정부는 시베리아와 만주 지역에서 독립운동을 주도하면서 군사 훈련을 통해 독립 전쟁을 준비하였다.

오답 분석

① 회사령은 1910년에 공포된 것으로, 조선 태형령 제정 이전의 일이다.
② 경의선 철도는 대한 제국 시기인 1906년에 개통되었다.
③ 동양 척식 주식회사는 대한 제국 시기인 1908년에 설립되었다.

이것도 알면 **합격!**

무단 통치를 위한 악법

법령	내용
범죄 즉결례 (1910)	재판 없이 3개월 이하의 징역 또는 구류 처분과 100원 이하의 벌금 부과 가능
경찰범 처벌 규칙 (1912)	한국인의 항일 투쟁뿐만 아니라 일상생활도 엄격히 단속
조선 태형령 (1912)	한국인에게만 태형(곤장으로 볼기를 치는 형벌)을 적용

정답 01 ② 02 ④ 03 ① 04 ④

05

2024년 서울시 9급(2월 시행)

〈보기〉의 내용과 관련된 시기에 있었던 사실로 가장 옳은 것은?

> **보기**
>
> 다른 한편으로 지방 자치를 실시하여 민의 창달의 길을 강구하고, 교육 제도를 개정하여 교화 보급의 신기원을 이루었고, 게다가 위생 시설의 개선을 촉진하였다. …… 일본인과 조선인 사이의 차별 대우를 철폐하고 동시에 조선인 소장층 중 유력자를 발탁하는 방법을 강구하여, 군수·학교장 등에 발탁된 자가 적지 않다.

① 치안 유지법 제정

② 보통학교 명칭을 소학교로 개칭

③ 조선 사상범 보호 관찰령 제정

④ 조선 형사령·조선 태형령 제정

문제풀이 문화 통치 시기의 사실 난이도 중

제시문에서 일본인과 조선인 사이의 차별 대우를 철폐하고 동시에 조선인 소장층 중 유력자를 발탁하는 방법을 강구하였다는 내용을 통해 문화 통치 시기임을 알 수 있다. 3·1 운동 이후 일제는 문관 총독 임명, 한국인의 차별 대우 철폐, 지방 자치제 시행 등의 내용을 담은 시정 방침을 발표하고 문화 통치를 실시하였다.

① 문화 통치 시기인 1925년에 일제는 치안 유지법을 제정하여 국가 체제(천황제)나 사유 재산 제도를 부정하는 사회주의 단체를 단속하였다. 한편, 치안 유지법은 사회주의 단체뿐만 아니라 항일 민족 운동 등을 탄압하는데도 활용되었다.

오답 분석

② **민족 말살 통치 시기**: 보통학교 명칭을 소학교로 개칭한 것은 제3차 조선 교육령이 발표된 1938년으로, 민족 말살 통치 시기의 사실이다. 일제는 제3차 조선 교육령을 발표하여 기존에 서로 달랐던 한국인 학교와 일본인 학교의 명칭을 (심상)소학교와 중학교로 통일하였고, 내선일체와 일선동조론을 강조하였다.

③ **민족 말살 통치 시기**: 조선 사상범 보호 관찰령을 제정하여 독립운동가에 대한 감시를 강화한 것은 1936년으로, 민족 말살 통치 시기의 사실이다.

④ **무단 통치 시기**: 조선 형사령과 조선 태형령을 제정한 것은 1912년으로, 무단 통치 시기의 사실이다.

06

2020년 국가직 9급

다음 법령이 실시된 기간에 있었던 사실로 옳은 것은?

> 제1조 국체를 변혁 또는 사유 재산제를 부인할 목적으로 결사를 조직하거나 그 사정을 알고 이에 가입하는 자는 10년 이하의 징역 또는 금고에 처함
>
> 제2조 전조의 제1항의 목적으로 그 목적한 사항의 실행에 관하여 협의한 자는 7년 이하의 징역 또는 금고에 처함

① 「조선 태형령」이 공포되었다.

② 경성 제국 대학이 설립되었다.

③ 물산 장려 운동이 시작되었다.

④ 학도 지원병 제도가 실시되었다.

문제풀이 치안 유지법이 실시된 기간의 사실 난이도 중

제시문에서 국체를 변혁 또는 사유 재산제를 부인할 목적으로 결사를 조직하는 자를 처벌하는 것으로 보아 반정부, 반체제 운동을 탄압하기 위한 치안 유지법임을 알 수 있다. 치안 유지법은 1925년 제정되어 광복 이전까지 시행되었는데, 일제는 이를 사회주의자, 민족주의자 뿐만 아니라 항일 민족 운동을 처벌하는 데에도 이용하였다.

④ 중·일 전쟁 이후 육군 특별 지원병령(1938. 2.)을 통해 한국의 청년들을 전쟁에 동원하였던 일제는 1943년 학도 지원병 제도를 통하여 전문 학교 학생들과 대학생들까지 전쟁에 동원하였다.

오답 분석

모두 치안 유지법이 실시되기 이전에 있었던 사실이다.

① 조선인에 대해 태형을 실시할 수 있도록 하는 조선 태형령이 공포된 것은 1912년의 일이다.

② 민립 대학 설립에 대한 여론을 무마시키기 위해 일제가 경성 제국 대학을 설립한 것은 1924년의 일이다.

③ 1920년 일제가 회사령을 철폐하고, 한·일 간 관세 철폐 움직임이 일어나자, 조만식 등을 중심으로 평양에서 평양 물산 장려회가 조직되어 물산 장려 운동이 시작된 것은 1920년의 일이다.

07

2017년 교육행정직 9급

밑줄 친 '새로운 정책'에 대한 설명으로 옳은 것은?

> 신임 총독은 전임 총독이 시행한 정책에 대신해 <u>새로운 정책</u>을 실시하였다고 말한다. … (중략) … 신임 총독의 정책 중에서 그나마 주목할 만한 것이 있다면 지방 제도를 개정해 일정 금액 이상의 세금을 내는 조선인들에게 선거권을 주고 부협의회 선거를 처음으로 실시한 것 정도이다. 하지만 그것도 자문 기구에 불과하다.

① 여자 정신 근로령을 발표하였다.

② 동아일보, 조선일보의 발행을 허용하였다.

③ 초등 교육 기관의 명칭을 국민학교로 바꾸었다.

④ 식민 통치 비용을 확보하고자 토지 조사 사업에 착수하였다.

문제풀이 문화 통치 난이도 하

제시문에서 일정 금액 이상의 세금을 내는 조선인들에게 선거권을 주도록 지방 제도를 개정하였다는 내용을 통해 밑줄 친 '새로운 정책'은 1920년대에 실시되었던 이른바 '문화 통치'임을 알 수 있다. 3·1 운동 이후 부임한 신임 총독 사이토 마코토는 강압적이었던 기존의 무단 통치에서 이른바 '문화 통치'로의 변경을 표방하였다. 그 일환으로 도 평의회와 부·면 협의회를 설립하여 일정 금액 이상을 세금으로 내는 조선인을 대상으로 의원 선거를 하는 등 지방 행정책을 실시하였다.

② 일제는 문화 통치를 실시하여 동아일보나 조선일보 등 민족 언론의 발행을 허용하였으나 검열을 거치도록 하였다.

오답 분석

① 일제가 여자 정신 근로령을 발표한 것은 1944년으로, 민족 말살 통치 시기의 일이다.

③ 일제가 초등 교육 기관의 명칭을 국민학교로 변경하도록 국민학교령을 제정하였던 것은 1941년으로, 민족 말살 통치 시기의 일이다.

④ 일제가 식민 통치 비용을 확보하고 일본 내 농민을 조선으로 이주시키기 위해 토지 조사 사업을 실시하였던 시기는 1912년~1918년으로, 무단 통치 시기의 일이다.

08

2022년 서울시 9급(6월 시행)

문화 통치 시기 일제의 조선 통치에 대한 설명으로 가장 옳은 것은?

① 토지 조사 사업을 실시하여 근대적 토지 소유 관계를 확립하고, 식민지 지주 소작제를 수립하였다.

② 식량 생산을 대폭 늘려 일본으로 더 많은 쌀을 가져가기 위해 이른바 산미 증식 계획을 세워 추진하였다.

③ 일본 자본가들의 과잉 자본을 조선에 투자하고, 전쟁에 필요한 필수품 조달을 위해 군수 공업을 위주로 하는 공업화 정책이 추진되었다.

④ 우리 민족을 일본 국민으로 동화시키기 위해 민족 말살 정책을 추진했다.

문제풀이 문화 통치 시기 일제의 정책 난이도 하

② 문화 통치 시기에 일제는 자국에서 공업화 정책을 추진하면서 식량이 부족해지자, 한반도의 식량 생산을 대폭 늘려 일본으로 더 많은 쌀을 가져가기 위해 산미 증식 계획을 세워 추진하였다.

오답 분석

① **무단 통치 시기**: 일제가 토지 조사 사업을 실시하여 근대적 토지 소유 관계를 확립하고, 식민지 지주 소작제를 수립한 것은 무단 통치 시기이다.

③ **민족 말살 통치 시기**: 일본 자본가들의 과잉 자본을 조선에 투자하고, 전쟁에 필요한 필수품 조달을 위해 군수 공업을 위주로 하는 공업화 정책이 추진되어 한반도가 병참 기지화된 것은 민족 말살 통치 시기이다.

④ **민족 말살 통치 시기**: 일제가 우리 민족을 일본 국민으로 동화시키기 위해 황국 신민 서사 암송, 창씨개명 강요 등의 민족 말살 정책을 추진한 것은 민족 말살 통치 시기이다.

정답 05 ① 06 ④ 07 ② 08 ②

09

2023년 국가직 9급

(가) 시기에 볼 수 있었던 모습으로 옳지 않은 것은?

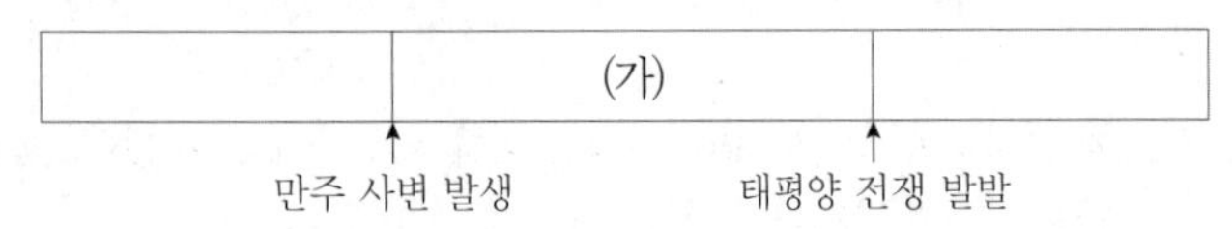

① 소학교에 등교하는 조선인 학생

② 황국 신민 서사를 암송하는 청년

③ 제국신문 기사를 작성하는 기자

④ 쌍성보에서 항전하는 한국 독립당 군인

10

2023년 서울시 9급

〈보기〉의 내용이 발표된 이후의 일제 정책으로 가장 옳은 것은?

> 보기
> 1. 우리는 황국 신민이다. 충성으로써 군국(君國)에 보답한다.
> 2. 우리들 황국 신민은 서로 믿고 아끼고 협력하여 단결을 공고히 한다.
> 3. 우리들 황국 신민은 괴로움을 참고 몸과 마음을 굳세게 하는 힘을 길러 황도(皇道)를 선양한다.

① 토지 조사 사업을 실시하였다.

② 치안 유지법을 제정하였다.

③ 조선 사상범 예방 구금령을 제정하였다.

④ 공업화로 인한 일본 내 식량 부족 문제 해결을 위한 산미 증식 계획을 실시하였다.

문제풀이 만주 사변 발생과 태평양 전쟁 발발 사이의 모습 난이도 하

제시된 자료에서 만주 사변 발생은 1931년, 태평양 전쟁 발발은 1941년이다. 따라서 (가) 시기는 1931년~1941년이다.

③ 제국신문은 1898년에 창간되어 1910년까지 발행되었으므로, (가) 시기에 볼 수 없다. 한편, 제국신문은 이종일이 창간한 신문으로, 순 한글판으로 발간되어 부녀자 및 일반 서민들에게 인기가 많았다.

오답 분석

모두 (가) 시기에 볼 수 있었던 모습이다.

① 소학교는 1938년에 발표된 제3차 조선 교육령을 통해 조선인이 다녔던 보통학교가 개칭된 명칭으로, 1941년의 국민학교령에 의해 국민학교로 변경되었다.

② 황국 신민 서사는 1937년에 제정되었다. 일제는 민족 말살 정책의 일환으로 일본 천황에게 충성을 다짐하는 내용의 황국 신민 서사를 제정하고, 강제로 암송하게 하였다.

④ 한국 독립당 산하의 한국 독립군이 쌍성보에서 일본군에 항전한 쌍성보 전투는 1932년에 일어났다.

 문제풀이 황국 신민 서사 발표 이후의 일제 정책 난이도 하

제시문에서 우리는 황국 신민으로 충성으로써 군국에 보답한다는 내용 등을 통해 1937년에 일제가 조선인에게 일본 천황의 신하 된 백성으로서 충성심을 세뇌시키기 위해 외우게 한 맹세인 황국 신민 서사임을 알 수 있다.

③ 황국 신민 서사가 발표된 이후인 1941년에 일제는 조선 사상범 예방 구금령을 제정하였다. 조선 사상범 예방 구금령은 일제가 독립운동을 사전에 차단하기 위하여 제정한 법령으로, 실제적인 행위가 없더라도 범죄를 일으킬 우려가 있다는 자의적인 판단만으로 사상범을 체포·구금할 수 있도록 하였다.

오답 분석

모두 황국 신민 서사 발표 이전의 사실이다.

① 일제가 토지 조사 사업을 실시한 것은 1912년이다. 토지 조사 사업은 일제가 전국의 토지 소유권을 확인하여 식민지 지배에 필요한 재정을 확보하고, 일본인이 쉽게 토지를 차지할 수 있도록 하기 위하여 시행되었다.

② 일제가 치안 유지법을 제정한 것은 1925년이다. 치안 유지법은 일제의 국가 체제(천황제)나 사유 재산 제도를 부정하는 자를 단속하기 위하여 제정한 법으로, 사회주의 운동뿐만 아니라 항일 민족 운동 등을 탄압하는데 활용되었다.

④ 일제가 공업화로 인한 일본 내 식량 부족 문제 해결을 위한 산미 증식 계획을 실시한 것은 1920년이다. 일제는 공업화로 도시 인구가 증가하여 쌀의 수요가 급증하였으나, 농업 생산력은 이에 미치지 못하여 식량이 부족해지자 한국에서 쌀의 생산을 늘려 일본으로 가져가려는 산미 증식 계획을 실시하여 식량 부족 문제를 해결하려 하였다.

11

2023년 서울시 9급

〈보기〉의 내용과 시기적으로 가장 먼 것은?

> **보기**
> 신고산이 우루루 화물차 가는 소리에
> 금붙이 쇠붙이 밥그릇마저 모조리 긁어 갔고요
> 어랑어랑 어허야
> 이름 석 자 잃고서 족보만 들고 우누나

① 조선 식량 관리령을 시행하여 곡물을 강제로 공출하였다.
② 여자 정신 근로령을 통해 여성에 대한 강제 동원이 이루어졌다.
③ 기업 정비령과 기업 허가령을 시행하여 기업 통제를 강화하였다.
④ 어업령, 삼림령, 광업령 등을 제정하여 각종 자원을 독점하기 시작하였다.

문제풀이 민족 말살 통치 시기의 사실 난이도 중

제시문은 함경도 지역에서 구전되어 온 민요인 신고산 타령의 일부로, 금붙이, 쇠붙이, 밥그릇마저 모조리 긁어 간다는 것과 이름 석 자 잃었다는 내용을 통해 각종 물자에 대한 공출과 창씨개명이 이루어진 민족 말살 통치 시기의 사실임을 알 수 있다. 일제는 민족 말살 통치 시기에 전쟁 물자가 부족해지자 금붙이, 쇠붙이뿐만 아니라 가정에서 쓰는 밥그릇과 숟가락 등 각종 물자의 공출을 강제하였고, 조선인의 성과 이름을 일본식으로 바꾸도록 강요하는 창씨개명을 실시하였다.

④ 일제가 어업령(1911), 삼림령(1911), 광업령(1915) 등을 제정하여 각종 자원을 독점하기 시작한 것은 무단 통치 시기로, 신고산 타령의 배경이 되는 민족 말살 통치 시기와 가장 먼 시기의 사실이다.

오답 분석
모두 민족 말살 통치 시기의 사실이다.
① 일제는 조선 식량 관리령(1943)을 시행하여 곡물을 강제로 공출하였다. 일제는 식량을 관리하고, 식량의 수급 및 가격의 조정과 배급의 통제를 목적으로 조선 식량 관리령을 제정하여 미곡뿐만 아니라 대맥(보리), 소맥(밀) 등까지 공출의 범위를 확대하였다.
② 일제는 여자 정신 근로령(1944)을 통해 12~40세 미만의 미혼 여성 등을 군수 공장 등에 강제로 동원하였다.
③ 일제는 기업 정비령(1942)과 기업 허가령(1941)을 시행하여 기업 통제를 강화하였다.

12

2021년 국회직 9급

다음 글은 어떤 외국인이 자신이 목격한 사실을 기술한 것이다. 그가 목격했던 시기에 일본이 추진한 정책으로 옳은 것은?

> 말을 막 배우는 아이의 첫마디와 죽어 가는 노인의 마지막 말, 그것이 '하이큐[배급]'라는 말을 우리는 조선인에게서 수없이 들었다. 배급표로 지급되는 쌀, 정확히 말해서 대체물[옥수수·수수]은 아무리 길어도 2주일을 넘기지 못하였다. 생선·달걀, 그 밖의 다른 식료품은 일본인에게만 지급되었다. …(중략)… 서울에서 대부분의 가게와 수리점이 문을 닫았다. 배급소 근처에는 헤아릴 수 없을 만큼 많은 사람들이 줄 서 있었다. 사람들은 굶주림뿐만 아니라 추위에도 고통을 당하였다.

① 조선식산은행령을 공포하였다.
② 헌병 경찰제를 실시하였다.
③ 산미 증식 계획을 시작하였다.
④ 부전강과 허천강에 발전소를 건설하였다.
⑤ 국민학교령을 공포하여 수신 교육을 강화하였다.

문제풀이 식량 배급제 시행 시기 일제의 정책 난이도 중

제시문에서 배급표로 지급되는 대체물은 아무리 길어도 2주일을 넘기지 못하였으며, 배급소 근처에는 헤아릴 수 없을 만큼 많은 사람들이 줄 서 있었다는 내용을 통해 식량 배급제가 실시된 상황임을 알 수 있다. 일제는 중·일 전쟁 발발 이후 쌀을 공출하고 조선 미곡 배급 조정령(1939)을 공포하여 식량 배급제를 실시하였다.

⑤ 일제는 식량 배급제가 실시되던 시기인 1941년에 국민학교령을 공포하여 소학교의 명칭을 '황국 신민의 학교'라는 뜻의 국민학교로 변경하였으며, 일제에 대한 충성심을 강조하는 수신 교육을 강화하였다.

오답 분석
① **식량 배급제 실시 이전:** 조선식산은행령이 공포된 것은 1918년으로, 식량 배급제 실시 이전의 사실이다. 일제는 조선식산은행령을 통해 6개의 농공은행을 통합하여 조선식산은행을 설립하였다.
② **식량 배급제 실시 이전:** 헌병 경찰제가 실시된 것은 1910년대로 식량 배급제 실시 이전의 사실이다. 일제는 1910년부터 헌병 경찰이 일반 경찰 사무까지 담당하는 헌병 경찰제를 실시하였으나, 1919년 3·1 운동 이후 일제의 통치 방식이 문화 통치로 전환되면서 보통 경찰제로 개편되었다.
③ **식량 배급제 실시 이전:** 산미 증식 계획이 처음 시작된 것은 1920년으로, 식량 배급제 실시 이전의 사실이다. 산미 증식 계획은 1934년에 일시 중단되었으나, 중·일 전쟁 발발 이후 군량 확보를 위해 1940년에 재개되었다.
④ 식량 배급제가 실시되던 시기인 1940년에 허천강 발전소가 건설된 것은 맞으나, 부전강 발전소는 1929년에 건설되었다.

정답 09 ③ 10 ③ 11 ④ 12 ⑤

13
2021년 법원직 9급

(가)에 들어갈 법령이 제정된 이후의 사실로 가장 옳은 것은?

> (가)
>
> 제4조 제국 신민을 징용하여 총동원 업무에 종사하게 할 수 있다. 단 병역법의 적용을 방해하지 않는다.
>
> 제7조 노동 쟁의의 예방 혹은 해결에 관하여 필요한 명령을 내리거나 작업소의 폐쇄, 작업 혹은 노무의 중지 등 노동 쟁의에 관한 행위의 제한 혹은 금지를 행할 수 있다.
>
> 제8조 물자의 생산·수리·배급·양도 기타의 처분, 사용·소비·소지 및 이동에 관하여 필요한 명령을 내릴 수 있다.

① 중국 본토에서 중·일 전쟁이 발발하였다.

② 백남운이 『조선사회경제사』를 저술하였다.

③ 조선 사상범 예방 구금령이 제정·공포되었다.

④ 양세봉의 조선 혁명군이 영릉가 전투에서 승리하였다.

문제풀이 국가 총동원법 제정(1938) 이후의 사실
난이도 중

제시문에서 '총동원 업무'라는 내용을 통해 (가)에 들어갈 법령이 국가 총동원법(1938)임을 알 수 있다. 일제는 중·일 전쟁을 시작하면서 조선을 전쟁 물자를 공급하는 병참 기지로 운용하여 전쟁 수행에 필요한 인적·물적 자원을 원활하게 확보하기 위해 국가 총동원법을 제정하였다.

③ 국가 총동원법이 제정된 이후인 1941년에 일제는 조선 사상범 예방 구금령을 제정하여 조선인의 사상을 통제하고, 독립운동가들을 재판 없이 감옥에 구금하였다.

오답 분석

모두 국가 총동원법 제정(1938) 이전의 사실이다.

① 중·일 전쟁이 발발한 것은 1937년 7월이다. 일본은 중·일 전쟁을 일으켜 중국 본토를 공격하고, 대륙 침략을 본격화하였다.

② 백남운이 『조선사회경제사』를 저술한 것은 1933년이다. 『조선사회경제사』는 한국의 원시, 고대 사회 경제에 관한 최초의 사회 경제사적 연구서로, 한국사를 세계사적 보편성 속에서 연구하면서 일제의 정체성론을 비판하였다.

④ 양세봉이 지휘하는 조선 혁명군이 영릉가 전투에서 승리한 것은 1932년이다. 조선 혁명군은 남만주 일대에서 중국 의용군과 연합 작전을 전개하여 영릉가·흥경성·신개령 전투에서 일본군에 승리하였다.

14
2022년 서울시 9급(2월 시행)

〈보기〉의 법을 한국에 적용한 이후 일본이 벌인 일로 가장 옳지 않은 것은?

> **보기**
>
> • 정부는 전시에 국가 총동원상 필요할 때는 정하는 바에 따라 제국 신민을 징용하여 총동원 업무에 종사하게 할 수 있다.
>
> • 정부는 전시에 국가 총동원상 필요할 때는 칙령이 정하는 바에 따라 물자의 생산·수리·배급·양도 및 기타의 처분·사용·소비·소지 및 이동에 관해 필요한 명령을 내릴 수 있다.

① 학도 지원병제와 징병제를 시행하였다.

② 헌병 경찰 제도를 실시하였다.

③ 국민 징용령을 공포하였다.

④ 여자 근로 정신령을 만들었다.

문제풀이 국가 총동원법 적용 이후의 사실
난이도 하

제시문에서 정부는 전시에 국가 총동원상 필요할 때 제국 신민을 징용할 수 있다는 내용을 통해 1938년 4월에 공포된 국가 총동원법임을 알 수 있다.

② 일제가 헌병이 일반 경찰 업무까지 담당하게 하는 헌병 경찰 제도를 실시한 것은 무단 통치 시기인 1910년대로, 국가 총동원법 공포 이전의 사실이다. 한편, 헌병 경찰 제도는 문화 통치 시기에 보통 경찰제로 전환되었다.

오답 분석

모두 국가 총동원법이 한국에 적용된 이후의 사실이다.

① 일제는 전쟁 수행을 위해 학도 지원병제(1943)와 징병제(1944)를 실시하여 한국의 청년들을 군인으로 강제 동원하였다.

③, ④ 일제는 국민 징용령(1939)과 여자 근로 정신령(1944)을 공포하여 한국인 노동자들을 징집하고, 젊은 여자들을 정신대라는 이름으로 강제 동원하였다.

이것도 알면 **합격!**

일제의 인적 자원 수탈을 위한 제도

- 1938년: 지원병제, 근로 보국대 조직
- 1939년: 국민 징용령
- 1941년: 국민 근로 보국령
- 1943년: 학도 지원병제
- 1944년: 여자 정신대 근무령, 징병제

15

2021년 국가직 9급

중·일 전쟁 이후 조선 총독부가 시행한 민족 말살 정책이 아닌 것은?

① 아침마다 궁성요배를 강요하였다.

② 일본에 충성하자는 황국 신민 서사를 암송하게 하였다.

③ 공업 자원의 확보를 위하여 남면북양 정책을 시행하였다.

④ 황국 신민 의식을 강화하고자 소학교를 국민학교로 개칭하였다.

문제풀이 중·일 전쟁 이후 시행된 민족 말살 정책 난이도 하

③ 남면북양 정책은 중·일 전쟁(1937)이전부터 시행된 정책으로, 일본이 공업 자원을 확보하고 한반도를 대륙 침략의 병참 기지로 활용하기 위한 병참기지화 정책의 일환으로 시행되었다. 일본은 만주 사변(1931) 이후부터 남면북양 정책을 실시하여 남부 지방에서는 강제로 면화를 재배하도록 하고, 북부 지방에서는 양을 기르도록 하였다.

오답 분석

모두 중·일 전쟁 이후 조선 총독부가 시행한 민족 말살 정책이다.

① 조선 총독부는 아침마다 일본 천황이 있는 궁성을 향해 절을 하는 궁성요배를 강요하였다.

② 조선 총독부는 아동은 물론 성인에게도 일본 천황에게 충성을 다짐하는 내용의 황국 신민 서사를 암송하도록 강요하였다.

④ 조선 총독부는 황국 신민 의식을 강화하고자 소학교의 명칭을 '황국 신민의 학교'를 의미하는 '국민학교'로 변경하였다(1941).

16

2019년 지방직 9급

밑줄 친 ㉠, ㉡에 대한 설명으로 옳은 것은?

> 신고산이 우르르 함흥차 가는 소리에
> ㉠지원병 보낸 어머니 가슴만 쥐어뜯고요
> …(중략)…
> 신고산이 우르르 함흥차 가는 소리에
> ㉡정신대 보낸 어머니 딸이 가엾어 울고요

① ㉠ – 학생들도 모집 대상이었다.

② ㉠ – 처음에는 징병제에 따라 동원되기 시작하였다.

③ ㉡ – 국민 징용령에 근거한 조직이었다.

④ ㉡ – 물자 공출 장려를 목표로 결성하였다.

문제풀이 민족 말살 통치 시기 일제의 정책 난이도 상

제시문은 민족 말살 통치 시기의 암울한 사회상을 보여주는 신고산 타령의 일부 대목이다. 중·일 전쟁(1937) 이후 일제는 전쟁 수행을 위해 한국을 침략 전쟁 수행의 병참 기지로 만들고 인적·물적 자원의 수탈을 강화하였다. 이에 따라 일제는 지원병 제도(1938), 학도 지원병 제도(1943), 징병제(1944) 등을 실시하였고, 여자 정신대 근무령(1944)을 통해 여성들도 전쟁에 동원하였다.

① 일제는 중·일 전쟁의 장기화와 태평양 전쟁의 발발로 전쟁 병력이 부족해지자 1943년 학도 지원병 제도를 실시하여 학생들까지 전쟁에 동원하였다.

오답 분석

② 일제는 처음에는 지원병 제도를 통해 자원 입대 형식으로 인력을 동원했으나, 병력이 부족해지자 징병제(1944)를 실시해 조선인들은 강제로 전쟁터에 동원하였다.

③, ④ 정신대는 여자 정신대 근무령(1944)에 근거하여 여성들을 전쟁에 동원하기 위해 조직되었다. 여자 정신대 근무령에 따라 여성들은 군수 공장 등에 강제 동원되었으며, 정신대로 끌려간 여성 중 일부는 군 위안부에 동원되기도 하였다. 한편 물자 공출 장려 등을 목표로 결성된 친일 단체는 국민 정신 총동원 조선 연맹(1938, 1940년에 국민 총력 조선 연맹으로 개편) 등이다.

정답 13 ③ 14 ② 15 ③ 16 ①

17

2021년 국회직 9급

다음 내용을 제정된 시기순으로 옳게 나열한 것은?

> (가) 치안 유지법
> (나) 국가 총동원법
> (다) 경찰범 처벌 규칙
> (라) 조선 사상범 보호 관찰령
> (마) 조선 사상범 예방 구금령

① (가) → (다) → (나) → (라) → (마)

② (가) → (다) → (마) → (라) → (나)

③ (다) → (가) → (나) → (마) → (라)

④ (다) → (가) → (라) → (나) → (마)

⑤ (다) → (가) → (라) → (마) → (나)

문제풀이 일제 강점기에 제정된 악법

난이도 중

④ 시기순으로 나열하면 (다) 경찰범 처벌 규칙(1912) → (가) 치안 유지법(1925) → (라) 조선 사상범 보호 관찰령(1936) → (나) 국가 총동원법(1938) → (마) 조선 사상범 예방 구금령(1941)이다.

(다) **경찰범 처벌 규칙**: 일제는 경찰범 처벌 규칙을 제정하여 수상한 행동을 한 자를 경찰이 현행범으로 체포할 수 있게 하였으며, 이를 통해 한국인의 항일 투쟁뿐만 아니라 일상 생활까지 단속하였다(1912).

(가) **치안 유지법**: 일제는 치안 유지법을 제정하여 식민 체제를 부인하는 반정부·반체제 사상이나 사회주의 단체의 조직과 활동을 탄압하였다(1925). 이 법은 사회주의자뿐만 아니라 항일 민족 운동을 처벌하는 데에도 이용되었다.

(라) **조선 사상범 보호 관찰령**: 일제는 조선 사상범 보호 관찰령을 제정하여 독립운동가에 대한 감시를 강화하였다(1936).

(나) **국가 총동원법**: 중·일 전쟁 발발 이후 일제는 국가 총동원법을 제정하여 전쟁 수행에 필요한 인적·물적 자원의 수탈을 강화하였다(1938).

(마) **조선 사상범 예방 구금령**: 일제는 조선 사상범 예방 구금령을 제정하여 조선인의 사상을 통제하고, 독립운동가들을 재판 없이 감옥에 구금하였다(1941).

18

2021년 국가직 9급

다음 법령에 따라 시행된 사업에 대한 설명으로 옳은 것은?

> 제1조 토지의 조사 및 측량은 본령에 따른다.
> 제4조 토지 소유자는 조선 총독이 정한 기간 내에 주소, 성명 또는 명칭 및 소유지의 소재, 지목, 자 번호, 사표, 등급, 지적, 결수를 임시 토지 조사 국장에게 신고해야 한다. 단 국유지는 보관 관청이 임시 토지 조사 국장에게 통지해야 한다.

① 농상공부를 주무 기관으로 하였다.

② 역둔토, 궁장토를 총독부 소유로 만들었다.

③ 토지 약탈을 위해 동양 척식 회사를 설립하였다.

④ 춘궁 퇴치, 농가 부채 근절을 목표로 내세웠다.

문제풀이 토지 조사 사업

난이도 하

제시문에서 조선 총독이 정한 기한 내에 주소, 성명, 소유지 소재 등을 임시 토지 조사 국장에게 신고해야 한다는 내용을 통해 토지 조사령(1912)임을 알 수 있으며, 이 법령에 따라 진행된 사업은 토지 조사 사업(1912~1918)이다.

② 토지 조사 사업의 결과 조선 총독부는 관청 소유의 역둔토와 왕실 소유의 궁장토를 총독부 소유의 토지로 만들었다. 또한 기한 내 신고하지 못한 토지, 소유주가 불분명하여 신고하지 못한 문중 소유의 토지 등도 조선 총독부 소유로 귀속시켜 전 국토의 약 40%에 달하는 토지가 조선 총독부의 토지가 되었다.

오답 분석

① 농상공부는 제2차 갑오개혁 때 농상아문과 공무아문이 합쳐져 농업·상업·공업 및 우체·전신·광산·선박·해원 등의 업무를 관장한 관청으로 토지 조사 사업과는 관련이 없다. 토지 조사 사업은 조선 총독부 산하의 임시 토지 조사국에서 주관하였다.

③ 동양 척식 회사는 토지 조사 사업 실시 이전인 1908년에 일본이 대한 제국의 토지와 자원을 수탈할 목적으로 설립한 회사이다. 동양 척식 회사는 토지의 매매와 임차, 일본인의 조선 이주 및 정착, 식민지 수탈 등의 업무를 수행하였다.

④ **농촌 진흥 운동**: 춘궁 퇴치, 농가 부채 근절을 목표로 내세운 것은 1930년대 일본이 추진한 농촌 진흥 운동이다. 일본은 대공황의 여파와 사회주의 확산으로 인해 소작 쟁의가 극심해지자, 농민들을 회유하기 위해 농촌 진흥 운동을 시행하였다.

19

2021년 소방직

다음 법령과 관련된 사업의 결과로 옳지 않은 것은?

> 제4조 토지 소유자는 조선 총독이 정하는 기간 내에 주소, 성명, 명칭 및 소유지의 소재, …… 결수를 임시 토지 조사 국장에게 신고해야 한다.
> 제17조 임시 토지 조사국은 토지 대장 및 지적도를 작성하고, 토지의 조사 및 측량에 대해 사정으로 확정한 사항 또는 재결을 거친 사항을 이에 등록한다.
>
> – 조선 총독부, 『조선 총독부 관보』

① 조선 총독부의 지세 수입이 증가하였다.
② 소작인들이 경작권을 인정받지 못하였다.
③ 일본인 농업 이주민이 지주로 성장할 수 있었다.
④ 토지 소유권을 인정하는 증명서로 지계를 발급하였다.

문제풀이 토지 조사 사업 난이도 하

제시문에서 토지 소유자는 기간 내에 주소, 성명, 명칭 등을 임시 토지 조사 국장에게 신고하여야 한다는 내용을 통해 토지 조사령(1912)임을 알 수 있다. 일제는 토지 조사령에 따라 토지 조사 사업을 실시하였다.

④ 토지 소유권을 인정하는 증명서로 지계를 발급한 것은 대한 제국 시기에 실시된 양전·지계 사업이다.

오답 분석
① 토지 조사 사업으로 은결 색출 등이 이루어지며 조세 징수 대상인 토지가 증가하였고, 그 결과 조선 총독부의 지세 수입이 증가하였다.
② 토지 조사 사업에서는 기존에 농민에게 관습적으로 부여되었던 경작권과 입회권(산림 공동 이용권), 도지권(소작지에 대한 부분 소유권) 등이 인정되지 않았다.
③ 토지 조사 사업의 결과 약탈된 토지가 동양 척식 주식회사와 일본인 이주민 등에게 싼 값에 불하되면서 일본인 농업 이주민이 지주로 성장할 수 있었다.

이것도 알면 **합격!**

토지 조사 사업의 결과
- **토지의 약탈**: 미신고 토지·신고 주체가 애매한 공유지 등이 총독부에 귀속 → 동양 척식 주식회사와 일본 이주민에게 싼 값에 불하
- **농민의 몰락**: 경작권, 입회권, 도지권 등 관습적인 권리 상실 → 기한부 계약에 의한 소작농으로 전락
- **지주의 권한 강화**: 지주의 소유권만을 인정하여 한국인 지주층을 포섭
- **지세 수입의 증가**: 대한 제국 시기에 비해 지세 수입이 2배 가까이 증가

20

2019년 법원직 9급

다음 정책과 관련된 설명으로 가장 잘못된 것은?

> (제1조) 토지의 조사 및 측량은 본령에 의한다.
> (제4조) 토지 소유자는 조선 총독이 정하는 기간 내에 주소, 씨명, 명칭 및 소유지의 소재, 지목 자번호(字番號), 사표(四標), 등급, 지적, 결수(結數)를 임시 토지 조사 국장에게 신고해야 한다. 단, 국유지는 보관 관청이 임시 토지 조사 국장에게 통지해야 한다.

① 지주의 토지 소유권은 강화되었다.
② 농민의 관습적 경작권이 인정되었다.
③ 기한부 계약에 따라 소작인이 증가했다.
④ 지세를 안정적으로 확보하기 위해 시행되었다.

문제풀이 토지 조사 사업 난이도 중

제시문에서 토지 소유자는 조선 총독이 정하는 기간 내에 주소, 씨명, 명칭 등을 임시 토지 조사 국장에게 신고하여야 한다는 내용을 통해 무단 통치 시기인 1912년에 공포된 토지 조사령임을 알 수 있다. 일제는 1910년대에 근대적 토지 소유권 확립이라는 명분 아래 토지 조사령을 반포하여 토지 조사 사업을 시행하였으며, 이에 따라 토지 소유자는 지정된 기간 안에 필요한 서류를 갖추어 직접 신고해야만 토지에 대한 소유권을 인정받을 수 있었다.

② 토지 조사 사업으로 지주의 권리만 인정되었을 뿐, 전통적으로 인정되던 농민의 관습적인 경작권과 도지권, 입회권 등은 인정되지 않았다.

오답 분석
① 일제는 토지 조사 사업 과정에서 농민의 관습적인 경작권을 인정하지 않고 지주의 소유권만을 인정하여 지주층을 식민지 체제 내로 포섭하고자 하였다.
③ 토지 조사 사업의 결과 대부분의 농민들은 토지를 빼앗기고 기한부 계약에 의한 소작농으로 전락하였다.
④ 일제는 근대적인 토지 소유권 제도를 확립한다는 명목 아래 토지 조사 사업을 실시하였으나, 실제로는 토지 조사 사업을 통해 식민 통치를 위한 지세를 안정적으로 확보하고, 한국인의 토지를 약탈하며, 지주층을 회유하고자 하였다.

정답 17 ④ 18 ② 19 ④ 20 ②

21

2016년 국가직 9급

다음 법령에 대한 설명으로 옳은 것은?

> 제17관 임시 토지 조사국은 토지 대장 및 지도를 작성하고 토지의 조사 및 측량한 것을 사정하여 확정한 사항 또는 재결을 거친 사항을 이에 등록한다.

① 토지와 임야를 함께 조사하도록 하였다.

② 토지 등급은 물론 지적, 결수, 지목 등을 신고하도록 하였다.

③ 지역별 지가와 그것의 1.3%를 지세로 하는 과세 표준을 명시하였다.

④ 본 법령에 따라 토지 소유를 증명하는 토지 가옥 증명 규칙과 시행 세칙이 공포되었다.

22

2023년 법원직 9급

다음 법령에 따라 추진된 사업이 실시되었던 시기의 모습으로 가장 옳은 것은?

> 1. 토지의 조사 및 측량은 이 영에 의한다.
>
> …(중략)…
>
> 4. 토지의 소유자는 조선 총독이 정하는 기간 내에 그 주소, 성명·명칭 및 소유지의 소재, 지목, 자번호, 사방의 경계표, 등급, 지적, 결수를 임시 토지 조사 국장에게 신고하여야 한다. 다만, 국유지는 보관 관청에서 임시 토지 조사 국장에게 통지하여야 한다.

① 국민부가 조선 혁명당을 결성하는 모습

② 러시아에 대한 광복군 정부가 조직되는 모습

③ 『신여성』, 『삼천리』 등의 잡지가 발행되는 모습

④ 연해주의 한국인이 중앙아시아로 강제 이주 되는 모습

문제풀이 토지 조사령(1912)

난이도 중

제시문에서 임시 토지 조사국이 토지를 조사하고 측량한다는 내용을 통해 토지 조사령(1912)임을 알 수 있다.

② 토지 조사령에서 일제는 토지의 주소와 성명, 소유지의 명칭, 소재지의 지목·번호·목표·등급·지적·결수를 정해진 기간에 토지 조사국에 신고할 것을 명시하였다.

오답 분석

① 토지 조사령에 임야에 대한 내용은 없다. 임야 조사 사업은 토지 조사 사업과는 별개로 이루어졌는데, 1918년 조선 임야 조사령을 제정하여 대부분의 임야지를 국유지로 편입시켜 총독부가 강점하게 되었다.

③ 토지 조사 사업에 따라 일제는 1914년에 지세령을 공포하여 토지 가격을 기준으로 지세를 부과하였다. 이후 1918년에 토지 조사 사업이 마무리되자 총독부는 지역별 지가와 지세는 그 가격의 1.3%로 과세 표준을 명시하였다.

④ 토지 가옥 증명 규칙은 대한 제국 시기인 1906년에 통감부 주도로 제정되었다. 기존에는 외국인이 토지를 구매할 경우 정해진 지역만 가능하였던 반면에 이 법이 제정된 이후에는 국내 어디에서나 부동산을 소유할 수 있게 되어 외국인의 토지 소유 확대를 허용하였다.

문제풀이 토지 조사 사업이 실시된 시기의 모습

난이도 중

제시문에서 토지 소유자는 조선 총독이 정하는 기간 내에 주소, 지적, 결수 등을 임시 토지 조사 국장에게 신고하여야 한다는 내용을 통해 토지 조사령임을 알 수 있다. 토지 조사령에 따라 추진된 사업은 토지 조사 사업(1912~1918)이다.

② 토지 조사 사업이 실시된 시기인 1914년에 러시아 블라디보스토크에서 이상설과 이동휘를 정·부통령으로 하는 대한 광복군 정부가 조직되었다.

오답 분석

모두 토지 조사 사업이 실시되었던 시기의 모습이 아니다.

① 국민부가 조선 혁명당을 결성한 것은 1929년의 사실이다. 1920년대 후반 민족 유일당 운동의 일환으로 추진된 3부 통합 운동의 결과 남만주에서는 국민부가 결성되었다. 이후 국민부는 조선 혁명당을 결성하고 그 아래 조선 혁명군을 두었다.

③ 『신여성』, 『삼천리』 등의 잡지가 발행된 것은 1920년대의 사실이다. 1920년대에 『신여성』(1923), 『삼천리』(1929) 등의 잡지들이 발행되어 새로운 패션이나 화장법을 소개하며 유행을 이끌었다.

④ 연해주의 한국인이 중앙아시아로 강제 이주된 것은 1937년의 사실이다. 소련은 일본과 전쟁이 발발하면 한국인들이 일본의 첩자 역할을 할 수도 있다는 것을 우려하여 연해주에 거주하고 있던 한국인들을 중앙아시아로 강제 이주시켰다.

23

2018년 국가직 9급

(가) 기구가 존속한 시기의 사람들이 볼 수 있었던 사실로 적절한 것은?

> 지주는 조선 총독이 정하는 기간 내에 (가) 혹은 그것의 출장소 직원에게 신고해야 한다. 만약 제출을 태만히 하거나 신고서를 제출하지 않을 시에는 당국에서 해당 토지에 대해 소유권의 유무 등을 조사하다가 소유자를 알지 못하는 경우에 지주가 없는 것으로 간주하여 국유지로 편입할 수 있다.

① 조선 청년 연합회에 출입하는 일본인 고문
② 신문에 연재 중인 소설 「무정」을 읽는 학생
③ 연초 전매 제도에 따라 조합에 수매되는 담배
④ 의열단에 가입하는 신흥 무관 학교 출신 청년

문제풀이 임시 토지 조사국 존속 시기(1910~1918)의 사실 난이도 중

제시된 자료에서 지주는 조선 총독이 정하는 기간 내에 (가)에 신고해야 한다는 내용을 통해 (가)는 토지 조사 사업을 전담한 임시 토지 조사국임을 알 수 있다. 따라서 임시 토지 조사국이 존속했던 1910~1918년까지의 사실을 선택지에서 고르면 된다. 일제는 임시 토지 조사국을 설치(1910)하고, 토지 조사령을 공포(1912)하여 토지 조사 사업을 실시하였다.

② 「무정」은 임시 토지 조사국이 존속하였던 1917년 1월부터 6월까지 연재되었다. 「무정」은 이광수가 매일신보에 연재한 우리나라 최초의 현대 장편 소설이다.

오답 분석
① 조선 청년 연합회가 조직된 것은 임시 토지 조사국 폐지 이후인 1920년이다. 조선 청년 연합회는 3·1 운동 이후 전국의 청년회를 결집하여 민족 운동의 동력으로 삼고자 서울에서 조직된 청년 운동 단체이다.
③ 연초 전매 제도가 제정된 것은 임시 토지 조사국 폐지 이후인 1921년이다. 조선 총독부는 1921년 7월에 연초 전매 제도를 실시하여 연초 재배업, 제조업, 판매업의 모든 부분을 통제하여 조선의 연초 경작 농민과 연초 판매 상인들을 몰락시켰다.
④ 의열단이 조직된 것은 임시 토지 조사국 폐지 이후인 1919년이다. 의열단은 1919년에 만주 길림성에서 김원봉, 윤세주 등이 폭력 투쟁을 통한 일제의 타도와 독립 쟁취를 목적으로 설립한 단체이다.

24

2022년 간호직 8급

(가) 정책의 결과로 옳은 것은?

> 조선 총독부는 1920년부터 일본 본토의 긴급한 쌀 부족 문제를 해결하고자 비료 사용, 경지 정리, 개간, 간척, 품종 개량 등을 내용으로 한 (가) 을/를 시행하였고 1934년에 중단하였다.

① 삼백 산업이 발달하였다.
② 원산 총파업이 발생하였다.
③ 조선인의 1인당 쌀 소비량이 감소하였다.
④ 총독의 허가를 받아야 회사 설립이 가능하였다.

문제풀이 산미 증식 계획의 결과 난이도 중

제시된 자료에서 조선 총독부가 1920년부터 일본 본토의 쌀 부족 문제를 해결하고자 실시하였다는 것을 통해 (가) 정책이 산미 증식 계획임을 알 수 있다.

③ 산미 증식 계획의 결과 쌀 생산량이 증가하였으나, 일본이 생산량 증가분보다 더 많은 쌀을 수탈하여 결과적으로 조선인의 1인당 쌀 소비량이 감소하였다. 이에 일본은 조선의 식량 부족을 만주에서 수입한 조, 수수, 콩 등의 잡곡으로 충당하였다.

오답 분석
모두 산미 증식 계획의 결과와는 관련이 없다.
① 삼백 산업은 밀, 원당, 목화를 원료로 한 제분·제당·면방직 사업을 말하는 것으로, 이승만 정부 시기에 미국의 경제 원조를 바탕으로 발달하였다.
② 원산 총파업은 일제 강점기에 발생한 최대 규모의 노동 쟁의로, 라이징선 석유 회사의 일본인 감독이 한국인 노동자를 폭행한 것을 계기로 발생하였다.
④ 총독의 허가를 받아 회사를 설립이 가능하도록 한 것은 일제가 제정한 회사령으로 산미 증식 계획이 시작되기 이전인 1910년에 제정되었다. 일제는 민족 자본의 성장을 억압하기 위해 회사령을 제정하여 회사의 설립을 총독의 허가제로 규정하였다.

정답 21 ② 22 ② 23 ② 24 ③

25

2015년 서울시 9급

다음 ㉠의 추진 결과 나타난 현상으로 옳지 않은 것은?

> 일본은 1910년대 이후 자본주의 경제가 급속하게 발전하면서 농민들이 도시에 몰려 식량 조달에 큰 차질이 빚어졌다. 이를 해결하기 위해 [㉠]을 추진하였는데, 이는 토지 개량과 농사 개량을 통해 식량 생산을 대폭 늘려 일본으로 더 많은 쌀을 가져가고 우리나라 농민 생활도 안정시킨다는 목표로 추진되었다.

① 쌀 생산량의 증가보다 일본으로의 수출량 증가가 두드러졌다.
② 만주로부터 조, 수수, 콩 등의 잡곡 수입이 증가하였다.
③ 한국인의 1인당 연간 쌀 소비량이 이전보다 줄어들었다.
④ 많은 수의 소작농이 이를 통해 자작농으로 바뀌었다.

문제풀이 산미 증식 계획

난이도 중

제시된 자료에서 식량 조달, 토지 개량과 농사 개량, 일본으로 더 많은 쌀을 가져간다는 내용을 통해 ㉠이 산미 증식 계획이라는 것을 알 수 있다.

④ 산미 증식 계획을 시행하는 과정에서 지주들이 증산에 필요한 수리 조합비, 토지 개량비, 비료 대금 등을 농민에게 전가하였다. 이에 따라 농민의 생활이 악화되면서 많은 수의 자작농들이 소작농으로 바뀌었다.

오답 분석
① 일제의 산미 증식 계획은 어느 정도 성공을 거둬 쌀 생산량이 증가하였으나 일제는 생산량 증가분보다 더 많은 쌀을 수탈하였다.
② 일제의 지나친 수탈로 국내의 식량이 부족해지자 이를 보충하기 위해 만주로부터 조, 수수, 콩 등의 잡곡 수입이 증가하였다.
③ 산미 증식 계획으로 생산된 쌀이 일본으로 대량 유출되고, 한국인들은 만주로부터 수입한 잡곡으로 연명하면서 한국인의 1인당 연간 쌀 소비량이 줄어들었다.

이것도 알면 **합격!**

산미 증식 계획의 결과
- **국내 식량의 부족**: 증산이 목표량에 미달되었음에도 수탈을 계획대로 진행
- **잡곡 수입의 증가**: 만주에서 잡곡을 수입하여 부족분 충당
- **농민 몰락**: 수리 조합비, 비료 대금 부담으로 농민들의 해외 유망이 심화
- **농업 구조 왜곡**: 쌀 중심의 단작형 농업 구조가 형성, 만성적인 농촌 공황 초래
- **중단**: 경제 대공황으로 일본 지주들이 쌀 수입을 반대하며 일시 중단(1934)

26

2013년 서울시 9급

(가) 정책이 시행된 시기에 있었던 일제의 식민 통치 모습으로 옳은 것은?

> 더 많은 쌀을 일본으로 가져가기 위해 추진된 (가) 정책으로 말미암아 소작농들은 수리 조합비나 비료 대금을 비롯한 각종 비용 부담이 늘어나 자·소작농 가운데 토지를 잃고 소작농이나 화전민으로 전락하는 농민들이 많아졌다.

① 조선어 교육을 폐지하였다.
② 징병과 징용을 실시하였다.
③ 조선어 학회를 강제로 해산시켰다.
④ 관습적인 경작권을 부정하는 정책을 공포하였다.
⑤ 회사령이 폐지되어 일본 자본의 침투가 증가했다.

문제풀이 일제의 식민 통치

난이도 중

제시된 자료에서 쌀을 일본으로 가져가기 위해 추진되었으며, 소작농들이 수리 조합비나 비료 대금을 부담한다는 내용을 통해 (가) 정책이 1920년~1934년까지 시행되었던 산미 증식 계획이라는 것을 알 수 있다.

⑤ 회사령이 폐지된 것은 1920년으로 산미 증식 계획이 시행(1920~1934)된 시기에 볼 수 있는 모습이다.

오답 분석
① 조선어 교육이 폐지된 것은 1943년에 발표된 제4차 조선 교육령 때이다.
② 국민 징용령은 1939년, 징병제는 1944년에 실시되었다.
③ 조선어 학회는 1942년에 강제로 해산되었다.
④ 농민들의 관습적인 경작권이 부정된 것은 1910년대 전개된 토지 조사 사업을 통해서이다.

이것도 알면 **합격!**

1920년대의 산업 정책

정책	내용
회사령 폐지(1920)	회사 설립을 허가제에서 신고제로 변경
관세 철폐(1923)	일본 자본의 자유로운 한반도 진출을 위해 한국으로 들어오는 일본 상품에 대한 관세 철폐(주류와 면직물 제외)
신은행령(1928)	한국인 소유의 은행을 강제 합병시킴

27

2019년 국회직 9급

만주 사변 이후 일제 패망에 이르는 시기에 대한 설명으로 옳은 것은?

① 일제는 회사령을 폐지하여 한반도에 대한 경제 침략을 본격화하였다.

② 상하이에서 개최된 국민 대표 회의는 창조파와 개조파의 대립으로 결렬되었다.

③ 일제는 수풍 발전소와 흥남 질소 비료 공장을 건설하였다.

④ 민족주의 우파 세력은 한민당을 결성하여 독립 준비에 박차를 가하였다.

⑤ 일제는 중·일 전쟁을 일으키고 한반도를 병참 기지로 이용하였다.

28

2018년 국가직 9급

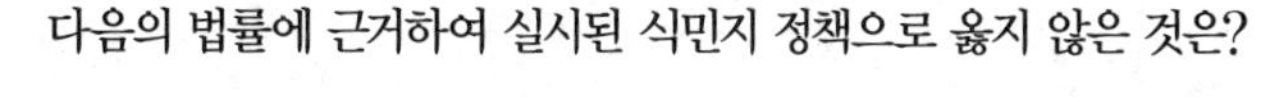

다음의 법률에 근거하여 실시된 식민지 정책으로 옳지 않은 것은?

> 제4조 정부는 전시에 국가 총동원상 필요하다고 인정될 때에는 칙령이 정하는 바에 따라서 제국 신민을 징용하여 총동원 업무에 종사하도록 할 수 있다.
>
> 제7조 정부는 칙령이 정하는 바에 따라 노동 쟁의의 예방 혹은 해결에 관한 명령, 작업소 폐쇄, 작업 혹은 노무의 중지 … (중략) … 등을 명할 수 있다.

① 물자 통제령을 공포하여 배급제를 확대하였다.

② 육군 특별 지원병령을 제정하여 지원병을 선발하였다.

③ 금속류 회수령을 제정하여 주요 군수 물자를 공출하였다.

④ 국민 징용령을 공포하여 강제적인 노무 동원을 실시하였다.

문제풀이 1930 ~ 40년대의 사실

난이도 중

⑤ 일제는 1931년 만주를 점령(만주 사변)하고, 1937년에는 중·일 전쟁을 일으켜 대륙 침략을 강행하면서 한반도를 대륙 침략의 병참 기지(군대의 전투력을 유지하고 작전을 지원하기 위한 보급, 정비, 교통, 건설 등 일체의 기능을 담당하는 군사 기지)로 이용하였다.

오답 분석

① **1920년대**: 일제가 회사령을 폐지(1920)하여 회사 설립을 신고제로 변경하고 한반도에 대한 경제 침략을 본격화한 것은 만주 사변 이전인 1920년대의 사실이다.

② **1920년대**: 대한민국 임시 정부의 방향을 둘러싸고 상하이에서 개최된 국민 대표 회의가 임시 정부를 해체하고 새 정부를 만들자는 창조파와, 임시 정부를 그대로 두고 개편하자는 개조파의 대립으로 결렬된 것은 만주 사변 이전인 1923년의 사실이다.

③ 수풍 수력 발전소가 완공된 것은 1943년으로 만주 사변(1931) 이후~일제 패망(1945) 시기의 사실이 맞지만, 흥남 질소 비료 공장(조선 질소 비료 주식회사 흥남 공장)이 건설된 것은 만주 사변 이전인 1927년의 사실이다.

④ **광복 이후**: 한국 민주당(한민당)이 결성된 것은 광복 이후의 사실이다. 한국 민주당은 송진우, 김성수 등 민족주의 세력을 중심으로 조직(1945. 9.)되었으며, 대한민국 임시 정부 지지를 표방하고 미 군정과 긴밀한 관계를 유지하며 우익 진영의 대표 정당으로 발전하였다.

문제풀이 국가 총동원법

난이도 상

제시된 자료에서 정부는 전시에 국가 총동원상 필요하다고 인정될 때 제국 신민을 징용할 수 있다는 내용을 통해 1938년 4월에 제정된 국가 총동원법임을 알 수 있다.

② 일제가 육군 특별 지원병령을 제정하여 지원병을 선발한 것은 국가 총동원법이 제정되기 이전인 1938년 2월이다. 중·일 전쟁이 발발(1937)하자 일제는 병력 보급을 위하여 육군 특별 지원병령을 공포하여 지원병을 모집하였다. 이후 일제는 지원병 제도를 해군으로까지 확대하였다(1943. 7.).

오답 분석

① 물자 통제령(1941)은 국가 총동원법을 근거로 제정되었다. 일제는 물자 통제령을 통해 식량에만 적용되던 배급제를 확대하였고, 전쟁 물자를 비롯한 생필품의 생산, 배급, 소비, 가격 등에 대해 국가의 통제를 강화하였다.

③ 금속류 회수령(1941)은 국가 총동원법을 근거로 제정되었다. 일제는 금속 회수령을 제정하여 무기 생산을 위한 관민 소유의 금속 자원을 강제로 공출하였다.

④ 국민 징용령(1939)은 국가 총동원법을 근거로 제정되었다. 일제는 국민 징용령을 통해 주요 군수 공장과 광산, 비행장 공사 등에 한국인을 강제로 동원하였다.

정답 25 ④ 26 ⑤ 27 ⑤ 28 ②

1 | 3·1 운동

01

2024년 서울시 9급(2월 시행)

〈보기〉의 (가)에 들어갈 단체의 이름으로 가장 옳은 것은?

> **보기**
> 이 시기의 독립운동은 대체로 무력 항쟁을 기본으로 하여 독립군을 양성하거나 지원하는 방법을 택했다. 그러나 독립 후의 국가에 대해서는 대한 제국의 회복을 주장하는 측과 주권재민의 공화국을 건설하려는 측의 노선 차이가 있었다. 대한 제국의 회복을 추구하는 대표적 단체는 [(가)]를 들 수 있는데, 한말에 최익현과 더불어 의병 전쟁에 참가한 바 있던 임병찬이 주도한 이 단체는 전라도 지역을 중심으로 활동하였다.

① 신민회
② 대한 광복회
③ 독립 의군부
④ 대한 광복군 정부

문제풀이 독립 의군부 난이도 중

제시문에서 대한 제국의 회복을 추구하는 대표적인 단체라는 내용과 한말에 최익현과 더불어 의병 전쟁에 참가한 바 있던 임병찬이 주도한 단체라는 내용을 통해 (가) 단체가 독립 의군부임을 알 수 있다.

③ 독립 의군부는 임병찬이 고종 황제의 비밀 지령을 받아 의병과 유생을 규합하여 결성한 단체로, 대한 제국의 회복과 왕정복고를 목적으로 하는 복벽주의를 표방하였다.

오답 분석
① **신민회**: 신민회는 안창호, 이승훈, 양기탁, 이회영 등이 주도하여 결성한 비밀 결사 단체로, 실력 양성을 통한 국권 회복과 공화 정치 체제의 근대 국가 수립을 목표로 하였다.
② **대한 광복회**: 대한 광복회는 대한 광복단(풍기 광복단)과 조선 국권 회복단 회원을 중심으로 박상진, 채기중 등이 조직한 단체로, 국권 회복과 공화주의 이념에 따라 공화 정치를 실현하는 것을 목표로 하였다.
④ **대한 광복군 정부**: 대한 광복군 정부는 연해주에서 이상설과 이동휘를 중심으로 결성된 독립운동 단체로, 시베리아와 만주 지역의 독립운동을 주도하면서 독립 전쟁을 준비하였다.

02

2022년 서울시 9급(2월 시행)

〈보기〉의 밑줄 친 '이 단체'에 대한 설명으로 가장 옳은 것은?

> **보기**
> <u>이 단체</u>는 조선 국권 회복단의 박상진이 풍기 광복단과 제휴하여 조직하였다. 무력 투쟁을 통한 독립을 목표로 하였고, 군자금 모집, 독립군 양성, 무기 구입, 친일 부호 처단 등 활동을 전개하였다.

① 독립군 양성을 위한 신흥 강습소를 설치하였다.
② 블라디보스토크에 최초의 임시 정부를 수립하였다.
③ 무력 항쟁의 의지를 담은 대한 독립 선언서를 발표하였다.
④ 공화주의 이념에 따라 공화 정치를 실현하는 것을 목표로 하였다.

문제풀이 대한 광복회 난이도 중

제시문에서 조선 국권 회복단의 박상진이 풍기 광복단과 제휴하여 조직했다는 내용을 통해 밑줄 친 '이 단체'가 대한 광복회임을 알 수 있다.

④ 대한 광복회는 1915년에 의병 계열과 애국 계몽 운동 계열이 연합하여 조직되었으며, 국권 회복과 공화주의 이념에 따라 공화 정치를 실현하는 것을 목표로 하였다.

오답 분석
① **신민회**: 독립군 양성을 위한 신흥 강습소를 설치한 단체는 신민회이다. 신흥 강습소는 이회영 등의 신민회 인사들이 독립군 양성을 위해 서간도 지역에 설치한 것으로, 1919년에 신흥 무관 학교로 개편되었다.
② **권업회**: 블라디보스토크에 최초의 임시 정부를 수립한 단체는 권업회이다. 권업회는 1914년에 연해주 블라디보스토크에서 이상설을 정통령, 이동휘를 부통령으로 한 대한 광복군 정부를 조직하였다.
③ 무력 항쟁의 의지를 담은 대한 독립 선언서를 발표한 것과 대한 광복회는 관련이 없다. 대한 독립 선언서는 만주에서 독립 운동가 39인이 한국의 독립을 선포한 선언서로, 조소앙이 이를 작성하였다.

03

2023년 지방직 9급

1910년대에 있었던 사실로 옳은 것은?

① 중국 화북 지방에서 조선 독립 동맹이 결성되었다.
② 만주에서 참의부, 정의부, 신민부 등 3부가 조직되었다.
③ 임병찬이 주도한 독립 의군부는 항일 운동을 전개하였다.
④ 조선 혁명군이 양세봉의 지휘 아래 영릉가에서 일본군을 격파하였다.

문제풀이 1910년대에 있었던 사실 난이도 하

③ 1910년대에 임병찬이 주도한 독립 의군부는 항일 운동을 전개하였다. 독립 의군부는 고종의 밀명을 받은 의병장 출신 임병찬이 조직(1912)한 단체로, 왕정의 복고를 목적으로 하는 복벽주의를 표방하였다.

오답 분석

① **1940년대**: 중국 화북 지방에서 조선 독립 동맹이 결성(1942)된 것은 1940년대의 사실이다. 조선 독립 동맹은 화북 조선 청년 연합회가 김두봉을 위원장으로 하여 확대·개편된 단체로, 보통 선거에 의한 민주 정권 건립, 남녀 평등 실현, 일제와 친일 대기업의 자산 및 토지 몰수 등을 강령으로 내세웠다.
② **1920년대**: 만주에서 참의부(1923), 정의부(1924), 신민부(1925) 등 3부가 조직된 것은 1920년대의 사실이다. 간도 참변과 자유시 참변으로 큰 타격을 입은 만주의 독립운동 세력은 흩어진 조직을 정비하기 위하여 노력하였고, 그 결과 참의부, 정의부, 신민부 등 3부가 조직되었다.
④ **1930년대**: 조선 혁명군이 양세봉의 지휘 아래 영릉가에서 일본군을 격파(1932)한 것은 1930년대의 사실이다. 조선 혁명당의 산하 군대로 조직된 조선 혁명군은 중국 의용군 등과 연합하여 양세봉의 지휘 아래 영릉가에서 일본군을 격파하였다.

04

2015년 국가직 9급

밑줄 친 ㉠, ㉡에 대한 설명으로 옳은 것은?

> 일제의 가혹한 탄압으로 독립운동은 큰 제약을 받게 되었다. 그러나 그러한 제약 속에서도 비밀 결사의 형태로 독립운동 단체가 결성되었다. ㉠독립 의군부와 ㉡대한 광복회는 모두 이러한 비밀 결사 단체였다.

① ㉠은 공화국의 건설을 목표로 하였다.
② ㉡은 고종의 비밀 지령을 받아 조직되었다.
③ ㉠과 ㉡은 모두 1910년대 국내에서 결성된 단체이다.
④ ㉠은 박상진을 중심으로, ㉡은 임병찬을 중심으로 한 조직이었다.

문제풀이 독립 의군부와 대한 광복회 난이도 하

③ 독립 의군부(1912)와 대한 광복회(1915) 모두 1910년대 국내에서 결성된 비밀 결사 단체이다.

오답 분석

① **대한 광복회**: 공화국 건설을 목표로 한 것은 대한 광복회이다. 독립 의군부는 국권을 회복하여 임금을 다시 세우겠다는 복벽주의를 표방하였다.
② **독립 의군부**: 고종의 비밀 지령을 받아 조직된 단체는 독립 의군부이다. 대한 광복회는 대한 광복단(풍기 광복단)과 조선 국권 회복단 회원을 중심으로 박상진, 채기중 등이 주도하여 군대식으로 결성한 단체이다.
④ 독립 의군부는 임병찬을 중심으로, 대한 광복회는 박상진을 중심으로 한 조직이었다.

이것도 알면 **합격!**

1910년대 기타 항일 비밀 결사 단체

단체	내용
송죽회	• 평양 숭의 여학교 교사와 학생들을 중심으로 조직 • 여성 계몽 운동을 전개하였고, 해외 독립운동에 자금 지원
조선 국권 회복단	• 이시영 등이 시회(詩會)를 가장하여 조직한 비밀 결사 단체 • 3·1 운동 참여, 임시 정부에 군자금 송금, 파리 강화 회의에 제출할 독립 청원서 작성 운동에 참여
대한 광복단	• 채기중 등이 경북 풍기에서 결성한 비밀 결사(풍기 광복단) • 독립군 양성을 위한 무기 구입, 군자금 모금 등의 활동 전개

정답 01 ③ 02 ④ 03 ③ 04 ③

05

2020년 지방직 9급

밑줄 친 '그'의 활동으로 옳은 것은?

> 경술년(1910)에 여러 형제들이 모여서 같이 만주로 갈 준비를 하였다. …… 그(1867~1932)는 1만여 석의 재산과 가옥을 모두 팔고 큰집, 작은 집이 함께 압록강을 건너 떠났다. 그는 만주에서 독립군 양성 기관인 신흥 강습소를 설립하였다.

① 조선어 학회 사건으로 옥고를 치렀다.
② 독립운동 단체인 경학사를 조직하였다.
③ 3·1 운동 민족 대표 33인 중 한 명이었다.
④ '삼균주의'에 입각한 한국 국민당을 결성하였다.

문제풀이 이회영의 활동 난이도 중

제시된 자료에서 여러 형제들과 함께 만주로 갔다는 점, 신흥 강습소를 설립하였던 점을 통하여 밑줄 친 '그'가 이회영임을 알 수 있다.

② 이회영은 서간도 지역에서 신민회 인사를 중심으로 독립운동 단체인 경학사를 조직하였다. 이회영은 독립운동가로, 1907년 안창호, 양기탁 등과 신민회를 조직하였다. 또한 1910년 국권 피탈 이후에는 전 재산을 정리해 일가족 전체가 만주로 망명하여 1911년에는 경학사와 신흥 강습소를 설립하였고, 1918년 고종의 국외 망명을 계획 하였으나, 고종의 서거로 실패하였다.

오답 분석

① 조선어 학회 사건으로 옥고를 치른 인물은 이윤재, 최현배 등이며, 이회영 사후에 조선어 학회 사건이 일어났다.
③ 이회영은 3·1 운동 민족 대표로 참여하지 않았다. 민족 대표 33인은 3·1 운동 때 '독립 선언서'에 서명한 33인의 인물을 이르는 말로, 손병희, 이승훈, 한용운 등이 해당한다.
④ '삼균주의'에 입각한 한국 국민당 결성은 김구 등에 의해 이루어졌다. 삼균주의는 개인과 개인, 민족과 민족, 국가와 국가 간의 균등을 이루고자 하는 사상으로, 대한민국 임시 정부의 건국 강령의 바탕이 되기도 하였다.

06

2019년 서울시 9급(2월 시행)

〈보기〉 자료의 민족 운동가들이 추진한 독립운동에 대한 서술로 가장 옳은 것은?

> **보기**
> 8월 초에 여러 형제분이 모여서 같이 만주로 갈 준비를 하였다. 비밀리에 땅과 집을 파는데, 여러 집을 한꺼번에 처분하니 얼마나 어려우리요. 그때만 해도 여러 형제분 집은 예전 대갓집이 그렇듯이 종살이를 하는 사람이 수없이 많았고 (……) 우리 집 어른(이회영)은 옛날 범절을 따지지 않고 위아래 구분 없이 뜻만 같으면 악수하여 동지로 대접하였다. (……) 1만여 석의 재산과 가옥을 모두 팔고 경술년(1910) 12월 30일에 큰집, 작은집이 함께 압록강을 건너 떠났다.
>
> – 이은숙, 『민족 운동가 아내의 수기, 서간도 시종기』

① 신흥 강습소를 만들어 민족 교육과 독립군 양성을 추진하였다.
② 대한 광복군 정부, 대한 국민 의회 등의 독립운동 기지를 설립하였다.
③ 간민회를 기반으로 서전서숙과 명동 학교 등 학교를 세워 민족 교육을 실시하였다.
④ 나라를 되찾은 후 고종을 복위시키려는 목표를 세우고 전국적인 의병 봉기를 준비하였다.

문제풀이 이회영 일가의 독립운동 난이도 중

제시문에서 이회영의 여러 형제들이 재산을 팔아 경술년(1910)에 압록강을 건넜다는 내용과 이회영의 아내 이은숙의 회고록인 『서간도 시종기』를 통해 이회영 일가의 독립운동에 대한 내용임을 알 수 있다. 이회영은 1910년 한·일 병합 이후에 일가족을 거느리고 서간도(남만주)로 이주하여 전재산을 판 돈으로 삼원보 지역에 독립운동 기지를 건설하였다.

① 이회영, 이동녕 등의 주도로 서간도 삼원보에 민족 교육과 독립군 양성을 위한 기관인 신흥 강습소가 설립되었다(1911).

오답 분석

② 이상설, 이동휘 등: 대한 광복군 정부는 이상설과 이동휘를 중심으로 결성된 독립운동 단체이고, 대한 국민 의회는 연해주의 전로 한족 중앙 총회가 개편된 것이다.
③ 이상설, 김약연 등: 북간도의 용정촌과 명동촌에 서전서숙(이상설)과 명동 학교(김약연)를 세워 민족 교육과 군사 교육을 실시한 것은 이상설과 김약연 등이다. 한편, 간민회는 간민 자치회가 개칭된 것으로, 회장에는 김약연이 선임되었다.
④ 임병찬 등: 고종을 복위시키려는 목표를 세우고 전국적인 의병 봉기를 계획한 비밀 결사 단체인 독립 의군부를 결성한 것은 임병찬 등이다.

07

2018년 지방직 7급

밑줄 친 '강습소'에 대한 설명으로 옳은 것은?

> 1911년 만주 유하현 삼원보에 독립군 양성을 목적으로 하는 강습소가 설립되었다. 이 강습소는 이듬해에 통화현으로 근거지를 옮겼으며, 나중에 학교로 개편되었다. 이 학교에는 4년제 중학 과정의 본과가 있었고, 3개월 또는 6개월의 무관 양성을 위한 속성과인 특별과가 있었다.

① 일제가 만주 군벌과 체결한 미쓰야 협정으로 폐교되었다.
② 이회영 등이 독립운동 기지 건설 운동의 일환으로 설립하였다.
③ 대한민국 임시 정부가 출범함에 따라 상해로 근거지를 옮겼다.
④ 중·일 전쟁 이후에 조선 민족 전선 연맹의 산하 조직으로 편입되었다.

문제풀이 신흥 강습소(신흥 무관 학교) 난이도 하

제시문에서 1911년에 만주 지역의 삼원보에서 독립군을 양성하기 위해 설립되었으며, 이후 학교로 개편되었다는 내용을 통해 밑줄 친 '강습소'가 서간도에 설치된 신흥 강습소임을 알 수 있다.

② 신흥 강습소는 1911년에 이회영, 이동녕 등의 신민회 인사들에 의해 독립운동 기지 건설의 일환으로 서간도의 삼원보에 설치되었다. 이후 신흥 강습소는 신흥 중학교로 개편(1913)되었으며, 1919년에 신흥 무관 학교로 개편되었다.

오답 분석

① 신흥 무관 학교(신흥 강습소)는 미쓰야 협정(1925)이 체결되기 이전인 1920년에 일제의 탄압과 흉년으로 폐교되었다. 한편 미쓰야 협정은 한국의 독립군의 활동을 탄압하기 위해 일제와 만주 군벌 사이에 체결된 협정이다. 이 협정으로 만주 지역의 한인 자치 기관인 3부의 활동이 위축되었다.
③ 신흥 무관 학교(신흥 강습소)는 상해에서 대한민국 임시 정부가 수립(1919)된 이후에도 서간도 지역을 근거로 활동하였다.
④ 신흥 무관 학교(신흥 강습소)는 중·일 전쟁이 발발(1937)하기 이전인 1920년에 폐교되었다. 한편 중·일 전쟁 이후에 조선 민족 전선 연맹의 산하 부대로 조직된 것은 조선 의용대(1938)이다.

08

2018년 법원직 9급

다음 인물에 대한 설명으로 옳지 않은 것은?

> 1907년 헤이그 만국 평화 회의 밀사로 임명되었다.
> 1909년 밀산 한흥동에 독립 운동 기지를 건설하였다.
> 1914년 대한 광복군 정부의 대통령이 되었다.

① 권업회를 결성하였다.
② 서전서숙을 설립하였다.
③ 13도 의군에 참여하였다.
④ 대한 국민 의회를 조직하였다.

문제풀이 이상설 난이도 하

제시된 자료에서 헤이그 특사로 임명되었으며, 대한 광복군 정부의 대통령이 되었다는 내용을 통해 이상설임을 알 수 있다.

④ 대한 국민 의회는 1919년에 러시아 연해주의 전로 한족 중앙 총회가 개편되어 설립된 임시 정부로, 1917년에 순국한 이상설과는 관련이 없다.

오답 분석

① 이상설은 러시아 연해주 신한촌에서 권업회를 결성(1911)하였다. 권업회는 신한촌의 의병 계열과 계몽 운동 계열이 합작하여 조직된 자치 기관으로, 권업신문을 발행하고 한민 학교와 대전 학교를 설립하였다.
② 이상설은 이동녕 등과 함께 북간도 용정으로 망명하여, 항일 민족 교육 기관인 서전서숙을 설립(1906)하였다.
③ 이상설은 이범윤, 유인석, 홍범도 등과 함께 러시아 연해주의 신한촌에서 의병들을 규합하여 13도 의군을 조직(1910)하였다. 13도 의군은 신민회의 안창호 등과 공동 전선을 모색하였으며, 고종에게 연해주로 망명할 것을 건의하였다.

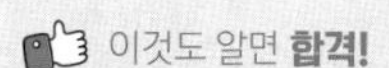

이것도 알면 합격!

이상설의 활동
- 북간도 용정에 서전서숙 설립(1906)
- 네덜란드 헤이그에서 열린 만국 평화 회의에 특사로 파견(1907)
- 블라디보스토크에 성명회(1910), 13도 의군 건설(1910), 권업회 조직(1911)
- 대한 광복군 정부의 정통령에 선임(1914)
- 박은식, 신규식 등과 함께 신한 혁명당 조직(1915)

정답 05 ② 06 ① 07 ② 08 ④

09

2022년 서울시 9급(6월 시행)

〈보기〉는 어느 동포의 강제 이주에 대한 회고록이다. 이 동포가 강제 이주되기 전에 거주하던 '㉠ 지역'에 대한 설명으로 가장 옳은 것은?

> **보기**
> 우즈베키스탄의 늪지대에 내팽겨쳐진 고려인들은 땅굴 속에서 겨울을 난 후 늪지를 메워 목화 농사를 해야만 했다. 그러나 우리 가족을 먹여 살릴 삼촌 두 명은 농장에서 일한 경험도 없는 데다, ㉠에 살 때 광부 일을 했기 때문에 일자리를 찾아 탄광 도시 카라칸다로 갔다. …… 고려인들의 주식인 쌀은 물론이고 간장, 된장도 전혀 구할 수가 없었다. 할 수 없이 우즈베키스탄 사람들이 먹는 보리빵으로 끼니를 때웠다. 그것도 아주 부족했다.

① 일제는 독립군을 토벌한다는 명목으로 조선인 마을을 파괴하였으며, 경신참변을 일으켜 조선인들을 대량 살육하기도 하였다.
② 1905년 이후 민족 운동가들이 독립운동을 위한 정치적 망명을 시작해 여러 곳에 한인 집단촌이 형성되고 많은 민족 단체와 학교가 설립되었으며, 항일 의병 및 독립운동이 활발히 전개되었다.
③ 1923년 대지진이 발생했는데, 조선인들이 우물에 독을 탔다는 유언비어가 퍼져 적어도 6,000여 명의 조선인들이 학살당하였다.
④ 태평양 전쟁 발발 후에는 수백 명의 조선인 청년들이 미군에 입대하여 일본군과 싸웠다.

문제풀이 연해주 지역의 역사

난이도 상

제시문은 고려인들이 중앙아시아의 우즈베키스탄 등으로 강제 이주당하여 어렵게 생활하는 상황으로, ㉠ 지역이 연해주임을 알 수 있다. 소련의 스탈린은 한국인과 일본인을 구분하기 어려워 간첩 색출이 어렵다는 이유로 연해주에 거주하고 있던 고려인들을 중앙아시아로 강제 이주시켰다.

② 연해주는 1905년에 을사늑약이 체결된 이후 민족 운동가들이 망명하여 신한촌 등의 한인 집단촌이 형성되었고 성명회, 권업회 등의 단체와 한민 학교 등의 학교가 설립되었다. 또한 13도 의군 등의 항일 의병 단체와 대한 광복군 정부 등의 독립운동 단체가 조직되어 독립운동이 활발하게 전개되었다.

오답 분석

① **간도:** 일제가 봉오동 전투 등에서 패배한 것에 대해 보복하기 위해 독립군 토벌을 명목으로 조선인 마을을 파괴하고 경신참변(간도 참변)을 일으켜 조선인을 대량 살육한 지역은 간도이다.
③ **일본:** 1923년에 관동 대지진이 발생했을 때 조선인들이 우물에 독을 탔다는 유언비어가 퍼져 적어도 6,000여 명의 조선인들이 학살당한 지역은 일본이다.
④ 태평양 전쟁 발발 후에 수백 명의 조선인 청년들이 미군에 입대하여 일본군과 싸운 것은 연해주 지역과 관련이 없다.

10

2017년 국가직 7급(8월 시행)

밑줄 친 '이곳'에서 일어난 사실로 옳은 것을 〈보기〉에서 모두 고른 것은?

> 이곳에서는 한인 집단 거주지인 신한촌이 형성되어 자치 기구와 학교가 만들어졌으며, 다양한 독립운동이 일어났다. 이곳에서 이상설 등은 성명회를 조직하여 독립운동을 벌였고, 이후 임시 정부의 성격을 가진 대한 국민 의회가 전로 한족회 중앙 총회로부터 개편 조직되었다.

> **보기**
> ㉠ 권업회라는 독립운동 단체가 조직되었다.
> ㉡ 독립군 양성을 위한 신흥 강습소가 설치되었다.
> ㉢ 대한 광복군 정부가 수립되어 독립운동을 벌였다.
> ㉣ 신규식, 박은식 등의 주도로 동제사가 조직되었다.

① ㉠, ㉡
② ㉠, ㉢
③ ㉡, ㉣
④ ㉢, ㉣

문제풀이 연해주의 독립운동 단체

난이도 하

제시문에서 신한촌이 형성되었다는 것과 성명회와 대한 국민 의회가 조직되었다는 내용을 통해 '이곳'이 연해주임을 알 수 있다.

② 옳은 것을 모두 고르면 ㉠, ㉢이다.
㉠ 권업회는 1911년에 연해주에서 계몽 운동 계열과 의병 계열의 합작으로 조직된 독립운동 단체이다.
㉢ 대한 광복군 정부(1914)는 권업회가 연해주 블라디보스토크에서 조직한 것으로, 이상설을 정통령, 이동휘를 부통령으로 하였다.

오답 분석

㉡ **서간도(남만주):** 독립군 양성을 위해 신흥 강습소가 설치된 지역은 서간도(남만주) 삼원보이다.
㉣ **상하이:** 신규식과 박은식 등의 주도로 동제사가 조직된 지역은 중국 상하이이다. 동제사는 박달 학원 설립 등 청년 교육에 주력하였다.

이것도 알면 **합격!**

1910년대 연해주 지역의 민족 운동

단체	내용
성명회(1910)	한·일 합병의 부당함을 각국 정부에 호소
권업회(1911)	권업신문 발간, 한민 학교 설립
대한 광복군 정부 (1914)	이상설, 이동휘를 정·부통령으로 하여 수립

11

2018년 지방직 7급

㉠~㉣에 들어갈 단체로 옳은 것은?

> ㅇ 1911년 북간도로 거점을 옮긴 대종교는 (㉠)(이)라는 무장 독립 단체를 만들었다. 이 단체는 3·1운동 이후 북로 군정서로 발전하였다.
> ㅇ 러시아 연해주에서는 권업회를 기반으로 한 (㉡)이/가 수립되었다. 이 단체는 이상설과 이동휘를 중심으로 하여 독립 전쟁을 준비하였다.
> ㅇ 1915년 의병 계열과 애국 계몽 운동 계열의 비밀 결사들이 통합하여 결성된 (㉢)은/는 공화국 건설을 목표로 하였다. 그러나 군자금을 마련하던 중 경찰에게 조직이 드러나 해체되었다.
> ㅇ 경상도 일대에서는 윤상태, 서상일, 이시영 등이 중심이 되어 (㉣)을/를 조직하였다. 이 단체는 3·1운동이 일어나자 이에 적극 가담하여 각 지방의 만세 운동을 주도하였다.

	㉠	㉡	㉢	㉣
①	중광단	대한 광복회	대한 광복군 정부	조선 국권 회복단
②	조선 국권 회복단	중광단	대한 광복회	대한 광복군 정부
③	중광단	대한 광복군 정부	대한 광복회	조선 국권 회복단
④	대한 광복군 정부	중광단	조선 국권 회복단	대한 광복회

12

2017년 국가직 9급(4월 시행)

밑줄 친 '이곳'에서 전개된 민족 운동으로 옳은 것은?

> 1903년에 우리나라 공식 이민단이 이곳에 도착하였다. 이주 노동자들은 사탕수수 농장, 개간 사업장, 철도 공사장 등에서 일하며 한인 사회를 형성하여 갔다. 노동 이민과 함께 사진 결혼에 의한 부녀자들의 이민도 이루어졌다. 또한 한인 합성 협회 등과 같은 한인 단체가 결성되었다.

① 독립운동 기지인 한흥동이 건설되었다.
② 독립운동 단체인 권업회가 조직되었다.
③ 자치 기관인 경학사와 부민단이 만들어졌다.
④ 군사 양성 기관인 대조선 국민 군단이 창설되었다.

문제풀이 1910년대의 국내외 항일 민족 운동 단체

난이도 중

③ 바르게 나열하면 ㉠ 중광단, ㉡ 대한 광복군 정부, ㉢ 대한 광복회, ㉣ 조선 국권 회복단이다.

㉠ **중광단**: 북간도로 근거지를 옮긴 대종교는 1911년에 서일을 중심으로 의병들을 규합하여 무장 독립 단체인 중광단을 조직하였다. 이후 중광단은 1919년에 대한 독립 선언서의 발표를 주도하였으며, 3·1 운동 이후에는 북로 군정서로 조직을 확대·개편하였다(1919. 8.).

㉡ **대한 광복군 정부**: 러시아 연해주의 신한촌에서 권업회의 주도로 이상설과 이동휘를 정·부통령으로 하는 대한 광복군 정부가 수립되었다(1914). 대한 광복군 정부는 시베리아와 만주 지역에서 독립운동을 주도하면서 군사 훈련을 통해 독립 전쟁을 준비하였다.

㉢ **대한 광복회**: 1915년에 의병 계열의 풍기 광복단(대한 광복단)과 애국 계몽 운동 계열의 조선 국권 회복단 회원들이 중심이 되어 국내 비밀 결사 조직인 대한 광복회를 결성하였다. 이들은 공화 정치 체제를 지향하였으며, 군자금 모금과 친일파 색출 및 처단 등의 활동을 하였다. 이후 대한 광복회는 만주에 독립운동 기지의 설립을 추진하며 군자금을 모집하던 중 일제에 발각되어 조직이 와해되었다(1918).

㉣ **조선 국권 회복단**: 1915년에 윤상태, 서상일, 이시영 등은 조선 국권 회복단을 조직하였다. 이들은 3·1 운동에 적극 참여하고, 임시 정부에 군자금을 송금하였으며, 파리 강화 회의에 제출할 독립 청원서를 작성하는 데에도 참여하였다.

문제풀이 하와이의 민족 운동

난이도 중

제시문에서 이주 노동자들이 사탕수수 농장에서 일하였으며, 사진 결혼에 의한 부녀자들의 이민도 이루어졌다는 내용을 통해 밑줄 친 '이곳'이 하와이임을 알 수 있다.

④ 대조선 국민 군단은 1914년에 박용만이 하와이에서 조직하였다.

오답 분석

① **북만주**: 독립운동 기지인 한흥동이 건설된 지역은 북만주 밀산부이다. 한흥동은 이상설·이승희 등이 1909년에 북만주 밀산현 봉밀산에 황무지를 매입하고 주민을 이주시켜 건설한 독립운동 기지였다.

② **연해주**: 독립운동 단체인 권업회가 조직된 지역은 연해주이다. 권업회는 러시아 연해주 블라디보스토크에 위치한 신한촌에 본부를 두었으며, 기관지로 권업신문을 발행하고 민족주의 교육을 실시하기 위해 각 지역에 학교를 설립하는 등의 활동을 전개하였다.

③ **서간도(남만주)**: 자치 기관으로 경학사와 부민단이 조직된 지역은 서간도(남만주)이다. 서간도(남만주)에서 이회영, 이상룡 등이 한인 자치 기구인 경학사를 조직하였다. 이후 경학사가 해체되자, 이곳에서 다시 부민단이 조직되었다.

정답 09 ② 10 ② 11 ③ 12 ④

13

2018년 지방직 7급

다음 인물의 활동으로 옳은 것은?

1878	평남 강서군 출생
1898	독립 협회 활동
1899	점진 학교 설립
1907	신민회 조직
1923	국민 대표 회의 참여
1938	투옥 끝에 사망

① 흥사단을 조직하였다.

② 한인 애국단을 창단하였다.

③ 헤이그 특사로 파견되었다.

④ 대한매일신보에 「독사신론」을 연재하였다.

14

2012년 국가직 9급

밑줄 친 '그'의 활동으로 옳지 않은 것은?

> 그는 함경도 단천 출신으로 한성으로 올라와 무관 학교에 입학하였고, 졸업 후 시위대 장교로 군인 생활을 시작하였다. 강화도 진위대 대장 시절에는 공금을 횡령한 강화부윤이 자신을 모함하자, 군직을 사임하기도 하였다. 그는 군인이면서도 계몽 운동을 중요하게 생각하여 강화읍에 보창 학교를 세워 근대적 교육을 시작하였다. 그러나 고종 황제의 강제 퇴위와 군대 해산을 전후하여 무력 항쟁과 친일파 대신 암살 등을 계획하였으며, 강화 진위대가 군대 해산에 항의하여 봉기하자 이에 연루되어 체포되기도 하였다.

① 비밀 결사 조직인 신민회에 참여하였다.

② 하바로프스크에서 한인 사회당을 결성하기도 하였다.

③ 대동 보국단을 조직하고 『진단』이라는 잡지를 발간하기도 하였다.

④ 블라디보스토크에 대한 광복군 정부라는 임시 정부를 수립하였다.

문제풀이 안창호 난이도 중

제시문에서 1907년에 신민회를 조직하였으며, 1923년에 국민 대표 회의에 참여하였고 투옥 끝에 1938년에 사망하였다는 것을 통해 도산 안창호(1878~1938)에 대한 내용임을 알 수 있다. 안창호는 1897년에 독립 협회에 가입하여 만민 공동회 개최에 참여하였으며, 1907년에 양기탁, 신채호 등과 비밀 결사인 신민회를 결성하고 평양에서 대성 학교를 설립하였다. 이후 1919년에 수립된 대한민국 임시 정부의 국무위원으로 활동하였으며, 임시 정부의 활동 방향 등을 위해 1923년에 열린 국민 대표 회의에서 임시 정부의 존속과 개편을 주장한 개조파로 활동하였다.

① 안창호는 105인 사건(1911)으로 신민회가 해체된 이후 미국으로 망명하고, 1913년에 샌프란시스코에서 흥사단을 조직하여 미주 동포를 대상으로 애국 계몽 운동을 전개하였다. 한편 안창호는 흥사단의 국내 지부인 수양 동우회가 계몽 운동을 벌이다 발각된 수양 동우회 사건(1937)으로 투옥되었고, 이듬해인 1938년에 사망하였다.

오답 분석

② **김구**: 침체된 임시 정부에 활기를 불어넣고자 한인 애국단을 조직한 인물은 김구이다.

③ **이상설 등**: 을사늑약의 부당함을 알리기 위해 네덜란드에서 열린 만국 평화 회의에 헤이그 특사로 파견된 인물은 이상설, 이준, 이위종이다.

④ **신채호**: 대한매일신보에 근대 민족주의 사학의 방향을 제시한 「독사신론」을 연재한 인물은 신채호이다.

문제풀이 이동휘 난이도 중

제시문에서 군인 출신으로 보창 학교를 세웠다는 내용을 통해 밑줄 친 '그'가 이동휘임을 알 수 있다. 이동휘는 대한민국 임시 정부에 참여하여 국무총리를 역임하기도 하였다.

③ 중국 상하이에서 대동 보국단을 조직하고 『진단』이라는 잡지를 발간했던 인물은 신규식과 박은식이다.

오답 분석

① 이동휘는 이동녕, 안창호 등과 함께 신민회를 조직하였다(1907).

② 이동휘는 러시아 볼셰비키 정권의 원조를 받아 러시아의 하바로프스크에서 공산주의 독립운동 단체인 한인 사회당을 결성하였다(1918).

④ 이동휘는 권업회를 함께 이끌던 이상설 등과 함께 블라디보스토크에서 대한 광복군 정부를 수립하였다(1914).

이것도 알면 **합격!**

1910년대 상하이의 민족 운동

동제사	• 신규식, 박은식, 조소앙 등이 조직한 비밀 결사(1912) • 박달 학원 설립 등 청년 교육에 주력
대동 보국단	• 신규식, 박은식 등이 조직(1915) • 잡지 『진단』 발간
신한 청년당	• 김규식, 여운형 등이 조직(1918), 신한청년보 발간 • 김규식을 파리 강화 회의에 파견해 독립 청원서 제출

15

2024년 지방직 9급

다음 주장을 내세운 민족 운동은?

> 1. 오늘날 우리의 이 행동은 정의와 인도 그리고 생존과 존엄함을 지키기 위한 민족적 요구에서 나온 것이니, 오직 자유로운 정신을 발휘할 것이며 결코 배타적 감정으로 치닫지 말라.
> 1. 마지막 한 사람까지 마지막 한순간까지 민족의 정당한 의사를 마음껏 발표하라.
> 1. 일체의 행동은 무엇보다 질서를 존중하며, 우리의 주장과 태도를 어디까지나 떳떳하고 정당하게 하라.

① 3·1운동 ② 6·10 만세 운동
③ 물산 장려 운동 ④ 민립 대학 설립 운동

16

2019년 기상직 9급

다음 장소에 대한 설명으로 옳지 않은 것은?

① 일제 강점기에는 파고다 공원으로 불렸다.
② 한성부 도시 개조 사업 과정에서 조성되었다.
③ 민족 대표 33인이 이 장소에서 독립 선언서를 낭독하였다.
④ 대리석으로 만들어진 서울 원각사지 십층 석탑이 있다.

문제풀이 3·1 운동 난이도 중

제시문은 3·1 독립 선언서(기미 독립 선언서)의 일부인 공약 3장의 내용으로, 다음 주장을 내세운 민족 운동은 3·1 운동이다. 3·1 운동은 민족 자결과 자주 독립의 정신을 바탕으로 평화적이고 정의와 인도에 입각하여 전개할 것을 원칙으로 내세웠다.

① 3·1 운동은 무단 통치 시기에 일제의 강력한 탄압에 반발하여 일어난 독립 만세 운동으로, 민족 대표 33인 중 29인(4명은 지방에 있어 불참)은 탑골 공원에서 독립 선언식을 가지려 했으나, 시위가 격해질 것을 우려하여 태화관에서 독립 선언서를 낭독하였다. 또한 3·1 운동 당시 시민들과 학생들은 탑골 공원에 모여 독립선언문을 낭독하고 만세 시위를 전개하였다.

오답 분석

② **6·10 만세 운동**: 6·10 만세 운동은 순종의 인산일에 맞춰 민족주의 계열인 천도교와 사회주의 계열의 단체, 조선 학생 과학 연구회를 중심으로 한 학생들이 함께 추진하여 일으킨 독립운동으로, 이후 민족 유일당 운동이 전개되는 계기를 마련하였다.

③ **물산 장려 운동**: 물산 장려 운동은 1920년대 일본의 회사령 철폐와 관세 철폐 움직임에 대항하여 시작된 경제적 구국 운동이다. 물산 장려운동은 자급자족과 국산품 애용을 강조하였으며, 나아가 생활 개선과 금주·단연 운동으로 확대되었다.

④ **민립 대학 설립 운동**: 민립 대학 설립 운동은 일제의 식민지 차별 교육에 대항하여 우리 민족의 힘으로 대학을 설립하고자 일어난 민족 운동이다. 이를 위해 이상재 등을 중심으로 기성회가 조직되고 "한민족 1천만이 한 사람이 1원씩"이라는 구호로 모금 운동이 전개되었다.

문제풀이 탑골 공원 난이도 중

제시된 사진은 서울 종로에 위치한 탑골 공원으로, 사진 좌측의 탑은 원각사지 10층 석탑이며, 우측의 팔각정은 고종 때 지어진 것이다.

③ 민족 대표들이 독립 선언서(기미 독립 선언서)를 낭독한 곳은 서울 종로의 태화관이다. 3·1 운동 당시 민족 대표 33인 중 29인(4명은 지방에 있어 불참)은 탑골 공원에서 독립 선언식을 가지려 했으나, 시위가 격해질 것을 우려하여 태화관에서 독립 선언서를 낭독하였다. 한편, 3·1 운동 당시 시민들과 학생들은 탑골 공원에 모여 독립선언문을 낭독하고 만세 시위를 전개하였다.

오답 분석

①, ② 탑골 공원은 대한 제국 시기 도시 개조 사업의 일환으로 영국인 브라운에 의해 공원으로 조성된 것으로 추정되며, 이후 탑동 공원, 탑 공원, 파고다 공원 등으로 불리다 일제 강점기인 1920년에 '파고다 공원'이라는 이름으로 정식 개원하였다. 이후 1992년에 옛 지명을 따라 탑골 공원으로 개칭되었다.

④ 탑골 공원 내에는 조선 세조 때 대리석으로 제작된 원각사지 10층 석탑이 있다.

정답 13 ① 14 ③ 15 ① 16 ③

17

2019년 국가직 9급

밑줄 친 ㉠ 이후에 일어난 사실로 옳지 않은 것은?

> 상쾌한 아침의 나라라는 뜻을 지닌 조선은 일본의 총칼 아래 민족 정신을 무참하게 유린당했다. …(중략)… 조선 민족은 독립 항쟁을 줄기차게 계속하였다. 그 중에서도 중요한 것은 ㉠1919년의 독립 만세 운동이었다.
>
> – 네루, 『세계사 편력』

① '암태도 소작 쟁의'가 일어났다.

② '정우회 선언'이 발표되었다.

③ 임병찬이 독립 의군부를 조직하였다.

④ 조선 민립 대학 기성회가 창립되었다.

문제풀이 3·1 운동 이후의 사실 난이도 중

제시된 자료에서 조선 민족의 독립 항쟁과 1919년의 독립 만세 운동이라는 내용을 통해 밑줄 친 ㉠은 3·1 운동임을 알 수 있다. 3·1 운동은 무단 통치 시기에 일제의 강력한 탄압에 반발하여 일어난 독립 만세 운동으로, 그 결과 대한민국 임시 정부가 수립되는 계기가 되었고 일제의 통치 방식이 문화 통치로 전환되는 데 영향을 주었다.

③ 독립 의군부가 조직된 것은 1912년으로 3·1 운동 이전의 사실이다. 독립 의군부는 임병찬이 고종의 밀명을 받아 조직한 비밀 결사로 왕정의 복고를 목적으로 하는 복벽주의를 표방하였고, 조선 총독부와 일본 정부에 국권 반환 요구서를 전달하고자 하였으며 의병 전쟁을 계획하였다.

오답 분석

① 암태도 소작 쟁의가 일어난 시기는 1923년으로 3·1 운동 이후이다. 암태도 소작 쟁의는 1920년대의 대표적인 소작쟁의로, 소작인들의 소작료 인하 요구가 받아들여지는 성과를 거두었다.

② 정우회 선언이 발표된 시기는 1926년으로 3·1 운동 이후의 사실이다. 정우회 선언은 사회주의 계열의 정우회가 민족주의 세력과 적극적으로 제휴할 것을 주장하며 발표한 것으로 신간회의 창립에 영향을 주었다.

④ 조선 민립 대학 기성회가 창립된 시기는 1923년으로 3·1 운동 이후의 사실이다. 조선 민립 대학 기성회는 조선 교육회의 주도로 설립된 단체로 민립 대학 설립 운동을 주도하였다.

18

2022년 법원직 9급

자료에 나타난 민족 운동에 대한 설명으로 가장 옳은 것은?

> 동대문 밖에서 다시 한번 일대 시위 운동이 일어났다. 이날은 태황제의 인산날이었으므로 망곡하러 모인 군중이 수십만이었다. 인산례(因山禮)가 끝나고 융희제(순종)와 두 분의 친왕 이하 여러 관료와 궁속들이 돌아오다가 청량리에 이르렀다. 이때 곡소리와 만세 소리가 일시에 폭발하여 천지가 진동하였다.

① 신간회의 후원으로 확산되었다.

② 대한민국 임시 정부 수립에 영향을 주었다.

③ 준비 과정에서 천도교와 조선 공산당 등이 연대하였다.

④ 한국인 학생과 일본인 학생 사이의 충돌에서 비롯되었다.

문제풀이 3·1 운동 난이도 중

제시문에서 태황제(고종)의 인산날이었다는 것과, 융희제(순종)가 청량리에 이르자 곡 소리와 만세 소리가 폭발하였다는 것을 통해 고종의 인산일을 계기로 일어난 3·1 운동에 대한 내용임을 알 수 있다.

② 3·1 운동은 대한민국 임시 정부의 수립에 영향을 주었다. 3·1 운동을 계기로 독립운동의 구심체 역할을 수행할 단체의 필요성이 대두되었고, 이에 상하이에서 대한민국 임시 정부가 수립되었다.

오답 분석

① **광주 학생 항일 운동:** 신간회의 후원으로 확산된 운동은 광주 학생 항일 운동이다. 광주 학생 항일 운동이 확산되자 신간회는 진상 조사단을 파견하였으며, 신간회 광주 지부를 중심으로 학생 투쟁 지도 본부가 설치되어 운동이 더욱 확산되었다.

③ **6·10 만세 운동:** 준비 과정에서 천도교와 조선 공산당 등이 연대한 운동은 6·10 만세 운동이다. 6·10 만세 운동의 준비 과정에서는 민족주의 계열인 천도교와 사회주의 계열의 단체가 연대함으로써, 이후 민족 유일당 운동이 전개되는 계기를 마련하였다.

④ **광주 학생 항일 운동:** 한국인 학생과 일본인 학생 사이의 충돌에서 비롯된 운동은 광주 학생 항일 운동이다. 통학 열차 안에서 발생한 한·일 학생 간의 충돌에 대해 일본 경찰이 편파적으로 수사하자, 학생들이 식민 차별 교육 철폐, 한국인 본위의 교육 제도 확립 등을 주장하며 운동을 전개하였다.

19

2014년 국가직 9급

다음은 박은식이 저술한 『한국독립운동지혈사』의 일부분이다. 여기에서 언급된 사건과 관련된 설명으로 옳지 않은 것은?

> 만세 시위가 확산되자, 일제는 헌병 경찰은 물론이고 군인까지 긴급 출동시켜 시위 군중을 무차별 살상하였다. 정주, 사천, 맹산, 수안, 남원, 합천 등지에서는 일본 군경의 총격으로 수십 명의 사상자를 냈으며, 화성 제암리에서는 전 주민을 교회에 집합, 감금하고 불을 질러 학살하였다.

① 일제는 무단 통치를 이른바 '문화 통치'로 바꾸었다.

② 독립운동의 중요한 분기점이 된 대규모의 만세 운동이었다.

③ 세계 약소 민족의 독립운동에도 커다란 자극을 주었다.

④ 파리 강화 회의에 신규식을 대표로 파견하여 이 사건의 진상을 널리 알렸다.

문제풀이 3·1 운동 난이도 중

제시된 박은식의 『한국독립운동지혈사』에서 만세 시위가 확산되자 일제가 시위 군중을 살상했다는 내용과 화성 제암리에서 주민을 감금하고 불을 질러 학살했다는 내용을 통해 자료에서 언급된 사건이 3·1 운동이라는 것을 알 수 있다.

④ 파리 강화 회의에 대표로 파견된 인물은 신규식이 아닌, 김규식이다. 상하이의 신한청년당은 독립 청원서를 작성하여 미국 특사에게 전달하였고, 김규식을 파리 강화 회의에 파견하여 국제 사회에 일제 식민 통치의 폭력성을 알리고, 한국 독립운동에 협조를 요청하였다.

오답 분석

① 3·1 운동에 놀란 일제는 기존의 무단 통치로는 한민족을 억압할 수 없다고 판단하여 문화 통치로 통치 방식을 전환하였다. 일제의 문화 통치는 친일파를 양성하여 우리 민족을 이간시키는 민족 분열책이었다.

② 3·1 운동을 계기로 독립운동의 참여 계층과 기반이 확대되었고, 민족 운동이 보다 조직적이고 체계적인 독립운동으로 발전하였다. 또한 독립운동을 이끌어 갈 통일된 지도부의 필요성이 대두되어 상하이에 대한민국 임시 정부가 수립되었다.

③ 3·1 운동은 중국의 5·4 운동, 인도의 비폭력·불복종 운동 및 중동 지역의 반제국주의 민족 운동에 영향을 미쳤다.

20

2013년 법원직 9급

다음 역사적 사건의 영향에 대한 설명으로 옳지 않은 것은?

> …… 오늘은 한국의 위대한 날이다. …… 오후 2시, 중학교를 비롯한 각급 학교들이 일본의 한국 지배에 항거하는 시위를 벌였고, 거리로 나가 양손을 위로 올리고 모자를 흔들며 '대한 독립 만세'를 외치며 행진을 하기 시작했다. 거리의 사람들 역시 이 대열에 합류했고, 도시 전역에 기쁨의 외침 소리들이 울려 퍼졌다. …… 최근 일본 정부는 소위 '역도들'을 제압할 수 있는 더 '근본적인 대책'을 마련했다고 한다. 우리는 손으로 단순히 '독립 만세'를 외치는 사람들에게 …… 보병대 2사단, 포병대 1사단, 기병대 2 사단이 일본으로부터 파병되고 난 후 …… 마을들이 불타고 있다는 소문이 무성하다는 것이다.
>
> – 『노블일지』

① 일제가 교활한 '문화 통치'를 표방하게 되었다.

② 이를 계기로 대한민국 임시 정부가 수립되었다.

③ 국내외에서 민족 유일당 운동이 촉발되는 계기가 되었다.

④ 해외의 무장 독립 투쟁이 더욱 치열하게 전개되었다.

문제풀이 3·1 운동의 영향 난이도 중

'대한 독립 만세'를 외치며 행진하였다는 내용을 통해 제시문의 역사적 사건이 3·1 운동이라는 것을 알 수 있다.

③ 국내외에서 민족 유일당 운동이 촉발되는 계기가 된 것은 치안 유지법 제정, 자치 운동의 대두와 비판, 6·10 만세 운동 등이 있다. 민족 유일당 운동은 3·1 운동과 직접적인 연관이 없다.

오답 분석

① 3·1 운동 이후 일제는 '문화 통치'를 표방하며 조선인들의 불만을 무마시키고 친일 세력을 양성하고자 하였다.

② 3·1 운동 이후 독립운동의 구심체 역할을 수행할 단체의 필요성이 대두되어 상하이에서 대한민국 임시 정부가 수립되었다.

④ 3·1 운동 이후 무장 투쟁의 필요성이 높아지면서 해외의 무장 독립 투쟁이 더욱 치열하게 전개되었다. 대표적인 무장 독립 투쟁으로 봉오동 전투와 청산리 전투 등이 있다.

정답 17 ③ 18 ② 19 ④ 20 ③

2 | 대한민국 임시 정부

01

2023년 국가직 9급

다음과 같은 선포문을 발표하면서 성립한 정부의 정책으로 옳지 않은 것은?

> 제1조 대한민국은 민주공화제로 함
>
> …(중략)…
>
> 민국 원년 3월 1일 우리 대한민족이 독립을 선언한 뒤 …(중략)… 이제 본 정부가 전 국민의 위임을 받아 조직되었으니 전 국민과 더불어 전심(專心)으로 힘을 모아 국토 광복의 대사명을 이룰 것을 선서한다.

① 독립 공채를 발행하였다.

② 기관지로 독립신문을 발간하였다.

③ 비밀 행정 조직인 연통부를 설치하였다.

④ 재정 확보를 위하여 전환국을 설립하였다.

문제풀이 대한민국 임시 정부의 정책

난이도 하

제시문에서 민국 원년(1919년) 3월 1일 대한민족이 독립을 선언하였다는 것과 국토 광복을 이룰 것을 선서한다는 내용을 통해 대한민국 임시 헌장 선포문을 발표하면서 성립한 대한민국 임시 정부임을 알 수 있다.

④ 재정 확보를 위하여 화폐 주조 기관인 전환국을 설립한 것은 조선 정부의 초기 개화 정책이다.

오답 분석

① 대한민국 임시 정부는 독립운동을 위한 자금을 마련하기 위해 중국과 미국 등 국외에 거주하는 동포들에게 독립 공채를 발행하였다.

② 대한민국 임시 정부는 기관지로 독립신문을 발간하여 국내외에 독립운동과 관련된 사실을 보도하였다.

③ 대한민국 임시 정부는 정부 문서 전달, 군자금 조달 등을 위해 국내외를 연결하는 비밀 행정 조직인 연통부를 설치하였다.

이것도 알면 **합격!**

대한민국 임시 정부의 초기 활동

행정	• 연통부(비밀 행정 조직망, 정부 문서 전달, 군자금 조달) • 교통국(비밀 통신망, 정보 수집 및 연락 업무 담당) • 독립운동 자금 모금: 독립 공채 발행, 의연금 모금
외교	파리 위원부(김규식), 구미 위원부(이승만) 설치
문화	독립신문 발간, 사료 편찬소 설치(『한·일 관계 사료집』 간행)

02

2022년 국가직 9급

(가)에 대한 설명으로 옳은 것은?

> 3·1 운동 직후에 만들어진 (가) 은/는 연통제라는 비밀 행정 조직을 만들었으며, 국내 인사와의 연락과 이동을 위해 교통국을 두었다. 또 외교 선전물을 간행하여 일제 침략의 부당성을 널리 알리고자 하였다. 그러나 이러한 활동은 뚜렷한 성과를 내지 못하였다. 그러한 가운데 (가) 의 활동 방향을 두고 외교 운동 노선과 무장 투쟁 노선 사이에서 갈등이 빚어지기도 하였다.

① 외교 운동을 위해 미국에 구미 위원부를 설치하였다.

② 비밀 결사 운동을 추진하고자 독립 의군부를 만들었다.

③ 이인영, 허위 등을 중심으로 서울 진공 작전을 추진하였다.

④ 영국인 베델을 발행인으로 한 대한매일신보를 창간하였다.

문제풀이 대한민국 임시 정부

난이도 하

제시문에서 3·1 운동 직후에 만들어져 연통제라는 비밀 행정 조직을 만들었으며, 국내 인사와의 연락을 위해 교통국을 두었다는 내용을 통해 (가)가 대한민국 임시 정부임을 알 수 있다.

① 대한민국 임시 정부는 외교 운동을 위해 미국 워싱턴에 구미 위원부를 설치하여 우리나라의 독립 문제를 국제 여론화시키기 위해 노력하였다.

오답 분석

모두 대한민국 임시 정부와 관련이 없는 설명이다.

② 독립 의군부는 1912년에 의병장 출신 임병찬이 고종 황제의 비밀 지령을 받아 의병과 유생을 규합하여 결성한 단체이다.

③ 이인영, 허위 등을 중심으로 서울 진공 작전을 추진한 것은 정미의병 때 결성된 13도 창의군이다.

④ 대한매일신보는 1904년에 양기탁과 영국인 베델에 의해 창간되었으며, 영국인 베델이 발행인으로 있었기 때문에 일본의 검열을 피할 수 있어 다른 신문보다 자유롭게 기사를 게재할 수 있었다.

이것도 알면 **합격!**

통합된 대한민국 임시 정부(1919. 9.)

- 상하이 임시 정부 명칭 및 정부의 위치 + 한성 정부의 법통 + 대한 국민 의회의 입법 기관
- 우리나라 최초의 3권 분립에 입각한 민주 공화정: 임시 의정원(입법), 국무원(행정), 법원(사법)
- 초대 대통령 이승만, 국무총리 이동휘

03

2021년 법원직 9급

밑줄 친 ㉠~㉣에 대한 설명으로 옳은 것을 〈보기〉에서 모두 고른 것은?

> 대한민국 임시 정부는 1921년을 고비로 ㉠위기 상태에 빠졌다. 임시 정부 내에서 ㉡독립운동의 노선을 둘러싼 갈등도 나타났다. 각계의 독립운동 지도자들은 이 국면을 타개하고자 국민 대표 회의를 열어 독립운동의 새로운 방향을 모색하였다. 하지만 임시 정부의 진로 문제를 놓고 ㉢개조파와 창조파가 대립하여 회의는 결렬되었다. 이후 ㉣지도 체제가 개편되었지만 대한민국 임시 정부는 한동안 침체 상태에 빠졌다.

보기

ㄱ. ㉠ – 교통국과 연통제 조직이 일제에 발각되었다.
ㄴ. ㉡ – 외교 활동에 대한 무장 투쟁론자의 비판이 거세졌다.
ㄷ. ㉢ – 주로 외교론을 비판하는 무장 투쟁론자들로 구성되었다.
ㄹ. ㉣ – 헌법을 고쳐 대통령 중심의 집단 지도 체제로 전환하였다.

① ㄱ, ㄴ　　② ㄱ, ㄹ
③ ㄴ, ㄷ　　④ ㄷ, ㄹ

문제풀이 대한민국 임시 정부 난이도 중

① 옳은 것을 모두 고르면 ㄱ, ㄴ 이다.
ㄱ. 대한민국 임시 정부의 교통국(비밀 통신망)과 연통제(비밀 행정 조직망) 조직은 1921년경 일제에 발각되어 활동이 위축되었고, 곧이어 해체되었다. 이로 인해 임시 정부는 국내와 연락이 어렵게 되고, 자금난을 겪게 되면서 위기 상태에 빠지게 되었다.
ㄴ. 대한민국 임시 정부의 외교 활동 성과가 미흡하자, 외교 활동에 대한 무장 투쟁론자의 비판이 거세지는 등 독립운동의 노선을 둘러싸고 갈등이 심화되었다.

오답 분석
ㄷ. 개조파는 무장 투쟁론자들이 아닌 실력 양성론자 및 외교 독립론자들로 구성되었다. 개조파는 임시 정부를 개편하여 존속시킬 것을 주장하였고, 실력 양성 및 외교 활동을 강조하였다. 한편 무장 투쟁론자들은 임시 정부를 해체하고 새로운 정부를 수립하자고 주장하였다(창조파).
ㄹ. 대한민국 임시 정부는 국민 대표 회의 결렬 이후 이루어진 지도 체제 개편에서 대통령 중심의 집단 지도 체제가 아닌 국무령 중심의 내각 책임제로 전환하였다. 이승만이 탄핵된 후 대통령으로 선출된 박은식은 임시 정부의 형태를 국무령 중심의 내각 책임제로 바꾸는 제2차 개헌을 주도하였다.

04

2017년 서울시 9급

대한민국 임시 정부에 대한 설명으로 옳지 않은 것은?

① 국내 항일 세력들과 연락하기 위해 연통제를 운영하였다.
② 국외 거주 동포에게 독립 공채를 발행하였다.
③ 만주 지역의 무장 투쟁 세력들도 참여하였다.
④ 임시 정부 수립 직후 임시 의정원을 구성하였다.

문제풀이 대한민국 임시 정부 난이도 상

④ 임시 의정원은 통합된 임시 정부 수립(1919. 9.) 이전에 구성되었다. 3·1 운동 직후 독립운동을 조직적으로 지도하기 위한 임시 정부 수립의 필요성이 제기되자 국내외의 독립운동가들이 1919년 4월에 상하이에서 임시 의정원을 구성하였다.

오답 분석
① 대한민국 임시 정부는 국내 항일 세력들과 연락하기 위해 비밀 행정 연락 조직인 연통제를 운영하였다.
② 대한민국 임시 정부는 독립운동의 자금을 마련하기 위해 중국과 미국 등 국외 거주 동포에게 독립 공채(애국 공채)를 발행하였다.
③ 대한민국 임시 정부 수립 당시 만주 지역의 무장 투쟁 세력들도 함께 참여하였다.

이것도 알면 **합격!**

임시 의정원(1919. 4.)

구분	내용
설립 배경	3·1 운동 직후 독립운동을 조직적으로 지도하기 위한 임시 정부 수립이 당면 과제로 부각
설립	국내외의 독립운동가들이 1919년 4월 상하이에서 임시 의정원을 구성
역할	상하이 초기 임시 정부와 통합 임시 정부의 입법 기관

정답 01 ④ 02 ① 03 ① 04 ④

05

2021년 국가직 9급

밑줄 친 '회의'에서 있었던 사실은?

> 본 회의는 2천만 민중의 공정한 뜻에 바탕을 둔 국민적 대화합으로 최고의 권위를 가지고 국민의 완전한 통일을 공고하게 하며, 광복 대업의 근본 방침을 수립하여 우리 민족의 자유를 만회하며 독립을 완성하기를 기도하고 이에 선언하노라. …(중략)… 본 대표 등은 국민이 위탁한 사명을 받들어 국민적 대단결에 힘쓰며 독립운동이 나아갈 방향을 확립하여 통일적 기관 아래에서 대업을 완성하고자 하노라.

① 대한민국 건국 강령이 상정되었다.

② 박은식이 임시 대통령으로 선출되었다.

③ 민족 유일당 운동 차원에서 조선 혁명당이 참가하였다.

④ 임시 정부를 대체할 새로운 조직을 만들자는 주장이 나왔다.

문제풀이 국민 대표 회의

난이도 중

제시문에서 독립 운동이 나아갈 방향을 확립하고 통일적 기관을 만들고자 하는 내용을 통해 밑줄 친 '회의'가 국민 대표 회의임을 알 수 있다. 국민 대표 회의는 독립 운동 전선의 통일과 독립 운동의 방향 전환을 논의하기 위해 상하이에서 1923년에 개최되었다.

④ 국민 대표 회의에서 임시 정부의 독립 운동 방향을 두고 무력 항쟁을 강조하는 박용만, 신채호 등의 창조파는 임시 정부를 해체하고 이를 대체할 새로운 정부 수립을 주장하였다.

오답 분석

모두 국민 대표 회의 이후의 사실이다.

① 대한민국 건국 강령이 상정된 것은 1941년의 사실이다. 충칭에 정착한 대한민국 임시 정부는 정치·경제·교육의 균형을 주장하는 조소앙의 삼균주의를 바탕으로 대한민국 건국 강령을 발표하였다.

② 박은식이 임시 대통령으로 선출된 것은 국민 대표 회의가 결렬된 후인 1925년의 사실이다. 국민 대표 회의가 결렬된 이후 대한민국 임시 정부는 이승만을 탄핵하여 박은식을 제2대 대통령으로 추대하고, 헌법 개정(제2차 개헌)을 통해 국무령 중심의 내각 책임제로 개편한 후 이상룡을 국무령으로 추대하였다.

③ 민족 유일당 운동 차원에서 조선 혁명당이 참가한 것은 1935년에 결성된 민족 혁명당이다. 민족 혁명당은 민족 유일당 건설을 목표로 김원봉의 의열단을 중심으로 조선 혁명당, 한국 독립당, 신한 독립당 등이 참가하였다.

06

2017년 국가직 9급(4월 시행)

다음 발의로 개최된 ㉠에 대한 설명으로 옳은 것은?

> 베이징 방면의 인사는 분열을 통탄하며 통일을 촉진하는 단체를 출현시키고 상하이 일대의 인사는 이를 고려하여 개혁을 제창하고 있다. … (중략) … 근본적 대해결로써 통일적 재조를 꾀하여 독립운동의 신국면을 타개하려고 함에는 다만 민의뿐이므로 이에 [㉠]의 소집을 제창한다.

① 파리 강화 회의에 김규식을 파견하는 것이 논의되었다.

② 삼균주의를 바탕으로 한 건국 강령이 채택되었다.

③ 한국 국민당을 통한 정당 정치 실시가 결정되었다.

④ 창조파와 개조파 등의 주장이 대립되었다.

문제풀이 국민 대표 회의

난이도 하

제시문에서 상하이 일대의 인사는 개혁을 제창하고 있다는 내용과 독립운동의 신국면을 타개하려고 한다는 내용을 통해 ㉠이 1923년에 개최된 국민 대표 회의임을 알 수 있다. 박용만, 신채호 등 외교 노선에 비판적이었던 무장 세력이 독립운동 전선의 통일과 독립운동의 방향 전환을 위해 회의 소집을 요구하자, 1923년에 국민 대표 회의가 개최되었다.

④ 국민 대표 회의는 임시 정부의 방향을 두고 임시 정부를 해산하고 새 정부를 만들자는 창조파와 임시 정부를 그대로 두고 개편하자는 개조파의 대립으로 결렬되었다.

오답 분석

① 파리 강화 회의에 김규식을 파견하는 것이 논의된 것과 국민 대표 회의는 관련이 없다. 미국에 있던 대한인 국민회는 1918년에 회의를 소집하여 파리 강화 회의에 파견할 민족 대표를 선출하기로 결정하였다. 이 결정에 따라 상하이에 있던 독립운동가들은 신한청년당을 결성하고 민족 대표로 김규식을 파리 강화 회의에 파견하였다.

② 삼균주의를 바탕으로 한 건국 강령이 채택된 것과 국민 대표 회의는 관련이 없다. 한국 국민당(김구), 조선 혁명당(지청천), 한국 독립당(조소앙)이 연합한 형태로 재창당된 한국 독립당(1940)은 조소앙의 삼균주의를 바탕으로 1941년에 건국 강령을 발표하였다.

③ 한국 국민당을 통한 정당 정치 실시가 결정된 것과 국민 대표 회의는 관련이 없다. 한국 국민당은 김구가 중심이 되어 1935년에 창당한 정당으로, 민족 혁명당에 불참한 임시 정부 인사 중심으로 조직되어 임시 정부의 유지를 옹호하였다.

07

2016년 사회복지직 9급

다음 사건들이 일어난 시기를 〈보기〉에서 고르면?

> 대한민국 임시 정부의 노선과 활동을 재평가하고 분열된 독립운동 전선을 통일하기 위해 상하이에서 국민 대표 회의가 소집되었다. 그러나 이 모임에서 임시 정부의 조직만 개조하자는 개조파와 완전히 해체한 후 새 정부를 구성하자는 창조파 등이 팽팽하게 맞섰다. 그 후 헌법을 개정하여 국무령 중심의 의원내각제로 바꾸고, 박은식을 제2대 대통령으로, 이상룡을 국무령으로 추대하였다.

보기

1910년		1919년		1931년		1937년		1945년
	(가)		(나)		(다)		(라)	
한일 강제병합		3·1 운동		만주 사변		중·일 전쟁		광복

① (가)　　② (나)
③ (다)　　④ (라)

08

2023년 서울시 9급

대한민국 임시 정부가 〈보기〉의 체제 개편을 하기 이전에 한 활동으로 가장 옳은 것은?

> **보기**
> 대한민국 임시 정부는 헌법을 개정하여 집단 지도 체제인 국무위원제를 채택했다. 즉, 5~11인의 국무위원 가운데 한 사람을 주석으로 선출하되, 주석은 대통령이나 국무령과 같이 특별한 권한을 갖지 않고 다만 회의를 주재하는 권한만 갖게 했다.

① 이승만을 탄핵하고 박은식을 임시 대통령으로 추대했다.
② 조소앙의 삼균주의에 기초한 건국 강령을 반포하였다.
③ 의열 투쟁을 전개하고자 한인 애국단을 조직하였다.
④ 한국 국민당을 조직하여 정당 정치를 운영하였다.

문제풀이 1920년대의 대한민국 임시 정부

난이도 중

② 제시문의 대한민국 임시 정부의 독립운동 전선을 통일하기 위해 상하이에서 국민 대표 회의가 소집된 것은 1923년, 국민 대표 회의가 결렬된 이후 박은식이 제2대 대통령으로 추대되고, 헌법 개정(제2차 개헌)을 통해 국무령 중심의 의원 내각제로 개편하여 이상룡이 국무령으로 추대된 것은 1925년의 일이다. 따라서 제시문의 사건들이 일어난 시기는 (나) 시기인 1920년대이다.

이것도 알면 **합격!**

대한민국 임시 정부의 개헌 과정

개헌	정치 체제
제1차 개헌(1919) 임시 헌법	대통령 중심제(3권 분립)
제2차 개헌(1925) 임시 헌법	국무령 중심의 내각 책임제
제3차 개헌(1927) 임시 약헌	국무 위원 집단 지도 체제
제4차 개헌(1940) 임시 약헌	주석(김구) 중심의 단일 지도 체제
제5차 개헌(1944) 임시 헌장	주석(김구)·부주석(김규식) 체제

문제풀이 국무위원제 채택 이전의 대한민국 임시 정부 활동

난이도 중

제시문은 대한민국 임시 정부가 1927년에 헌법을 개정(제3차 개헌)하여 집단 지도 체제인 국무위원제를 채택한 내용이다.

① 대한민국 임시 정부는 1925년에 대통령인 이승만을 정부 소재지인 상하이에 머문 기간이 6개월에 불과할 정도로 직무 수행이 성실하지 않다는 것과 미국의 윌슨 대통령에게 국제 연맹의 한국 위임 통치를 청원한 사실 등을 이유로 탄핵하고, 박은식을 임시 대통령으로 추대했다.

오답 분석
모두 국무위원제 채택 이후의 사실이다.

② 조소앙의 삼균주의에 기초한 건국 강령을 반포한 것은 1941년이다. 건국 강령은 정치·경제·교육의 균등을 주장한 조소앙의 삼균주의를 기초로 하여 민주 공화정 수립, 보통 선거의 실시 등의 내용이 포함되었다.
③ 의열 투쟁을 전개하고자 한인 애국단을 조직한 것은 1931년이다. 한인 애국단은 일본의 주요 인물을 암살하려는 목적으로 조직되었으며, 대표적인 단원으로는 도쿄에서 일본 국왕을 향해 폭탄을 투척한 이봉창, 중국 상하이 훙커우 공원에서 열린 일왕 생일 축하 겸 전승 축하식에서 폭탄을 투척한 윤봉길 등이 있다.
④ 한국 국민당을 조직하여 정당 정치를 운영한 것은 1935년이다. 한국 국민당은 김구와 이동녕 등이 김원봉의 민족 혁명당에 대항하여 중국 항저우에서 만든 정당으로, 대한민국 임시 정부의 여당 역할을 하였다.

정답 05 ④ 06 ④ 07 ② 08 ①

09

2024년 국가직 9급

(가)~(라)는 대한민국 임시 정부와 관련한 사실이다. 이를 시기 순으로 바르게 나열한 것은?

> (가) 한인 애국단 창설
> (나) 한국광복군 창설
> (다) 국민 대표 회의 개최
> (라) 주석·부주석제로 개헌

① (가) → (다) → (나) → (라)
② (가) → (라) → (다) → (나)
③ (다) → (가) → (나) → (라)
④ (다) → (나) → (가) → (라)

문제풀이 대한민국 임시 정부의 사실 난이도 중

③ 시기순으로 나열하면 (다) 국민 대표 회의 개최(1923) → (가) 한인 애국단 창설(1931) → (나) 한국광복군 창설(1940) → (라) 주석·부주석제로 개헌(1944)이 된다.

(다) **국민 대표 회의 개최**: 대한민국 임시 정부는 국내외의 독립 운동 상황을 점검하고 독립운동 전선의 통일과 독립운동의 방향 전환을 위해 상하이에서 국민 대표 회의를 개최하였다(1923).

(가) **한인 애국단 창설**: 대한민국 임시 정부의 김구는 만보산 사건 이후 악화된 한·중 관계를 개선하고, 침체에 빠진 독립운동을 활성화하기 위해 비밀 조직인 한인 애국단을 조직하였다(1931).

(나) **한국 광복군 창설**: 충칭에 정착한 대한민국 임시 정부는 대일 항전을 전개하기 위해 한국광복군을 창설하였다(1940).

(라) **주석·부주석제로 개헌**: 대한민국 임시 정부는 제5차 개헌을 통해 주석·부주석 체제로 개편하여 김구를 주석, 김규식을 부주석으로 선출하였다(1944).

10

2024년 법원직 9급

(가)에 대한 설명으로 가장 옳지 않은 것은?

> (가) 건국 강령
> 1. 우리나라는 우리 민족이 반만년 이래로 같은 말과 글과 국토와 주권과 경제와 문화를 가지고 공동한 민족 정기를 길러온, 우리끼리 형성하고 단결한 고정적 집단의 최고 조직임.
> 2. 우리나라의 건국 정신은 삼균 제도의 역사적 근거를 두었으니 …… 이는 사회 각 계급·계층이 지력과 권력과 부력의 향유를 균평하게 하여 국가를 진흥하며 태평을 보전 유지하라고 한 것이니, 홍익인간과 이화세계하자는, 우리 민족의 지켜야 할 최고의 공리임.

① 충칭에서 정규군인 한국광복군을 창설하였다.
② 1941년 일제에 대일 선전 성명서를 발표하였다.
③ 조선 의용대 화북 지대를 조선 의용군으로 개편하였다.
④ 민족 혁명당과 사회주의 계열 단체 인사가 합류하였다.

문제풀이 대한민국 임시 정부 난이도 중

제시문에서 건국 정신은 삼균 제도의 역사적 근거를 두었다는 내용을 통해 (가)가 대한민국 임시 정부임을 알 수 있다. 대한민국 임시 정부는 건국 강령으로 개인과 개인, 민족과 민족, 국가와 국가 간의 균등을 주장한 조소앙의 삼균주의를 채택하였다.

③ 조선 의용대 화북 지대를 조선 의용군으로 개편한 것은 조선 독립 동맹이다. 조선 독립 동맹은 조선 의용대 화북 지대를 흡수하여 산하 군사 조직인 조선 의용군으로 개편하였다. 한편, 조선 의용군은 중국 공산당의 팔로군과 연합하여 태항산 지역 등에서 항일 전투를 수행하였다.

오답 분석

① 대한민국 임시 정부는 중국 국민당 정부를 따라 충칭으로 이동한 후, 산하 군사 조직으로 한국광복군을 창설하였다.
② 대한민국 임시 정부는 태평양 전쟁이 일어나자 1941년에 일제에 대일 선전 성명서를 발표하고 연합군의 일원으로 참전하였다.
④ 대한민국 임시 정부에는 1942년에 민족 혁명당과 사회주의 계열 단체 인사, 김원봉이 이끄는 조선 의용대의 일부가 합류하였다.

11

2024년 국가직 9급

1930년대에 있었던 사실로 옳은 것은?

① 비밀 결사인 조선 건국 동맹이 결성되었다.

② 중국 관내에서 조선 의용대가 창설되었다.

③ 연해주 지역에 대한 광복군 정부가 설립되었다.

④ 서일을 총재로 하는 대한 독립 군단이 조직되었다.

문제풀이 1930년대의 사실

난이도 중

② 1930년대에 중국 국민당의 지원을 받아 중국 관내에서 조선 의용대가 창설(1938)되었다. 조선 의용대는 김원봉이 한커우에서 조선 민족 전선 연맹의 산하 군대로 창설한 단체로, 중국 관내에서 결성된 최초의 한인 무장 단체였다.

오답 분석

① **1940년대**: 비밀 결사인 조선 건국 동맹이 결성된 것은 1944년이다. 조선 건국 동맹은 광복 직전 여운형이 일제가 패망할 것을 대비하여 국내 좌·우익 세력을 모아 비밀리에 조직한 단체로, 광복 이후에 조선 건국 준비 위원회로 개편되었다.

③ **1910년대**: 연해주 지역에 대한 광복군 정부가 설립된 것은 1914년이다. 대한 광복군 정부는 이상설을 중심으로 연해주 블라디보스토크에서 수립된 정부로, 시베리아와 만주 지역에서 독립운동을 주도하면서 군사 훈련을 통해 독립 전쟁을 준비하였다.

④ **1920년대**: 서일을 총재로 하는 대한 독립 군단이 조직된 것은 1920년이다. 1920년대에 일제가 독립군 소탕을 명분으로 간도 참변을 일으키고 독립군을 추격하자, 이를 피해 밀산부에 집결한 독립군 부대들은 서일을 총재로 대한 독립 군단을 조직(1920. 12.)하고 러시아 영토인 자유시로 이동하였다(1921).

12

2020년 국회직 9급

다음과 같은 위기를 타개하기 위하여 임시 정부가 추진한 정책으로 옳은 것은?

> 민족 운동 전선이 이념과 노선의 차이로 분열된 상황에서 임시 정부는 자금난에 시달려, 독립운동의 중추 역할을 감당하기 어렵게 되었다. 1920년대 후반에 안창호 등을 중심으로 민족 유일당을 건설하자는 운동이 전개되었지만 별다른 성과를 거두지 못하였다. 이 무렵 만보산 사건과 만주 사변이 일어났다.

① 한인 애국단을 조직하였다.

② 국민 대표 회의를 소집하였다.

③ 연통제와 교통국을 조직하였다.

④ 파리 강화 회의에 대표를 파견하였다.

⑤ 주석제를 채택하고 한국 독립당을 처음 결성하였다.

문제풀이 1930년대 대한민국 임시 정부가 추진한 정책

난이도 중

제시문에서 민족 운동 전선이 이념과 노선의 차이로 분열되었으며, 만보산 사건(1931)과 만주 사변(1931)이 일어났다는 것을 통해 1930년대 대한민국 임시 정부의 상황임을 알 수 있다.

① 김구는 만보산 사건 이후 악화된 한·중 관계를 개선하고, 침체에 빠진 독립운동을 활성화하기 위해 비밀 조직인 한인 애국단을 조직하였다 (1931).

오답 분석

모두 1930년대 독립 운동의 위기를 타개하기 위해 대한민국 임시 정부가 추진한 정책과는 관련이 없다.

② 국민 대표 회의는 만보산 사건과 만주 사변이 일어나기 이전인 1923년에 소집되었다.

③ 대한민국 임시 정부는 1919년에 연통제를 실시하여 정부 문서 전달, 군자금 조달 등의 업무를 담당하였고, 교통국을 두어 비밀 통신망으로 활용하였다. 그러나 연통제와 교통국은 1921년 무렵 일제에 발각되어 조직이 붕괴되었다.

④ 상하이에 있던 독립운동가들은 신한청년당을 결성하고 민족대표로 김규식을 파리 강화 회의에 파견하였다(1919).

⑤ 대한민국 임시 정부는 제4차 개헌(1940)을 통해 주석제를 채택하였으며, 한국 국민당(김구), 조선 혁명당(지청천), 한국 독립당(조소앙)이 연합하여 한국 독립당을 결성(1940)하였다.

정답 09 ③ 10 ③ 11 ② 12 ①

1 | 국내 무장 항일 투쟁과 의열 투쟁

01

2022년 서울시 9급(2월 시행)

〈보기〉의 밑줄 친 '이 조직'의 활동으로 가장 옳지 않은 것은?

> **보기**
> 김원봉이 이끈 이 조직은 1920년대에 국내와 상하이를 중심으로 활발한 의거 활동을 전개하였다.

① 독립지사들에게 잔인한 고문을 일삼던 종로 경찰서에 폭탄을 던져 큰 피해를 주었다.
② 동양 척식 주식회사에 들어가 그 간부를 사살하고 경찰과 시가전을 벌이기도 하였다.
③ 상하이 홍커우 공원에서 열린 일본군의 상하이 점령 축하 기념식장에 폭탄을 던져 일본군을 살상하였다.
④ 일제 식민 지배의 중심 기관인 조선 총독부에 폭탄을 던졌다.

문제풀이 의열단 난이도 하

제시문에서 김원봉이 이끌었다는 것과 1920년대에 활발한 의거 활동을 전개하였다는 것을 통해 밑줄 친 '이 조직'이 의열단임을 알 수 있다.

③ 상하이 홍커우 공원에서 열린 일본군의 상하이 점령 축하 기념식장에 폭탄을 던져 일본군을 살상한 것은 의열단이 아닌 한인 애국단원 윤봉길이다.

오답 분석
모두 의열단의 활동이다.
① 의열단원인 김상옥은 독립지사들에게 잔인한 고문을 일삼던 종로 경찰서에 폭탄을 던져 큰 피해를 주었다.
② 의열단원인 나석주는 동양 척식 주식회사에 들어가 사원과 간부들을 총으로 사살하고, 폭탄을 투척하였으나 불발되었다. 이후 경찰의 추격을 받게 된 그는 시가전을 벌이다가 포위되자 자결하였다.
④ 의열단원인 김익상은 일제 식민 지배의 중심 기관인 조선 총독부에 폭탄을 던졌다.

 이것도 알면 **합격!**

의열단의 의열 투쟁

김익상	1921	조선 총독부에 폭탄 투척
김상옥	1923	종로 경찰서에 폭탄 투척
김지섭	1924	도쿄 궁성 앞 이중교에 폭탄 투척
나석주	1926	동양 척식 주식회사에 폭탄 투척

02

2019년 지방직 9급

다음 선언문의 강령에 따라 활동한 단체에 대한 설명으로 옳은 것은?

> 민중은 우리 혁명의 대본영(大本營)이다. 폭력은 우리 혁명의 유일한 무기이다. 우리는 민중 속으로 가서 민중과 손을 맞잡아 끊임없는 폭력-암살, 파괴, 폭동-으로써 강도 일본의 통치를 타도하고 우리 생활에 불합리한 일체의 제도를 개조하여 인류로써 인류를 압박하지 못하며, 사회로써 사회를 박탈하지 못하는 이상적 조선을 건설할지니라.

① 임시 정부 활동에 활기를 불어넣고자 결성하였다.
② 청산리 지역에서 일본군과 접전을 벌여 대승을 거두었다.
③ 한국 독립당, 조선 혁명당 등과 함께 민족 혁명당을 결성하였다.
④ 원산에서 일본인이 한국인 노동자를 구타한 사건을 계기로 총파업을 일으켰다.

문제풀이 의열단 난이도 중

제시된 자료에서 민중이 우리 혁명의 대본영이며, 폭력이 혁명의 유일한 무기라는 내용을 통해 신채호가 작성한 「조선혁명선언」임을 알 수 있으며, 이 선언문의 강령에 따라 활동한 단체는 의열단이다.

③ 의열단은 난징에서 조선 혁명당(최동오), 한국 독립당(조소앙), 신한 독립당(지청천) 등과 함께 민족 혁명당을 결성하였다(1935).

오답 분석
① **한인 애국단**: 침체된 대한민국 임시 정부에 활기를 불어넣고자 결성된 단체는 한인 애국단이다. 김구는 임시 정부의 위상을 높이고 침체된 독립운동을 활성화하기 위해 한인 애국단을 조직(1931)하였는데, 대표적인 한인 애국단의 단원으로는 이봉창, 윤봉길이 있다.
② **북로 군정서군, 대한 독립군 등**: 청산리 지역에서 일본군과 접전을 벌여 대승을 거둔 단체는 김좌진이 이끄는 북로 군정서군, 홍범도가 이끄는 대한 독립군 등이다.
④ 원산에서 일본인이 한국인 노동자를 구타한 사건을 계기로 일어난 원산 노동자 총파업(1929)은 의열단과 관련 없다.

 이것도 알면 **합격!**

「조선혁명선언」

작성	신채호가 김원봉의 요청을 수용하여 의열단의 지침서로 작성
내용	• 무정부주의를 바탕으로 한 민중의 직접 혁명을 통한 독립 • 외교론·자치론·문화 운동론·준비론 등 비판

03

2018년 지방직 9급

㉠ 조직에 대한 설명으로 옳은 것은?

> 1922년 3월, 중국 상하이에서 (㉠)이/가 일본 육군 대장 타나카 기이치(田中義一)를 암살하고자 한 사건이 발생했다. 이때 체포된 독립운동가들은 일본 경찰에 인도되어 심문을 받게 되었는데, 그 심문 과정에서 (㉠)에 속한 김익상이 1921년 9월 조선 총독부 건물에 폭탄을 던진 의거의 당사자라는 사실이 밝혀졌다.

① 공화주의를 주창하는 내용의 대동 단결 선언을 작성해 발표하였다.
② 이 조직에 속한 이봉창이 일왕이 탄 마차 행렬에 폭탄을 던졌다.
③ 일부 구성원을 황푸 군관 학교에 보내 군사 훈련을 받도록 하였다.
④ 새로 부임하는 사이토 조선 총독에게 폭탄을 투척하는 의거를 일으켰다.

문제풀이 의열단 난이도 중

제시된 자료에서 1922년 3월 중국 상하이에서 일본 육군 대장 타나카 기이치를 암살하고자 하였으며, 1921년 9월 ㉠에 속한 김익상이 조선 총독부 건물에 폭탄을 던졌다는 내용을 통해 ㉠ 조직이 의열단임을 알 수 있다. 의열단(1919)은 만주 길림성에서 김원봉, 윤세주 등이 중심이 되어 조직한 비밀 단체로 암살·파괴·폭력 등에 의한 독립 쟁취를 목표로 하였다.

③ 개별 투쟁의 한계를 인식한 의열단은 중국 세력과의 연대와 조직적인 무장 투쟁을 추진하여, 김원봉을 비롯한 일부 의열단원들은 황푸 군관 학교에 입학하여 군사 훈련을 받았다(1926).

오답 분석

① 대동 단결 선언은 의열단이 조직되기 이전인 1917년에 발표되었다. 신규식, 박은식, 신채호, 조소앙 등 14명의 지식인들은 공화주의를 표방하며 임시 정부 성립의 필요성을 제기한 대동 단결 선언문을 발표하였다.
② **한인 애국단**: 일왕이 탄 마차 행렬에 폭탄을 던진 이봉창은 한인 애국단 소속이다. 한인 애국단은 김구가 침체된 임시 정부의 활동을 타개하기 위해 조직한 단체로 이봉창, 윤봉길 등이 소속되어 의거 활동을 전개하였다.
④ **노인 동맹단**: 사이토 조선 총독에게 폭탄을 투척한 강우규는 노인 동맹단 소속이다. 노인 동맹단은 1919년 러시아 블라디보스토크에서 조직된 독립운동 단체로 46세 이상 70세까지의 남녀 노인들로 구성되어 있었다.

04

2018년 서울시 9급(3월 시행)

<보기>의 선언문을 지침으로 삼은 단체의 활동에 대한 설명으로 가장 옳은 것은?

> **보기**
> 강도 일본이 우리의 국호를 없이 하며, 우리의 정권을 빼앗으며, 우리의 생존적 필요 조건을 다 박탈하였다. (중략) 혁명의 길은 파괴부터 개척할지니라. 그러나 파괴만 하려고 파괴하는 것이 아니라 건설하려고 파괴하는 것이니, 만일 건설할 줄을 모르면 파괴할 줄도 모를지며, 파괴할 줄을 모르면 건설할 줄도 모를지니라. 건설과 파괴가 다만 형식상에서 보아 구별될 뿐이요 정신상에서는 파괴가 곧 건설이니, 이를테면 우리가 일본 세력을 파괴하려는 것이, (하략)

① 오성륜, 김익상, 이종암이 상해 황포탄에서 일본 육군 대장 다나카 기이치를 저격하였다.
② 이봉창이 동경에서 일왕 히로히토에게 폭탄을 던졌다.
③ 백정기, 이강훈, 원심창이 상해 육삼정에서 일본 공사 아리요시를 암살하려고 시도하였다.
④ 윤봉길이 상해 홍구 공원에서 열린 일본의 천장절 행사에 폭탄을 던졌다.

문제풀이 의열단 난이도 중

제시문은 신채호가 작성한 「조선혁명선언」으로, 이를 지침으로 삼아 활동한 단체는 의열단이다. 의열단은 개인의 폭력 투쟁을 통한 독립 쟁취를 주장하며, 5파괴(5가지의 파괴 대상) 7가살(7가지의 암살 대상)을 목표로 활동하였다.

① 의열단원인 오성륜, 김익상, 이종암은 일본 육군 대장 다나카 기이치를 상해 황포탄 부두에서 저격하였다(1922). 한편 김익상은 조선 총독부에 폭탄을 투척(1921)한 인물이다.

오답 분석

② **한인 애국단**: 일본 동경에서 일왕 히로히토가 탄 마차에 폭탄을 던진 이봉창은 한인 애국단원이다.
③ **남화 한인 청년 연맹**: 중국 상해 육삼정에서 일본 공사 아리요시를 암살하려 하였던 백정기, 이강훈, 원심창은 남화 한인 청년 연맹 소속이다. 남화 한인 청년 연맹은 1930년에 상해에서 조직된 무정부주의 단체로, 항일 폭력 투쟁을 전개하였다.
④ **한인 애국단**: 중국 상해 홍구(홍커우) 공원에서 열린 일본의 천장절 행사에 폭탄을 투척한 윤봉길은 한인 애국단이다. 윤봉길은 일왕 탄생 축하 겸 일본군 전승 축하식을 거행하는 단상에 폭탄을 투척하여 일본 장성과 고관들을 처단하였다. 이 의거를 계기로 중국 국민당 정부가 임시 정부에 대한 지원을 강화하였다.

정답 01 ③ 02 ③ 03 ③ 04 ①

05

2022년 간호직 8급

다음 선언을 지침으로 활동한 단체에 대한 설명으로 옳지 않은 것은?

> 민중은 우리 혁명의 대본영이다. 폭력은 우리 혁명의 유일한 무기이다. 우리는 민중 속으로 가서 민중과 손을 맞잡아 끊임없는 폭력-암살, 파괴, 폭동으로써 강도 일본의 통치를 타도하고, 우리 생활에 불합리한 일체의 제도를 개조하여, 인류로써 인류를 압박하지 못하며, 사회로써 사회를 박탈하지 못하는 이상적 조선을 건설할지니라.

① 만주에서 김원봉이 주도하여 결성하였다.
② 경성역에서 사이토 총독에게 폭탄을 던졌다.
③ 김상옥을 보내서 종로 경찰서를 폭파하고자 하였다.
④ 일제 요인 암살과 식민 통치 기관 파괴에 주력하였다.

문제풀이 의열단

난이도 중

제시문에서 폭력은 우리 혁명의 유일한 무기라는 것과 폭력-암살, 파괴, 폭동으로써 강도 일본의 통치를 타도한다는 것을 통해 이 선언문이 신채호가 작성한 「조선혁명선언」이라는 것을 알 수 있으며, 「조선혁명선언」을 지침으로 활동한 단체는 의열단이다.

② 경성역에서 사이토 총독에게 폭탄을 던진 단체는 노인 동맹단이다. 노인 동맹단의 강우규는 경성역에서 제3대 조선 총독으로 부임하는 사이토 마코토의 마차에 폭탄을 투척하였으나, 성공하지 못하고 체포되었다.

오답 분석
① 의열단은 만주 지린에서 김원봉이 주도하여 결성하였다.
③ 의열단은 단원인 김상옥을 보내 종로 경찰서를 폭파하고자 하였고, 김상옥은 국내로 잠입하여 1923년에 종로 경찰서에 폭탄을 투척하였다.
④ 의열단은 5파괴(5가지의 파괴 대상)와 7가살(7가지의 암살 대상)을 목표로 하여, 일제의 요인 암살과 식민 통치 기관 파괴에 주력하였다.

이것도 알면 **합격!**

의열단

조직	1919년에 김원봉, 이종암, 윤세주 등이 만주 지린에서 조직
목표	• 5파괴: 조선 총독부, 동양 척식 주식회사, 매일신보사, 경찰서, 기타 식민 기관 파괴 • 7가살: 조선 총독 이하 고관, 매국노, 친일파 거두 등 암살
군사 훈련	단원들이 황포 군관 학교에 입교하여 군사 교육을 받음

06

2022년 지방직 9급

다음 글은 (가)의 부탁을 받고 (나)가 지은 것이다. (가)와 (나)에 대한 설명으로 옳은 것은?

> 우리는 '외교', '준비' 등의 미련한 꿈을 버리고 민중 직접 혁명의 수단을 취함을 선언하노라. 조선 민족의 생존을 유지하자면 강도 일본을 쫓아내야 하고, 강도 일본을 쫓아내려면 오직 혁명으로써만 가능하니, 혁명이 아니고는 강도 일본을 쫓아낼 방법이 없는 바이다.

① (가)는 조선 의용대를 결성하였고, (나)는 '국혼'을 강조하였다.
② (가)는 신흥 무관 학교를 세웠고, (나)는 형평사를 창립하였다.
③ (가)는 조선 건국 동맹을 조직하였고, (나)는 식민 사학의 한국사 정체성론을 반박하였다.
④ (가)는 황포 군관 학교에서 훈련받았고, (나)는 민족주의 역사 서술의 기본 틀을 제시하였다.

문제풀이 김원봉과 신채호

난이도 중

제시문에서 민중 직접 혁명의 수단, 강도 일본을 쫓아내야 한다는 내용 등을 통해 「조선혁명선언」임을 알 수 있으며, 「조선혁명선언」은 (가) 김원봉의 부탁을 받고 (나) 신채호가 작성한 것이다.

④ 김원봉은 개별적 의열 투쟁의 한계를 느끼고 황포 군관 학교에 입교하여 군사 훈련을 받았으며, 신채호는 「독사신론」을 통해 근대 민족주의의 역사 서술의 기본 틀을 제시하였다.

오답 분석
① 김원봉이 조선 의용대를 결성한 것은 맞지만, '국혼'을 강조한 인물은 박은식이다.
② 신흥 무관 학교를 세운 인물은 이동녕, 이회영 등의 신민회 인사들이고, 형평사를 창립한 인물은 이학찬 등이다.
③ 조선 건국 동맹을 조직한 인물은 여운형이고, 식민 사학의 한국사 정체성론을 반박한 인물은 백남운이다.

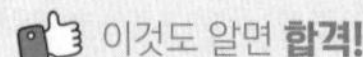

이것도 알면 **합격!**

김원봉의 주요 활동
- 1919년: 의열단 조직
- 1926년: 황포 군관 학교 훈련생으로 입교, 의열단의 투쟁 노선 변경
- 1932년: 난징에서 조선 혁명 간부 학교를 창설
- 1935년: 민족 혁명당 조직 → 조선 민족 혁명당으로 개편(1937)
- 1937년: 조선 민족 통일 전선 연맹 조직
- 1938년: 조선 의용대 편성

07

2024년 지방직 9급

밑줄 친 '이 의거'를 일으킨 단체에 대한 설명으로 옳은 것은?

> 김구는 상하이 각 신문사에 편지를 보내 자신이 이 의거의 주모자임을 스스로 밝혔다. 이 편지에서 김구는 윤봉길이 휴대한 폭탄 두 개는 자신이 특수 제작하여 직접 건넨 것이며, 일본 민간인을 포함하여 다른 나라 사람이 무고한 피해를 입지 않도록 신중을 기하라고 당부하였음을 강조하였다.

① 이봉창이 단원으로 활동하였다.
② 고종의 밀명을 받아 결성되었다.
③ 「조선혁명선언」을 활동 지침으로 삼았다.
④ 일제가 날조한 105인 사건으로 와해되었다.

문제풀이 한인 애국단 난이도 중

제시문에서 김구가 윤봉길이 휴대한 폭탄 두 개는 자신이 특수 제작하여 직접 건넨 것이라고 하였다는 내용을 통해 밑줄 친 '이 의거'가 윤봉길 의거임을 알 수 있으며, 윤봉길 의거는 한인 애국단이 일으킨 독립운동이다.

① 한인 애국단에는 이봉창이 단원으로 활동하였으며, 그는 도쿄에서 일본 국왕 히로히토의 마차를 향해 폭탄을 투척하는 의거를 일으켰으나 실패하였다.

오답 분석

② **독립 의군부**: 고종의 밀명을 받아 결성된 단체는 독립 의군부이다. 독립 의군부는 의병장 출신 임병찬이 고종의 밀명을 받아 결성한 독립운동 단체로, 왕정의 복고를 목적으로 하는 복벽주의를 표방하였다.

③ **의열단**: 신채호가 작성한 「조선혁명선언」을 활동 지침으로 삼은 단체는 의열단이다. 의열단은 개인의 폭력 투쟁을 통한 독립 쟁취를 주장하며, 5파괴(5가지의 파괴 대상) 7가살(7가지의 암살 대상)을 목표로 활동하였다.

④ **신민회**: 일제가 날조한 105인 사건으로 와해된 단체는 신민회이다. 일제가 날조한 총독 암살 미수 사건으로 인해 신민회 회원들과 민족 운동가들이 체포되었고, 그중 105인이 유죄 판결을 받는 105인 사건으로 인해 결국 신민회는 와해되었다.

08

2019년 법원직 9급

〈보기〉 활동과 관련하여 학생들이 설정한 탐구 주제와 선정한 인물이 가장 잘못 연결된 것은?

> **보기**
> • 탐구 목표 : 인물을 통해 우리나라의 역사를 이해한다.
> • 탐구 절차 : 탐구 주제 설정 → 대상 인물 선정 → 관련 자료 수집 → 보고서 작성·발표

	탐구 주제	인물
①	종로 경찰서에 폭탄을 투척하다!	김익상
②	하얼빈에서 순국한 여성 독립운동가!	남자현
③	조선 의용대, 중국 국민당과 연합하다!	김원봉
④	통일 정부 수립을 위해 좌·우 합작 운동을 펼치다!	여운형

문제풀이 일제 강점기의 주요 인물 난이도 중

① 종로 경찰서에 폭탄을 투척(1923)한 인물은 의열단의 김상옥이다. 김익상은 조선 총독부에 폭탄을 투척(1921)하였다.

오답 분석

② 남자현은 만주국의 일본 장교 노부요시를 암살할 계획을 세우고 이동하던 중 체포되어 하얼빈에서 순국하였다(1933). 한편, 남자현은 서로 군정서에서 활약하였고, 사이토 총독의 암살을 계획하였던 대표적인 여성 독립운동가이다.

③ 김원봉은 중국 국민당 정부의 지원을 받아 한커우에서 조선 의용대를 창설하였다(1938). 조선 의용대는 중국 국민당군과 연합하여 일본군에 대한 포로 심문·첩보 활동 등의 활동을 전개하였다.

④ 여운형은 남한만의 단독 정부 수립 움직임에 대응하여 김규식 등 중도 세력과 함께 좌·우 합작 위원회를 조직하고 좌·우 합작 7원칙을 발표(1946)하는 등 통일 정부 수립을 위한 좌·우 합작 운동을 전개하였다.

정답 05 ② 06 ④ 07 ① 08 ①

2 | 독립군의 무장 독립 전쟁

01

2021년 소방직

(가) ~ (라)의 사건을 발생 순서대로 옳게 나열한 것은?

(가) 봉오동 전투	(나) 자유시 참변
(다) 청산리 대첩	(라) 3부 통합 운동

① (가) → (다) → (나) → (라)
② (가) → (다) → (라) → (나)
③ (라) → (가) → (다) → (나)
④ (라) → (나) → (가) → (다)

문제풀이 1920년대 무장 독립 전쟁의 전개 난이도 하

① **순서대로 나열하면 (가) 봉오동 전투**(1920. 6.) → **(다) 청산리 대첩**(1920. 10.) → **(나) 자유시 참변**(1921) → **(라) 3부 통합 운동**(1920년대 후반)**이 된다.**

(가) **봉오동 전투**: 홍범도의 대한 독립군과 최진동의 군무 도독부 등의 연합 부대는 북간도의 봉오동 일대에서 매복 작전을 통해 일본군에 승리를 거두었다(1920. 6.).

(다) **청산리 대첩**: 봉오동 전투 패배 이후 훈춘 사건을 조작한 일제는 만주에 대규모의 병력을 동원하여 독립군을 공격하였다. 이에 김좌진의 북로 군정서군과 홍범도의 대한 독립군을 비롯한 독립군 연합 부대가 청산리 일대에서 일본군과 전투를 벌여 승리하였다(1920. 10.).

(나) **자유시 참변**: 봉오동 전투와 청산리 대첩에 대한 일제의 보복으로 간도 참변이 일어나자 만주 지역의 독립군 단체들은 북만주의 밀산부에 집결하여 대한 독립 군단을 조직(1920. 12.)하고, 러시아 자유시로 이동하였다. 그러나 러시아 적색군의 무장 해제 요구와 독립군 간의 대립으로 큰 피해를 입었다(자유시 참변, 1921).

(라) **3부 통합 운동**: 자유시 참변 이후 만주 지역에서 조직(1923~1925)된 참의부·정의부·신민부의 3부가 1920년대 후반에 민족 유일당 운동의 일환으로 통합 운동을 전개하였다. 그 결과 3부는 북만주의 혁신의회(1928)와 남만주의 국민부(1929)로 재편되었으며, 이는 한국 독립군과 조선 혁명군이 창설되는 토대가 되었다.

02

2018년 서울시 9급(3월 시행)

〈보기〉의 그에 대한 설명으로 가장 옳지 않은 것은?

> **보기**
> 그는 평안도 양덕 사람으로 (중략) 체격이 장대하고 지기가 왕성하였는데, 비록 글은 배우지 못하였으나 천성적인 의협심이 있어, 남을 돕는 일을 급무로 삼은 연유로 사람들이 많이 따랐다. 1907년 겨울에 차도선, 송상봉, 허근 등 여러 사람들과 의병을 일으켜 … (중략) … 전투를 벌였다.

① 산포수들을 모아 의병을 구성하였다.
② 주요 활동지는 함경도 삼수, 갑산 등지였다.
③ 1920년 청산리 전투에서 일본군을 격파하였다.
④ 13도 창의군을 결성하고 서울 진공 작전을 개시하였다.

문제풀이 홍범도 난이도 중

제시문에서 평안도 양덕 사람으로, 1907년에 차도선, 송상봉, 허근 등과 함께 의병을 일으켰다는 내용을 통해 밑줄 친 '그'가 홍범도임을 알 수 있다.

④ **13도 창의군을 결성하고 서울 진공 작전을 개시한 대표적인 인물은 이인영과 허위이다. 13도 창의군은 정미의병 때 전국의 의병들이 연합한 단체로, 유생 출신인 이인영을 총대장, 허위를 군사장으로 추대하고 서울 진공 작전을 전개하였다. 이때 신돌석과 홍범도는 평민 출신이라는 이유로 13도 창의군에 참여하지 못하였다.**

오답 분석

①, ② 홍범도는 1907년 대한 제국의 군대 해산 이후 차도선, 송상봉, 허근 등과 함께 포수들을 모아 산포대를 구성하였다. 이들은 주로 함경도의 산수·갑산·북청 등에서 활약하여 친일 단체인 일진회의 회원들을 주살하고, 우편물 등을 탈취하였다.

③ 홍범도는 대한 독립군을 이끌고 김좌진의 북로 군정서군과 연합하여 청산리 전투(1920)에서 일본군을 상대로 큰 승리를 거두었다.

03

2017년 법원직 9급

다음 (가)에 들어갈 내용으로 가장 옳은 것은?

구분	홍범도(1868~1943)	김좌진(1889~1930)
출신	가난한 농민의 아들, 포수	홍성 지주의 아들
1907년 전후	의병 항쟁에 가담	애국 계몽 운동(교육 운동) 전개
1910년대	연해주와 만주에서 활동	국내 비밀 결사에 가입하여 활동
3·1 운동 이후	대한 독립군 조직	북로 군정서 조직
1920년	(가)	
1921년 이후	연해주에서 후진 양성	만주에서 독립군 활동, 신민부 간부

① 한·중 연합 작전을 전개함

② 의열단 단원으로 의거를 벌임

③ 대한민국 임시 정부에 참여함

④ 청산리 전투에서 일본군을 크게 물리침

04

2016년 국가직 9급

1920년대 만주 지역 독립운동에 대한 설명으로 옳지 않은 것은?

① 대종교 계통 인사들이 신민부를 결성하였다.

② 독립군 연합 부대가 봉오동 전투에서 승리하였다.

③ 민족 유일당 운동의 일환으로 국민부를 결성하였다.

④ 한국 독립군이 한·중 연합 작전으로 동경성에서 승리하였다.

문제풀이 홍범도와 김좌진

난이도 하

④ 일제는 봉오동 전투 패배 이후 훈춘 사건을 일으켜 만주에 대규모의 병력을 동원하고, 독립군을 공격하였다. 이에 1920년 10월에 홍범도의 대한 독립군과 김좌진의 북로 군정서군을 비롯한 독립군 연합 부대가 청산리 일대에서 일본군과 전투를 벌여 승리하였다(청산리 대첩).

오답 분석

① 한국 독립군과 중국 호로군, 조선 혁명군과 중국 의용군의 한·중 연합 작전은 만주 사변 이후인 1930년대에 전개되었다.

② 홍범도와 김좌진은 의열단과 관련이 없다.

③ 홍범도와 김좌진은 상하이 대한민국 임시 정부에 참여하지 않고 만주에서 무장 항일 전투를 수행하였다.

이것도 알면 **합격!**

만주 지역의 독립군

지역	단체	특징
서간도	서로 군정서군	신흥 무관 학교 출신으로 구성
	대한 독립단	의병장 출신 중심
북간도	북로 군정서군	• 대종교 계통이 조직 • 김좌진이 이끄는 독립군 부대
	대한 독립군	홍범도가 이끄는 독립군 부대

문제풀이 1920년대 만주 지역의 독립운동

난이도 중

④ 한국 독립군이 중국 호로군 등과 연합하여 동경성·사도하자·쌍성보·대전자령 전투에서 승리한 시기는 1930년대이다.

오답 분석

① 신민부는 만주와 북간도 일대에서 대종교 계통 인사들이 김좌진을 중심으로 1925년에 결성하였다.

② 봉오동 전투는 홍범도의 대한 독립군을 중심으로 연합한 독립군 부대가 봉오동에서 일본과 싸워 크게 승리한 전투로 1920년의 일이다.

③ 국민부는 민족 유일당 운동의 일환으로 1929년에 남만주에서 양세봉이 중심이 되어 결성되었다.

이것도 알면 **합격!**

3부의 성립

참의부 (1923)	• 대한민국 임시 정부의 직할 부대 • 압록강 연안 관할
정의부 (1924)	• 참의부에 참여하지 않은 대한 통의부와 남만주의 서로 군정서 등이 통합하여 조직 • 남만주 일대 관할
신민부 (1925)	• 러시아에서 돌아온 독립군을 중심으로 조직 • 북만주 일대 관할

정답 01 ① 02 ④ 03 ④ 04 ④

05

2021년 법원직 9급

(가) ~ (라)를 일어난 순서대로 바르게 나열한 것은?

(가) 서일을 총재로 조직된 대한 독립 군단은 일본군을 피해 러시아 영토인 자유시로 집결하였다.
(나) 김좌진이 이끄는 북로 군정서군이 백운평 전투와 천수평, 어랑촌 전투에서 대승을 거두었다.
(다) 일본군이 청산리 대첩 패전에 대한 보복으로 간도 동포를 무차별로 학살하였다.
(라) 참의부, 정의부, 신민부의 3부가 혁신 의회와 국민부로 재편되었다.

① (가) - (나) - (다) - (라)　② (나) - (다) - (가) - (라)
③ (나) - (라) - (가) - (다)　④ (라) - (다) - (나) - (가)

06

2017년 국가직 7급(8월 시행)

다음 사건을 일어난 순서대로 바르게 나열한 것은?

㉠ 일제는 중국 마적단을 매수하여 훈춘의 일본 영사관을 공격하게 하는 조작 사건을 일으켰다.
㉡ 서일을 총재로 하는 대한 독립 군단은 소비에트 러시아의 자유시로 이동하였다.
㉢ 일제는 무장 독립 세력을 진압하기 위해 만주 군벌과 미쓰야 협정을 맺었다.
㉣ 한국 독립당의 산하에 지청천을 총사령관으로 하는 한국 독립군이 조직되었다.

① ㉠ → ㉡ → ㉢ → ㉣
② ㉡ → ㉠ → ㉣ → ㉢
③ ㉢ → ㉣ → ㉡ → ㉠
④ ㉣ → ㉢ → ㉠ → ㉡

문제풀이 1920년대 무장 독립 전쟁의 전개 　난이도 중

② 순서대로 나열하면 (나) 청산리 대첩(1920. 10.) → (다) 간도 참변(1920. 10. ~ 1921. 4.) → (가) 자유시 이동(1921. 3. ~ 6.) → (라) 3부 통합 운동(1928~1929)이 된다.

(나) **청산리 대첩**: 김좌진이 이끄는 북로 군정서군은 백운평, 천수평, 어랑촌 등 청산리 일대에서 일본군을 상대로 대승을 거두었다(1920. 10.).

(다) **간도 참변**: 일본군은 봉오동 전투와 청산리 대첩 패전에 대한 보복으로 독립군을 비롯한 간도 지역의 한인들을 학살하였다(간도 참변).

(가) **자유시 이동**: 일제가 독립군 소탕을 명분으로 간도 참변을 일으키고 독립군을 추격하자 이를 피해 밀산부에 집결한 독립군 부대들은 서일을 총재로 대한 독립 군단을 편성(1920. 12.)하고 러시아 영토인 자유시(스보보드니)로 이동하였다(1921). 그러나 일본과의 마찰을 우려한 러시아 적색군이 독립군의 무장 해제를 요구하였고, 이를 거부한 독립군이 공격을 받아 큰 피해를 입었다.

(라) **3부 통합 운동**: 자유시 참변 이후 만주 지역에서 조직된 참의부, 정의부, 신민부의 3부가 민족 유일당 운동의 일환으로 통합 운동을 전개하여 북만주의 혁신 의회(1928)와 남만주의 국민부(1929)로 재편되었다.

문제풀이 만주 지역의 무장 독립 투쟁 　난이도 중

① 순서대로 나열하면 ㉠ 훈춘 사건(1920) → ㉡ 대한 독립 군단의 자유시 이동(1920~1921) → ㉢ 미쓰야 협정(1925) → ㉣ 한국 독립군 조직(1930)이다.

㉠ **훈춘 사건**: 봉오동 전투에서 홍범도의 대한 독립군에게 패배한 일제는 중국 마적단을 매수하여 훈춘의 일본 영사관을 공격하게 하는 조작 사건을 일으켰다(훈춘 사건, 1920). 이 사건을 구실로 일제는 만주에 대규모의 일본군을 출병시켰다.

㉡ **대한 독립 군단의 자유시 이동**: 봉오동 전투와 청산리 전투에서 연이어 패배한 일제는 독립군 소탕을 명분으로 간도 참변을 일으키고 독립군을 추격하였다. 일제의 추격을 피해 밀산부로 집결한 만주 지역의 독립군 부대들은 서일을 총재로 하는 대한 독립 군단을 결성하고(1920. 12.), 러시아의 자유시(스보보드니)로 이동하였다(1921).

㉢ **미쓰야 협정**: 자유시 참변 이후 분열된 독립군들은 참의부·정의부·신민부를 결성하여 조직을 정비하였다(1923~1925). 이에 일본은 무장 독립군 세력을 탄압하기 위해 만주의 군벌인 장쭤린과 독립군 탄압에 대한 협정인 미쓰야 협정을 맺었다(1925).

㉣ **한국 독립군 조직**: 3부 통합 운동(1920년대 후반)의 결과 결성되었던 혁신 의회는 한국 독립당으로 개편되었으며, 한국 독립당 산하에 지청천을 총사령관으로 하는 한국 독립군이 편성되었다(1930).

07

2020년 법원직 9급

지도에 표시된 전투가 일어났던 시기를 연표에서 옳게 고른 것은?

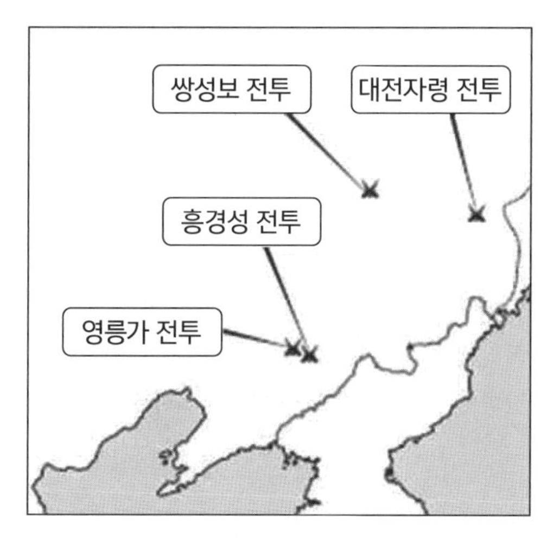

1910년	1919년	1931년	1937년	1945년
(가)	(나)	(다)	(라)	
국권 피탈	3·1 운동	만주 사변	중·일 전쟁	8·15 해방

① (가)　② (나)

③ (다)　④ (라)

08

2018년 법원직 9급

다음 합의문을 작성한 독립군에 관한 설명으로 옳은 것은?

> 중국(의용군)과 한국 양국의 군민은 한마음 한 뜻으로 일제에 대항하여 싸우고, 인력과 물자는 서로 나누어 쓰며, 합작의 원칙하에 국적에 관계없이 그 능력에 따라 항일 공작을 나누어 맡는다.

① 양세봉을 중심으로 활동하였다.

② 1940년대에 옌안으로 이동하였다.

③ 북만주 지역에서 주로 활동하였다.

④ 쌍성보 전투에서 일본군을 격파하였다.

문제풀이 1930년대 한·중 연합 작전 난이도 하

③ 일제가 만주 사변(1931)을 일으키고 만주국을 수립하자 이에 한국인과 중국인 사이에서 연합 전선이 형성되었다. 한·중 연합 전선은 북만주와 남만주로 나누어 볼 수 있는데, 북만주 일대에서는 지청천이 이끄는 한국 독립군과 중국 호로군 등이 연합하여 쌍성보·대전자령·사도하자·동경성 전투에서 대승을 거두었다. 남만주 일대에서는 양세봉이 이끄는 조선 혁명군과 중국 의용군이 연합하여 영릉가·흥경성·신개령·통화현 전투에서 크게 승리하였다.

이것도 알면 **합격!**

1930년대 한·중 연합 작전

한국 독립군	• 한국 독립당 산하의 부대로 지청천을 중심으로 활동 • 중국 호로군 등과 연합 작전 수행 • 쌍성보 전투(1932), 동경성 전투(1933), 사도하자 전투(1933), 대전자령 전투(1933)에서 일본군을 크게 격파
조선 혁명군	• 남만주 일대에서 양세봉을 중심으로 활동 • 중국 의용군과 연합 작전 수행 • 영릉가 전투(1932), 흥경성 전투(1933)에서 일본에 대승

문제풀이 조선 혁명군 난이도 하

제시문에서 중국 의용군과 연합하여 일제에 대항하여 싸운다는 것을 통해 1930년대에 남만주 지역에서 무장 독립운동을 전개한 조선 혁명군임을 알 수 있다.

① 조선 혁명군은 조선 혁명당의 산하 군사 조직으로 양세봉을 총사령관으로 하여 활동하였다. 조선 혁명군은 중국 의용군과 연합하여 영릉가·흥경성 전투 등에서 활약하였다.

오답 분석

② **조선 의용대**: 1940년대에 옌안으로 이동한 독립군은 조선 의용대이다. 조선 의용대의 일부 세력은 중국 국민당 정부가 항일 투쟁에 소극적인 태도를 보이자, 더욱 적극적인 독립 투쟁을 전개하고자 화북 지역의 옌안으로 이동하여 조선 의용대 화북 지대를 결성하였다. 한편 옌안으로 이동하지 않은 조선 의용대 세력은 김원봉의 지휘 아래 충칭으로 이동하여 한국광복군에 합류하였다(1942).

③, ④ **한국 독립군**: 북만주 지역에서 주로 활동하며 쌍성보 전투에서 일본군을 격파한 독립군은 한국 독립군이다. 한국 독립군은 지청천의 지휘 아래 중국 호로군 등과 연합하여 대전자령·사도하자·동경성 전투 등에서 활약하였다.

정답 05 ② 06 ① 07 ③ 08 ①

09

2022년 소방직

다음 전투에 대한 설명으로 옳은 것은?

> 6월 30일 오후 1시경 일본군의 전초 부대가 지나간 뒤, 화물 자동차를 앞세우고 본대가 대전자령으로 들어오기 시작했다. (중략) 한국 독립군은 사격과 함께 바위를 굴려 일본군을 살상하고 자동차와 우마차를 파괴해 적을 완전히 고립시켰다. (중략) 4~5시간에 걸쳐 치열하게 전개되었는데, 일본군은 130여 명 이상이 살상되었고 일부 부대가 빠져나가는 데 그쳤다.

① 한·중 연합 작전으로 전개되었다.

② 양세봉이 이끄는 부대가 일본군을 격퇴하였다.

③ 독립군 통합 부대가 자유시로 이동하게 되었다.

④ 봉오동에서 패배한 일본군의 반격으로 시작되었다.

10

2019년 국가직 9급

다음 전투를 이끈 한국인 부대에 대한 설명으로 옳은 것은?

> 아군은 사도하자에 주둔 병력을 증강시키면서 훈련에 여념이 없었다. 새벽에 적군은 황가둔에서 이도하 방면을 거쳐 사도하로 진격하여 왔다. 그런데 적군은 아군이 세운 작전대로 함정에 들어왔고, 이에 일제히 포문을 열어 급습함으로써 적군은 응전할 사이도 없이 격파되었다.

① 양세봉이 총사령관이었다.

② 미쓰야 협정이 체결되기 직전까지 활약하였다.

③ 한국 독립당의 산하 부대로 동경성 전투도 수행하였다.

④ 조선 민족 전선 연맹이 중국 국민당의 지원을 받아 창설하였다.

문제풀이 대전자령 전투

난이도 중

제시문에서 일본군의 본대가 대전자령으로 들어오기 시작했다는 것과 한국 독립군이 일본군을 살상하였다는 내용 등을 통해 대전자령 전투(1933)임을 알 수 있다.

① 대전자령 전투는 한국 독립당의 산하 조직인 한국 독립군과 중국군의 연합 작전으로 전개되었다. 한국 독립군은 대전자령 전투 외에도 사도하자, 동경성 전투 등에서 일본군에 승리하였다.

오답 분석

② 대전자령 전투는 지청천이 이끄는 한국 독립군이 일본군을 격퇴한 전투이다. 한편, 양세봉이 이끄는 조선 혁명군은 영릉가, 흥경성 전투에서 일본군을 격퇴하였다.

③ 독립군 통합 부대가 자유시로 이동하게 된 것은 대전자령 전투와 관련이 없다. 일제가 독립군 소탕을 명분으로 간도 참변을 일으키고 독립군을 추격하자 이를 피해 밀산부에 집결한 독립군 부대들은 서일을 총재로 대한 독립 군단을 편성(1920. 12.)하고 러시아 영토인 자유시(스보보드니)로 이동하였다(1921).

④ 봉오동에서 패배한 일본군은 중국 마적단을 매수하여 훈춘의 일본 영사관을 공격하게 하는 사건(훈춘 사건, 1920)을 일으켰고, 이를 구실로 만주에 대규모의 병력을 출병하여 독립군을 공격하였다. 이에 1920년 10월에 홍범도의 대한 독립군과 김좌진의 북로 군정서군을 비롯한 독립군 연합 부대는 청산리 일대에서 일본군과 전투를 벌여 승리하였다(청산리 대첩).

문제풀이 한국 독립군

난이도 중

제시된 자료에서 사도하자에서 적군을 격파하였다는 내용을 통해 한국 독립군에 대한 설명임을 알 수 있다. 한국 독립군은 총사령관 지청천을 중심으로 북만주에서 중국 호로군 등과 연합하여 무장 독립 전쟁을 벌였다.

③ 한국 독립군은 한국 독립당의 산하 부대로, 동경성 전투(1933)에서 일본군에 승리하였다. 이외에도 한국 독립군은 쌍성보 전투(1932), 사도하자 전투(1933), 대전자령 전투(1933) 등에서 일본군을 격파하였다.

오답 분석

① **조선 혁명군**: 양세봉이 총사령관이었던 부대는 조선 혁명군이다. 조선 혁명군은 1930년대에 남만주에서 중국 의용군과 연합하여 영릉가 전투, 흥경성 전투 등에서 승리하였다.

② 한국 독립군은 미쓰야 협정(1925)이 체결된 이후인 1930년대에 활동하였다. 미쓰야 협정은 만주에서 활동하는 한국 독립군 탄압을 위해 만주의 군벌과 조선 총독부 경무국장 미쓰야 사이에 체결된 조약으로, 이 조약으로 만주의 독립군 활동이 위축되었다.

④ **조선 의용대**: 조선 민족 전선 연맹이 중국 국민당의 지원을 받아 창설한 부대는 조선 의용대이다. 조선 의용대는 한커우에서 김원봉에 의해 조직(1938)된 단체로, 중국 관내에서 결성된 최초의 한인 무장 단체였다.

11

2018년 지방직 9급

㉠ 부대에 대한 설명으로 옳은 것은?

> (㉠)은/는 1933년에 중국인 부대와 연합하여 동경성 전투 등을 치르며 큰 전과를 올렸고, 대전자령에서는 일본군을 기습 공격하여 승리를 거두었다.

① 하와이에 대조선 국민 군단을 창설하였다.
② 양세봉의 지휘하에 흥경성 전투에 참여하였다.
③ 만주 지역에서 활동했던 한국 독립당의 산하 조직이었다.
④ 중국 의용군과 연합하여 영릉가 전투에서 일본군을 물리쳤다.

문제풀이 한국 독립군 난이도 하

제시된 자료에서 중국인 부대와 연합하여 동경성 전투를 치르고, 대전자령 전투에서 일본군을 기습 공격하여 승리를 거두었다는 내용을 통해 ㉠ 부대가 한국 독립군임을 알 수 있다.

③ 한국 독립군은 북만주 지역에서 활동했던 한국 독립당의 산하 부대였다. 한국 독립군은 지청천의 지휘 아래 중국 호로군 등과 연합하여 쌍성보 전투, 동경성 전투, 대전자령 전투에서 일본군을 상대로 승리를 거두었다.

오답 분석

① **대한인 국민회**: 하와이에 대조선 국민 군단을 창설한 것은 대한인 국민회이다. 대한인 국민회 하와이 지방 소속의 박용만은 대조선 국민 군단(1914)을 창설하여 군사 훈련을 실시하였다.

②, ④ **조선 혁명군**: 양세봉의 지휘하에 중국 의용군과 연합하여 영릉가 전투, 흥경성 전투에서 일본군을 물리친 것은 조선 혁명군이다. 조선 혁명당의 산하 군사 조직인 조선 혁명군은 중국 의용군과 연합하여 영릉가 전투(1932)와 흥경성 전투(1933)에서 일본군을 상대로 승리하였다.

12

2018년 서울시 9급(6월 시행)

〈보기〉의 어록을 남긴 인물의 활동으로 가장 옳은 것은?

> **보기**
> "대전자령의 공격은 이천만 대한 인민을 위하여 원수를 갚는 것이다. 총알 한 개 한 개가 우리 조상 수천 수만의 영혼이 보우하여 주는 피의 사자이니 제군은 단군의 아들로 군세게 용감히 모든 것을 희생하고 만대 자손을 위하여 최후까지 싸우라."

① 화북 조선 독립 동맹의 주석으로 선출되어 활동하였다.
② 조선 혁명군을 이끌고 영릉가 전투에서 대승을 거두었다.
③ 한국 독립군을 이끌고 쌍성보 전투에서 일본군을 격파하였다.
④ 조선 의용대를 결성하고 대적 심리전 등에서 크게 활약하였다.

문제풀이 지청천 난이도 하

제시된 자료에서 대전자령의 공격이라는 내용을 통해 다음 어록을 남긴 인물이 지청천임을 알 수 있다.

③ 지청천은 한국 독립군을 이끌고 중국 호로군 등과 연합하여 쌍성보 전투, 사도하자 전투, 대전자령 전투 등에서 일본군을 격파하였다. 한편 지청천은 대한민국 임시 정부의 군사 조직인 한국광복군의 총사령관으로 활동하기도 하였다.

오답 분석

① **김두봉**: 화북 조선 독립 동맹의 주석으로 선출되어 활동한 인물은 김두봉이다. 김두봉은 (화북)조선 청년 연합회와 조선 의용대 화북 지대가 결합되어 형성된 화북 조선 독립 동맹의 주석으로 선출되었다(1942). 또한 그를 중심으로 조선 독립 동맹의 산하 군사 조직인 조선 의용군이 창설되었다.

② **양세봉**: 조선 혁명군을 이끌고 영릉가 전투에서 대승을 거둔 인물은 양세봉이다. 양세봉의 조선 혁명군은 중국 의용군과 함께 영릉가 전투, 흥경성 전투 등에서 일본군을 상대로 대승을 거두었다.

④ **김원봉**: 조선 의용대를 결성하고 대적 심리전 등에서 활약한 인물은 김원봉이다. 김원봉은 중국 한커우에서 조선 민족 전선 연맹의 산하 군사 조직인 조선 의용대를 결성(1938)하고 중국 국민당군과 함께 항일 투쟁을 전개하였다.

정답 09 ① 10 ③ 11 ③ 12 ③

13

2024년 서울시 9급

〈보기〉의 강령을 발표한 독립운동 세력에 대한 설명으로 가장 옳지 않은 것은?

> **보기**
>
> 본 당은 혁명적 수단으로써 원수이며 적인 일본의 침탈 세력을 박멸하여 5천 년 독립 자주해 온 국토와 주권을 회복하고 정치, 경제, 교육의 평등에 기초를 둔 진정한 민주 공화국을 건설하여 국민 전체의 생활 평등을 확보하고 나아가 세계 인류의 평등과 행복을 촉진한다.

① 의열단을 중심으로 조선 혁명당, 한국 독립당 등이 참여하여 만들었다.

② 민족주의 계열과 사회주의 계열이 만든 중국 관내 최대 규모의 통일전선 정당이었다.

③ 민주 공화국 수립, 토지 국유화 등을 내걸고 항일 운동을 전개하였다.

④ 김구 등 임시 정부를 고수하려는 세력이 탈당하면서 통일전선 정당으로서의 성격이 약해졌다.

문제풀이 민족 혁명당

난이도 상

제시문은 민족 혁명당의 강령으로, 민족 혁명당은 민족 유일당 운동 차원에서 1935년에 난징에서 결성된 단체이다.

④ 김구는 민족 혁명당에 참여하지 않았다. 한편, 민족 혁명당 창당에 불참한 김구는 임시 정부의 유지 및 옹호를 위하여 한국 국민당을 창당하였다(1935).

오답 분석

① 민족 혁명당은 김원봉의 의열단을 중심으로 조선 혁명당(최동오), 한국 독립당(조소앙), 신한 독립당(지청천) 등이 참여하여 만들어졌다. 한편, 민족 혁명당에서 김원봉을 비롯한 의열단 세력이 당을 점차 장악하자 지청천과 조소앙 등의 민족주의 계열이 탈퇴하였으며, 이후 민족 혁명당은 좌파 단체들을 중심으로 한 조선 민족 혁명당으로 개편되었다(1937).

② 민족 혁명당은 난징에서 민족주의 계열과 사회주의 계열이 연합하여 창당한 중국 관내 최대 규모의 통일전선 정당이었다.

③ 민족 혁명당은 삼균주의를 표방하며 민주 공화국 수립, 토지 국유화, 대규모 생산기관의 국유화, 민주적 권리의 보장 등을 내걸고 항일 운동을 전개하였다.

14

2021년 서울시 9급(특수 직렬)

〈보기〉의 (가)~(라)에 대한 설명으로 가장 옳은 것은?

> **보기**
>
> (가) 한국광복군　　(나) 한인 애국단
>
> (다) 한국 독립군　　(라) 조선 혁명군

① (가) – 미 전략 사무국(OSS)과 협력하여 국내 진공 작전을 계획하였다.

② (나) – 중국 관내 최초의 한인 무장 부대로, 중국 국민당 정부의 지원을 받았다.

③ (다) – 양세봉이 이끄는 군대로, 영릉가 전투와 흥경성 전투에서 일본군을 격퇴하였다.

④ (라) – 지청천이 이끄는 군대로, 항일 중국군과 함께 쌍성보 전투, 동경성 전투 등에서 일본군을 격퇴하였다.

문제풀이 무장 독립운동 단체

난이도 중

① 한국광복군은 미 전략 사무국(OSS)과 협력하여 국내 정진군을 편성하고 국내 진공 작전을 계획하였으나, 일본의 무조건 항복으로 실현되지 못하고 중단되었다.

오답 분석

② **조선 의용대**: 중국 관내 최초의 한인 무장 부대로, 중국 국민당 정부의 지원을 받아 결성된 부대는 조선 의용대이다. 한인 애국단은 김구가 대한민국 임시 정부의 침체를 극복하기 위해 상하이에서 조직한 항일 의거 단체로, 이봉창, 윤봉길 등이 주요 단원으로 활동하였다.

③ **조선 혁명군**: 양세봉이 이끄는 군대로, 영릉가 전투와 흥경성 전투에서 일본군을 격퇴하였던 부대는 조선 혁명당 산하의 조선 혁명군이다.

④ **한국 독립군**: 지청천이 이끄는 군대로, 항일 중국군과 함께 쌍성보 전투, 동경성 전투 등에서 일본군을 격퇴한 부대는 한국 독립당 산하의 한국 독립군이다.

15

2015년 기상직 9급

다음의 강령과 관련된 단체의 군사 조직에 대한 설명으로 옳은 것은?

> 1. 본 동맹은 조선에 대한 일본 제국주의의 지배를 전복하고 독립 자유의 조선 민주주의 공화국을 수립할 목적으로 다음 임무를 실현하기 위해 싸운다.
> (1) 전 국민의 보통 선거에 의한 민주 정권의 수립
> (6) 조선에 있는 일본 제국주의자의 일체 자산 및 토지를 몰수하고, 일본 제국주의와 밀접한 관계에 있는 대기업을 국영으로 귀속하며, 토지 분배를 실행한다.
> (9) 국민 의무 교육 제도를 실시하고, 이에 필요한 경비는 국가가 부담한다.

① 중국 공산당의 팔로군과 함께 활동하였다.
② 중국 국민당 정부의 지원을 받아 창설되었다.
③ 미국 전략 정보처와 함께 국내 진공 작전을 계획하였다.
④ 중국 의용군과 함께 영릉가와 흥경성 등지에서 일본군을 물리쳤다.

16

2012년 법원직 9급

밑줄 친 '이 부대'에 대한 설명으로 옳은 것은?

> 중국 한커우(漢口)에서 이 부대가 조직되었다. 부대는 1개 총대, 3개 분대로 편성되었는데 100여 명의 대원은 대부분 조선 민족 혁명당원이다. 총대장은 황포 군관 학교 제4기 출신인 진국빈이며, 부대는 대일 선전 공작과 대일 유격전을 수행함을 목적으로 하였다.

① 자유시 참변으로 피해를 입었다.
② 일부 대원이 한국광복군에 편입되었다.
③ 3부 통합으로 성립된 국민부 산하의 군대였다.
④ 쌍성보, 대전자령 등에서 일본군을 격파하였다.

문제풀이 조선 의용군

난이도 중

제시문의 '본 동맹', '조선 민주주의 공화국' 등의 표현을 통해 조선 독립 동맹이 발표한 건국 강령임을 알 수 있으며, 조선 독립 동맹 산하의 군사 조직은 조선 의용군이다.

① 조선 독립 동맹의 산하 군사 조직인 조선 의용군은 중국 공산당의 팔로군과 연합하여 태항산 지역 등에서 항일 전투를 수행하였다.

오답 분석

② **조선 의용대, 한국광복군**: 중국 국민당 정부의 지원을 받아 창설된 군대는 조선 민족 전선 연맹 산하의 조선 의용대와 대한민국 임시 정부 산하의 한국광복군이다.
③ **한국광복군**: 미국 전략 정보국(OSS)의 도움을 받아 국내 진공 작전을 계획한 것은 대한민국 임시 정부 산하의 한국광복군이다.
④ **조선 혁명군**: 중국 의용군과 연합하여 영릉가·흥경성 등지에서 일본군을 물리친 것은 조선 혁명군이다.

이것도 알면 **합격!**

조선 독립 동맹

조직	화북 조선 청년 연합회가 김두봉을 위원장으로 확대·개편하여 조직
목표	일제의 전복과 보통 선거에 의한 민주 공화국 수립
활동	• 친일파의 재산 몰수, 의무 교육제 실시 등을 규정한 강령 반포 • 산하 군사 조직인 조선 의용군은 중국 공산당의 팔로군과 연합하여 무장 투쟁 전개

문제풀이 조선 의용대

난이도 중

제시문에서 대원 대부분 조선 민족 혁명당원이라는 내용을 통해 밑줄 친 '이 부대'가 조선 의용대(1938)라는 것을 알 수 있다. 진국빈은 조선 의용대를 설립한 김원봉의 가명이다. 조선 의용대는 민족 혁명당을 중심으로 중도 좌파의 단체들이 결합하여 조직한 조선 민족 전선 연맹의 산하 군대였다.

② 1940년대에 김원봉 등 조선 의용대의 일부 세력은 충칭으로 이동하여 한국광복군에 합류하였다(1942). 한국광복군에 합류하지 않은 조선 의용대 세력은 화북 지역으로 이동하여 조선 의용대 화북 지대를 결성하였다.

오답 분석

① 자유시 참변(1921)으로 큰 피해를 입은 독립군은 1920년 만주에서 활동하던 독립군이다. 만주 지역에서 활동하던 독립군 단체들은 간도 참변이 일어나자 북만주의 밀산부에 집결하여 대한 독립 군단을 조직하고, 러시아 자유시로 이동하였으나, 러시아 적군의 무장 해제 요구와 독립군 간의 대립으로 큰 피해를 입었다.
③ **조선 혁명군**: 국민부 산하의 군대는 조선 혁명군이다. 조선 혁명군은 1930년대 초에 남만주 일대에서 중국 의용군과 연합 작전을 전개하며 영릉가·흥경성 전투에서 승리하였다.
④ **한국 독립군**: 쌍성보, 대전자령 등에서 일본군을 격파한 것은 지청천이 이끈 한국 독립군이다. 한국 독립군은 중국 호로군 등과 연합하여 쌍성보·대전자령·사도하자 전투 등에서 일본군에 승리하였다.

정답 13 ④ 14 ① 15 ① 16 ②

17

2020년 경찰직(1차)

다음 사실들을 시기 순으로 바르게 나열한 것은?

> ㉠ 홍범도, 최진동, 안무 등이 연합하여 봉오동에서 일본군을 급습하여 크게 이겼다.
> ㉡ 윤봉길이 상하이에서 폭탄을 던져 일본군 장성과 다수의 고관을 살상하였다.
> ㉢ 연해주 지역에 한인 집단촌인 신한촌이 건설되고, 대한 광복군 정부가 조직되었다.
> ㉣ 한국 독립당, 조선 혁명당, 의열단을 비롯한 여러 단체의 인사들이 민족 혁명당을 창건하였다.

① ㉠ - ㉡ - ㉢ - ㉣　② ㉡ - ㉢ - ㉣ - ㉠
③ ㉢ - ㉠ - ㉡ - ㉣　④ ㉣ - ㉢ - ㉠ - ㉡

18

2020년 서울시 9급(특수 직렬)

〈보기〉의 독립운동 단체 결성 시기를 순서대로 바르게 나열한 것은?

> **보기**
> ㉠ 조선 의용대
> ㉡ 의열단
> ㉢ 참의부
> ㉣ 대한 광복회
> ㉤ 근우회

① ㉠ - ㉡ - ㉢ - ㉤ - ㉣
② ㉡ - ㉢ - ㉤ - ㉠ - ㉣
③ ㉢ - ㉣ - ㉤ - ㉡ - ㉠
④ ㉣ - ㉡ - ㉢ - ㉤ - ㉠

문제풀이 국외 독립운동의 전개 　난이도 중

③ 시기 순으로 바르게 나열하면 ㉢ 신한촌 건설(1911) 및 대한 광복군 정부 수립(1914) → ㉠ 봉오동 전투(1920)→ ㉡ 윤봉길 의거(1932) → ㉣ 민족 혁명당 창건(1935)이 된다.

㉢ **신한촌 건설(1911) 및 대한 광복군 정부 수립(1914)**: 연해주 지역에는 국권 피탈 이후 한인 집단촌으로 신한촌이 형성되었다(1911). 신한촌에서는 자치 기관으로 권업회가 조직되었고, 권업회는 이상설과 이동휘를 정·부통령으로 하여 대한 광복군 정부를 수립하였다(1914).

㉠ **봉오동 전투(1920)**: 만주와 연해주 지역에서 결성된 독립군 부대들은 압록강과 두만강을 넘나들며 활발한 국내 진입 작전을 감행하였고, 그 과정에서 홍범도의 대한 독립군, 최진동의 군무 도독부군, 안무의 국민회군은 1920년 봉오동에서 일본군에게 대승을 거두었다.

㉡ **윤봉길 의거(1932)**: 상하이 사변에서 승리한 일본이 훙커우 공원에서 일왕 생일 축하 겸 전승 축하식을 거행하자 축하식에 잠입했던 한인 애국단의 단원인 윤봉길이 폭탄을 던져 일본군 사령관 등 일본군 장성과 교관들을 살상하였다.

㉣ **민족 혁명당 창건(1935)**: 중국 내 독립운동 조직을 통합하기 위해 의열단이 중심이 되어 조선 혁명당·신한 독립당·한국 독립당 등 민족주의 계열과 사회주의 계열이 통합된 민족 혁명당이 결성되었다. 민족 혁명당은 내부 갈등으로 인해 일부 인사들이 탈당하자, 약화된 통일 전선을 강화하기 위하여 조선 민족 전선 연맹을 조직하고, 산하에 부대로 조선 의용대를 창설하였다.

문제풀이 국내·국외 독립운동 단체 　난이도 중

④ 순서대로 바르게 나열하면 ㉣ 대한 광복회(1915) → ㉡ 의열단(1919) → ㉢ 참의부(1923) → ㉤ 근우회(1927) → ㉠ 조선 의용대(1938)가 된다.

㉣ **대한 광복회**: 대한 광복회는 대한 광복단(풍기 광복단)과 조선 국권 회복단의 일부 인사가 연합하여 1915년에 대구에서 조직한 단체이다.

㉡ **의열단**: 의열단은 3·1 운동 이후 무력적 투쟁의 필요성이 대두되면서 조직된 단체로, 김원봉, 윤세주 등이 중심이 되어 신흥 무관 학교 출신 청년들과 더불어 만주의 길림(지린)에서 결성하였다(1919).

㉢ **참의부**: 참의부는 대한 통의부에서 탈퇴한 백광운을 중심으로 결성(1923)된 대한민국 임시 정부 산하의 남만주 군정부로, 압록강 연안을 관할하였다.

㉤ **근우회**: 근우회는 신간회의 자매 단체로, 김활란 등이 중심이 되어 여성 단체들을 통합하여 조직되었다(1927).

㉠ **조선 의용대**: 조선 의용대는 김원봉을 대장으로 중국 관내(중국 한커우)에서 조선 민족 전선 연맹의 산하 군대로 창설되었다(1938). 조선 의용대는 중국 국민당의 지원 아래 중국 관내에서 조직된 최초의 한국인 군사 조직이었다.

19

2019년 지방직 7급

㉠ 정당에 대한 설명으로 옳은 것은?

> 한국 국민당과 조선 혁명당, 한국 독립당은 몇 차례에 걸친 논의를 통해 통합하기로 결정하였다. 이들은 1940년에 자신들의 조직을 해체하고 힘을 합쳐 [㉠]을/를 조직하였다. 강화된 조직력을 바탕으로 [㉠]은/는 독립운동을 활발하게 펼쳐 나갈 수 있게 되었다.

① 조선 의용대 화북 지대를 흡수하여 조선 의용군을 조직하였다.
② 무력 투쟁을 준비하기 위해 만주에 신흥 무관 학교를 창설하였다.
③ 대한민국 임시 정부를 주도적으로 이끌어 나가는 역할을 하였다.
④ 쌍성보와 대전자령 전투에서 일본군을 물리쳤다.

문제풀이 한국 독립당 난이도 중

제시문에서 한국 국민당(김구), 조선 혁명당(지청천), 한국 독립당(조소앙)이 몇 차례 논의를 통해 통합을 결정하였다는 내용을 통해 ㉠ 정당이 1940년에 재창당된 한국 독립당임을 알 수 있다.

③ 한국 독립당은 대한민국 임시 정부의 여당으로, 한국 독립당의 인사들이 임시 정부의 주축을 이루면서 실질적으로 대한민국 임시 정부를 주도하는 역할을 하였다. 한국 독립당은 대한민국 임시 정부 산하의 독립군 부대인 한국광복군의 창설(1940)을 주도하였으며, 조소앙의 삼균주의를 바탕으로 건국 강령을 발표하였다(1941).

오답 분석

① **조선 독립 동맹**: 조선 의용대 화북 지대를 흡수하여 산하 부대로 조선 의용군을 조직한 것은 화북 지역에서 김두봉 등을 중심으로 결성된 조선 독립 동맹(1942)이다.
② 신흥 무관 학교(1919)는 서간도 지역에서 이회영 등이 설립한 신흥 강습소(1911)가 개편된 독립군 양성 기관이다.
④ **한국 독립군**: 쌍성보 전투(1932)와 대전자령 전투(1933)에서 중국 호로군과 연합하여 일본군을 물리친 것은 한국 독립군이다.

20

2019년 지방직 9급

다음과 같은 강령을 발표한 조직의 활동으로 옳은 것은?

> 건국 시기의 헌법상 경제 체계는 국민 각개의 균등 생활 확보 및 민족 전체의 발전 그리고 국가를 건립 보위함과 연환(連環) 관계를 가진다. 그러므로 다음에 나오는 기본 원칙에 따라서 경제 정책을 집행하고자 한다.
> 가. 규모가 큰 생산기관의 공구와 수단 …(중략)… 은행·전신·교통 등과 대규모 농·공·상 기업 및 성시(城市)공업 구역의 주요한 공용 방산(房産)은 국유로 한다.
> 나. 적이 침략하여 점령 혹은 시설한 일체 사유 자본과 부역자의 일체 소유 자본 및 부동산은 몰수하여 국유로 한다.

① 이승만을 대통령, 이시영을 부통령으로 선출하였다.
② 자유시 참변을 겪고 러시아 적군에 무장 해제를 당하였다.
③ 좌·우 합작 위원회를 구성하고 좌·우 합작 7원칙을 발표하였다.
④ 미군 전략 정보국(OSS) 지원 아래 국내 진공 작전을 준비하였다.

문제풀이 대한민국 임시 정부 난이도 중

제시된 자료에서 건국 시기 헌법상 경제 체계는 국민 각개의 균등 생활 확보(인균) 및 민족 전체의 발전(족균), 국가의 건립·보위(국균)는 서로 연결되어 있다는 삼균주의와, 생산 기관의 국유화를 주장하는 내용을 통해 대한민국 임시 정부의 건국 강령(1941)임을 알 수 있다.

④ 대한민국 임시 정부 산하의 한국광복군은 미군 전략 정보국(OSS) 지원 아래 국내 진공 작전을 준비하였으나, 일제의 패망으로 실현하지 못하였다.

오답 분석

① 이승만을 대통령, 이시영을 부통령으로 선출한 것은 광복 이후 구성된 제헌 국회이며, 이를 통해 대한민국 정부가 수립되었다.
② 자유시 참변을 겪고 러시아 적군에 무장 해제를 당한 것은 1920년대 만주에서 활동하던 독립군이다. 만주 지역에서 활동하던 독립군 단체들은 일제의 탄압을 피해 밀산부에 집결하여 대한 독립 군단을 조직하고 러시아 자유시로 이동하였으나, 독립군 사이에 발생한 내분과 러시아 적군의 무장 해제 요구로 큰 피해를 입었다(1921, 자유시 참변).
③ 광복 이후 좌·우 합작 위원회를 구성하고 좌·우 합작 7원칙을 발표한 것은 김규식 등의 중도 우파와 여운형 등의 중도 좌파 인사들이다.

정답 17 ③ 18 ④ 19 ③ 20 ④

21

2019년 법원직 9급

다음과 같은 건국 강령을 발표한 세력의 활동으로 가장 옳은 것은?

> 삼균 제도를 골자로 한 헌법을 실시하여 정치와 경제와 교육의 민주적 시설로 실제상 균형을 도모하며 전국의 토지와 대생산 기관의 국유가 완성되고 전국의 학령 아동 전체가 고급 교육의 면비수학(무상 교육)이 완성되고 보통 선거가 구속 없이 완전히 실시되어 …… 자치 조직과 행정 조직과 민중 단체와 민중 조직이 완비되어 삼균 제도가 배합 실시되고 경향 각층의 극빈 계급에게 물질과 정신상 생활 정도와 문화 수준이 제고 보장되는 과정을 건국의 제2기라 함.

① 함경남도 보천보의 일제 통치 기구를 공격하였다.
② 미국 전략 정보처(OSS)와 협력하여 국내 진공 작전을 계획하였다.
③ 화북 지방에서 조선 의용군을 결성하여 일제에 저항하였다.
④ 중·일 전쟁이 발발하자 조선 민족 전선 연맹을 결성하였다.

문제풀이 대한민국 임시 정부의 활동 난이도 중

제시문에서 삼균 제도를 골자로 한 헌법을 실시하여 정치·경제·교육의 균형을 도모하며 토지와 대생산 기관의 국유화 및 무상 교육 등이 완성되고 보통 선거가 실시된다는 내용을 통해 조소앙의 삼균주의를 바탕으로 작성된 대한민국 임시 정부의 건국 강령(1941)임을 알 수 있다.

② 대한민국 임시 정부 산하의 한국광복군은 미군 전략 정보국(OSS)의 도움을 받아 국내 정진군을 편성하여 국내 진공 작전을 계획하였다(1945). 그러나 이 작전은 예상보다 빠른 일제의 패망으로 실현되지는 못하였다.

오답 분석
① **동북 항일 연군**: 함경남도 보천보의 일제 통치 기구를 공격한 세력은 동북 항일 연군이다. 동북 항일 연군 내의 항일 유격대는 함경남도 갑산군 보천보에 침투하여 경찰 주재소, 면사무소 등을 습격하였다(1937).
③ **조선 독립 동맹**: 조선 의용군(1942)은 조선 의용대 화북 지대가 개편된 단체로, 조선 독립 동맹 산하의 군대이다. 조선 의용군은 중국 팔로군과 연합 작전을 수행하였으며, 광복 후에는 북한 인민군에 편입되었다.
④ **조선 민족 혁명당 등**: 중·일 전쟁이 발발하자 조선 민족 전선 연맹을 결성한 세력은 조선 민족 혁명당 등이다. 민족 혁명당(1935)은 의열단(김원봉) 계열의 독주로 조소앙·지청천 등 민족주의 세력이 이탈한 이후 조선 민족 혁명당으로 개편되었다(1937). 이후 중·일 전쟁이 발발하자 조선 민족 혁명당의 김원봉을 중심으로 중도 좌파 세력들이 결집하여 조선 민족 전선 연맹(1937)이 결성되었고, 산하에 군사 조직인 조선 의용대가 조직되었다(1938).

22

2021년 국회직 9급

충칭 시기 대한민국 임시 정부와 광복군에 대한 설명으로 옳지 않은 것은?

① 대한민국 임시 정부는 정부, 당(한국 독립당), 군(광복군)의 삼위일체 체제를 확립하였다.
② 복국과 건국의 구상을 담은 대한민국 건국 강령을 발표하였다.
③ 중국 군사 위원회는 '한국광복군 행동 9개 준승'을 통해 광복군의 활동을 통제하고자 했다.
④ 1942년 광복군에 합류한 조선 의용대는 광복군 제3지대로 편성되었다.
⑤ 광복군은 미국 전략 정보국(OSS)과 합작하여 국내 진입을 준비하였다.

문제풀이 충칭 시기 대한민국 임시 정부와 한국광복군 난이도 상

④ 1942년 광복군에 합류한 조선 의용대는 광복군 제3지대가 아닌 광복군 제1지대로 편성되었다. 김원봉이 이끄는 조선 의용대 일부 세력이 광복군에 합류하여 광복군 제1지대로 편성되고 기존의 4개 지대였던 광복군은 2개 지대로 통합되면서, 광복군은 총 3개 지대로 개편되었다.

오답 분석
모두 충칭 시기 대한민국 임시 정부와 광복군에 대한 설명이다.
① 대한민국 임시 정부는 한국 독립당을 재창당하고 충칭으로 이동한 후, 한국광복군을 창설하여 정부, 당, 군의 삼위일체 체제를 확립하였다(1940).
② 충칭 시기 대한민국 임시 정부는 조소앙의 삼균주의를 바탕으로 복국(국권 회복의 과정)과 건국의 구상을 담은 대한민국 건국 강령을 발표하였다(1941). 한편 대한민국 건국 강령에는 보통 선거, 의무 교육, 토지 국유화, 토지 개혁, 생산 기관의 국유화 등의 내용이 포함되어 있다.
③ 중국 군사 위원회는 광복군에 재정 원조를 하는 대가로 '한국 광복군 행동 9개 준승(1941)'을 통해 광복군의 활동을 통제하고자 하였으며, 이에 따라 한국광복군은 중국 군사 위원회의 지휘를 받아야 했다. 이러한 제약은 1944년에 행동 준승이 폐기되면서 소멸되었다.
⑤ 한국광복군은 미국 전략 정보국(OSS)과 협력하여 국내 정진군을 편성하고 국내 진공 작전을 준비(1945)하였으나, 일본의 무조건 항복으로 실현되지 못하고 중단되었다.

23

2021년 법원직 9급

지도의 (가)~(라) 중 다음 성명서가 발표된 장소로 옳은 것은?

> 1. 한국 전체 인민은 현재 이미 반침략 전선에 참가해오고 있으며, 이제 하나의 전투 단위로서 추축국에 선전한다.
> 2. 1910년 한일 '병합'과 일체의 불평등 조약은 무효이며, 아울러 반침략 국가가 한국에서 합리적으로 얻은 기득권익이 존중될 것임을 거듭 선포한다.
> 3. 한국, 중국과 서태평양에서 왜구를 완전히 몰아내기 위하여 최후의 승리를 거둘 때까지 혈전한다.

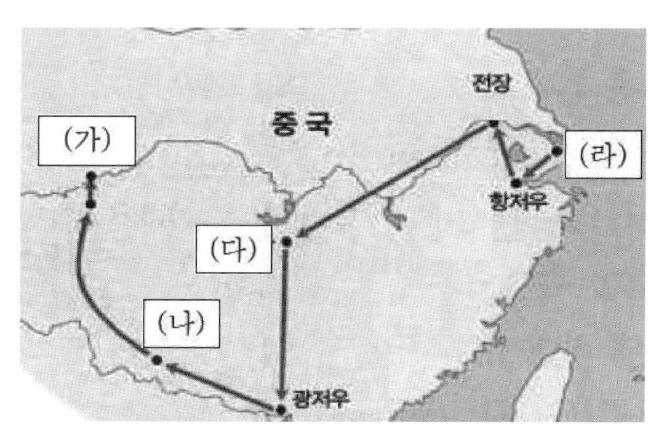

① (가) ② (나)
③ (다) ④ (라)

문제풀이 대일 선전 성명서가 발표된 장소 난이도 중

제시문에서 하나의 전투 단위로서 추축국에 선전한다는 내용을 통해 대한민국 임시 정부가 발표한 대일 선전 성명서임을 알 수 있다. 한편 지도에 표시된 지역은 (가)는 충칭, (나)는 류저우, (다)는 창사, (라)는 상하이로, 이는 대한민국 임시 정부가 이동한 경로이다. 대한민국 임시 정부는 윤봉길 의사의 홍커우 공원 의거 이후 일본의 탄압이 강화되자 상하이를 떠나 항저우, 창사, 류저우 등을 거쳐 충칭으로 이동하였다.

① 대한민국 임시 정부는 1940년에 충칭에 정착하였고, 산하 부대인 한국광복군을 창설하였다. 이후 1941년에 태평양 전쟁이 일어나자 대한민국 임시 정부는 대일 선전 성명서를 발표하고 연합군의 일원으로 참전하였다.

24

2020년 국가직 9급

다음 자료가 발표된 이후의 사실에 해당하지 않는 것은?

> 우리는 3천만 한국 인민과 정부를 대표하여 삼가 중·영·미·소·캐나다 기타 제국의 대일 선전이 일본을 격패케하고 동아를 재건하는 가장 유효한 수단이 됨을 축하하여 이에 특히 다음과 같이 성명한다.
> 1. 한국 전 인민은 현재 이미 반침략 전선에 참가하였으니 한 개의 전투 단위로서 추축국에 선전한다.
> 2. 1910년의 합방 조약과 일체의 불평등 조약의 무효를 거듭 선포하며 아울러 반(反) 침략 국가인 한국에 있어서의 합리적 기득권익을 존중한다.
>
> …(중략)…
>
> 5. 루스벨트·처어칠 선언의 각조를 견결히 주장하며 한국 독립을 실현키 위하여 이것을 적용하여 민주 진영의 최후 승리를 축원한다.

① 한국광복군은 김원봉이 이끌던 조선 의용대의 병력을 통합하였다.
② 영국군의 요청에 따라 인도, 미얀마 전선에 한국광복군이 파견되었다.
③ 조선 독립 동맹은 조선 의용대 화북지대를 기반으로 조선 의용군을 조직하였다.
④ 대한민국 임시 정부는 김구를 주석으로 하는 단일 지도 체제를 만들고 대한민국 건국 강령을 제정하였다.

문제풀이 대일 선전 포고 이후의 사실 난이도 상

제시문에서 추축국에 선전한다는 내용을 통해 대한민국 임시 정부의 대일 선전 포고문임을 알 수 있다. 대한민국 임시 정부는 태평양 전쟁이 발발한 이후인 1941년 12월, 대일 선전 포고문을 발표하였다.

④ 1940년에 대한민국 임시 정부는 김구를 주석으로 하는 단일 지도 체제를 만들고, 1941년 11월 삼균주의를 바탕으로 한 대한민국 건국 강령을 제정하였다.

오답 분석

모두 대일 선전 포고 이후의 사실이다.

① 김원봉이 이끌던 조선 의용대가 한국광복군에 합류한 것은 1942년의 일이다.

② 영국군의 요청에 따라 인도, 미얀마 전선에 한국광복군이 파견된 것은 1943년의 일이다. 한국광복군은 인도, 미얀마 전선에서 포로 심문, 선전 전단 작성, 암호문 번역 등을 주로 담당하였다.

③ 조선 독립 동맹이 조선 의용대 화북 지대를 기반으로 조선 의용군을 조직한 것은 1942년의 일이다.

정답 21 ② 22 ④ 23 ① 24 ④

25

2022년 소방직

(가)에 들어갈 인물로 옳은 것은?

> (가) 의 약력
> - 1917년 대동 단결 선언 발표 참여
> - 1919년 대한민국 임시 정부 국무위원
> - 1930년 상하이에서 이동녕 등과 한국 독립당 결성
> - 1941년 대한민국 임시 정부의 건국 강령에서 삼균주의 제창
> - 1945년 대한민국 임시 정부 외무부장
> - 1950년 제2대 국회의원 최다 득표로 당선

① 김규식 ② 여운형
③ 안재홍 ④ 조소앙

26

2020년 지방직 7급

(가), (나) 사건 사이에 있었던 사실로 옳은 것만을 모두 고르면?

> (가) 일제는 중·일 전쟁을 일으켰다.
> (나) 대한민국 임시 정부는 한국광복군을 창설하였다.

> ㉠ 국가 총동원법이 제정되었다.
> ㉡ 징병제로 한국인 청년들이 군인으로 끌려갔다.
> ㉢ 항일 무장 부대인 조선 의용대가 결성되었다.
> ㉣ 비밀 결사 조직인 조선 건국 동맹이 조직되었다.

① ㉠, ㉡ ② ㉠, ㉢
③ ㉡, ㉢ ④ ㉢, ㉣

문제풀이 조소앙

난이도 중

제시문에서 삼균주의 제창과 대한민국 임시 정부 외무부장 등의 내용을 통하여 (가)에 들어갈 인물은 조소앙임을 알 수 있다.

④ 조소앙은 1917년에 박은식, 신채호 등과 대동 단결 선언 발표에 참여하였으며, 1930년에는 상하이에서 이동녕 등과 한국 독립당을 결성하였다. 또한, 보통 선거에 의한 정치의 균등, 토지 및 주요 생산 기관의 국유화를 통한 경제의 균등, 의무 교육 제도를 통한 교육의 균등을 주장한 삼균주의를 제창하였으며, 1945년에는 대한민국 임시 정부의 외무부장을 역임하였다.

오답 분석

① **김규식**: 김규식은 1919년에 파리 강화 회의에 민족 대표로 파견되었으며, 1944년에는 대한민국 임시 정부의 부주석을 역임하였다. 이후 1946년에 통일 임시 정부를 구성할 때까지 사용될 법령의 초안을 작성하기 위해 미 군정의 주도로 설립된 남조선 과도 입법 의원의 의장으로 당선되었다.

② **여운형**: 여운형은 1944년에 국내에서 조선 건국 동맹을 결성하여 일제의 패망과 광복에 대비하였으며, 광복 이후 이를 바탕으로 안재홍 등과 함께 조선 건국 준비 위원회를 결성하였다.

③ **안재홍**: 안재홍은 1945년에 여운형 등과 조선 건국 준비 위원회를 결성하였으며, 점차 좌익 세력이 강화되는 조선 건국 준비 위원회의 조직에 불만을 품고 탈퇴하여 신민족주의와 신민주주의를 표방한 조선 국민당을 창당하였다.

문제풀이 중·일 전쟁과 한국 광복군 창설 사이의 사실

난이도 중

(가) 일제가 중·일 전쟁을 일으킨 것은 1937년의 일이다.
(나) 대한민국 임시 정부가 한국광복군을 창설한 것은 1940년의 일이다.

② 옳은 것을 모두 고르면 ㉠, ㉢이다.
㉠ 국가 총동원법은 1938년에 제정되었다. 국가 총동원법은 일제가 전쟁 수행에 필요한 인적, 물적 자원을 원활하게 확보하기 위해 제정한 법률이다.
㉢ 항일 무장 부대인 조선 의용대는 김원봉의 주도로 1938년에 결성되었다. 조선 의용대는 중국 관내에서 결성된 최초의 한인 무장 부대로, 일본군에 대한 포로 심문·첩보 활동 등을 전개하였다.

오답 분석

㉡ **(나) 이후**: 일제가 징병제를 실시한 것은 1944년으로, (나) 이후의 사실이다. 징병제를 통해 한국인 청년들이 강제로 군인으로 동원되었다.

㉣ **(나) 이후**: 여운형이 국내 좌·우익 세력을 모아 비밀 결사 조직인 조선 건국 동맹을 조직한 것은 1944년으로, (나) 이후의 사실이다.

이것도 알면 **합격!**

한국광복군

창설	1940년 지청천과 김구 등이 충칭에서 창설
강화	김원봉의 조선 의용대 일부를 흡수하여 군사력 강화
활동	대일 선전 포고, 미얀마·인도 전선에 파견, 국내 진공 작전 계획

27

2023년 서울시 9급

〈보기〉의 기록은 독립 운동에 참여한 인물의 회고록이다. 이 인물이 소속된 단체로 가장 옳은 것은?

> **보기**
> 나는 목숨을 걸고 탈출하여 …… 충칭으로 가는 길에 6,000리 장정의 길에 나섰고 …… 이범석 장군의 부관이 되어 시안에 있는 제2지대로 찾아가서 OSS 특별 훈련을 받았다. 국내 지하 공작원으로 진입하려고 하던 때에 투항을 맞이하였다.

① 조선 의용군
② 한인 애국단
③ 한국광복군
④ 동북 항일 연군

28

2019년 국회직 9급

밑줄 친 '군'의 활동으로 옳은 것은?

> 우리 군은 임시 정부에 직속한 국군이나 범한국의 혼을 가진 열혈 청년은 모다 한데 뭉치여 위국 헌신할 가장 범위 크고 원만한 기구이다. 삼십 년 전 우리나라를 망친 것은 우리 부형의 죄과이고, 삼십 년 후인 금일 조국을 능히 광복할만한 기회를 당하야 적은 사리에 눈이 멀어 혹은 주의적 입장의 고집으로 혹은 감정 관계로 뭉쳐야 될 때 뭉치지 못하고 …… 이것은 우리의 천대선조와 억만대 후손에게 대하야 더 말할 수 없는 대죄인이 되는 것이다.

① 태항산 지역에서 일본군을 격퇴하였다.
② 쌍성보에서 일본군과 교전하였다.
③ 압록강에서 사이토 총독을 저격하였다.
④ 미국과 전략적으로 협력하였다.
⑤ 청산리 전투에서 승리한 후 러시아령으로 이동하였다.

문제풀이 한국광복군 (난이도 하)

제시문에서 OSS 특별 훈련을 받았고, 국내 지하 공작원으로 진입하려고 하였다는 내용을 통해 이 인물이 소속된 단체가 한국광복군임을 알 수 있다.

③ 한국광복군은 중국 충칭에서 창설된 대한민국 임시 정부 산하의 부대이다. 한국광복군은 미국 전략 사무국(OSS)과 협력하여 국내 정진군을 편성하고 국내 진공 작전을 계획하였으나, 일본의 무조건 항복으로 실현되지 못하고 중단되었다.

오답 분석

① **조선 의용군**: 조선 의용군은 조선 의용대 화북 지대가 개편된 단체로, 조선 독립 동맹 소속이었다. 조선 의용군은 중국 공산당의 팔로군과 연합하며 대일 항전을 전개하였다.

② **한인 애국단**: 한인 애국단은 김구가 대한민국 임시 정부의 위상을 높이고, 침체된 독립운동을 활성화하기 위하여 중국 상하이에서 조직한 단체이다.

④ **동북 항일 연군**: 동북 항일 연군은 만주 지방에서 항일 연합 전선을 형성하기 위하여 동북 인민 혁명군을 확대하여 만든 단체로, 김일성, 김책 등 북한 정권 수립 시기의 주요 인물들이 참여하였다. 동북 항일 연군은 항일 전투 및 선전 활동에 주력하며, 국내 진공 작전을 펼쳐 평안북도 일대에서 여러 전투를 전개하기도 하였다.

문제풀이 한국광복군 (난이도 중)

제시문에서 임시 정부에 직속한 국군이라는 내용을 통해 밑줄 친 '군'이 대한민국 임시 정부 산하의 한국광복군임을 알 수 있다.

④ 한국광복군은 미국과 전략적으로 협력하며 미군 전략 정보국(OSS)의 도움을 받아 국내 정진군을 편성하여 국내 진공 작전을 준비하였으나 일본의 항복으로 실현되지 못하였다.

오답 분석

① **조선 의용대 화북 지대**: 태항산 지역에서 일본군을 격퇴한 단체는 조선 의용대 화북 지대이다. 적극적인 항일 항쟁을 표방하며 화북 지역으로 이동한 조선 의용대 세력(조선 의용대 화북 지대)은 태항산 지역에서 호가장 전투 등을 벌였다. 이후 조선 의용대 화북 지대는 조선 의용군으로 개편(1942)되어 화북 지역에서 항일전을 지속하였다.

② **한국 독립군**: 쌍성보에서 일본군과 교전한 것은 지청천이 이끈 한국 독립군이다.

③ **참의부 독립군**: 압록강에서 총독 사이토를 저격(마시탄 의거, 1924)한 것은 참의부 소속의 독립군이다. 참의부 소속의 독립군은 국경 지방 순시를 단행한 사이토 총독을 압록강에서 저격하였으나 실패하였다.

⑤ 청산리 전투에서 일본에 승리한 단체는 김좌진의 북로 군정서군과 홍범도의 대한 독립군 등의 연합 부대이다. 이후 만주 지역의 독립군 부대들은 일제의 대대적인 토벌을 피해 밀산부에 집결한 후 연합 부대인 대한 독립 군단을 조직하고 러시아령 자유시로 이동하였다.

정답 25 ④ 26 ② 27 ③ 28 ④

29

2015년 서울시 9급

밑줄 친 '이 단체'에 관한 설명으로 옳지 않은 것은?

> 대한민국 임시 정부에서는 만주 지역의 독립군과 각처에 산재해 있던 무장 투쟁 세력을 모아 충칭에서 <u>이 단체</u>를 창설하였다.

① 김원봉이 이끄는 조선 의용대의 일부를 통합하여 군사력을 증강하였다.

② 초기에는 중국 군사 위원회의 지휘와 간섭을 받았다.

③ 중국의 화북 전선에서 일본군에 대항하여 팔로군과 연합 작전을 전개하였다.

④ 중국 주둔 미국 전략 정보국(OSS)과 합작하여 국내 진공 작전을 계획하였으나 실현되지 못했다.

문제풀이 한국광복군

난이도 중

제시문의 대한민국 임시 정부에서 무장 투쟁 세력을 모아 창설했다는 내용을 통해 밑줄 친 '이 단체'가 한국광복군(1940)임을 알 수 있다.

③ 중국 화북 전선에서 팔로군과 연합하여 일본군에 대항한 군대는 조선 의용대 화북 지대(조선 의용군으로 개편)이다.

오답 분석

① 한국광복군은 김원봉의 조선 의용대 일부를 흡수하여 군사력을 증강하였다.

② 한국광복군은 초기에 재정적 어려움으로 인하여 중국 정부의 원조를 받아야 했기 때문에 중국 군사 위원회의 지휘와 간섭을 받았다.

④ 한국광복군은 미군 전략 정보국(OSS)과 합작하여 국내 진공 작전을 계획하였으나 일본의 항복으로 실현되지 못했다.

이것도 알면 **합격!**

한국광복군

> 대한민국 임시 정부는 대한민국 원년(1919) 정부가 공포한 군사 조직법에 의거하여 중화민국 총통 장개석 원수의 특별 허락으로 중화민국 영토 내에서 …… 한국광복군 총사령부를 창설함을 이에 선언한다.

사료 분석 | 대한민국 임시 정부는 중국 국민당 정부의 지원을 받아 충칭에서 한국광복군을 창설하였다.

30

2014년 국가직 9급

대한민국 임시 정부는 1940년 충칭에서 한국광복군을 창설하였는데, 이와 관련된 내용으로 옳지 않은 것은?

① 총사령에 이청천, 참모장에 이범석을 선임하였다.

② 영국군의 요청으로 일부 병력을 인도와 버마(미얀마) 전선에 참전시켰다.

③ 미국 전략 정보처(OSS)와 협력하면서 국내 진공을 준비하였다.

④ 조선 의용군과 연합하여 일본에 대해 선전 포고를 하였다.

문제풀이 한국광복군

난이도 하

④ 한국광복군은 단독으로 일본에 대한 선전 포고를 하였다. 한편 조선 의용군은 한국광복군이 대일 선전 포고문을 발표(1941. 12.)한 이후인 1942년에 조직되었다.

오답 분석

① 한국광복군은 총사령관에 이청천(지청천), 참모장에 이범석을 임명하였다.

② 한국광복군은 영국군과 연합 작전을 추진하여 일부 병력을 인도·버마(미얀마) 전선에 참전시켰다.

③ 한국광복군은 미국 전략 정보처(OSS)와 함께 국내 진공을 준비하였으나 일제의 패망으로 무산되었다.

이것도 알면 **합격!**

한국광복군의 활동

구분	내용
대일 선전 포고	태평양 전쟁이 일어나자 일본에 선전 포고를 하고 연합군의 일원으로 참전
미얀마·인도 전선에 파견	영국군과 연합 작전을 수행하였고, 전선에서 포로 심문, 선전 전단의 작성, 암호문 번역 등 담당
국내 진공 작전 계획	• 활동: 미군 전략 정보국(OSS)의 도움을 받아 국내 정진군을 편성하여 특수 훈련을 실시하고, 비행대까지 편성 • 실행 직전에 일본의 무조건 항복으로 무산

31

2013년 지방직 9급

밑줄 친 '우리 부대'에 대한 설명으로 옳은 것은?

> 이번 연합군과의 작전에 모든 운명을 거는 듯하였다. 주석(主席)과 우리 부대의 총사령관이 계속 의논하는 것을 옆에서 들었기 때문에 더욱 일의 중대성을 절감하였다. 드디어 시기가 온 것이다! 독립 투쟁 수십 년에 조국을 탈환하는 결정적 시기가 온 것이다. 이때의 긴장감은 내가 일본 군대를 탈출할 때와는 다른 긴장감이었다. 목적은 같으나 그때는 막연한 미지의 세계에 뛰어드는 것이었지만 이번에는 분명히 조국으로 가는 것이 아닌가?
>
> -『장정』

① 중국 공산군과 함께 화북에서 항일전을 벌였다.

② 만주에서 중국 의용군과 연합 작전을 수행하였다.

③ 중국 관내에서 조직된 최초 한국인 군사 조직이었다.

④ 인도, 미얀마 전선에서 영국군과 공동 작전을 펼쳤다.

문제풀이 한국광복군 난이도 중

제시문의 연합군의 작전, 주석 등을 통해 밑줄 친 '우리 부대'는 한국광복군임을 알 수 있다. 제시문에 등장하는 '나'는 장준하 선생으로 일본 학도병으로 징집을 당했다가 일본 군대를 탈출한 뒤 6천리 장정을 거쳐 충칭 임시 정부의 한국광복군에 합류하였다.

④ 한국광복군은 인도, 미얀마 전선에서 영국군과 연합 작전을 수행하였고, 포로 심문, 선전 전단의 작성, 암호문 번역 등을 담당하였다.

오답 분석

① **조선 의용대 화북 지대, 조선 의용군**: 중국 공산당 산하의 팔로군과 함께 화북 지대에서 항일전을 벌인 것은 조선 의용대 화북 지대이다. 태항산 지역에서 주로 활동한 조선 의용대 화북 지대는 조선 독립 동맹 산하의 조선 의용군으로 개편(1942)된 이후에도 화북 지역에서 항일전을 지속하였다.

② **조선 혁명군**: 만주에서 중국 의용군과 연합 작전을 수행한 것은 조선 혁명군이다. 조선 혁명군은 중국 의용군과 함께 영릉가·흥경성·신개령 전투 등에서 일본군에 크게 승리하였다.

③ **조선 의용대**: 중국 관내에서 조직된 최초의 한국인 군사 조직은 1938년 김원봉 등이 조직한 조선 의용대이다.

32

2014년 지방직 9급

다음은 일제 강점기 국외 독립운동에 관한 사실들이다. 이를 시기 순으로 바르게 나열한 것은?

> ㉠ 대한민국 임시 정부가 지청천을 총사령으로 하는 한국광복군을 창설하였다.
>
> ㉡ 블라디보스토크에서 이상설, 이동휘 등이 중심이 된 대한 광복군 정부가 수립되었다.
>
> ㉢ 홍범도가 이끄는 대한 독립군을 비롯한 연합 부대는 봉오동 전투에서 대승을 거두었다.
>
> ㉣ 양세봉이 이끄는 조선 혁명군은 중국 의용군과 연합하여 영릉가 전투에서 일본군을 무찔렀다.

① ㉠ → ㉣ → ㉡ → ㉢

② ㉡ → ㉢ → ㉣ → ㉠

③ ㉢ → ㉡ → ㉣ → ㉠

④ ㉣ → ㉢ → ㉠ → ㉡

문제풀이 국외 독립운동의 전개 난이도 중

② 시기 순으로 나열하면 ㉡ 대한 광복군 정부 수립(1914) → ㉢ 봉오동 전투(1920) → ㉣ 영릉가 전투(1932) → ㉠ 한국광복군 창설(1940)이 된다.

㉡ **대한 광복군 정부 수립(1914)**: 권업회는 블라디보스토크에서 이상설과 이동휘를 정·부통령으로 하는 대한 광복군 정부를 수립하였다(1914).

㉢ **봉오동 전투(1920)**: 일본군이 봉오동을 기습 공격하였으나 홍범도가 이끄는 대한 독립군을 비롯한 최진동의 군무 도독부군, 안무의 국민회군의 연합군이 일본군에 대승을 거두었다(봉오동 전투, 1920).

㉣ **영릉가 전투(1932)**: 양세봉이 이끄는 조선 혁명군은 중국 의용군과 연합하여 영릉가 전투(1932)를 비롯해 흥경성·신개령·통화현 전투에서 일본군에 대승하였다.

㉠ **한국광복군 창설(1940)**: 충칭에 정착한 대한민국 임시 정부는 한국광복군을 창설(1940)하고 총사령에 지청천, 참모장에 이범석을 임명하였다.

정답 29 ③ 30 ④ 31 ④ 32 ②

1 | 민족의 저항 운동

01

2020년 국가직 9급

(가)에 대한 설명으로 옳은 것은?

> 문화 통치의 일환으로 한글 신문의 발행이 허용되었다. 이에 따라 (가) 이/가 창간되었다. (가) 은/는 자치 운동을 모색하던 이광수의 「민족적 경륜」을 실어 비판 받기도 하였으나, '일장기 말소 사건'으로 일제로부터 정간 처분을 받기도 하였다.

① 한글 보급 운동에 앞장서 『한글원본』을 만들었다.
② 브나로드 운동이라는 농촌 계몽 운동을 전개하였다.
③ 『개벽』, 『신여성』, 『어린이』 등의 잡지를 발행하였다.
④ 신간회가 결성되자 신간회 본부와 같은 역할을 하게 되었다.

문제풀이 동아일보 난이도 중

제시문에서 이광수의 「민족적 경륜」을 실었으며, '일장기 말소 사건'을 일으켰다는 것을 통해 (가)가 동아일보임을 알 수 있다. 동아일보는 1920년 문화 통치의 일환으로 한글 신문 발행이 허용되면서 창간되었다. 또한 이광수의 「민족적 경륜」이라는 글을 실었으며, '일장기 말소 사건(1936)'으로 무기 정간 처분도 당하였다.

② 동아일보는 1931~1934년에 브나로드 운동을 주도하여 학생을 통한 농촌 계몽 운동을 전개하였다. 이 운동은 "배우자! 가르치자! 다 함께 브나로드!"를 구호로 내걸고 전개된 운동으로, 농촌 계몽, 한글 보급, 미신 타파, 구습 제거를 추진하였다.

오답 분석
① **조선일보**: 한글 보급 운동에 앞장서 『한글원본』 등의 교재를 제작·배포하였던 곳은 조선일보이다.
③ **천도교**: 민중 계몽을 위해 『개벽』, 『신여성』, 『어린이』 등의 잡지를 간행한 곳은 천도교이다.
④ 동아일보와 신간회는 관계가 없다. 이상재, 안재홍 등의 조선일보 계열 인사들이 신간회에서 임원을 담당하는 등 신간회를 중심적으로 이끌었다.

02

2023년 국회직 9급

다음 사회 운동에 대한 설명으로 옳은 것은?

> 공평은 사회의 근본이고 애정은 인류의 근본 강령이다. 그런 까닭으로 우리는 계급을 타파하고 모욕적 칭호를 폐지하여 교육을 장려하며, 우리도 참다운 인간이 되는 것을 기대하는 것이 본 사의 큰 뜻이다.

① 서얼 차별이 발단이 되었다.
② 근우회 결성의 사상적 기반이 되었다.
③ 진주에서 시작되어 전국으로 확대되었다.
④ 민립 대학 설립 운동의 주요 배경이 되었다.
⑤ 소년 운동으로 확대되어 조선 소년군이 창설되는 계기가 되었다.

문제풀이 형평 운동 난이도 중

제시문에서 계급을 타파하고 모욕적 칭호를 폐지하여야 한다는 내용을 통해 형평 운동에 대한 설명임을 알 수 있다.

③ 형평 운동은 경남 진주에서 이학찬 등이 백정에 대한 차별 철폐 등을 주장하며 조선 형평사를 창립한 것을 시작으로 전국으로 확대되었다.

오답 분석
모두 형평 운동과는 관련이 없다.
① 형평 운동은 갑오개혁 이후 신분제가 법적으로 폐지되었음에도 여전히 남아 있는 백정에 대한 사회적 차별로 인해 일어났다. 한편, 서얼 차별이 발단이 되어 일어난 것은 조선 후기의 통청 운동이다.
② 근우회는 신간회의 자매 단체로 창립된 단체로, 강연회, 토론회, 야학 설치 등을 통한 여성 계몽 활동과 여성 노동자 권익 옹호 운동 등을 전개하였다.
④ 민립 대학 설립 운동은 일제의 식민지 차별 교육에 대항하여 우리 민족의 힘으로 대학을 설립하기 위해 전개되었다.
⑤ 조선 소년군이 창설된 것은 1922년으로, 형평 운동(1923)이 전개되기 이전의 사실이다. 한편, 소년 운동은 일제 강점기에 열악한 어린이들의 처우 개선을 위해 방정환 등의 주도로 전개된 사회 운동이다.

03

2022년 법원직 9급

자료에 나타난 운동에 대한 설명으로 가장 옳은 것은?

> 진주성 내 동포들이 궐기하여 형평사라는 단체를 조직하여 계급 타파 운동을 개시할 것이라고 한다. …… 어떤 자는 고기를 먹으면서 존귀한 대우를 받고, 어떤 자는 고기를 제공하면서 비천한 대우를 받는다. 이는 공정한 천리(天理)에 따를 수 없는 일이다.

① 백정에 대한 차별 철폐를 요구하였다.
② 공·사 노비 제도가 폐지되는 결과를 가져왔다.
③ 향·부곡·소를 일반 군현으로 승격할 것을 주장하였다.
④ 평안도 지역에 대한 차별과 지배층의 수탈에 항거하였다.

문제풀이 형평 운동 난이도 하

제시문에서 진주성에서 형평사라는 단체를 조직하여 계급 타파 운동을 개시한다는 내용을 통해 형평 운동에 대한 설명임을 알 수 있다.

① **형평 운동은 1923년에 백정의 사회적 차별 철폐를 요구하는 신분 해방 운동으로 전개되었으며, 이후 사회주의 계열과 연계하여 파업과 소작 쟁의에 참여하는 등 민족 해방 운동으로까지 발전하였다.**

오답 분석
모두 형평 운동과는 관련이 없다.

② 공·사 노비 제도가 폐지되는 결과를 가져온 것은 제1차 갑오개혁이다. 갑오개혁 때 법적인 신분 제도가 폐지되었으나, 여전히 남아 있는 백정에 대한 사회적 차별로 인해 형평 운동이 일어나게 되었다.
③ 향·부곡·소는 고려 시대의 특수 행정 구역으로, 일반 군현에 비해 차별을 받았기 때문에, 고려 시대에는 망이·망소이의 난 등과 같은 신분 해방 운동이 전개되기도 하였다. 한편, 향·부곡·소는 조선 건국 이후 각지에 지방관이 파견되면서 모두 소멸되었다.
④ 평안도 지역에 대한 차별과 지배층의 수탈에 항거하여 일어난 것은 조선 후기에 발생한 홍경래의 난이다.

이것도 알면 **합격!**

형평 운동의 배경
- 갑오개혁 이후 법제적으로 신분제가 폐지되었지만 사회적 차별 잔존
- 총독부는 백정 출신의 호적에 '도한(屠漢)'이라고 기록하거나 이름 위에 붉은 점을 찍어 차별, 보통학교 입학 통지서에도 신분을 기재하여 차별

04

2024년 국가직 9급

(가)와 (나) 사이의 시기에 있었던 사실로 옳은 것은?

> (가) 순종의 인산일을 기하여 '동양 척식 주식회사를 철폐하라!', '일본인 지주에게 소작료를 바치지 말자!' 등의 격문을 내건 운동이 일어났다.
> (나) 광주에서 한국인 학생과 일본인 학생 사이에 일어난 충돌을 계기로 학생들이 총궐기하는 운동이 일어났다.

① 신간회가 창설되었다.
② 진단 학회가 설립되었다.
③ 진주에서 조선 형평사가 창립되었다.
④ 대구에서 국채 보상 운동이 시작되었다.

문제풀이 6·10 만세 운동과 광주 학생 항일 운동 사이의 사실 난이도 중

(가)는 순종의 인산일을 기하여 '동양 척식 주식회사를 철폐하라!' 등의 격문을 내건 운동이라는 내용을 통해 6·10 만세 운동(1926)임을 알 수 있다.
(나)는 광주에서 한국인 학생과 일본인 학생 사이에 일어난 충돌을 계기로 일어났다는 내용을 통해 광주 학생 항일 운동(1929)임을 알 수 있다.

① **(가)와 (나) 사이 시기인 1927년에 신간회가 창설되었다. 6·10 만세 운동의 준비 과정에서 민족주의 계열과 사회주의 계열의 단체들이 연대하였던 것을 계기로 민족 협동 전선인 신간회가 창립되었다. 이후 신간회는 광주 학생 항일 운동이 일어나자 사건의 진상을 규명하고자 광주에 조사단을 파견하였다.**

오답 분석

② **(나) 이후**: 진단 학회가 설립된 것은 1934년으로, (나) 시기 이후의 사실이다. 진단 학회는 청구 학회의 한국사 왜곡에 맞서 조직된 이병도와 손진태 등이 조직한 단체로, 『진단학보』를 발행하고, 실증 사학을 바탕으로 객관적인 연구 활동을 전개하였다.
③ **(가) 이전**: 진주에서 조선 형평사가 창립된 것은 1923년으로, (가) 시기 이전의 사실이다. 조선 형평사는 이학찬 등이 진주에서 조직한 단체로, 백정에 대한 사회적 차별 철폐와 신분 해방을 주장하는 형평 운동을 전개하였다.
④ **(가) 이전**: 대구에서 국채 보상 운동이 시작된 것은 1907년으로, (가) 시기 이전의 사실이다. 국채 보상 운동은 일본으로부터 도입한 차관을 국민의 모금으로 갚기 위하여 전개된 운동으로, 대구에서 서상돈 등의 주도로 시작되었다.

정답 01 ② 02 ③ 03 ① 04 ①

05

2023년 계리직 9급

밑줄 친 (　　) 운동에 대한 설명으로 옳은 것은?

> 다음은 대한 제국 황제의 장례일에 일어난 (____) 운동 당시 등장한 격문들의 내용이다.
> ○ 대한 독립 만세!
> ○ 일체 납세를 거부하자.
> ○ 언론·출판·집회의 자유를!
> ○ 교육 용어는 조선어로!
> ○ 우리의 철천의 원수는 자본·제국주의 일본이다.

① 임시 정부 수립 운동을 촉발하였다.

② 신간회가 현장에 진상 조사단을 파견하였다.

③ 관세 철폐에 직면하여 자구책으로 시작하였다.

④ 사회주의자들과 민족주의자들이 함께 준비하였다.

문제풀이 6·10 만세 운동

난이도 중

제시문에서 대한 제국 황제(순종)의 장례일에 일어난 운동이라는 것과 교육 용어는 조선어로 하고, 자본·제국주의 일본을 철천의 원수라고 주장하는 내용을 통해 밑줄 친 괄호에 들어갈 운동이 6·10 만세 운동임을 알 수 있다.

④ 6·10 만세 운동은 사회주의자들과 천도교 중심의 민족주의자들이 함께 준비하였으며, 이는 이후 민족 유일당 운동이 전개되는 계기를 마련하였다.

오답 분석

① **3·1 운동**: 임시 정부 수립 운동을 촉발한 민족 운동은 3·1 운동이다. 3·1 운동을 계기로 독립운동의 구심체 역할을 수행할 단체의 필요성이 대두되었고, 이에 상하이에서 대한민국 임시 정부가 수립되었다.

② **광주 학생 항일 운동**: 신간회가 현장에 진상 조사단을 파견한 민족 운동은 광주 학생 항일 운동이다. 광주 학생 항일 운동이 일어나자 신간회는 진상 조사단을 파견하였으며 대규모 민중 대회를 계획하였으나, 사전에 일제에 발각되어 실패하였다.

③ **물산 장려 운동**: 관세 철폐에 직면하여 자구책으로 시작한 민족 운동은 물산 장려 운동이다. 1920년에 일제가 회사령을 철폐하고, 한·일 간 관세 철폐 움직임이 일어나자 조만식 등을 중심으로 평양에서 물산 장려 운동이 시작되었다.

06

2016년 지방교행직

다음 민족 운동에 대한 설명으로 옳은 것은?

> 시간대별 상황
> • 오전 8시 30분: 종로 3가 단성사 앞에서 국장 행렬이 통과한 뒤 중앙고 보생 30~40명이 만세를 부르며 격문 약 1,000여 장과 태극기 30여 장을 살포함.
> • 오전 9시 30분: 만세 시위를 주도하던 조선 학생 과학 연구회 간부 박두종이 현장에서 일경에 체포됨.
> • 오후 1시 00분: 훈련원 서쪽 일대에서 천세봉의 선창으로 만세 시위가 일어남.

① 중국 5·4 운동에 영향을 주었다.

② 신간회가 진상 조사단을 파견하였다.

③ 사회주의 세력과 학생들이 준비하였다.

④ 조선 청년 총동맹이 결성되는 계기가 되었다.

문제풀이 6·10 만세 운동

난이도 하

제시된 자료에서 조선 학생 과학 연구회 학생들이 만세 시위를 주도하였다는 내용을 통해 1926년에 일어난 6·10 만세 운동임을 알 수 있다.

③ 6·10 만세 운동은 사회주의 세력과 천도교 중심의 민족주의 세력, 조선 학생 과학 연구회를 중심으로 한 학생들이 각각 만세 운동을 준비하였다. 사회주의 세력과 천도교 세력의 만세 운동은 사전에 경찰에 발각되었으나, 학생들의 만세 운동은 발각되지 않아 학생들의 주도로 6·10 만세 운동이 전개되었다.

오답 분석

① **3·1 운동**: 중국의 5·4 운동에 영향을 준 것은 3·1 운동이다.

② **광주 학생 항일 운동**: 신간회가 진상 조사단을 파견한 운동은 광주 학생 항일 운동이다.

④ 조선 청년 총동맹은 사회주의 세력을 중심으로 민족주의 계열의 학생들이 연합하여 1924년에 결성된 사회주의와 민족주의의 연합 단체이다.

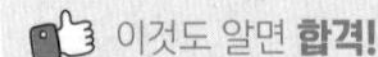

이것도 알면 **합격!**

6·10 만세 운동

배경	일제의 수탈과 식민 교육에 대한 반발 심화
전개	• 순종의 인산일을 계기로 대규모 군중 시위 운동 전개 • 일제의 무차별 살상·투옥으로 좌절됨
의의	• 대중적인 항일 민족 운동으로 발전, 학생 운동의 성장 • 신간회 창립(1927)에 기여

07

2021년 법원직 9급

다음 격문과 관련이 깊은 역사적 사건에 대한 설명으로 가장 옳은 것은?

> 검거자를 즉시 우리의 힘으로 구출하자.
> 교내에 경찰관 침입을 절대 반대하자.
> 조선인 본위의 교육 제도를 확립하자.
> 민족 문화와 사회 과학 연구의 자유를 획득하자.
> 전국 학생 대표자 회의를 개최하라.

① 원산에서 일제 강점기 최대 규모의 노동 쟁의를 일으켰다.
② 전국으로 확대되어 이듬해까지 동맹 휴학 투쟁이 계속되었다.
③ 민족 산업의 보호와 육성을 위해 국산품 애용 등을 주장하였다.
④ 순종의 국장일에 학생들이 만세 시위를 벌이고 시민들이 가세하였다.

문제풀이 광주 학생 항일 운동 난이도 하

제시문에서 검거자를 즉시 우리의 힘으로 구출하자는 내용과 조선인 본위의 교육 제도를 확립하자는 것을 통해 광주 학생 항일 운동(1929) 때의 격문임을 알 수 있다.

② 광주 학생 항일 운동은 전국적으로 확대되어 이듬해까지 동맹 휴학 투쟁이 계속되었고, 여기에 일반 국민과 만주 지역의 민족 학교 학생들, 일본 유학생들까지 가세하여 3·1 운동 이후 최대의 민족 항쟁으로 확대되었다.

오답 분석

① **원산 노동자 총파업**: 원산에서 일어난 일제 강점기 최대 규모의 노동 쟁의는 원산 노동자 총파업이다. 원산 총파업은 라이징 선 석유 회사의 일본인 감독이 한국인 노동자를 폭행한 것을 계기로 발생하였다.
③ **물산 장려 운동**: 민족 산업의 보호와 육성을 위해 국산품 애용을 주장한 운동은 물산 장려 운동이다. 1920년 일제가 회사령을 철폐하고, 한·일 간 관세 철폐 움직임이 일어나자, 조만식 등을 중심으로 평양에서 시작되었다.
④ **6·10 만세 운동**: 순종의 국장일에 학생들이 만세 시위를 벌이고 시민들이 가세한 것은 6·10 만세 운동이다.

08

2017년 법원직 9급

다음 민족 운동에 대한 설명으로 가장 옳은 것은?

> 학생, 대중이여 궐기하라! 우리의 슬로건 아래로!
> • 검거된 학생들을 즉시 우리 손으로 탈환하자.
> • 경찰의 교내 진입을 절대 반대한다.
> • 언론·출판·집회·결사·시위의 자유를 획득하자.
> • 식민지적 노예 교육 제도를 철폐하라.
> • 전국 학생 대표자 회의를 개최하라.
>
> – 학생 투쟁 지도 본부 격문

① 학도 지원병제의 폐지를 요구하였다.
② 신간회에서 진상 조사단을 파견하였다.
③ 대한민국 임시 정부의 수립에 영향을 주었다.
④ 일제가 허용하는 범위 내에서 자치권을 획득하자는 운동을 벌였다.

문제풀이 광주 학생 항일 운동 난이도 하

제시문에서 검거된 학생들을 즉시 우리 손으로 탈환하자는 내용을 통해 광주 학생 항일 운동과 관련된 내용임을 알 수 있다. 1929년에 통학 열차에서 일본 남학생이 한국 여학생을 희롱하는 사건을 계기로 한·일 학생 간의 충돌이 일어났다. 이때, 일본 경찰이 편파적으로 사건을 수사하자 광주 지역의 학생들이 식민지 교육 철폐 등을 주장하며 궐기하였다.

② 광주 학생 항일 운동 때 신간회에서 진상 조사단을 파견하였다. 또한 신간회는 대규모의 민중 대회를 개최하려 하였으나, 일제의 방해로 실패하였다.

오답 분석

① 광주 학생 항일 운동은 1929년에 일어났기 때문에 1943년에 시행된 학도 지원병제의 폐지를 요구할 수 없다.
③ **3·1 운동**: 대한민국 임시 정부 수립에 영향을 준 민족 운동은 3·1 운동이다.
④ **자치 운동**: 일제가 허용하는 범위 내에서 자치권을 획득하자는 운동은 1920년대에 이광수, 최린 등이 전개한 자치 운동이다. 이들은 일제의 식민 통치를 인정하고, 그 안에서 정치적 실력을 양성하여 참정권을 획득해야 한다는 타협적 민족주의를 주장하였다.

정답 05 ④ 06 ③ 07 ② 08 ②

09

2022년 지방직 9급

다음 신문 기사와 관련된 사건에 대한 설명으로 옳은 것은?

① 가뭄과 홍수로 인해 중단되었다.

② 조선 총독부의 회사령에 맞서기 위해 전개되었다.

③ 일부 사회주의자는 자본가 계급을 위한 운동이라고 비판하였다.

④ 조선에 사는 일본인이 일본 자본에 대항하기 위해 일으켰다.

10

2018년 지방직 9급

밑줄 친 '운동'에 대한 설명으로 옳은 것은?

> 조선 사람은 조선 사람이 만든 물건만 쓰고 살자고 하는 <u>운동</u>이 일어나고 있다. 그렇게 하면 조선인 자본가의 공업이 일어난다고 한다. … (중략) … 이 <u>운동</u>이 잘 되면 조선인 공업이 발전해야 하지만 아직 그렇지 않다. … (중략) … 이 <u>운동</u>을 위해 곧 발행된다는 잡지에 회사를 만들라고 호소하지만 말고 기업을 하는 방법 같은 것을 소개해야 한다.
>
> -「개벽」

① 조선 노농 총동맹의 적극적 참여로 대중적인 기반이 확충되었다.

② 조만식 등에 의해 평양에서 시작되어 전국으로 확산되었다.

③ 원산 총파업을 계기로 조직적으로 전개될 수 있었다.

④ 조선 총독부가 회사령을 폐지하는 계기가 되었다.

문제풀이 물산 장려 운동

난이도 하

제시된 자료에서 '조선 물산을 팔고 사자, 먹고 입고 쓰자'라는 것을 통해 일제 강점기에 전개된 물산 장려 운동임을 알 수 있다. 물산 장려 운동에서는 민족 산업의 보호와 육성을 위해 국산품 애용을 주장하였다.

③ 일부 사회주의자들은 물산 장려 운동을 자본가 계급만을 위한 운동이라고 비판하기도 하였다.

오답 분석

① **민립 대학 설립 운동**: 가뭄과 홍수로 인해 중단된 운동은 민립 대학 설립 운동이다. 민립 대학 설립 운동은 일제의 방해와 가뭄, 홍수 등으로 모금 운동을 하기 어려워져 실패하였다.

② 물산 장려 운동은 회사령에 맞서기 위해 전개되지 않았다. 물산 장려 운동은 일제가 회사령을 철폐한 이후에 한·일간 관세 철폐 움직임이 일어나자, 이에 맞서기 위해 전개되었다.

④ 물산 장려 운동은 조선에 사는 일본인이 아닌 우리 민족이 일본 자본에 대항하여 민족 산업을 지키기 위해 전개한 경제적 자립 운동이다.

문제풀이 물산 장려 운동

난이도 중

제시된 자료에서 조선 사람은 조선 사람이 만든 물건만 쓰고 살자는 내용을 통해 밑줄 친 '운동'이 물산 장려 운동임을 알 수 있다.

② 물산 장려 운동은 조만식 등을 중심으로 평양에서 창립된 물산 장려회(1920)를 중심으로 시작되어 전국적으로 확산되었다. 물산 장려 운동은 일본의 자본으로부터 민족 산업을 수호하기 위해 시작된 경제적 구국 운동으로, 자급자족과 국산품 애용을 강조하며 생활 개선과 금주·단연 운동을 전개하였다.

오답 분석

① 조선 노농 총동맹은 1924년에 결성된 노동 운동과 농민 운동을 포괄하는 전국적인 연합체로 물산 장려 운동과는 관련이 없다. 이후 조선 노농 총동맹은 조선 노동 총동맹과 조선 농민 총동맹으로 분리되었다(1927).

③ 원산 총파업은 일제 강점기 최대의 노동 운동으로 물산 장려 운동과는 관련이 없다.

④ 물산 장려 운동은 일제의 회사령이 폐지된 이후에 전개되었다. 일제는 일본 기업의 조선 진출을 원활하게 하기 위해 1920년에 회사령을 폐지하고 회사 설립을 신고제로 전환하였다. 이로 인해 한국인이 설립한 회사도 증가하게 되었으며, 이는 국산품 애용을 통해 민족의 경제적 자립을 이루고자 한 물산 장려 운동의 배경이 되었다.

11

2014년 법원직 9급

(가), (나) 자료와 관련된 운동에 대한 설명으로 가장 옳지 않은 것은?

> (가) 비록 우리 재화가 남의 재화보다 품질상 또는 가격상으로 개인 경제상 다소 불이익이 있다 할지라도 민족 경제의 이익에 유의하여 이를 애호하며 장려하여 수요하며 구매하지 아니치 못할지라.
>
> (나) 민중의 보편적 지식은 보통 교육으로 능히 수여할 수 있으나 심원한 지식과 학리는 고등 교육에 기대하지 아니하면 불가할 것은 설명할 필요도 없거니와 사회 최고의 비판을 구하며 유능한 인물을 양성하려면 최고 학부의 존재가 가장 필요하도다.

① (가)는 사회주의자 주도로 전개되었다.

② (나)는 전국적인 모금 운동의 형태로 전개되었다.

③ (가)는 조만식, (나)는 이상재를 지도자로 전개되었다.

④ (가)와 (나)는 민족의 실력 양성을 목표로 전개되었다.

문제풀이 물산 장려 운동과 민립 대학 설립 운동 난이도 중

(가)는 민족 경제의 이익을 위해 우리 재화를 구매해야 한다는 내용을 통해 물산 장려 운동임을 알 수 있다.

(나)는 최고 학부의 존재가 가장 필요하다는 내용을 통해 민립 대학 설립 운동과 관련 있음을 알 수 있다.

① 물산 장려 운동은 조만식 등에 의해 전개되었고, 사회주의자들은 이 운동이 자본가 계급만을 위한 운동이라고 비판하였다.

오답 분석

② 민립 대학 설립 운동은 '한민족 1천만이 한 사람이 1원씩'이라는 구호 아래 모금 운동을 전개하였다.

③ 물산 장려 운동은 조만식을 중심으로, 민립 대학 설립 운동은 이상재를 중심으로 전개되었다.

④ 물산 장려 운동과 민립 대학 설립 운동 모두 실력 양성 운동의 일환으로, 민족의 실력 양성을 통한 독립을 목표로 전개되었다.

이것도 알면 **합격!**

민립 대학 설립 운동

배경	한국인 본위의 고등 교육 기관 설립의 필요성 대두
전개	조선 민립 대학 기성회 조직(이상재 등) → 모금 운동 전개
결과	일제는 한국인의 고등 교육 요구 열기를 무마하고, 한국 거주 일본인의 고등 교육을 위해 경성 제국 대학 설립(1924)

12

2019년 서울시 9급(6월 시행)

〈보기〉에서 일제 강점기의 사건을 발생한 순서대로 바르게 나열한 것은?

> 보기
> ㉠ 물산 장려 운동
> ㉡ 3·1 운동
> ㉢ 광주 학생 항일 운동
> ㉣ 6·10 만세 운동

① ㉠ → ㉡ → ㉢ → ㉣

② ㉠ → ㉢ → ㉡ → ㉣

③ ㉡ → ㉠ → ㉣ → ㉢

④ ㉡ → ㉣ → ㉢ → ㉠

문제풀이 일제 강점기의 항일 운동 난이도 하

③ 순서대로 나열하면 ㉡ 3·1 운동(1919) → ㉠ 물산 장려 운동(1920년대 초) → ㉣ 6·10 만세 운동(1926) → ㉢ 광주 학생 항일 운동(1929)이 된다.

㉡ **3·1 운동**: 무단 통치 시기에 일제의 강력한 탄압에 대한 저항 의식이 고조되고 있던 상황에서 제1차 세계 대전 이후 미국 대통령 윌슨이 주창한 민족 자결주의와 일본에서 일어난 2·8 독립 선언 등의 영향으로 3·1 운동이 일어났다(1919). 3·1 운동의 결과 일제의 통치 방식이 문화 통치로 전환되었으며, 대한민국 임시 정부가 수립되는 계기가 되었다.

㉠ **물산 장려 운동**: 조만식 등이 평양에서 창립한 물산 장려회(1920)를 중심으로 국산품을 애용하자는 물산 장려 운동이 시작되어 전국적으로 확산되었다. 물산 장려 운동은 일본의 회사령 철폐와 관세 철폐 움직임에 대항하여 시작된 경제적 구국 운동으로, 자급자족과 국산품 애용을 강조하였으며, 나아가 생활 개선과 금주·단연 운동으로 확대되었다.

㉣ **6·10 만세 운동**: 순종의 인산일에 맞추어 학생 단체들을 중심으로 6·10 만세 운동이 일어났다(1926). 한편 6·10 만세 운동 준비 과정에서 사회주의 계열과 천도교 중심의 민족주의 계열이 연대하면서 이후 민족 유일당 운동이 전개되는 계기가 되었다.

㉢ **광주 학생 항일 운동**: 광주의 통학 열차 안에서 발생한 한·일 학생 간의 충돌에 대해 일본 경찰이 편파적으로 수사한 것을 계기로 학생들이 식민 차별 교육 철폐, 한국인 본위의 교육 제도 확립 등을 주장하며 광주 학생 항일 운동을 전개하였다(1929).

정답 09 ③ 10 ② 11 ① 12 ③

2 | 민족 유일당 운동과 국외 이주 동포

01

2012년 국가직 9급

다음 주장에서 강조하고 있는 내용으로 가장 적절한 것은?

> 그러면 지금의 조선 민족에게는 왜 정치적 생활이 없는가? 일본이 조선을 병합한 이래로 조선에게는 모든 정치 활동을 금지한 것이 첫째 원인이다. …… 지금까지 해 온 정치적 운동은 모두 일본을 적대시하는 운동뿐이었다. 이런 종류의 정치 운동은 해외에서나 할 수 있는 일이고, 조선 내에서는 허용되는 범위 내에서 일대 정치적 결사를 조직해야 한다는 것이 우리의 주장이다.

① 무장 투쟁을 통해 독립을 이루어야 한다.
② 농민, 노동자를 단결시켜 일제를 타도해야 한다.
③ 일제의 식민 지배를 인정하고 그 밑에서 정치적 실력 양성을 해야 한다.
④ 국제적인 외교를 통해서 일제의 만행을 알리고 우리나라의 독립을 알려야 한다.

문제풀이 타협적 민족주의 난이도 중

제시된 자료는 이광수가 1924년 동아일보에 연재한 글인 '민족적 경륜'의 일부로, 이광수는 이 글을 통해 우리 민족이 일제의 식민 지배를 인정하고 그 지배 체제 안에서 정치적 실력을 양성하여 자치 운동, 즉 참정권 운동을 벌여야 한다는 '타협적 민족주의'를 주장하였다.

③ 타협적 민족주의자들은 일제의 식민 지배를 인정한 다음 자치권을 획득하여 그 밑에서 정치적 실력을 양성해야 한다고 주장하였다.

오답 분석
① **무장 독립론**: 무장 투쟁을 통해 독립을 이루어야 한다는 것은 무장 독립론의 주장이다.
② **사회주의 운동**: 농민, 노동자를 단결시켜 일제를 타도하자는 것은 사회주의 운동의 주장이다.
④ **외교 독립론**: 국제적인 외교를 통해 독립을 이루고자 한 것은 외교 독립론의 주장이다.

 이것도 알면 **합격!**

민족주의 계열

타협적 민족주의 계열	• 이광수, 최린 • 일본의 식민 지배 인정, 자치권·참정권 획득 운동 전개
비타협적 민족주의 계열	• 이상재, 안재홍 • 실력 양성 운동 추진, 타협적 민족주의 비판 • 사회주의와 연대 활동 → 신간회 결성

02

2023년 지방직 9급

다음과 같은 강령을 발표한 단체의 활동으로 옳은 것은?

> 一. 우리는 정치적, 경제적 각성을 촉진함
> 一. 우리는 단결을 공고히 함
> 一. 우리는 기회주의를 일체 부인함

① 조선 민립 대학 기성회를 창립하였다.
② 파리 강화 회의에 대표를 파견하였다.
③ 6·10 만세 운동을 사전에 계획하였다.
④ 광주 학생 항일 운동이 일어나자 조사단을 파견하였다.

문제풀이 신간회 난이도 하

제시문에서 정치적, 경제적 각성을 촉진하며, 기회주의를 일체 부인한다는 내용을 통해 신간회가 발표한 강령임을 알 수 있다.

④ 신간회는 1929년 11월에 광주 학생 항일 운동이 일어나자 광주에 조사단을 파견하고 일제의 학생 운동 탄압에 항의하였다.

오답 분석
모두 신간회의 활동과 관련이 없다.
① 조선 민립 대학 기성회는 신간회가 창립(1927)되기 이전인 1923년에 창립되었다. 조선 민립 대학 기성회는 '한민족 1천만이 한 사람이 1원씩'이라는 구호를 내걸고 모금 운동을 전개하며 민립 대학 설립 운동을 주도하였다.
② **신한청년당**: 파리 강화 회의에 대표를 파견한 단체는 신한청년당이다. 중국 상하이에서 활동하던 신한청년당은 김규식을 파리 강화 회의에 대표로 파견하여 한국인의 독립 의지를 알렸다.
③ 6·10 만세 운동은 신간회가 창립(1927)되기 이전인 1926년에 전개되었다. 한편, 6·10 만세 운동은 조선 공산당과 학생 단체, 천도교 일부 세력이 연합하여 순종의 장례일인 6월 10일에 대규모 만세 시위를 계획하였다. 그러나, 사전에 계획이 발각되어 많은 지도자들이 체포되면서 학생들을 중심으로 전개되었다.

03

2021년 지방직 9급

밑줄 친 '이 단체'에 대한 설명으로 옳은 것은?

> 1920년대 국내에서는 일본과 타협해 실익을 찾자는 자치 운동이 대두하였다. 비타협적인 민족주의자들은 이를 경계하면서 사회주의 세력과 연대하고자 하였다. 사회주의 세력도 정우회 선언을 발표해 비타협적 민족주의 세력과 제휴를 주장하였다. 그 결과 비타협적 민족주의 세력과 사회주의 세력은 1927년 2월에 이 단체를 창립하고 이상재를 회장으로 추대하였다.

① 조선 물산 장려회를 조직해 물산 장려 운동을 펼쳤다.

② 고등 교육 기관을 설립하기 위해 민립 대학 설립 운동을 시작하였다.

③ 문맹 퇴치와 미신 타파를 목적으로 브나로드 운동을 전개하였다.

④ 광주 학생 항일 운동의 진상을 조사하고 이를 알리는 대회를 개최하고자 하였다.

문제풀이 신간회 난이도 하

제시된 자료에서 사회주의 세력이 정우회 선언을 발표해 비타협적 민족주의 세력과의 제휴를 주장하였다는 내용을 통해 밑줄 친 '이 단체'가 신간회임을 알 수 있다.

④ 신간회는 광주 학생 항일 운동의 사건의 진상을 조사하고자 광주에 조사단을 파견하고 항일 운동을 확산시키기 위해 대규모의 민중 대회를 계획하였으나, 일제의 방해로 실패하였다.

오답 분석

① 물산 장려 운동은 신간회와 관련이 없다. 1920년 일제가 회사령을 철폐하고, 한·일 간 관세 철폐 움직임이 일어나자 조만식 등은 평양에서 조선 물산 장려회를 조직하고 물산 장려 운동을 펼쳤다.

② **조선 민립 대학 기성회**: 고등 교육 기관을 설립하기 위해 민립 대학 설립 운동을 시작한 것은 조선 민립 대학 기성회이다. 조선 민립 대학 기성회는 일제의 식민지 차별 교육에 대항하여 한국인 본위의 고등 교육 기관을 설립하고자 모금을 실시하는 등 민립 대학 설립 운동을 전개하였다.

③ **동아일보**: 문맹 퇴치와 미신 타파를 목적으로 브나로드 운동을 전개한 것은 동아일보이다. 브나로드 운동(1931~1934)은 "배우자! 가르치자! 다 함께 브나로드!"를 구호로 내걸고 전개된 계몽 운동으로, 학생들과 지식 청년 등이 중심이 되어 농촌 계몽, 한글 보급, 미신 타파, 구습 제거 등을 추진하였다.

04

2021년 소방직

다음 강령을 발표한 단체에 대한 설명으로 옳은 것은?

> 1. 우리는 정치·경제적 각성을 촉구한다.
> 2. 우리는 단결을 공고히 한다.
> 3. 우리는 기회주의를 일체 부인한다.

① 민족 협동 전선의 성격을 표방하였다.

② 고등 교육 기관인 대학을 설립하고자 하였다.

③ 백정에 대한 차별을 철폐하는 운동을 전개하였다.

④ 어린이날을 제정하고, 잡지 『어린이』를 발간하였다.

문제풀이 신간회 난이도 중

제시문에서 정치·경제적 각성을 촉구하며, 기회주의를 부인한다는 내용을 강령으로 삼은 단체는 신간회이다.

① 신간회는 정우회 선언 등을 계기로 비타협적 민족주의 인사들과 사회주의자들이 결성(1927)한 단체로, 민족 협동 전선의 성격을 표방하였다.

오답 분석

② **조선 민립 대학 기성회**: 한국인 본위의 고등 교육 기관을 설립하고자 민립 대학 설립 운동을 주도한 단체는 조선 민립 대학 기성회이다.

③ **조선 형평사**: 백정에 대한 차별 철폐와 신분 해방을 요구하는 형평 운동을 전개한 단체는 조선 형평사이다.

④ **천도교 소년회**: 어린이날을 제정하고, 잡지 『어린이』를 발간한 단체는 천도교 소년회이다.

이것도 알면 **합격!**

신간회

설립	정우회 선언(1926) 등을 계기로 비타협적 민족주의 계열과 사회주의 계열의 일부가 연대하여 설립
활동	• 조선인 본위 교육 주장, 토론회·강연회 개최, 여성 차별 철폐 주장(자매 단체: 근우회), 동양 척식 주식회사 폐지 주장, 자치 운동 비판 • 농민·노동 운동 지원(원산 노동자 총파업) • 학생 운동 지원(광주 학생 항일 운동에 진상 조사단 파견)

정답 01 ③ 02 ④ 03 ④ 04 ①

05

2018년 기상직 9급

다음 자료를 계기로 성립된 단체에 대한 설명으로 옳지 않은 것은?

> …… 우리가 승리를 향해 구체적으로 전진하기 위해서는 현실적으로 가능한 모든 조건을 충분히 이용하지 않으면 아니 될 것이다. 따라서 민족주의적 세력에 대해서는 그 부르주아 민주주의적 성질을 분명히 인식함과 동시에 또 과정적 동맹자적 성질도 충분히 승인하여 그것이 타락하는 형태로 출현되지 아니하는 것에 한하여는 적극적으로 제휴하여 ……

① 사회주의자들이 해소론을 주장하였다.

② 중국 1차 국·공 합작의 영향을 받았다.

③ 중국, 소련, 프랑스 노동자들이 격려 전문을 보냈다.

④ 농민·노동 운동 지원, 수재민 구호 등의 활동을 전개하였다.

문제풀이 신간회 난이도 중

제시문에서 민족주의적 세력에 대해서 신중히 고려하여 제휴할 것을 주장하는 내용을 통해, 사회주의 단체인 정우회가 발표한 정우회 선언(1926)임을 알 수 있다. 정우회 선언을 계기로 성립된 단체는 신간회이다.

③ 중국, 소련, 프랑스의 노동자들이 격려 전문을 보낸 것은 원산 노동자 총파업(1929)이다. 원산 노동자 총파업 때 전국 각지에서 성금과 식량 등을 보내왔으며 중국, 소련, 프랑스의 노동자들이 격려 전문을 보내면서 노동자들이 국제적으로 연대하였다.

오답 분석

① 1930년 이후 신간회의 집행부가 우경화되는 상황에서 코민테른(공산주의 인터내셔널)이 민족주의자와의 연대 방침을 폐기하자, 신간회의 사회주의자들은 해소론을 주장하며 신간회에서 이탈하였다.

② 중국에서 제1차 국·공 합작이 추진되어 국민당과 공산당이 함께 일제에 대항하자, 이에 영향을 받아 국내에서도 민족 유일당 운동에 대한 관심이 증가하였다. 이는 신간회가 결성되는 배경이 되었다.

④ 신간회는 원산 노동자 총파업을 지원하고, 노동 운동과도 연계하여 최저 임금제를 요구하였다. 또한 소작 쟁의를 지원하고 수재민 구호 운동 등을 전개하였다.

06

2017년 국가직 9급(10월 시행)

다음 선언으로 결성된 단체에 대한 설명으로 옳은 것은?

> 민족주의적 세력에 대하여는 그 부르주아 민주주의적 성질을 분명히 인식함과 동시에 과정상의 동맹자적 성질도 충분히 승인하여, 그것이 타락하지 않는 한 적극적으로 제휴하여 대중의 이익을 위해서도 종래의 소극적인 태도를 버리고 싸워야 할 것이다.

① 조선인 본위의 교육 제도 실시를 주장하였고, 원산 노동자 총파업을 지원하였다.

② 민중의 직접 폭력 혁명으로 강도 일본을 무너뜨리는 목표를 설정하였다.

③ 언론을 통한 국민 계몽과 문맹 퇴치 운동, 민립 대학 설립 운동 등을 추진하였다.

④ 민족 자본의 육성을 위해 자급자족, 토산품 애용 등을 주장하며 물산 장려 운동을 벌였다.

문제풀이 신간회 난이도 하

제시문에서 민족주의적 세력에 대하여 동맹자적 성질을 충분히 승인하고, 적극적으로 제휴한다는 내용을 통해 제시문이 정우회 선언(1926)임을 알 수 있으며, 정우회 선언으로 결성된 단체는 신간회(1927)이다.

① 신간회는 조선인 본위의 교육 제도 실시를 주장하였으며, 원산 노동자 총파업을 지원하였다.

오답 분석

② **의열단**: 민중의 직접 폭력 혁명으로 일본을 무너뜨리는 목표를 설정한 단체는 의열단이다.

③ 조선일보, 동아일보 등 언론사가 주도한 문맹 퇴치 운동과 민립 대학 설립 운동은 신간회와 관련이 없다.

④ **조선 물산 장려회**: 민족 자본의 육성을 위해 자급자족, 토산품 애용 등을 주장하며 물산 장려 운동을 전개한 단체는 조선 물산 장려회이다.

07

2016년 법원직 9급

다음과 같은 주장을 한 단체에 대한 설명으로 가장 옳은 것은?

> 창립 당시는 소위 민족적 단일한 정치 투쟁 단체로 이 회가 필요했지만 그 후 본회의 통일적 운동의 발자취를 돌아보면 너무나 막연하여 종잡을 수 없음을 통감하지 않을 수 없다. 따라서 최근 본회의 근본 정신인 비타협주의를 무시하고 합법 운동으로 방향을 전환하려는 민족적 개량주의자가 발호해 온 것이 심히 유감된 일이며, 이는 본회의 근본적 모순으로부터 온 당연한 귀결이라고 할 수 있지 않겠는가. 그렇다면 우리들은 이 같은 불순한 도정을 따라온 회의 존립을 그대로 용인할 수 없으므로 첨예한 계급 단체를 조직하고 본회를 해소하는 것은 당연하다고 생각한다.

① 6·10 만세 운동을 주도하였다.
② 3·1 운동을 전국으로 확산시켰다.
③ 보안법에 의해 강제로 해산되었다.
④ 광주 학생 항일 운동에 조사단을 파견하였다.

문제풀이 신간회 난이도 하

제시문에서 민족적 개량주의자를 비판하고 계급 운동을 중심으로 하는 사회주의 본연의 계급 투쟁을 위해서 단체를 해소하자는 내용을 통해 신간회와 관련된 주장임을 알 수 있다.

④ 신간회는 1929년에 발생한 광주 학생 항일 운동에 진상 조사단을 파견하였으며, 이를 전국적인 항쟁으로 발전시키기 위해 민중 대회를 계획하였으나, 사전에 일제에 발각되어 실패하였다.

오답 분석
① 6·10 만세 운동을 주도한 것은 조선 학생 과학 연구회 등의 학생들과 천도교 구파와 연합한 사회주의 계열이었다.
② 3·1 운동은 농민, 학생, 노동자에 의하여 전국으로 확산되었다.
③ **대한 자강회**: 보안법에 의해 강제로 해산된 단체는 대한 자강회이다.

이것도 알면 **합격!**

신간회 해소 배경

신 집행부의 우경화	1930년 이후 신 집행부가 타협적 민족주의자들과 협력하려 하자 사회주의자들이 반발하며 내부 갈등 심화
코민테른의 노선 변화	코민테른이 '12월 테제'를 통해 민족주의 세력과 결별하고 계급 투쟁으로 정책 노선의 변경을 지시하자, 사회주의자들이 신간회 해소를 선언하며 이탈

08

2024년 지방직 9급

다음 창립 취지문을 발표한 단체에 대한 설명으로 옳은 것은?

> 우리 사회에서도 여성 운동이 제기된 것은 또한 이미 오래되었다. 그러나 회고하여 보면 여성 운동은 거의 분산되어 있었다. 그것에는 통일된 조직이 없었고 통일된 목표와 정신도 없었다. …(중략)… 우리가 실제로 우리 자체를 위해, 우리 사회를 위해 분투하려면 우선 조선 자매 전체의 역량을 공고히 단결하여 운동을 전반적으로 전개하지 않으면 아니 된다.

① 호주제 폐지 운동을 전개하였다.
② 여학교 설립을 주장하는 「여권통문」을 발표하였다.
③ 어린이날을 제정하고 잡지 『어린이』를 창간하였다.
④ 봉건적 인습 타파, 여성 노동자의 임금 차별 철폐 등을 주장했다.

문제풀이 근우회 난이도 중

제시문에서 조선 자매 전체의 역량을 공고히 단결하자는 내용을 통해 근우회가 발표한 창립 취지문임을 알 수 있다.

④ 근우회는 김활란 등이 중심이 되어 여성 단체들을 통합하여 신간회의 자매 단체로 창립된 단체로, 여성 계몽 활동과 여성 노동자 권익 옹호 운동을 전개하며 봉건적 인습(예전의 풍습) 타파와 여성 노동자의 임금 차별 철폐 등을 주장하였다.

오답 분석
① 호주제 폐지 운동과 근우회는 관련이 없다. 한편, 호주제(호주를 중심으로 가족 구성원들의 신분 변동을 기록하는 제도)가 폐지된 것은 노무현 정부 시기의 사실이다.
② 여학교 설립을 주장하는 「여권통문」이 발표된 것은 근우회가 창립되기 이전인 1898년으로, 근우회와는 관련이 없다. 「여권통문」은 서울 북촌 양반 여성들의 주도로 발표된 우리나라 최초의 여성 인권 선언서로, 여학교 설립 및 여성의 평등한 교육권 등을 주장하였다.
③ **천도교 소년회**: 어린이날을 제정하고 소년 잡지 『어린이』를 창간한 단체는 천도교 소년회이다.

정답 05 ③ 06 ① 07 ④ 08 ④

09

2020년 지방직 9급

(가) 단체로 옳은 것은?

> (가) 발기취지(發起趣旨)
> 인간 사회는 많은 불합리를 산출한 동시에 그 해결을 우리에게 요구하고 있다. 여성 문제는 그중의 하나이다. …… 과거의 조선 여성 운동은 분산되어 있었다. 그것에는 통일된 조직이 없었고 통일된 지도 정신도 없었고 통일된 항쟁이 없었다. …… 우리는 우선 조선 자매 전체의 역량을 공고히 단결하여 운동을 전반적으로 전개하지 아니하면 아니 된다.
>
> -『동아일보』, 1927. 5. 11.

① 근우회
② 신간회
③ 신민회
④ 정우회

10

2018년 국가직 9급

일제 강점기 조선인의 생활 모습으로 옳지 않은 것은?

① 도시 외곽의 토막촌에는 빈민이 살았다.
② 번화가에서 최신 유행의 모던 걸과 모던 보이가 활동하였다.
③ 몸뻬를 입은 여성들이 근로 보국대에서 강제 노동을 하였다.
④ 상류층이 한식 주택을 2층으로 개량한 영단 주택에 모여 살았다.

문제풀이 근우회

난이도 중

제시문에서 조선 자매 전체의 역량을 공고히 단결한다는 내용을 통해 (가) 단체가 근우회임을 알 수 있다.

① 근우회는 김활란 등이 중심이 되어 여성 단체들을 통합하여 신간회의 자매 단체로 창립된 단체로, 강연회, 토론회, 야학 설치 등을 통한 여성 계몽 활동과 여성 노동자 권익 옹호 운동 등을 전개하였다. 또한 근우회는 기관지인 『근우』를 발간하였으며, 노동과 농민 여성의 조직화, 여학생 운동을 전개하기도 하였다.

오답 분석

② 신간회는 정우회 선언을 계기로 이상재(회장), 권동진(부회장) 등이 중심이 되어 비타협적 민족주의 계열과 사회주의 계열의 일부가 연대하여 창립한 단체이다. 신간회는 기회주의자 배격, 민족 대단결, 정치·경제적 각성을 촉구하였다.

③ 신민회는 실력 양성을 통한 국권 회복과 공화 정치 체제의 근대 국가 수립을 목표로 안창호, 이승훈, 양기탁, 이회영 등이 주도하여 비밀 결사 형태로 결성한 단체이다. 신민회는 실력 양성을 통한 국권 회복과 공화 정치 체제의 근대 국가 수립을 목표로 하면서, 민족 교육, 민족 산업 육성, 민족 문화 양성, 국외 독립운동 기지 건설 등을 추진하였다.

④ 정우회는 1926년 화요회, 북풍회, 조선 노동당, 무산자 동맹회의 4개의 단체 합동 위원회가 발전적으로 해체하여 이룬 단체로, 신간회 창립의 계기가 되는 정우회 선언을 발표하였다.

문제풀이 일제 강점기 조선인의 생활 모습

난이도 상

④ 영단 주택은 상류층이 아닌 도시의 서민들이 주로 모여 살던 곳이다. 영단 주택은 1940년대에 일제가 도시민, 특히 군수 공장에서 일하는 서민 노동자들의 주거 문제를 해결하기 위해 건설한 일종의 국민 연립 주택이다. 영단 주택은 일본식 개량 주택에, 바닥에 다다미와 온돌이 함께 깔려 있는 등 일본과 한국의 건축 양식이 혼용되어 있었다.

오답 분석

① 일제 강점기에 도시 외곽에는 빈민들이 토막집을 짓고 모여사는 토막촌이 형성되었다.

② 일제 강점기인 1920년대에 도시를 중심으로 서양식 의복과 새로운 머리 스타일을 한 최신 유행의 모던 걸과 모던 보이가 활동하였다.

③ 일제 강점기인 1940년대에 전시 체제가 고착화되자 여성들은 일본 농촌 여성의 작업복인 몸뻬를 입고 근로 보국대에서 강제로 노동을 하였다.

이것도 알면 **합격!**

일제 강점기의 도시 주택

1920년대	장식적 요소가 가미된 개량 한옥이 중류층을 중심으로 유행
1930년대	상류층을 위한 2층 양옥인 문화 주택이 유행
1940년대	도시 서민의 주택난 해결을 위한 국민 연립 주택인 영단 주택 등장

11

2017년 서울시 7급

다음 〈보기〉의 내용과 같은 분위기가 유행한 시대에 대한 설명으로 가장 옳지 않은 것은?

> **보기**
> 혈색 좋은 흰 피부가 드러날 만큼 반짝거리는 엷은 양말에, 금방 발목이나 삐지 않을까 보기에도 조마조마한 구두 뒤로 몸을 고이고, 스커트 자락이 비칠 듯 말 듯한 정강이를 지나는 외투에 단발 혹은 미미가쿠시(당시 유행하던 머리모양)에다가 모자를 푹 눌러 쓴 모양 … 분길 같은 손에 경복궁 기둥 같은 단장을 휘두르면서 두툼한 각테 안경, 펑퍼짐한 모자, 코 높은 구두를 신고 …
>
> –『별건곤』, 모년 12월호

① 『신여성』, 『삼천리』 등의 잡지는 새로운 패션이나 화장법을 소개하여 유행을 이끌었다.

② 대한천일은행, 한성은행, 조선은행 등이 설립되어 경성 상인에게 자본을 빌려주어 유행을 뒷받침하였다.

③ 조선 총독부는 기존의 우측통행 방침을 바꾸어 좌측통행을 일반화하였다.

④ 사회주의 운동의 영향으로 식민지 현실의 계급 모순을 비판하는 프로 문학이 등장하였다.

문제풀이 1920년대의 생활상 난이도 상

제시문에서 단발이나 미미가쿠시 머리 모양에 모자를 푹 눌러 쓴 모양, 두툼한 각테 안경, 펑퍼짐한 모자 등의 내용을 통해 1920년대에 유행하던 패션의 모습을 묘사하고 있음을 알 수 있다. 제시문에 등장하는 『별건곤』은 1926년에 천도교 기관인 개벽사가 언론 잡지인 『개벽』의 뒤를 이어 창간한 월간 취미 잡지였다.

② 대한천일은행(1899), 한성은행(1897), 조선은행(1896)이 설립된 것은 1890년대로, 일제 강점기 이전의 일이다.

오답 분석

① 1920년대에는 서양 문화가 빠르게 유입되면서 『신여성』(1923), 『삼천리』(1929) 등의 대중 잡지들이 새로운 패션이나 화장법을 소개하여 유행을 이끌었다.

③ 일제는 조선에서 시행되던 우측통행 방식이 일본의 좌측통행 방식과 달라 불편을 겪자, 1921년에 도로취체규칙을 통해 우측통행 방식을 좌측통행 방식으로 바꾸어 일반화하였다.

④ 1920년대에는 사회주의의 영향으로 식민지 현실 계급 모순을 비판하는 프로 문학(신경향파 문학)이 등장하였는데 우리나라에서는 김기진, 박영희 등이 결성한 카프(KAPF)를 중심으로 확산되었다.

12

2017년 국회직 9급

1920년대의 시대적 상황에 어울리지 않은 것은?

① 철수는 시위를 벌이다 보통 경찰에게 체포되었다.

② 영수는 종로에 있는 화신 백화점의 레스토랑에서 점심을 먹었다.

③ 제한적으로 언론·출판의 자유가 허용되어, 성수는 한글 신문을 발간할 수 있었다.

④ 민국은 사회주의 운동을 하다 체포되어 치안 유지법 위반으로 기소되었다.

⑤ 영희는 조선 여성 동우회에 가입하여 계몽 운동을 전개하였다.

문제풀이 1920년대의 시대적 상황 난이도 중

② 화신 백화점은 1931년에 박흥식이 서울 종로에 설립한 백화점이었다.

오답 분석

① 1920년대에 일제는 문화 통치를 실시하면서 경찰 제도를 헌병 경찰제에서 보통 경찰제로 전환하였다. 그러나 보통 경찰제 실시 이후에 경찰의 수와 장비, 예산이 크게 증가하였으며 고등 경찰 제도를 실시하여 우리 민족에 대한 감시와 탄압을 더욱 강화하였다.

③ 1920년대에 일제는 문화 통치의 일환으로 제한적인 언론·출판의 자유를 허용하여 조선일보와 동아일보 등의 한글 신문이 발간되었다. 그러나 실제로는 언론에 대한 검열, 정간, 기사 삭제 등을 자행하여 우리 민족의 언론 활동을 통제하였다.

④ 일제는 1925년에 천황제를 부정하는 반정부·반체제 운동이나 사회주의 단체의 조직과 활동을 탄압하기 위해 치안 유지법을 제정하였다. 이 법은 식민지 조선에도 적용되어 민족 해방 운동을 탄압하는 데 이용되었다.

⑤ 1920년대 중반에는 조선 여성 동우회(1924) 등의 사회주의 여성 단체가 등장하였는데, 최초의 사회주의 여성 단체인 조선 여성 동우회는 기존의 계몽적인 여성 교육론을 비판·지양하고, 사회주의적인 여성 해방론을 주장하며 노동 여성의 해방을 위한 운동을 전개하였다.

정답 09 ① 10 ④ 11 ② 12 ②

1 | 일제의 식민지 문화 정책

01

2024년 국가직 9급

(가) 시기에 있었던 사실로 옳은 것은?

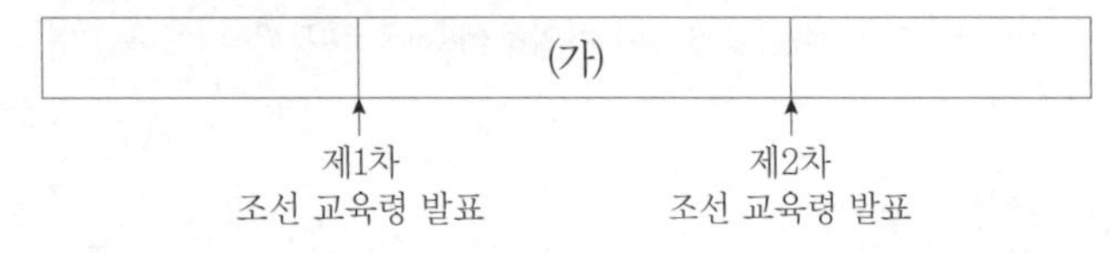

① 경성 제국 대학이 설립되었다.

② 근대 교육 기관인 육영 공원이 설립되었다.

③ 일본에서 2·8 독립선언서가 발표되었다.

④ 보안회의 주도로 일본의 황무지 개간권 반대 운동이 일어났다.

문제풀이 제1차 조선 교육령 발표와 제2차 조선 교육령 발표 사이의 사실 난이도 중

제시된 자료에서 (가) 시기는 1911년(제1차 조선 교육령 발표)에서 1922년(제2차 조선 교육령 발표)까지의 시기임을 알 수 있다.

③ (가) 시기인 1919년에 일본 유학생들을 중심으로 조직된 조선 청년 독립단에서 한국의 독립을 요구하는 2·8 독립 선언서를 발표하였다.

오답 분석

① **(가) 이후**: 경성 제국 대학이 설립된 것은 1924년으로, (가) 시기 이후의 사실이다. 경성 제국 대학은 일제가 조선인들의 민립 대학 설립 운동을 무마시키고, 조선에 거주하는 일본인들의 고등 교육을 위해 설립하였다.

② **(가) 이전**: 근대 교육 기관인 육영 공원이 설립된 것은 1886년으로, (가) 시기 이전의 사실이다. 육영 공원은 상류층 자제들을 대상으로 외국어와 근대 학문을 가르치기 위해 설립된 우리나라 최초의 근대식 관립 학교이다.

④ **(가) 이전**: 보안회의 주도로 일본의 황무지 개간권 반대 운동이 일어난 것은 1904년으로, (가) 시기 이전의 사실이다. 보안회는 일제가 대한 제국 정부에 황무지 개간권을 요구하자 이에 반대하는 원세성, 송수만 등의 유생 관료 출신들을 중심으로 결성된 조직으로, 보안회의 활동으로 일본의 황무지 개간권 요구가 저지되었다.

02

2021년 경찰직(1차)

다음 법령이 시행되던 시기에 있었던 사실로 옳은 것은?

> 제2조 국어를 상용하는 자의 보통 교육은 소학교령, 중학교령 및 고등여학교령에 의한다.
> 제3조 국어를 상용하지 않는 자에게 보통 교육을 하는 학교는 보통학교, 고등보통학교 및 여자고등보통학교로 한다.
> 제5조 보통학교의 수업 연한은 6년으로 한다. 단, 지역의 정황에 따라 5년 또는 4년으로 할 수 있다.

① 사립학교령이 공포되었다.

② 조선어가 선택 과목이 되었다.

③ 경성 제국 대학이 설립되었다.

④ 소학교가 국민학교로 개칭되었다.

문제풀이 제2차 조선 교육령 시행 시기의 사실 난이도 중

제시문에서 보통학교의 수업 연한을 6년으로 한다는 내용을 통해 제2차 조선 교육령임을 알 수 있다. 제2차 조선 교육령은 1922년에 제정되어 1938년까지 시행되었다.

③ 제2차 조선 교육령이 시행되던 시기인 1924년에 경성 제국 대학이 설립되었다. 경성 제국 대학은 조선인들의 민립 대학 설립 운동을 무마시키고, 조선에 거주하는 일본인들의 고등 교육을 위해 설립되었다.

오답 분석

① 사립 학교의 설립과 운영을 통제하는 사립 학교령이 공포된 것은 1908년으로 제2차 조선 교육령 시행 이전의 사실이다.

② 조선어가 선택 과목이 된 것은 제3차 조선 교육령 시행 시기인 1938년으로 제2차 조선 교육령 종료 이후의 사실이다.

④ 소학교의 명칭이 황국 신민의 학교를 의미하는 국민학교로 개칭된 것은 1941년으로 제2차 조선 교육령 종료 이후의 사실이다.

03

2012년 법원직 9급

다음 법령의 시행기에 있었던 사실로 옳지 않은 것은?

> 제2조 국어를 상용하는 자의 보통 교육은 소학교령, 중학교령및 고등여학교령에 의함.
> 제3조 국어를 상용치 아니하는 자에 보통 교육을 하는 학교는 보통학교, 고등보통학교 및 여자고등보통학교로 함.
> 제5조 보통학교의 수업 연한은 6년으로 함. 보통학교에 입학하는 자는 연령 6년 이상의 자로 함.
> 제7조 고등보통학교의 수업 연한은 5년으로 함. 고등보통학교에 입학하는 자는 수업 연한 6년의 보통학교를 졸업한자 또는 조선 총독이 정하는 바에 의하여 이와 동등 이상의 학력이 있다고 인정된 자로 함.

① 치안 유지법이 제정되었다.
② 경성 제국 대학이 설립되었다.
③ 조선어 학회 사건이 발생하였다.
④ 브나로드 운동과 문자 보급 운동이 전개되었다.

04

2014년 경찰직(2차)

일본 제국주의가 한국 민족 말살을 위해서 추진한 정책에 대한 설명으로 적절하지 않은 것은?

① 총독부가 설치한 조선사 편수회는 식민주의 사관을 토대로 조선사를 편찬하여 한국사의 왜곡에 앞장섰다.
② 식민지 국민으로서 지켜야 할 의무를 강조하면서, 낮은 수준의 실업 교육을 통해서 식민지 공업화에 필요한 노동력을 확보하려 하였다.
③ 1930년대에 들어와서 한국인의 반일 감정을 무마하기 위하여 조선어를 선택 과목으로 규정하고, 최초의 대학 기관인 경성 제국 대학을 설립하였다.
④ 일제는 대륙 침략을 본격화하면서 신사 참배를 강요하였으며, 이에 저항하는 종교 교단과 지도자들을 박해하였다.

문제풀이 제2차 조선 교육령 시행기의 사실 　난이도 하

제시문에서 보통학교의 수업 연한을 6년으로 한다는 내용을 통해 제2차 조선 교육령임(1922)을 알 수 있으며, 제2차 조선 교육령의 시행 시기는 1922년부터 1938년까지였다. 일제는 제1차 교육령 시기에는 조선인에 대한 우민화 정책의 일환으로 보통학교의 수업 연한을 4년으로 제한하였으나 제2차 조선 교육령에서는 '일본과 동일한 학제'를 도입한다는 취지로 보통학교의 연한을 6년으로 늘렸다.

③ 조선어 학회 사건은 제3차 조선 교육령 시행기(1938~1943)인 1942년에 발생하였다. 조선어 학회 사건은 당시 국어(일본어) 상용 정책을 시행하던 일제가 조선어 학회를 독립운동 단체로 간주하여 회원들을 체포·투옥한 사건이다.

오답 분석

① 치안 유지법은 일제가 자국의 사회주의 사상과 단체를 탄압하기 위하여 1925년에 제정한 것으로, 식민지인 조선에도 적용되어 독립운동을 탄압하는 데 활용되었다.
② 경성 제국 대학은 1924년에 설립되었다. 경성 제국 대학은 조선인들의 민립 대학 설립 운동을 무마시키고, 조선에 거주하는 일본인들의 고등 교육을 위해 설립되었다.
④ 브나로드 운동은 동아일보가 주도하고 학생들이 중심이 되어 1931년부터 1934년까지 전개된 문맹 퇴치 운동이다. 문자 보급 운동은 1929년부터 1934년까지 조선 일보의 주도로 "아는 것이 힘, 배워야 산다!"라는 구호 아래 전개된 문맹 퇴치 운동이다.

문제풀이 민족 말살 정책 　난이도 중

③ 경성 제국 대학은 1924년에 설립되었다. 일제는 1920년대에 전개된 민립 대학 설립 운동을 무마하기 위해 경성 제국 대학을 설립하였다.

오답 분석

① 일제는 한국 침략과 식민 지배를 정당화할 목적으로 우리의 역사를 왜곡하여 민족 의식을 말살하려고 하였다. 일제는 조선 총독부 산하의 한국사 연구 기관으로 조선사 편수회를 설치하였고, 조선사 편수회는 『고종실록』과 『순종실록』을 편찬하였으며, 식민 사관에 입각한 『조선사료집』과 『조선사』를 출간하는 등 식민주의 사관을 바탕으로 한국사의 왜곡에 앞장섰다.
② 일제는 1911년 제1차 조선 교육령을 반포하여 식민지 국민의 의무를 강조하고 실업 교육을 통해 노동력을 확보하려 하였다.
④ 일제는 중·일 전쟁(1937) 이후 황국 신민화 정책을 본격적으로 추진하면서 신사 참배를 강요하였고, 이를 거부하는 기독교인들을 체포·구금하며 반일 기독교 세력을 탄압하였다.

정답 01 ③ 02 ③ 03 ③ 04 ③

05 민족 문화 수호 운동

2 | 민족 문화의 발전

01

2024년 국가직 9급

다음에서 설명하는 단체는?

> ㅇ '가갸날'을 제정하였다.
> ㅇ 기관지인 『한글』을 창간하였다.

① 국문 연구소
② 조선 광문회
③ 대한 자강회
④ 조선어 연구회

문제풀이 조선어 연구회 난이도 중

제시문에서 '가갸날'을 제정하였고, 기관지인 『한글』을 창간하였다는 내용을 통해 조선어 연구회에 대한 설명임을 알 수 있다.

④ 조선어 연구회는 주시경의 제자인 임경재, 장지영 등을 중심으로 조직된 단체로, 한글 창제를 기념하는 가갸날을 제정하고 기관지인 『한글』을 창간하여 한글 대중화에 기여하였다.

오답 분석

① **국문 연구소:** 국문 연구소는 대한 제국 학부에 설치되었던 한글 연구 기관으로 주시경·지석영을 중심으로 국문의 정리와 국어의 이해 체계 확립을 위한 연구를 전개하였다.

② **조선 광문회:** 조선 광문회는 최남선과 박은식 등을 중심으로 설립된 한국 고전 간행 단체로, 실학자의 저서나 민족의 고전을 정리하여 간행하였다.

③ **대한 자강회:** 대한 자강회는 윤효정과 장지연 등을 중심으로 설립된 애국 계몽 단체로, 『월보』를 간행하여 식산 흥업을 강조하고, 국내외의 학문과 소식을 전달하는 등 국민 계몽에 힘썼다.

02

2023년 법원직 9급

(가) 단체에 대한 설명으로 옳은 것을 〈보기〉에서 모두 고른 것은?

> 최현배, 이극로 등이 중심이 된 (가) 은/는 '표준어 및 외래어 표기법 통일안'을 제정하는 등 한글 표준화에 기여하였다. 이에 일제는 1942년 (가) 을/를 독립운동 단체로 간주하여 회원들을 대거 검거하였다. 일제는 이들을 고문하여 자백을 강요하였고 이윤재, 한징이 옥사하였다.

> **보기**
> ㉠ 국문 연구소를 설립하였다.
> ㉡ 한글 맞춤법 통일안을 만들었다.
> ㉢ 『우리말 큰 사전』 편찬을 준비하였다.
> ㉣ 『개벽』, 『어린이』 등의 잡지를 발행하였다.

① ㉠, ㉡　② ㉠, ㉢
③ ㉡, ㉢　④ ㉡, ㉣

문제풀이 조선어 학회 난이도 중

제시문에서 '표준어 및 외래어 표기법 통일안'을 제정하고 일제가 1942년에 독립운동 단체로 간주하여 회원들을 대거 검거하였다는 내용을 통해 (가) 단체가 조선어 학회임을 알 수 있다.

③ 옳은 것을 모두 고르면 ㉡, ㉢이다.
㉡, ㉢ 조선어 학회는 한글 연구 단체인 조선어 연구회가 개편된 단체로, 한글 맞춤법 통일안을 만들어 발표하고 『우리말 큰 사전』의 편찬을 준비하였다.

오답 분석

㉠ 국문 연구소는 대한 제국의 학부에 설치되었던 국문 연구 기관으로, 조선어 학회와는 관련이 없다.

㉣ 『개벽』, 『어린이』 등의 잡지를 발행한 것은 천도교로, 조선어 학회와는 관련이 없다.

이것도 알면 **합격!**

국어 연구 단체의 활동

단체	활동
국문 연구소	• 대한 제국 학부에 설치된 기구 • 지석영, 주시경 등이 국문 정리와 국어 연구
조선어 연구회	잡지 『한글』 간행, 가갸날 제정
조선어 학회	• 한글 맞춤법 통일안·표준어 제정 • 『우리말 큰 사전』 편찬 시도
한글 학회	『우리말 큰 사전』 편찬(1957)

03

2022년 서울시 9급(2월 시행)

〈보기〉의 글을 저술한 인물에 대한 설명으로 가장 옳지 않은 것은?

> **보기**
> 옛 사람이 이르기를, 나라는 없어질 수 있으나 역사는 없어질 수 없다고 하였으니, 그것은 나라는 형체이고 역사는 정신이기 때문이다. 이제 한국의 형체는 허물어졌으나, 정신만이라도 오로지 남아 있을 수 없는 것인가.

① 「유교구신론」을 써서 유교의 개혁을 주장하였다.
② 식민 사학 중 정체성론의 근거를 무너뜨리는 데에 기여하였다.
③ 대한민국 임시 정부의 2대 대통령을 역임하였다.
④ 『한국독립운동지혈사』를 저술하였다.

문제풀이 박은식 난이도 하

제시문에서 나라는 형체이고 역사는 정신이라는 내용을 통해 박은식이 저술한 『한국통사』임을 알 수 있다.

② 식민 사학 중 정체성론의 근거를 무너뜨리는 데에 기여한 인물은 박은식이 아닌 백남운이다. 사회·경제 사학자인 백남운은 한국사의 발전 과정을 세계사적인 역사 발전의 보편성 위에 체계화하여 식민 사학의 정체성론을 반박하는 근거를 제공하였다.

오답 분석
① 박은식은 「유교구신론」을 써서 고리타분한 성리학의 한계를 지적하고, 새로운 시대에 맞게 유교를 전승시키려면 실천적인 성격의 양명학으로 개혁해야 한다고 주장하였다.
③ 박은식은 위임 통치 청원 등으로 이승만이 대통령에서 탄핵된 이후 대한민국 임시 정부의 제2대 대통령을 역임하였다.
④ 박은식은 갑신정변부터 1920년까지 일제의 침략상을 고발한 『한국독립운동지혈사』를 저술하였다.

이것도 알면 **합격!**

박은식

특징	• "나라는 형체이고 역사는 정신이다." • 민족 정신으로 '혼' 강조
대표 저서	• 『한국통사』: 근대 이후의 일본의 침략 과정을 저술 • 『한국독립운동지혈사』: 민족의 독립운동 정리

04

2020년 지방직 9급

다음과 같은 활동을 펼친 인물에 대한 설명으로 옳은 것은?

> ○ 대한매일신보에 애국적인 논설을 썼다.
> ○ 유교 개혁의 뜻을 담은 「유교구신론」을 집필하였다.

① 적극적인 의열 활동을 위해 한인 애국단을 만들었다.
② 일본의 침략상을 폭로하는 『한국통사』를 저술하였다.
③ 실증 사학의 입장에서 연구하는 진단 학회를 조직하였다.
④ 김원봉의 요청을 받아들여 「조선혁명선언」을 작성하였다.

문제풀이 박은식 난이도 중

제시문에서 대한매일신보에 애국적인 논설을 썼다는 것, 「유교구신론」을 집필하였다는 내용을 통해 박은식에 대한 설명임을 알 수 있다. 박은식은 대한매일신보의 주필로 활동하면서 대한매일신보에 애국적인 논설을 작성하였고, 「유교구신론」을 저술하여 실천적인 유교 정신의 회복을 주장하였다.

② 박은식은 민족주의를 대표하는 역사학자로, 일본의 침략상을 폭로하는 『한국통사』를 저술하였다. 또한 3·1 운동 직후인 1920년에는 우리 민족의 독립운동사를 정리한 『한국독립운동지혈사』를 저술하여 일제의 불법적인 침략 행위를 규탄하였다.

오답 분석
① **김구**: 적극적인 의열 활동을 위해 한인 애국단을 만든 사람은 김구이다. 한인 애국단은 김구가 임시 정부의 위상을 높이고 침체에 빠진 독립운동을 활성화하기 위하여 조직한 비밀 조직이다.
③ **이병도, 손진태 등**: 실증 사학의 입장에서 연구하는 진단 학회를 조직한 사람은 이병도, 손진태 등이다. 진단 학회는 청구 학회의 한국사 왜곡에 맞서 조직된 단체로, 『진단학보』를 발행하고, 객관적인 연구 활동을 전개하였다.
④ **신채호**: 김원봉의 요청을 받아들여 「조선혁명선언」을 작성한 사람은 신채호이다. 「조선혁명선언」은 신채호가 작성한 의열단의 지침서로, 무정부주의를 바탕으로 개인 폭력 투쟁을 통한 민중의 직접 혁명과 독립을 주장하였다.

정답 01 ④ 02 ③ 03 ② 04 ②

05
2019년 법원직 9급

자료의 내용을 작성한 인물의 활동 내용이 잘못된 것은?

> 우리는 '외교', '준비' 등의 미련한 꿈을 버리고 민중 직접 혁명의 수단을 취함을 선언하노라. 조선 민족의 생존을 유지하자면 강도 일본을 내쫓을 지며, 강도 일본을 내쫓을 지면 오직 혁명으로써 할 뿐이니, 혁명이 아니고는 강도 일본을 내쫓을 방법이 없는 바이다. 우리는 민중 속에 가서 민중과 손을 잡아 끊임없는 폭력, 암살, 파괴, 폭동으로써 강도 일본의 통치를 타도하고 (생략)

① 「독사신론」을 지어 식민 사관을 비판했다.
② 『을지문덕전』을 간행하여 자주 정신을 일깨웠다.
③ 역사를 '아(我)와 비아(非我)의 투쟁'으로 해석했다.
④ 유물 사관으로 식민 사학의 정체성 이론을 반박했다.

문제풀이 신채호 난이도 중

제시문에서 민중 직접 혁명을 강조하면서, 폭력과 암살, 파괴로써 일본의 통치를 타도하자는 내용을 통해 신채호가 작성한 「조선혁명선언」임을 알 수 있다. 신채호가 작성한 「조선혁명선언」을 지침으로 삼은 의열단은 폭력 투쟁을 통한 독립 쟁취를 목표로 활동하였다.

④ 유물 사관에 입각하여 한국사가 세계사의 보편적 발전 법칙에 따라 발전하였음을 강조하면서 식민 사학의 정체성 이론을 반박한 인물은 백남운이다.

오답 분석

① 신채호는 「독사신론」에서 역사 서술의 주체를 우리 민족으로 보고 일본의 식민 사관을 비판함으로써 민족주의 사학의 방향을 제시하였다.
② 신채호는 『을지문덕전』, 『이순신전』 등 우리나라 영웅들의 전기를 저술하면서 민족의 자긍심을 높이고자 하였다.
③ 신채호는 『조선상고사』에서 역사를 아(我)와 비아(非我)의 투쟁으로 인식하였다.

 이것도 알면 **합격!**

신채호

특징	• "역사는 아(我)와 비아(非我)의 투쟁" • 고대사 연구에 치중, 낭가 사상(주체적인 민족 고유 사상) 강조
대표 저서	• 『조선사연구초』: 묘청의 서경 천도 운동 평가 • 「독사신론」, 『조선상고사』, 「조선혁명선언」 등

06
2017년 지방직 9급(6월 시행)

다음 자료를 쓴 역사가의 활동으로 옳은 것은?

> 역사란 무엇이뇨. 인류 사회의 아와 비아의 투쟁이 시간부터 발전하며 공간부터 확대하는 심적 활동의 상태의 기록이니, 세계사라 하면 세계 인류의 그리되어 온 상태의 기록이며, 조선사라 하면 조선 민족의 그리되어 온 상태의 기록이니라.

① 『여유당전서』를 발간하여 조선 후기 실학자들을 재평가하였다.
② 을지문덕, 최영, 이순신 등 애국 명장의 전기를 써서 애국심을 고취하였다.
③ 『조선사회경제사』를 저술하여 세계사적 보편성 속에서 한국사를 해석하였다.
④ 「5천 년간 조선의 얼」이라는 글을 동아일보에 연재하여 민족 정신을 고취하였다.

 **문제풀이 신채호** 난이도 하

제시문에서 역사의 의미를 아와 비아의 투쟁으로 정의하고, 조선사의 주체로 조선 민족을 강조하는 내용을 통해 신채호가 쓴 『조선상고사』의 내용임을 알 수 있다. 신채호는 「독사신론」(1908)을 저술하여 민족주의 사학의 연구 방향을 제시하였으며, 고대사 연구에 주력하여 『조선상고사』, 『조선사연구초』 등을 저술하였다.

② 민족주의 사학자인 신채호는 애국심을 고취하기 위해 『을지문덕전』, 『최도통(최영)전』, 『이순신전』 등 민족 영웅의 전기를 저술하였다.

오답 분석

① **정인보·문일평·안재홍 등**: 다산 정약용 서거 99주기를 맞아 『여유당전서』를 발간하여 조선 후기 실학자들을 재평가한 역사가는 정인보, 문일평, 안재홍 등이다. 이들은 국수적인 민족주의 사학에 대한 반성과 함께 실학, 한글 등에서 우리 문화의 고유성과 세계성을 찾고 이를 학문적으로 체계화하려는 민족 운동인 조선학 운동을 전개(1934)하였다.
③ **백남운**: 『조선사회경제사』를 저술하여 세계사적 보편성 속에서 한국사를 해석한 역사가는 백남운이다. 사회·경제 사학자인 백남운은 마르크스의 유물론적 사관에 입각하여 우리 역사를 세계사의 보편적 발전 법칙에 따라 체계화하여 일제의 식민 사관인 정체성론을 반박하였다.
④ **정인보**: 「5천 년간 조선의 얼」을 동아일보에 연재하여 민족 정신을 고취한 역사가는 정인보이다. 민족주의 사학자인 정인보는 '얼' 사상을 강조하였으며, 조선학 운동을 주도하였다. 또한 광개토 대왕릉 비문을 연구하는 등 민족 정신의 고취를 위한 역사 연구를 전개하였다.

07
2015년 서울시 9급

다음 ㉠의 인물에 대한 설명으로 옳은 것은?

> ㉠은 조선 시대에 민중을 위해서 노력한 정치가들과 혁명가들을 드러내고, 세종과 실학자들의 민족 지향, 민중 지향, 실용 지향을 높이 평가하는 사론을 발표하여 일반 국민의 역사 의식을 계발하는 데 기여하였다. 또한 국제 관계에서 실리적 감각이 필요함을 절감하고, 이러한 시각에서『대미 관계 50년사』라는 저서를 내기도 하였다.

① 1930년대에 조선학 운동을 주도하였다.
② 진단 학회를 창립하여 한국사의 실증적 연구에 힘썼다.
③ 한국사가 세계사의 보편적 법칙에 입각하여 발전하였음을 강조하였다.
④ 우리의 민족 정신을 '혼'으로 파악하고, '혼'이 담겨 있는 민족사의 중요성을 강조하였다.

문제풀이 문일평 난이도 중

제시문에서 ㉠은『대미 관계 50년사』를 저술하였다는 내용을 통해 문일평임을 알 수 있다. 민족주의 사학자인 문일평은 민족 정신으로 세종을 대표자로 하는 '조선심' 또는 '조선 사상'을 강조하였다.

① 문일평은 정인보, 안재홍 등과 함께 1930년대에 조선학 운동을 전개하였다. 조선학 운동은 1934년 정인보, 안재홍, 문일평 등이 정약용 서거 99주기를 기념하며 정약용의 저서를 모은『여유당전서』를 간행한 것이 계기가 되어 전개된 문화 운동이다. 이들은 과거 민족주의 역사학이 지나치게 국수적·낭만적이었음을 비판하고, 실학에서 자주적인 근대 사상의 맥을 찾아 한국 문화의 고유성과 세계성을 학문적으로 체계화하려 하였다.

오답 분석
② **이병도 등**: 진단 학회를 창립하여 한국사의 실증적 연구에 힘쓴 인물은 이병도와 이윤재 등의 실증주의 사학자들이다.
③ **백남운 등**: 한국사가 세계사의 보편적 법칙에 따라 발전하였음을 강조한 인물은 백남운 등 사회·경제 사학자들이다.
④ **박은식**: 민족 정신으로 '혼'을 강조한 인물은 민족주의 사학자인 박은식이다. 문일평은 민족 정신으로 '조선심'을 강조하였다.

08
2023년 지방직 9급

다음 주장을 한 인물에 대한 설명으로 옳은 것은?

> 우리 조선의 역사적 발전의 전 과정은 가령 지리적 조건, 인종학적 골상, 문화 형태의 외형적 특징 등 다소의 차이는 인정되더라도, 다른 문화 민족의 역사적 발전 법칙과 구별되어야 하는 독자적인 것이 아니다. 세계사적인 일원론적 역사 법칙에 의해 다른 민족과 거의 같은 궤도로 발전 과정을 거쳐왔다.

① 민족 정신으로서 조선 국혼을 강조하였다.
② 민족주의 사학을 계승하여 조선의 얼을 강조하였다.
③ 마르크스 유물 사관을 바탕으로 한국사를 연구하였다.
④ 진단 학회를 조직하여 문헌 고증을 중시하는 실증주의 사학을 정립하였다.

문제풀이 백남운 난이도 중

제시문에서 조선의 역사적 발전의 전 과정은 세계사적인 일원론적 역사 법칙에 의해 다른 민족과 거의 같은 궤도로 발전 과정을 거쳐왔다는 내용을 통해 백남운의 주장임을 알 수 있다.

③ 백남운은 마르크스의 유물 사관을 바탕으로 한국사를 연구하였고, 한국의 역사가 세계의 여러 나라와 마찬가지로 보편적인 법칙에 따라 발전하였다고 강조하며 식민 사관의 정체성론을 비판하였다.

오답 분석
① **박은식**: 민족 정신으로 조선 국혼을 강조한 인물은 박은식이다. 박은식은『한국통사』에서 나라는 형(형체)이고 역사는 신(정신)이며, 나라의 형체는 사라졌지만 그 정신(국혼)은 사라지지 않음을 강조하며 우리 민족의 독립 의식을 고취하였다.
② **정인보**: 민족주의 사학을 계승하여 조선의 얼을 강조한 인물은 정인보이다. 정인보는 신채호와 박은식의 민족주의 사학을 계승하였으며, 민족 정신으로 조선의 얼을 강조하였다.
④ **이병도, 손진태 등**: 진단 학회를 조직하여 문헌 고증을 중시하는 실증주의 사학을 정립한 인물은 이병도와 손진태 등이다. 이병도와 손진태 등은 진단 학회를 조직하여 역사가의 주관적인 판단 없이 문헌 고증으로 객관적인 역사 서술을 강조하는 실증주의 사학을 정립하였다.

정답 05 ④ 06 ② 07 ① 08 ③

09

2023년 법원직 9급

㉠을 비판한 사례로 가장 옳은 것은?

> 근세 조선사에서 유형원·이익·이수광·정약용·서유구·박지원 등 이른바 '현실학파(現實學派)'라고 불러야 할 우수한 학자가 배출되어, 우리의 경제학적 영역에 대한 선물로 남겨준 업적이 결코 적지 않다. …… ㉠후쿠다 도쿠조(福田德三)는 조선에서 봉건 제도의 존재를 전면적으로 부정했다는 점에서 그에 승복할 수 없는 것이다.

① 백남운이 『조선사회경제사』를 저술하였다.
② 이병도, 손진태 등이 『진단학보』를 발간하였다.
③ 조선사 편수회 인사들이 청구 학회를 결성하였다.
④ 신채호가 대한매일신보에 「독사신론」을 연재하였다.

문제풀이 정체성론 비판

난이도 중

제시문에서 조선에서 봉건 제도의 존재를 전면적으로 부정했다는 내용을 통해 밑줄 친 ㉠이 일제 강점기 식민 사관인 정체성론임을 알 수 있다. 정체성론은 한국사는 봉건적 단계를 거치지 못하고 고대 단계에 정체되어 있다는 논리로, 일본이 한국을 지배하여 한국의 근대화를 도와야 한다는 주장을 합리화하였다.

① 사회·경제 사학자인 백남운은 『조선사회경제사』를 저술하여 한국사의 발전 과정을 세계사의 보편적 발전 법칙에 따라 체계화함으로써 일제의 식민 사관인 정체성론을 비판하였다.

오답 분석

② 이병도, 손진태 등이 진단 학회를 결성하여 『진단학보』를 발간한 것은 실증 사학의 입장에서 역사를 연구한 활동으로, 정체성론 비판과는 관련이 없다.
③ 조선사 편수회 인사들이 청구 학회를 결성한 것은 식민 사관에 입각하여 한국사를 왜곡한 활동으로, 정체성론 비판과는 관련이 없다.
④ 신채호가 대한매일신보에 「독사신론」을 연재한 것은 역사 서술의 주체를 민족으로 설정하여 민족주의 사학의 연구 방법을 제시한 활동으로, 정체성론 비판과는 관련이 없다.

10

2021년 법원직 9급

다음 자료의 주장을 한 일제 강점기 역사 연구 활동에 대한 설명 중 가장 옳은 것은?

> 조선 민족의 발전사는 그 과정이 아시아적이라고 하더라도 사회 구성의 내면적 발전 법칙 그 자체는 오로지 세계사적인 것이며, 삼국 시대의 노예제 사회, 통일 신라기 이래의 동양적 봉건 사회, 이식 자본주의 사회는 오늘날에 이르기까지 조선 역사의 단계를 나타내는 보편사적인 특징이다.

① 일선동조론을 유포하였다.
② 실증 사학의 영향을 받았다.
③ 대표적인 인물로 백남운이 있다.
④ 진단 학회를 결성하여 『진단학보』를 발간하였다.

문제풀이 사회·경제 사학

난이도 하

제시문에서 조선 민족의 발전사를 세계사적인 사회 구성의 내면적 발전 법칙에 따른다고 하는 내용을 통해 사회·경제 사학임을 알 수 있다. 사회·경제 사학은 유물 사관에 입각하여 한국사를 세계사적 보편성 위에 체계화하려는 과정에서 식민 사학의 정체성론을 반박하였다.

③ 사회·경제 사학을 연구한 대표적인 인물은 백남운이다. 백남운은 『조선사회경제사』(1933)와 『조선봉건사회경제사』(1937)를 저술하여 한국의 사회·경제사학 발전에 선구자적인 역할을 하였다.

오답 분석

① 사회·경제 사학은 일선동조론을 유포하지 않았다. 일선동조론은 일본 민족과 조선 민족의 조상이 하나라는 이론으로, 민족 말살 통치 시기에 일제가 식민 사관을 토대로 일선동조론을 주장하여 한국인의 민족 정신을 말살하고자 하였다.
② 사회·경제 사학은 실증 사학의 영향을 받지 않았다. 실증 사학은 역사적 사실을 실증적, 객관적으로 밝히려는 연구 활동이며, 사회·경제 사학은 마르크스의 유물 사관에 입각하여 역사 발전의 원동력을 물질적인 생산력과 생산 관계의 변화로 보는 연구 활동이다.
④ 진단 학회를 결성하여 『진단학보』를 발간한 것은 이병도 등이다. 이들은 청구 학회의 한국사 왜곡에 맞서 진단 학회를 결성하고, 『진단학보』를 발행하는 등 실증 사학의 입장에서 객관적 연구 활동을 전개하였다.

11

2020년 서울시 9급(특수 직렬)

〈보기〉의 글을 쓴 인물의 주장과 같은 입장에 대한 설명으로 가장 옳은 것은?

> **보기**
> 우리 조선의 역사적 발전의 전 과정은 가령, 지리적 조건, 인종학적 골상, 문화 형태의 외형적 특징 등에서 다소의 차이는 인정되더라도, 외관적인 소위 특수성은 다른 문화 민족의 역사적 발전 법칙과 구별되어야 하는 독자적인 것은 아니며, 세계사적·일원론적인 역사 법칙에 의해 다른 여러 민족과 거의 같은 궤도로 발전 과정을 거쳐온 것이다.

① 민족 정신을 강조하여 우리의 고유한 특색과 전통을 찾았다.
② 신채호와 박은식의 사학을 계승하였다.
③ 역사학의 주관적 해석을 배제하고 문헌 고증을 중시하였다.
④ 한국사의 발전 과정을 사회·경제 사학의 관점에서 서술하였다.

문제풀이 사회·경제 사학 난이도 하

제시문에서 우리 조선의 역사적 발전의 전 과정은 독자적인 것은 아니며, 세계사적·일원론적인 역사 법칙에 의해 다른 여러 민족과 거의 같은 궤도로 발전 과정을 거쳐온 것이다라는 내용을 통해 사회·경제 사학자 백남운의 주장임을 알 수 있다.

④ 백남운과 같은 입장은 한국사의 발전 과정을 사회·경제 사학의 관점에서 서술하였다. 한편 사회·경제 사학은 역사 발전의 원동력을 정신이 아닌 민중에게서 구하였으며, 유물 사관에 입각하여 한국사를 세계사적 보편성 위에 체계화하려는 과정에서 식민 사학의 정체성론을 반박하였다. 사회·경제 사학의 대표적인 학자로는 백남운, 이청원, 전석담 등이 있다.

오답 분석

①, ② **민족주의 사학**: 민족 정신을 강조하여 우리의 고유한 특색과 전통을 찾는 입장은 민족주의 사학이다. 민족주의 사학의 대표적인 학자로는 신채호, 박은식, 정인보, 문일평 등이 있다.

③ **실증주의 사학**: 역사학의 주관적 해석을 배제하고 문헌 고증을 중시한 입장은 실증주의 사학이다. 실증주의 사학의 대표적인 학자로는 이병도, 손진태 등이 있다.

12

2017년 국가직 9급(10월 시행)

밑줄 친 '나'에 대한 설명으로 옳은 것은?

> 나의 조선경제사의 기도(企圖)는 사회의 경제적 구성을 기축으로 대체로 다음과 같은 제 문제를 취급하려 하였다.
> 제1. 원시 씨족 공산체의 태양(態樣)
> 제2. 삼국의 정립 시대의 노예 경제
> 제3. 삼국 시대 말기 경부터 최근세에 이르기까지의 아시아적 봉건 사회의 특질
> 제4. 아시아적 봉건 국가의 붕괴 과정과 자본주의의 맹아 형태
> 제5. 외래 자본주의 발전의 일정과 국제적 관계
> 제6. 이데올로기 발전의 총 과정

① 우리 고대사를 중국 민족에 필적하는 강건한 민족의 역사로 서술했다.
② 일제 식민 사학의 정체성론을 극복하는 근거를 제공하였다.
③ 실학에서 자주적인 근대 사상과 우리 학문의 주체성을 찾으려 하였다.
④ 순수 학문을 표방하면서 식민주의 사학에 학문적으로 대항하려 하였다.

문제풀이 백남운 난이도 중

제시문은 사회·경제 사학의 대표적인 학자인 백남운의 『조선사회경제사』 중 일부이다.

② 백남운은 한국사의 발전 과정을 세계사적인 역사 발전의 보편성 위에 체계화하여 식민 사학의 정체성론을 반박하는 근거를 제공하였다.

오답 분석

① **신채호**: 우리 고대사를 중국에 필적하는 강건한 민족의 역사로 서술한 것은 민족주의 사학자인 신채호이다.

③ **정인보 등**: 실학에서 자주적인 근대 사상과 우리 학문의 주체성을 찾으려고 한 것은 1934년에 일어난 조선학 운동으로 정인보, 문일평, 안재홍 등이 주도하였다. 조선학 운동은 정인보, 문일평, 안재홍 등이 정약용 서거 99주기를 기념하며 정약용의 저서를 모은 『여유당전서』를 간행한 것이 계기가 되어 전개된 민족 문화 운동이다.

④ **이병도 등**: 순수 학문을 표방하면서 식민주의 사학에 대항하려고 한 것은 이병도 등의 실증주의 사학자들이다.

이것도 알면 **합격!**

백남운의 활동
- 민립 대학 설립 운동에 참여
- 광복 이후 좌익 단체인 남조선 신민당, 민주주의 민족 전선 등을 결성
- 주요 저술: 『조선사회경제사』, 『조선봉건사회경제사』, 「조선 민족의 진로」

정답 09 ① 10 ③ 11 ④ 12 ②

13

2017년 국가직 9급(4월 시행)

다음 주장을 한 인물에 대한 설명으로 옳은 것은?

> 계급 투쟁은 민족의 내부 분열을 초래할 것이며, 민족의 내쟁은 필연적으로 민족의 약화에 따르는 다른 민족으로부터의 수모를 초래할 것이다. 계급투쟁의 길은 우리가 반드시 취해야 할 필요는 없고, 민족 균등이 실현되는 날 그것은 자연 해소되는 문제다. … (중략) … 이 세계적 기운과 민족적 요청에서 민족 사관은 출발하는 것이며, 민족사는 그 향로와 방법을 명백하게 과학적으로 지시하여야 할 것이다. – 『조선민족사개론』

① 『조선상고사』와 『조선사연구초』를 저술하였다.
② 대동 사상을 수용한 유교 구신론을 주장하였다.
③ 『진단학보』를 발간한 진단 학회의 발기인으로 활동하였다.
④ 「5천 년간 조선의 얼」이라는 글을 동아일보에 연재하였다.

14

2024년 서울시 9급(2월 시행)

〈보기〉에서 서적과 인물에 대한 설명으로 옳은 것을 모두 고른 것은?

> **보기**
> ㉠ 한용운은 『조선 불교 유신론』을 지어 불교를 한층 현대적이고 사회 개혁적인 방향으로 개혁하려고 했다.
> ㉡ 장지연은 『동사강목』을 지어 서양식 역사 서술 체계를 적극 도입하였는데 이를 신사체(新史體)라 불렀다.
> ㉢ 신채호는 「독사신론」 등의 사론을 발표하여 만주와 부여족을 중심에 둔 새로운 역사 체계를 세우기 시작했다.
> ㉣ 『말의 소리』를 지은 주시경은 국어연구학회를 창립하였는데, 이것이 뒷날 조선어 연구회의 모체가 되었다.

① ㉠, ㉡, ㉢
② ㉠, ㉡, ㉣
③ ㉠, ㉢, ㉣
④ ㉡, ㉢, ㉣

문제풀이 손진태

난이도 상

제시문에서 계급 투쟁이 민족의 내부 분열을 초래할 것이라는 내용과 민족사는 그 향로와 방법을 명백하게 과학적으로 지시해야 한다는 내용을 통해 신민족주의 사학자의 주장임을 알 수 있다. 신민족주의 사학자 중 『조선민족사개론』을 저술한 인물은 손진태이다.

③ 손진태는 청구 학회의 한국사 왜곡에 맞서 조직된 진단 학회의 발기인으로 참여하였으며, 『진단학보』를 발간하고 객관적인 연구 활동을 전개하였다.

오답 분석

① **신채호**: 『조선상고사』와 『조선사연구초』를 저술한 인물은 민족주의 사학자 신채호이다.
② **박은식**: 대동 사상을 수용한 유교 구신론을 주장한 인물은 민족주의 사학자 박은식이다. 박은식은 양명학에 기초를 두고 공자의 대동 사상과 맹자의 민중 중시 사상을 받아들여 독특한 대동 사상을 수립하였으며, 이를 바탕으로 성리학 중심의 당시 유교 학풍을 실천적 성격의 양명학으로 개편해야 함을 주장하였다.
④ **정인보**: 「5천 년간 조선의 얼」이라는 글을 동아일보에 연재한 인물은 민족주의 사학자 정인보이다. 정인보는 「5천 년간 조선의 얼」에서 우리 민족의 시조를 단군으로 설정하였으며 민족 정신으로 '얼'을 강조하였다.

문제풀이 일제 강점기의 민족 문화 수호 운동

난이도 중

③ 옳은 것을 모두 고르면 ㉠, ㉢, ㉣이다.
㉠ 한용운은 『조선 불교 유신론』을 지어 불교를 현대적이고 사회 개혁적인 방향으로 개혁하려고 하였으며, 이를 통해 민족 불교의 자주성을 지키고 일본 불교의 침투에 대항하였다.
㉢ 신채호는 대한매일신보에 「독사신론」 등을 발표하여 만주와 부여족을 중심으로 둔 새로운 역사 체계를 세우기 시작하였다. 이는 부여족이 살았던 만주를 우리나라의 영토로 인식화함과 동시에, 일제의 식민주의 사학에 대응하는 민족주의 사학의 연구 방법을 제시한 것이다.
㉣ 국어 문법 서적인 『말의 소리』를 지은 주시경은 순종 때 우리 말과 글의 연구·통일·발전을 목표로 국어연구학회를 창립하였다. 국어연구학회는 국권 피탈 이후 일제 강점기에 조직된 조선어 연구회의 모체가 되었다.

오답 분석

㉡ 『동사강목』은 조선 후기에 안정복이 강목체로 서술한 역사서로, 단군 조선 → 기자 조선 → 마한 → 통일 신라 → 고려로 이어지는 독자적인 정통론을 세워 우리 역사를 체계화하였다. 한편, 신사체는 서양식 역사 서술 체계를 도입하여 상고(上古) – 중고(中古) – 근고(近古) 등으로 구분하여 역사를 서술하는 방식이다.

15

2018년 서울시 9급(3월 시행)

〈보기〉는 일제 강점기 당시 흥행에 성공하였던 영화의 줄거리이다. 이 영화가 상영되던 시기의 문화 예술계에 대한 설명으로 가장 옳은 것은?

> **보기**
> 영진은 전문 학교를 다닐 때 독립 만세를 부르다가 왜경에게 고문을 당해 정신이상이 된 청년이었다. 한편 마을의 악덕 지주 천가의 머슴이며, 왜경의 앞잡이인 오기호는 빚 독촉을 하며 영진의 아버지를 괴롭혔다. 더욱이 딸 영희를 아내로 준다면 빚을 대신 갚아줄 수 있다고 회유하기까지 하였다. … (중략) … 오기호는 마을 축제의 어수선한 틈을 타 영희를 겁탈하려 하고 이를 지켜보던 영진은 갑자기 환상에 빠져 낫을 휘둘러 오기호를 죽인다. 영진은 살인 혐의로 일본 순경에게 끌려가고, 주제곡이 흐른다.

① 역사학: 민족주의 역사가들 사이에서 이른바 조선학 운동이 시작되었다.
② 문학: 민중 생활에 관심을 기울인 신경향파 문학이 대두하여 식민 통치에 대한 저항 문학으로 발전했다.
③ 음악: 일본 주류 대중 음악의 영향을 받은 트로트 양식이 정립되었다.
④ 영화: 일제는 조선 영화령을 공포하여 영화를 전시 체제의 옹호와 선전의 수단으로 사용하였다.

문제풀이 1920년대의 문화 예술계

난이도 중

제시문은 1920년대에 나운규가 민족 정서를 토대로 일제 강점기의 민족의 비애를 그려낸 영화 아리랑의 내용이다. 아리랑은 1926년에 단성사에서 개봉되어 선풍적인 인기를 끌며 흥행에 성공하였다.

② **1920년대 중반에는 사회주의의 영향으로 문학의 사회적 기능을 강조하며 민중 생활에 관심을 기울인 신경향파 문학이 등장하였다. 신경향파 문학은 식민지 현실 고발과 계급 의식 고취를 강조하였으며, 1925년에는 김기진 등의 신경향파 문인들이 카프(KAPF, 조선 프롤레타리아 예술가 동맹)를 결성하였다.**

오답 분석
① **1930년대**: 다산 정약용 서거 99주기를 맞아 정인보, 문일평, 안재홍 등의 민족주의 사학자들이 조선학 운동을 전개한 것은 1934년의 사실이다.
③ **1930년대**: 일본의 주류 대중 음악인 엔카가 민요와 결합되어 새로운 음악인 트로트 양식이 정립된 것은 1930년대의 사실이다.
④ **1940년대**: 일제가 조선 영화령을 제정하여 민족적 정서를 담은 영화의 제작 및 상영을 금지한 것은 1940년의 사실이다. 이를 통해 일제는 영화를 침략 전쟁을 정당화하고 전시 체제를 옹호하는 선전 수단으로 사용하였다.

16

2022년 서울시 9급(6월 시행)

〈보기〉에서 일제 강점기의 의식주 변화에 해당하는 것을 모두 고른 것은?

> **보기**
> ㉠ 음식 조리 과정에서 왜간장, 조미료 등을 사용하였다.
> ㉡ 도시 인구 급증의 후유증으로 토막(土幕)집이 등장하였다.
> ㉢ 일제 말 여성들이 일본식 노동복인 몸뻬의 착용을 강요당하였다.
> ㉣ 경성의 경우, 북촌에는 조선인이, 남촌에는 일본인이 주로 거주하였다.

① ㉠, ㉢　② ㉠, ㉣
③ ㉡, ㉢, ㉣　④ ㉠, ㉡, ㉢, ㉣

문제풀이 일제 강점기의 의식주 변화

난이도 상

④ 옳은 것을 모두 고르면 ㉠, ㉡, ㉢, ㉣이다.
㉠ 일제 강점기에는 일본의 식재료가 유입되어 음식 조리 과정에서 왜간장이라고 불리는 일본 간장과 조미료 등을 사용하였다.
㉡ 일제 강점기에 도시로 인구가 몰려 도시 인구가 급증하면서 빈민들이 거주하는 토막(土幕)집이 등장하고, 도시의 외곽에는 토막집이 모여 있는 토막촌이 형성되었다.
㉢ 일제 강점기 말인 1940년대에 전시 체제가 확대되면서 여성들이 일본 농촌 여성의 작업복인 몸뻬의 착용을 강요당하였다. 여성들은 몸뻬를 입고 근로 보국대 등에서 강제 노동을 하였다.
㉣ 일제 강점기에 경성(서울)의 경우 청계천을 경계로 북촌에는 조선인이, 남촌에는 일본인이 주로 거주하였다.

이것도 알면 **합격!**

일제 강점기 경성의 모습

> 경성 전체의 상가를 보면 남북의 양 촌으로 그 경계선이 너무 분명하게 된 지 오랜 일이다. 그러나 시간이 지나면서 그 경계선이 점점 북촌으로 다가감을 매년 깨달을 수가 있다. 이 말은 일본 사람이 진을 치고 있는 남촌 상가의 구역이 조선인 상점의 집합처인 북촌으로 확대되어 간다는 말이다.
> -『삼천리』 12호, 1931. 2.

사료 분석 | 일제 강점기에 경성은 청계천을 기준으로 한국인 중심의 북촌과 일본인 중심의 남촌으로 나뉘어 도시화가 진행되었다.

정답 13 ③ 14 ③ 15 ② 16 ④

최빈출 다지선다 문제로 단원 마무리

01 일제의 식민 통치와 민족의 수난

다음 법이 공포된 이후 나타난 일제의 지배 정책에 대한 설명으로 옳지 않은 것을 모두 고른 것은? 2015년 지방직 9급

> 제4조 정부는 전시에 국가 총동원상 필요할 때에는 칙령이 정하는 바에 따라 제국 신민을 징용하여 총동원 업무에 종사하게 할 수 있다.

① 회사 설립을 허가제로 한 회사령을 공포하였다. 16. 국가직 7급

② 토지 약탈을 위해 동양 척식 회사를 설립하였다. 21. 국가직 9급

③ 농공은행을 통합하여 조선식산은행을 설립하였다. 16. 국가직 7급

④ 조선 사상범 예방 구금령을 제정하였다. 23. 서울시 9급

⑤ 일본식 성과 이름으로 고치는 창씨개명을 시행하였다. 15. 지방직 9급

⑥ 공출 제도를 강화하여 놋그릇, 농기구까지 수탈하였다. 13. 지방직 9급

⑦ 여성에게 작업복인 '몸뻬'라는 바지의 착용을 강요하였다. 15. 지방직 9급

⑧ 황국 신민 의식을 강화하고자 소학교를 국민학교로 개칭하였다. 21. 국가직 9급

⑨ 치안 유지법을 제정하여 사상을 통제하고 사회 운동을 탄압하였다. 18. 지방직 7급

⑩ 헌병 경찰이 칼을 차고 민간의 치안 및 행정 업무를 처리하도록 하였다. 13. 지방직 9급

정답 및 해설

정답

①, ②, ③, ⑨, ⑩

자료분석

국가 총동원상 필요할 때 제국 신민을 징용할 수 있음 → 국가 총동원법(1938. 4.)

선택지 체크

① 1910년 ② 1908년 ③ 1918년 ④ 1941년 ⑤ 1939년 ⑥ 1940년대 ⑦ 1940년대 ⑧ 1941년 **⑨ 1925년 ⑩ 1910년대**

02 3·1 운동과 대한민국 임시 정부

(가) 단체의 활동에 대한 설명으로 옳은 것을 모두 고른 것은? 2021년 지방직 9급

> 탑골 공원에 모인 수많은 학생과 시민이 독립 선언식을 거행하고 만세를 부르며 거리를 행진하였다. 이후 만세 시위는 전국으로 확산하였다. 이 운동을 계기로 독립운동가 사이에는 독립운동을 더욱 조직적으로 전개하자는 공감대가 형성되어 (가) 가/이 만들어졌다. (가) 는/은 구미 위원부를 설치하는 등 적극적으로 독립운동을 펼쳐 나갔다.

① 대동 단결 선언을 발표하였다. 21. 지방직 9급

② 국내와의 연락을 위해 교통국을 두었다. 21. 지방직 9급

③ 국외 거주 동포에게 독립 공채를 발행하였다. 17. 서울시 9급

④ 독립군을 양성하기 위해 신흥 무관 학교를 설립하였다. 21. 지방직 9급

⑤ 1941년 일제에 대일 선전 성명서를 발표하였다. 24. 법원직 9급

⑥ 영국인 베델을 발행인으로 한 대한매일신보를 창간하였다. 22. 국가직 9급

⑦ 「조선혁명선언」을 강령으로 삼아 의열 투쟁을 전개하였다. 21. 지방직 9급

⑧ 이인영, 허위 등을 중심으로 서울 진공 작전을 추진하였다. 22. 국가직 9급

⑨ 일제 식민 지배의 중심 기관인 조선 총독부에 폭탄을 던졌다. 22. 서울시 9급(2월)

⑩ 미국 전략 정보처(OSS)와 협력하여 국내 진공 작전을 계획하였다. 19. 법원직 9급

정답 및 해설

정답

②, ③, ⑤, ⑩

자료분석

독립운동을 더욱 조직적으로 전개 + 구미 위원부 → (가) 대한민국 임시 정부

선택지 체크

① 신규식, 박은식 등 **② 대한민국 임시 정부 ③ 대한민국 임시 정부** ④ 신민회 **⑤ 대한민국 임시 정부** ⑥ 양기탁 등 ⑦ 의열단 ⑧ 13도 창의군 ⑨ 의열단 **⑩ 대한민국 임시 정부**

04 사회·경제적 민족 운동

다음 강령을 채택한 단체의 활동으로 옳지 않은 것을 모두 고른 것은? 2019년 국회직 9급

> • 우리는 정치·경제적 각성을 촉진함.
> • 우리는 단결을 공고히 함.
> • 우리는 기회주의를 일체 부인함.

① 고종의 밀명을 받아 결성되었다. 24 지방직 9급

② 백정에 대한 차별 철폐를 요구하였다. 22. 법원직 9급

③ 조선 소년 연합회를 창설하고자 하였다. 19. 국회직 9급

④ 동양 척식 주식회사 폐지를 주장하였다. 19. 국회직 9급

⑤ 노동 운동과 연계하여 최저 임금제를 요구하였다. 19. 국회직 9급

⑥ 여성의 법률상 및 사회적 차별을 없애고자 하였다. 19. 국회직 9급

⑦ 일제가 날조한 105인 사건으로 와해되었다. 24. 지방직 9급

⑧ 『개벽』, 『신여성』, 『어린이』 등의 잡지를 발행하였다. 20. 국가직 9급

⑨ 광주 학생 항일 운동을 지원하고자 조사단을 파견하였다. 15. 지방직 7급

⑩ 민족 산업의 보호와 육성을 위해 국산품 애용 등을 주장하였다. 21. 법원직 9급

⑪ 문맹 퇴치와 미신 타파를 목적으로 브나로드 운동을 전개하였다. 21. 지방직 9급

정답 및 해설

정답

①, ②, ③, ⑦, ⑧, ⑩, ⑪

자료분석

정치·경제적 각성을 촉진함 + 기회주의를 일체 부인함 → 신간회

선택지 체크

① **독립 의군부** ② **조선 형평사** ③ **소년 운동 협회, 오월회 등** ④ 신간회 ⑤ 신간회 ⑥ 신간회 ⑦ **신민회** ⑧ **천도교** ⑨ 신간회 ⑩ **조선 물산 장려회** ⑪ **동아일보**

05 민족 문화 수호 운동

다음 글을 쓴 인물에 대한 설명으로 옳은 것을 모두 고른 것은? 2022년 간호직 8급

> 유교의 3대 문제는 무엇인가. 첫째, 유교파의 정신이 오로지 제왕의 편에 있고 인민 사회에 보급할 정신이 부족한 것이다. …(중략)… 셋째, 우리 대한의 유가에서는 쉽고 정확한 가르침[양명학]을 구하지 않고 지루하고 산만한 공부[주자학]만을 전적으로 숭상하는 것이다. – 『서북학회월보』

① 민족주의 역사학을 지향한 「독사신론」을 저술하였다. 19. 지방직 7급

② 일본의 침략상을 폭로하는 『한국통사』를 저술하였다. 20. 지방직 9급

③ 『조선사연구초』와 『조선상고사』 등을 저술하였다. 22. 간호직 8급

④ 민족 정신으로서 국혼을 강조하였다. 18. 지방교행직

⑤ 실증 사학의 입장에서 연구하는 진단 학회를 조직하였다. 20. 지방직 9급

⑥ 이순신, 을지문덕 등 위인의 전기를 써 민족 의식을 고취하였다. 18. 국가직 7급

⑦ 한국의 독립운동 과정을 서술한 『한국독립운동지혈사』를 저술하였다. 18. 국가직 7급

⑧ 유물 사관으로 식민 사학의 정체성 이론을 반박했다. 19. 법원직 9급

⑨ '조선심'을 강조하며 정약용 연구를 중심으로 한 조선학 운동을 전개하였다. 18. 국가직 7급

⑩ 「5천 년간 조선의 얼」이라는 글을 동아일보에 연재하여 민족 정신을 고취하였다. 17. 지방직 9급(6월)

정답 및 해설

정답

②, ④, ⑦

자료분석

유교의 3대 문제 → 「유교구신론」 → 박은식

선택지 체크

① 신채호 ② **박은식** ③ 신채호 ④ **박은식** ⑤ 이병도, 손진태 등 ⑥ 신채호 ⑦ **박은식** ⑧ 백남운 ⑨ 문일평 ⑩ 정인보

현대 출제 경향

1. 주요 직렬별 출제 비중(2019~2024)

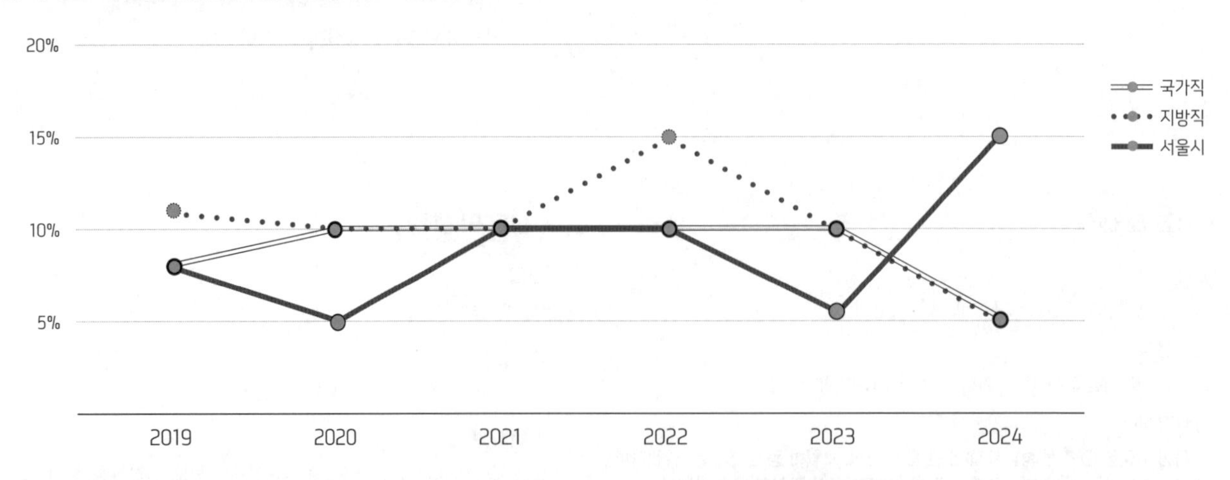

국가직과 지방직 시험의 경우 현대사 문제가 1~2문제씩 꾸준히 출제되고 있으며, 서울시 시험의 경우 다른 직렬에 비해 출제 비중이 낮았으나 2024년에 출제 비중이 크게 상승하였습니다.

해커스공무원 단원별 기출문제집
한국사

현대 사회의 발전

2. 주요 직렬별 최근 출제 경향 및 학습 방법

국가직	국가직 시험의 경우 매해 평균 1~2문제씩 꾸준히 출제되고 있는데, 2024년 국가직 9급 시험에서는 모스크바 3국 외상 회의 이후의 사실을 묻는 문제가 쉽게 출제되었습니다. ▶ 대한민국 정부 수립 시기의 주요 사건 내용, 사건의 연도 및 월까지 꼼꼼히 학습해야 합니다.
지방직	지방직 시험의 경우 매해 2~3문제씩 꾸준히 출제되며, 주로 정치사에서 자주 출제됩니다. 2024년 지방직 9급 시험에서는 농지 개혁에 대한 문제가 쉽게 출제되었습니다. ▶ 대한민국 정부 수립 과정에서 있었던 사실과 시기별 경제 정책을 꼼꼼하게 정리해야 합니다.
서울시*	서울시 시험의 경우 사건의 순서나 특정 시기 이후의 사실을 묻는 문제가 자주 출제되고 있습니다. 2024년 서울시 9급 시험에서는 제헌 헌법 공포 이후의 사실과 역대 정부의 통일 정책 순서를 묻는 문제가 까다롭게 출제되었습니다. ▶ 특정 시기 사실들의 전후 관계나 역대 정부의 통일 정책 등을 폭넓게 학습해야 합니다.

* 서울시 9급(특수직렬) 문제는 인사혁신처에서 출제한 문제가 아니고, 서울시에서 자체 출제한 문제입니다.

1 | 대한민국 건국 준비 과정

01

2018년 서울시 9급(3월 시행)

〈보기〉의 선언에 대한 설명으로 가장 옳은 것은?

> **보기**
> 각 군사 사절단은 일본국에 대한 장래의 군사 행동을 협정하였다. … (중략) … 앞의 3대국은 조선 인민의 노예 상태에 유의하여 적당한 시기에 맹세코 조선을 자주 독립시킬 결의를 한다.

① 이 선언에서 연합국은 일본에 무조건 항복을 요구하였다.
② 미국, 영국, 중국의 정상이 모여 회담을 한 후 나온 선언이다.
③ 소련은 일본과의 전쟁에 참전할 것을 결정했다.
④ 미국의 루즈벨트 대통령이 20~30년간의 신탁 통치안을 처음으로 제안하였다.

02

2016년 국가직 7급

다음 선언문을 발표한 회담과 관련한 설명으로 옳은 것은?

> 우리 동맹국은 일본이 제1차 세계 대전 이후에 탈취하거나 점령한 태평양의 도서 일체를 박탈할 것과 만주, 팽호도와 같이 일본이 청국에게서 빼앗은 지역을 모두 중화민국에 반환할 것을 목표로 한다. … (중략) … 그리고 우리 세 나라는 현재 한국 국민이 노예 상태하에 있음을 유의하여 적당한 시기에 한국을 자주·독립 국가로 할 결의를 가지고 있다.

① 회담 당사국은 미국, 영국, 소련이었다.
② 4개국에 의한 최장 5개년의 한반도 신탁 통치를 결정하였다.
③ 회담의 영향으로 임시 정부가 건국 강령을 발표하였다.
④ 제2차 세계 대전 중 최초로 한국의 독립을 국제적으로 보장하였다.

문제풀이 카이로 선언 난이도 중

제시문에서 3국이 적당한 시기에 조선을 자주 독립시키기로 결의하였다는 내용을 통해 카이로 선언(1943. 11.)임을 알 수 있다.

② 카이로 선언은 미국의 루스벨트, 영국의 처칠, 중국의 장제스가 이집트 카이로에서 개최된 카이로 회담에서 발표되었다. 카이로 회담은 최초로 한국의 독립을 약속한 국제 회담이었다.

오답 분석

① **포츠담 선언**: 연합국이 일본에 무조건 항복을 요구한 것은 포츠담 선언이다. 1945년 7월에 독일의 포츠담에서 열린 회담에서 미국의 트루먼, 영국의 처칠, 중국의 장제스는 일본에 무조건 항복을 권고하고 카이로 선언의 한국 독립 약속을 재확인한 포츠담 선언에 서명하였고, 이후 소련의 스탈린도 이 선언에 참여하였다.

③, ④ **얄타 회담**: 소련이 일본과의 전쟁에 참여할 것을 결의하고, 미국의 루스벨트가 한반도를 20~30년간 신탁 통치할 것을 제안한 것은 얄타 회담이다. 1945년 2월에 열린 얄타 회담에는 미국의 루스벨트, 영국의 처칠, 소련의 스탈린이 참여하였다. 이 회담에서는 한반도에 대한 미국, 영국, 중국, 소련 4개국의 20~30년 간의 신탁 통치가 언급되었고, 소련의 대일전 참전이 결정되었다.

문제풀이 카이로 회담 난이도 중

제시문은 미국(루스벨트)·영국(처칠)·중국(장제스) 정상이 카이로 회담에서 발표한 카이로 선언문이다(1943. 11.).

④ 카이로 회담은 제2차 세계 대전 중 최초로 한국의 독립을 국제적으로 보장한 회담이었다.

오답 분석

① 카이로 회담에는 미국, 영국, 중국이 참여하였다. 미국, 영국, 소련이 참가한 회담은 얄타 회담이다.
② 4개국(미국·영국·중국·소련)에 의한 최장 5개년의 한반도 신탁 통치를 결정한 것은 모스크바 3국 외상 회의이다.
③ 임시 정부가 건국 강령을 발표한 것은 카이로 회담이 열리기 이전인 1941년의 일이다. 임시 정부는 조소앙의 삼균주의(인균, 족균, 국균)를 바탕으로 건국 강령을 발표하였다.

 이것도 알면 **합격!**

열강의 한반도 문제 논의

회담	내용
카이로 회담 (1943. 11.)	미국(루스벨트), 영국(처칠), 중국(장제스)이 최초로 한국의 독립을 약속
얄타 회담 (1945. 2.)	미국(루스벨트), 영국(처칠), 소련(스탈린)이 참가한 회담으로 소련의 대일전 참전을 결정, 한국의 신탁 통치 문제 언급
포츠담 선언 (1945. 7.)	미국(트루먼), 영국(처칠 → 애틀리), 중국(장제스), 소련(스탈린)이 카이로 회담의 결정 사항(한국의 독립)을 재확인

03
2023년 서울시 9급

〈보기〉는 광복 전후의 사건들을 나열한 것이다. 사건을 시간순으로 바르게 나열한 것은?

> **보기**
> ㉠ 카이로 선언
> ㉡ 모스크바 3국 외상 회의
> ㉢ 포츠담 선언
> ㉣ 얄타 회담
> ㉤ 5·10 총선거

① ㉠ – ㉢ – ㉣ – ㉡ – ㉤
② ㉠ – ㉣ – ㉢ – ㉡ – ㉤
③ ㉣ – ㉠ – ㉢ – ㉤ – ㉡
④ ㉣ – ㉢ – ㉠ – ㉤ – ㉡

문제풀이 광복 전후의 사건
난이도 중

② 시간순으로 바르게 나열하면 ㉠ 카이로 선언(1943) → ㉣ 얄타 회담(1945. 2.) → ㉢ 포츠담 선언(1945. 7.) → ㉡ 모스크바 3국 외상 회의(1945. 12.) → ㉤ 5·10 총선거(1948. 5.)이다.

오답 분석

㉠ **카이로 선언**: 카이로 선언은 미국의 루스벨트, 영국의 처칠, 중국의 장제스가 1943년에 이집트 카이로에서 회담을 한 후 발표한 선언이다. 카이로 선언에서는 제1차 세계 대전 이후 일본이 차지한 영토를 회수하며, 한국을 적당한 시기에 자주 독립시킬 것을 결의하였다.

㉣ **얄타 회담**: 얄타 회담은 미국의 루스벨트, 영국의 처칠, 소련의 스탈린이 1945년 2월에 얄타에서 제2차 세계 대전 종전 이후 독일의 처리 등을 논의한 회담으로, 한반도에 대한 신탁 통치가 언급되었다.

㉢ **포츠담 선언**: 포츠담 선언은 미국의 트루먼, 영국의 처칠, 중국의 장제스가 1945년 7월에 일본의 무조건 항복과 한국의 독립을 재확인한 선언으로, 이후 소련의 스탈린도 선언에 참여하였다.

㉡ **모스크바 3국 외상 회의**: 모스크바 3국 외상 회의는 1945년 12월에 미국·영국·소련의 3개국 외상이 모스크바에 모여 한반도의 신탁 통치 문제 등을 논의한 회의로, 미국·영국·중국·소련 4개국이 한국을 최고 5년 동안 신탁 통치할 것과 임시 민주 정부의 수립을 지원하기 위한 미·소 공동 위원회를 설치할 것을 결정하였다.

㉤ **5·10 총선거**: 5·10 총선거는 유엔 한국 임시 위원단의 감시 하에 제헌 국회 구성을 위하여 1948년 5월 10일에 실시된 선거로, 만 21세 이상 모든 남녀 국민에게 투표권이 부여된 우리나라 최초의 보통 선거였다.

04
2018년 경찰직(1차)

다음 내용을 시간 순서대로 나열한 것은?

> ㉠ 한국 문제를 언급하여 '적당한 시기(in due course)'에 한국을 독립시킬 것을 결의하였다.
> ㉡ '조선 건국 동맹'이 조직되었다.
> ㉢ '한국 문제에 관한 4개 항의 결의서'를 결정하였다.
> ㉣ 3국 정상들은 독일에 모여 한국의 독립을 재확인하였다.

① ㉠ → ㉡ → ㉢ → ㉣
② ㉠ → ㉡ → ㉣ → ㉢
③ ㉡ → ㉠ → ㉢ → ㉣
④ ㉡ → ㉠ → ㉣ → ㉢

문제풀이 광복 전후 사건의 전개
난이도 상

② 순서대로 나열하면 ㉠ 카이로 회담(1943) → ㉡ 조선 건국 동맹 조직(1944) → ㉣ 포츠담 회담(1945. 7.) → ㉢ 모스크바 3국 외상 회의(1945. 12.)가 된다.

㉠ **카이로 회담**: 미국의 루스벨트, 영국의 처칠, 중국의 장제스가 이집트의 카이로에서 회담을 열어 한국을 '적당한 시기(in due course)'에 독립시킬 것을 결의한 카이로 선언을 발표하였다(1943). 이는 최초로 한국의 독립을 약속한 국제 회담이었다.

㉡ **조선 건국 동맹 조직**: 광복 직전 여운형은 일제가 패망할 것을 대비하여 국내 좌·우익 세력을 모아 비밀리에 조선 건국 동맹을 조직하였다(1944). 조선 건국 동맹은 광복 직후 조선 건국 준비 위원회로 개편되었다.

㉣ **포츠담 회담**: 광복 전 미국의 트루먼, 영국의 처칠, 중국의 장제스 등 3개국 정상이 독일의 포츠담에서 회담을 열고, 일본의 무조건 항복을 권고하고 한국의 독립을 재확인한 포츠담 선언에 서명하였으며, 이후 소련의 스탈린도 이 선언에 참여하였다(1945. 7.).

㉢ **모스크바 3국 외상 회의**: 광복 후 미국, 영국, 소련 3국의 외상이 모스크바에서 회의를 열고 '한국에 민주주의 임시 정부 수립, 미·소 공동 위원회 설치, 4개국에 의한 신탁 통치, 미·소 양국의 대표 회의 소집'을 내용으로 한 4개 항의 결의서를 결정하였다(1945. 12.).

정답 01 ② 02 ④ 03 ② 04 ②

05

2012년 법원직 9급

다음 조항이 발표되었을 당시의 사실로 옳은 것은?

> 제1조 북위 38도선 이남의 조선 영토와 조선 인민에 대한 통치의 모든 권한은 당분간 본관의 권한하에 시행한다.
> 제2조 정부 등 모든 공공 사업 기관에 종사하는 유급·무급 직원과 고용인, 그리고 기타 중요한 제반 사업에 종사하는 자는 별도의 명령이 있을 때까지 종래의 정상 기능과 업무를 수행할 것이며, 모든 기록 및 재산을 보호, 보존하여야 한다.
> 제5조 군정 기간 동안 영어를 모든 목적을 위해 사용하는 공용어로 한다.

① 신탁 통치 반대 운동이 일어났다.
② 서울에서 미·소 공동 위원회가 개최되었다.
③ 카이로 회담에서 한국의 독립을 약속하였다.
④ 조선 건국 준비 위원회가 치안과 행정을 담당하였다.

문제풀이 광복 직후 대한민국

난이도 중

제시된 자료에서 '38도선 이남의 조선 영토와 인민에 대한 통치', '종래의 정상 기능과 업무를 수행', '군정 기간' 등의 내용을 통해 제시된 조항은 맥아더 포고령 1호(1945. 9.)임을 알 수 있다.

④ 포고령이 발표되기 이전인 1945년 8월 조직된 조선 건국 준비 위원회는 치안대를 설치하여 치안과 행정을 담당하도록 하였다.

오답 분석
① 신탁 통치 반대 운동은 모스크바 3국 외상 회의(1945. 12.)에서 신탁 통치에 대해 논의한 이후 전개되었다.
② 한반도 문제를 처리하기 위한 미·소 공동 위원회는 1946년 3월과 1947년 5월에 총 2차례 개최되었다.
③ 최초로 한국의 독립을 약속한 카이로 회담은 1943년 11월에 개최되었다.

이것도 알면 **합격!**

조선 건국 준비 위원회

조직	중도 우파(안재홍)와 중도 좌파(여운형)가 연합
구성	• 치안대 설치: 치안과 행정을 담당 • 전국에 145개의 지부 조직
활동	자주 독립 국가 건설, 민주주의 정권 수립, 대중 생활 확보 주장
의의	광복 이후 최초의 정치 단체

06

2021년 법원직 9급

다음 강령을 발표한 단체에 대한 설명으로 가장 옳은 것은?

> • 우리는 완전한 독립 국가 건설을 기함.
> • 우리는 전 민족의 정치적, 경제적, 사회적 기본 요구를 실현할 수 있는 민주주의 정권 수립을 기함.
> • 우리는 일시적 과도기에 있어서 국내 질서를 자주적으로 유지하며 대중 생활의 확보를 기함.

① 자유당을 창당하였다.
② 조선 인민 공화국의 수립을 선포하였다.
③ 독립 촉성 중앙 협의회의 결성을 주도하였다.
④ 38도선을 넘어 북한 지도부와 남북 협상을 가졌다.

문제풀이 조선 건국 준비 위원회

난이도 중

제시문에서 일시적 과도기에 있어서 국내 질서를 자주적으로 유지한다는 내용을 통해 조선 건국 준비 위원회가 발표한 강령임을 알 수 있다. 조선 건국 준비 위원회는 여운형이 조선 건국 동맹을 기반으로 안재홍 등과 연합하여 조직한 단체로, 자주 독립 국가의 건설, 민주주의 정권의 수립, 국내 질서의 자주적 유지를 통한 대중 생활의 확보 등을 표방한 3대 강령을 발표하였다.

② 조선 건국 준비 위원회는 조선 인민 공화국의 수립을 선포(1945. 9.)하였다. 조선 건국 준비 위원회는 미군과의 협상에서 유리한 입장을 차지하기 위하여 미군이 한반도에 진주하기 전 국가의 모습을 갖춘 조선 인민 공화국 정부를 수립하였으나, 미 군정의 인정을 받지 못하였다.

오답 분석
모두 조선 건국 준비 위원회와는 관련이 없는 설명이다.
① **이승만 정부**: 자유당을 창당한 것은 이승만 정부이다. 이승만 정부는 반공을 구실로 반대파를 탄압하고 지지 기반을 형성하기 위해, 여러 우익 단체를 규합하여 임시 수도 부산에서 자유당을 창당(1951)하였다.
③ 독립 촉성 중앙 협의회의 결성을 주도한 것은 이승만 중심의 우파 인사들이다. 이승만은 독립 촉성 중앙 협의회를 통해 자신을 중심으로 좌·우익을 아우르고자 하였으나 좌익 계열은 참여를 거부하였고, 남한의 우익 정당만을 잠정적으로 통합하였다.
④ 38도선을 넘어 북한 지도부와 남북 협상을 가졌던 것은 김구, 김규식 등이다. 김구는 유엔 소총회의 남한 단독 선거 논의에 반발하여 김규식과 함께 북한의 지도자들에게 협상을 제의하였고, 그 결과 평양에서 북한의 김일성, 김두봉과 남북 협상이 개최되었다(1948. 4.).

07

2019년 국회직 9급

다음 단체에 대한 설명으로 옳지 않은 것은?

> • 8·15 해방 직후 전국에 145개의 지부를 조직하였다.
> • 여운형이 중심이 되어 조직된 조선 건국 동맹이 모태가 되었다.

① 이승만을 주석으로, 여운형을 부주석으로 추대하였다.
② 중도 우파와 온건 좌파를 중심으로 구성되었다.
③ '조선 민주주의 인민 공화국'을 선포하였다.
④ 좌파의 적극적인 개입으로 탈퇴한 우파도 있었다.
⑤ 국내 치안을 담당하기 위해 치안대를 조직하였다.

문제풀이 조선 건국 준비 위원회

난이도 중

제시문에서 해방 직후 전국에 145개의 지부를 설치하였으며, 여운형이 중심이 되어 조직된 조선 건국 동맹이 모태가 되었다는 것을 통해 조선 건국 준비 위원회에 대한 설명임을 알 수 있다.

③ 조선 건국 준비 위원회가 선포한 국가 명칭은 조선 인민 공화국이다. 조선 건국 준비 위원회는 미군 진주에 앞서 미군과의 협상에서 유리한 입장을 차지하기 위해 조선 인민 공화국을 선포하였으나, 미 군정의 인정을 받지 못하였다. 한편 조선 민주주의 인민 공화국은 1948년 9월에 선포된 북한 정부의 정식 명칭이다.

오답 분석

① 조선 건국 준비 위원회는 조선 인민 공화국의 주석으로 이승만을, 부주석으로 여운형을 추대하였으나 이승만은 주석 취임을 거절하였다.

②, ④ 조선 건국 준비 위원회는 중도 좌파인 여운형(위원장)과 중도 우파인 안재홍(부위원장) 등을 중심으로 구성되었다. 그러나 결성 이후 조선 건국 준비 위원회 내에서 좌익 세력이 강화되는 데 반발하여 안재홍 등의 우파 세력 인사들이 조선 건국 준비 위원회에서 이탈하여 국민당을 결성하였다.

⑤ 조선 건국 준비 위원회는 국내의 치안을 담당하기 위하여 임시 치안 기구인 치안대를 조직하였다.

08

2021년 경찰직(1차)

밑줄 친 '그'에 대한 설명으로 옳은 것은?

> <u>그</u>는 신채호의 고대사 연구를 계승 발전시켜 고대 국가의 사회 발전 단계를 해명하는 많은 논문을 발표하여 해방 후 『조선상고사감』이라는 단행본을 엮어냈고, 우리나라의 전통 철학을 정리하여 『불함철학대전』과 『조선철학』을 저술하였다. 또한 '신민족주의와 신민주주의'라는 독창적인 이론을 제시하고, 이에 의거하여 극좌와 극우를 배격하고 만민공생의 통합된 민족 국가를 건설하려 하였다.

① 한국 민주당 결성을 주도하였다.
② 남조선 과도 입법 의원의 의장이 되었다.
③ 독립 촉성 중앙 협의회의 회장에 추대되었다.
④ 조선 건국 준비 위원회의 결성에 참여하였다.

문제풀이 안재홍

난이도 중

제시문에서 『조선상고사감』이라는 단행본을 엮어내고, 신민족주의와 신민주주의라는 독창적인 이론을 제시하였다는 내용을 통해 밑줄 친 '그'는 안재홍임을 알 수 있다.

④ 안재홍은 조선 건국 준비 위원회 결성에 참여하였다. 조선 건국 준비 위원회는 광복 직후 조선 건국 동맹이 개편된 단체로, 중도 좌파인 여운형과 중도 우파인 안재홍의 주도로 결성되었다.

오답 분석

① **송진우, 김성수 등**: 충칭 임시 정부를 지지하면서 한국 민주당의 결성을 주도한 인물은 송진우, 김성수 등이다.

② **김규식**: 통일 임시 정부가 수립될 때까지 사용될 법령 초안을 작성하기 위해 미군정의 주도로 설립된 남조선 과도 입법 의원의 의장으로 추대된 인물은 김규식이다.

③ **이승만**: 독립 촉성 중앙 협의회의 회장으로 추대된 인물은 이승만이다. 독립 촉성 중앙 협의회는 좌·우익 세력을 모두 아우르고자 하였으나 친일 인사 참여로 좌익 계열이 참여를 거부하자, 남한의 우익 정당만을 잠정적으로 통합하였다.

정답 05 ④ 06 ② 07 ③ 08 ④

2 | 대한민국의 수립

01

2015년 지방직 9급

8·15 광복 직후 일어난 역사적 사실로 옳은 것은?

① 여운형은 조선 건국 동맹을 조직하였다.
② 대한민국 임시 정부는 건국 강령을 발표하였다.
③ 조선어 학회는 『우리말 큰사전』 편찬을 시작하였다.
④ 모스크바 3상 회의에서 한반도 문제가 논의되었다.

문제풀이 광복 직후의 대한민국 난이도 중

④ 1945년 12월 모스크바에서 미국, 영국, 소련의 3국 외상이 회의를 개최하여 한반도 문제를 논의하였다.

오답 분석

① **광복 이전**(1944년): 여운형이 조선 건국 동맹을 조직한 것은 1944년의 일이다. 일제의 패망을 확신한 여운형은 사상과 이념을 통합한 건국 준비 활동을 전개하기 위해 1944년 8월 조선 건국 동맹을 결성하였다. 이후 조선 건국 동맹은 조직을 전국적으로 확대하면서 군사 위원회를 준비하였고, 조선 독립 동맹과도 연계하였다.
② **광복 이전**(1941년): 대한민국 임시 정부가 건국 강령을 발표한 것은 1941년의 일이다. 대한민국 임시 정부는 조소앙의 삼균주의를 바탕으로 보통 선거에 의한 민주 공화정 수립 등을 주요 골자로 한 건국 강령을 발표하였다.
③ **광복 이전**(1931 ~ 1942년): 조선어 학회는 1931년 조선어 연구회에서 확대·조직된 것으로, 『우리말 큰사전』 편찬을 시도하는 등 한글을 보급하고 연구하는 활동을 전개하였으나 1942년 조선어 학회 사건으로 강제 해산되었다.

02

2017년 서울시 9급

(가), (나) 문서에 대한 설명으로 옳은 것은?

> (가) 조선 인민의 노예 상태에 유의하여 적당한 시기에 맹세코 조선을 자주 독립시킬 것을 결의한다.
> (나) 조선 임시 정부의 구성을 원조할 목적으로 먼저 그 적절한 방안을 마련하기 위하여 남조선 합중국 관구와 북조선 소련 관구의 대표자들로 공동 위원회가 설치될 것이다.

① (가)는 포츠담 회담에서 발표되었다.
② (나)의 결정에는 미국, 영국, 소련이 참여하였다.
③ (나)의 결정에 따라 좌·우 합작 위원회가 만들어졌다.
④ (가), (나)는 8·15 해방 직전에 발표되었다.

문제풀이 카이로 선언과 모스크바 3국 외상 회의 난이도 중

(가)는 적당한 시기에 조선을 자주 독립시킬 것을 결의한다는 내용을 통해 1943년 카이로 회담에서 발표된 카이로 선언임을 알 수 있다.

(나)는 임시 정부의 구성을 원조할 목적으로 남조선 합중국 관구와 북조선 소련 관구의 대표자들로 공동 위원회가 설치될 것이라는 내용을 통해 1945년 12월에 개최된 모스크바 3국 외상 회의 결정서의 내용임을 알 수 있다.

② 모스크바 3국 외상 회의에는 미국·영국·소련 3국의 외상(外相)이 참여하여 한반도 문제에 대해 협의하였다. 이 회의에서는 미국·영국·중국·소련 4개국이 한국을 최고 5년 동안 신탁 통치할 것과 임시 민주 정부를 수립을 지원하기 위한 미·소 공동 위원회를 설치할 것을 결정하였다.

오답 분석

① 카이로 선언은 1943년 11월에 개최된 카이로 회담에서 발표되었다. 포츠담 회담에서는 카이로 회담에서 결의한 한국의 독립을 확인하였다.
③ 모스크바 3국 외상 회의의 결정에 따라 미·소 공동 위원회가 개최(1946. 3.)되었다. 좌·우 합작 위원회는 제1차 미·소 공동 위원회의 결렬, 이승만의 정읍 발언 등 좌·우 세력의 대립이 격화되는 가운데 중도 우익 김규식과 중도 좌익 여운형 등이 통일 정부 수립을 위해 조직(1946. 7.)한 것이다.
④ 카이로 선언(1943. 11.)은 해방(1945. 8.) 이전에, 모스크바 3국 외상 회의 결정서(1945. 12.)는 해방 이후에 발표되었다.

03

2024년 국가직 9급

밑줄 친 '이 회의' 이후에 있었던 사실로 옳지 않은 것은?

> 미국, 영국, 소련 3국의 외무 장관이 모인 이 회의에서는 한국의 민주주의적 임시 정부 수립과 이를 위한 미·소 공동 위원회의 설치, 최대 5년간의 신탁통치 방안 등이 결정되었다.

① 5·10 총선거가 실시되었다.
② 좌·우 합작 7원칙이 발표되었다.
③ 조선 건국 준비 위원회가 결성되었다.
④ 반민족 행위 특별 조사 위원회가 구성되었다.

04

2016년 국가직 9급

다음 결정문에 근거하여 실행된 사실로 옳은 것은?

> 조선을 독립시키고 민주 국가로 발전시키는 동시에, 가혹한 일본의 조선 통치 잔재를 빨리 청산하기 위해 조선에 임시 민주주의 정부를 수립한다.

① 미·소 공동 위원회가 개최되었다.
② 서울에서 건국 준비 위원회가 조직되었다.
③ 유엔 감시 하에 남한에서 총선거가 실시되었다.
④ 한반도에서 미군과 소련군의 군정이 시작되었다.

문제풀이 모스크바 3국 외상 회의 이후의 사실

난이도 중

제시문에서 미국, 영국 소련 3국의 외무 장관이 모였다는 내용과 한국의 민주주의적 임시 정부 수립 등이 결정되었다는 내용을 통해 밑줄 친 '이 회의'가 모스크바 3국 외상 회의(1945. 12.)임을 알 수 있다.

③ 조선 건국 준비 위원회가 결성된 것은 모스크바 3국 외상 회의가 개최되기 이전인 1945년 8월의 사실이다. 조선 건국 준비 위원회는 해방 직후 여운형 등의 중도 좌파와 안재홍 등의 중도 우파가 연합하여 조선 건국 동맹(1944)을 기반으로 조직한 단체로, 조선 총독부로부터 치안 유지권과 일부 행정권을 인수받았다.

오답 분석
모두 모스크바 3국 외상 회의 이후의 사실이다.

① 5·10 총선거가 실시된 것은 1948년 5월이다. 유엔에서는 1947년에 인구 비례에 따른 남북한 총선거 실시를 결의하였다. 그러나 북한과 소련이 유엔 임시 위원단의 입북을 거부하여 총선거가 불가능해지자 유엔 소총회에서 선거가 가능한 남한에서만의 총선거 실시가 결정되었다. 이에 따라 1948년 5월에 5·10 총선거가 실시되었다.

② 좌·우 합작 7원칙이 발표된 것은 1946년 10월이다. 제1차 미·소 공동 위원회가 결렬되고 이승만이 단독 정부 수립 운동을 전개하는 등 분단의 위험성이 대두하자, 중도 세력은 좌·우 합작 위원회를 조직하고 1946년 10월에 좌·우 합작 7원칙을 발표하였다.

④ 반민족 행위 특별 조사 위원회가 구성된 것은 1948년 10월이다. 반민족 행위 특별 조사 위원회는 대한민국 정부 수립 이후 이승만 정부가 친일파 청산을 위하여 구성하였다.

문제풀이 모스크바 3국 외상 회의

난이도 중

제시문에서 일본의 조선 통치 잔재를 청산하기 위해 임시 민주주의 정부를 수립한다는 내용을 통해 1945년 12월에 열렸던 모스크바 3국 외상 회의 결정서임을 알 수 있다. 모스크바 3국 외상 회의를 통해 민주주의 원칙하에서 독립 국가를 건설하기 위한 임시 민주 정부 수립과 임시 정부 수립을 지원하기 위한 미·소 공동 위원회 설치가 협의되었으며, 미국·영국·중국·소련 4개국이 한국을 최고 5년간 공동 관리할 것이 협의되었다.

① 모스크바 3국 외상 회의의 결과를 실현하기 위해 제1차 미·소 공동 위원회가 개최되었다(1946. 3.). 그러나 반탁 운동을 펼치는 우익 세력을 협의 대상에 포함시킬지에 대한 미국과 소련의 주장이 엇갈리면서 제1차 미·소 공동 위원회는 무기한 휴회에 돌입하였고, 이후 열린 제2차 미·소 공동 위원회도 이견을 좁히지 못한 채 결렬되었다.

오답 분석

② 건국 준비 위원회는 광복 직후 안재홍 등의 중도 우파와 여운형 등의 중도 좌파가 연합하여 조직한 단체로, 광복 이후 조직된 최초의 정치 단체였다.

③ 유엔 감시 하에 실시된 남한에서만의 총선거는 1947년 9월 미국이 한반도 문제를 유엔으로 이관한 이후, 유엔 총회의 결의안(1947. 11.)과 유엔 소총회의 결의안(1948. 2.)을 거쳐서 실시되었다.

④ 한반도에서 미군과 소련군의 군정이 시작된 것은 광복 직후의 사실로, 모스크바 3국 외상 회의 이전이다.

정답 01 ④ 02 ② 03 ③ 04 ①

05

2020년 국회직 9급

다음 포고령을 내린 세력에 대한 설명으로 옳은 것은?

> 제1조 북위 38도선 이남의 조선 영토와 조선 인민에 대한 통치의 모든 권한은 당분간 본관의 권한 하에 시행한다.
> 제2조 정부 등 모든 공공사업 기관에 종사하는 유급·무급 직원과 고용인, 그리고 기타 중요한 제반 사업에 종사하는 자는 별도의 명령이 있을 때까지 종래의 정상 기능과 업무를 수행할 것이며, 모든 기록 및 재산을 보호 보존하여야 한다.

① 친일파 대다수를 처벌하였다.
② 조선 건국 준비 위원회를 조직하였다.
③ 조선 인민 공화국의 권위를 인정하지 않았다.
④ 대한민국 임시 정부를 공식 정부로 인정하였다.
⑤ 사회주의 세력과 연합하여 인민 위원회를 구성하였다.

문제풀이 미 군정

난이도 중

제시문에서 북위 38도선 이남의 조선 영토와 조선 인민에 대한 통치를 본관의 권한 하에 시행한다는 것을 통해 '미 육군 총사령관 맥아더 포고령 1호'의 내용임을 알 수 있다. 따라서 이 포고령을 내린 세력은 미 군정에 해당된다.

③ 조선 건국 준비 위원회는 미군 진주에 앞서 미군과의 협상에서 유리한 위치를 선점하기 위해 조선 인민 공화국의 수립을 선포하였으나, 미 군정은 조선 인민 공화국의 권위를 인정하지 않았다.

오답 분석

① 미 군정은 행정의 편의를 위해 일제의 총독부 체제를 그대로 유지하였으며, 일제 강점기 하의 군대, 경찰, 관료 조직에 있던 친일파 대다수를 처벌하지 않고 그대로 기용하였다.
② 미 군정은 조선 건국 준비 위원회 조직과 관련이 없다. 조선 건국 준비 위원회는 한반도에 미군이 진주하여 미 군정이 수립되기 이전에 여운형과 안재홍의 주도 하에 조직되었다.
④ 미 군정은 대한민국 임시 정부를 공식 정부로 인정하지 않았다. 미 군정은 남한의 정부는 미 군정뿐임을 주장하였으며, 대한민국 임시 정부, 조선 인민 공화국 등 미 군정 이외의 어떠한 형태의 정부도 인정하지 않았다.
⑤ **조선 건국 준비 위원회**: 사회주의 세력과 연합하여 인민 위원회를 구성한 것은 조선 건국 준비 위원회 세력이다. 조선 건국 준비 위원회 세력은 미군 진주에 앞서 전국 인민 대표자 회의를 개최한 후 국가의 모습을 갖춘 조선 인민 공화국을 수립하였으며, 지방에는 인민 위원회를 조직하였다.

06

2021년 지방직 9급

(가)에 대한 설명으로 옳은 것은?

> 1945년 12월 모스크바에서 미국, 소련, 영국의 외무장관들은 한국 문제를 논의하였다. 이 회의에서 미국, 소련, 영국, 중국이 최장 5년간 신탁 통치를 시행한다는 합의가 이루어졌다. 또 미국과 소련이 [(가)]를/을 개최해 민주주의 임시 정부 수립 문제에 대해 논의하기로 했다. 이 합의에 따라 1946년 3월 서울에서 [(가)]가/이 시작되었다.

① 미·소 양측의 의견 차이로 결렬되었다.
② 조선 건국 준비 위원회를 조직하는 성과를 냈다.
③ 민주 공화제를 핵심으로 한 제헌 헌법을 만들었다.
④ 유엔 감시하의 총선거로 정부를 수립한다는 결정을 내렸다.

문제풀이 제1차 미·소 공동 위원회

난이도 하

제시문에서 미국과 소련이 민주주의 임시 정부 수립 문제에 대해 논의하기로 하였고, 합의에 따라 1946년 3월에 서울에서 시작되었다는 내용을 통해 (가)가 제1차 미·소 공동 위원회임을 알 수 있다.

① 제1차 미·소 공동 위원회는 반탁 운동을 펼치는 우익 세력을 협의 대상에 포함시키자는 미국과 신탁 통치에 반대하는 정당·단체와는 협의할 수 없다는 소련의 의견 차이로 인해 결렬되었다.

오답 분석

② 조선 건국 준비 위원회는 여운형이 조직한 조선 건국 동맹이 광복 직후 개편된 단체로, 제1차 미·소 공동 위원회 개최 이전인 1945년 8월에 조직되었다.
③ **제헌 국회**: 민주 공화제를 핵심으로 한 제헌 헌법을 만든 것은 제헌 국회이다. 제헌 국회는 1948년 5월 10일 총선거에 의해 구성된 대한민국 최초의 국회로, 삼권 분립, 대통령제 등을 명시한 제헌 헌법을 제정하고 1948년 7월 17일에 이를 공포하였다.
④ **유엔 총회**: 유엔 감시하의 남북한 총선거로 정부를 수립한다는 결정을 내린 것은 1947년 11월에 열린 유엔 총회이다. 두 차례에 걸친 미·소 공동 위원회가 결렬된 후 미국은 한반도 문제를 유엔에 이관하였고, 유엔은 인구 비례에 의한 남북한 총선거 실시를 결정하였다.

07

2019년 법원직 9급

밑줄 친 '위원회'에 대한 설명으로 가장 옳은 것은?

> 본 위원회의 목적을 달성하기 위하여 기본 원칙을 아래와 같이 의정함.
> 1. 조선의 민주 독립을 보장한 삼상 결정에 의하여 남북을 통한 좌우 합작으로 민주주의 임시 정부를 수립할 것.
> 2. 미소 공동 위원회 속개를 요청하는 공동 성명을 발표할 것.
> 3. 토지 개혁에 있어 몰수, 유조건 몰수, 체감 매상 등으로 토지를 농민에게 무상으로 분여하여 적정 처리하고, 중요 산업을 국유화하여 ……
> 4. 친일파 민족 반역자를 처리할 조례를 본 합작 위원회에서 입법 기구에 제안하여 …… 실시하게 할 것

① 이승만의 정읍 발언을 지지하였다.
② 여운형과 김규식 등이 주도하였다.
③ 조선 공산당과 한민당이 참여하였다.
④ 모스크바 3국 외상 회의 결정에 반대하였다.

문제풀이 좌·우 합작 위원회 난이도 중

제시문에서 위원회의 기본 원칙으로 좌·우 합작을 통한 민주주의 임시 정부의 수립과, 미·소 공동 위원회의 속개를 요청한다는 것을 통해 좌·우 합작 위원회가 발표한 좌·우 합작 7원칙의 내용임을 알 수 있다. 남북 분단의 위기가 고조되는 상황에서 김규식·여운형 등 중도 세력이 결성한 좌·우 합작 위원회는 토지 개혁 및 친일파 청산 문제 등에 대한 좌·우익 세력의 의견을 절충하여 좌·우 합작 7원칙을 발표하였다.

② 좌·우 합작 위원회는 중도 좌파인 여운형과 중도 우파인 김규식의 주도로 결성되었다.

오답 분석

① 좌·우 합작 위원회는 남한만의 단독 정부 수립을 주장한 이승만의 정읍 발언에 반대하였다. 좌·우 합작 위원회는 미·소 공동 위원회가 결렬되고, 이승만의 정읍 발언으로 남북 분단의 위기감이 고조된 가운데 결성되었다.

③ 좌·우 합작 위원회에 조선 공산당(박헌영)과 한국 민주당(송진우)은 참여하지 않았다.

④ 좌·우 합작 위원회는 좌·우 합작 7원칙에서 모스크바 3국 외상 회의 결정에 따른 민주주의 임시 정부의 수립과, 미·소 공동 위원회의 속개를 요청하였다.

08

2015년 서울시 9급

다음 원칙을 발표한 기구가 내세운 주장으로 옳은 것은?

> 조선의 좌·우 합작은 민주 독립의 단계요, 남북 통일의 관건인 점에서 3천만 민족의 지상 명령이며 국제 민주화의 필연적 요청이었음에도 불구하고 저간의 복잡 다단한 내외 정세로 오랫동안 파란곡절을 거듭해 오던 바, 드디어 …… 다음과 같은 7원칙을 결정하였다.

① 외국 군대의 철수
② 미·소 공동 위원회의 속개
③ 토지의 무상 몰수, 무상 분배
④ 유엔(UN) 감시 하의 남북한 총선거 실시

문제풀이 좌·우 합작 위원회 난이도 중

제시문에서 좌·우 합작, 7원칙 등의 내용을 통해 좌·우 합작 위원회가 주장한 내용임을 알 수 있다. 1946년 7월 중도 세력을 중심으로 좌·우 합작 위원회가 조직되어 좌·우 합작 운동이 전개되었고, 미 군정도 신탁 통치 문제를 둘러싼 좌·우 대립의 혼란을 방지하기 위해 이를 지원하였다.

② 좌·우 합작 위원회가 발표한 좌·우 합작 7원칙의 제2조에 미·소 공동 위원회의 속개를 주장하는 내용이 담겨 있다.

오답 분석

① **남북 협상**: 외국 군대의 철수를 주장한 것은 남북 협상이다. 유엔 소총회의 남한 단독 선거 결정으로 남북 분단이 기정사실화되자 김구, 김규식, 김두봉, 김일성 등은 남북 협상을 개최하여 단독 정부 수립 반대, 미·소 양군의 철수를 요구하는 결의문을 채택하였으나 이미 남북 분단은 구체화되어 통일 정부 수립이라는 성과를 거두지 못하였다.

③ **북한의 토지 개혁**: 무상 몰수, 무상 분배의 원칙으로 실시된 것은 북한의 토지 개혁이다. 북한은 5정보 이상의 토지를 대상으로 무상 몰수, 무상 분배의 토지 개혁을 실시하였고, 이에 자극을 받은 남한도 유상 매입, 유상 분배의 농지 개혁을 실시하였다.

④ **유엔 총회 결정 사항**: 유엔 감시 하의 남북한 총선거 실시를 결의한 것은 유엔 총회이다. 제2차 미·소 공동 위원회가 결렬된 후 미국은 한반도 문제를 유엔에 이관하였고, 유엔은 인구 비례에 의한 남북한 총선거 실시를 결정하였다.

정답 05 ③ 06 ① 07 ② 08 ②

09

2023년 지방직 9급

다음 원칙이 발표된 이후에 있었던 사실로 옳지 않은 것은?

> ㅇ 조선의 민주 독립을 보장한 삼상 회의 결정에 의하여 남북을 통한 좌우 합작으로 민주주의 임시 정부를 수립할 것
> ㅇ 토지 개혁에 있어서 몰수, 유조건 몰수, 체감매상 등으로 토지를 농민에게 무상으로 나누어 주며, …(중략)… 민주주의의 건국 과업 완수에 매진할 것
> ㅇ 입법 기구에 있어서는 일체 그 권능과 구성 방법 운영에 관한 대안을 본 합작 위원회에서 작성하여 적극적으로 실행을 기도할 것

① 3·15 부정 선거에 대항하여 4·19 혁명이 일어났다.
② 친일파를 청산하기 위한 반민족 행위 처벌법이 공포되었다.
③ 제헌 국회에서 대통령에 이승만, 부통령에 이시영을 선출하였다.
④ 임시 민주 정부 수립을 논의하기 위해 제1차 미·소 공동 위원회가 개최되었다.

10

2017년 지방직 7급

밑줄 친 '입법 기구'에 대한 설명으로 옳지 않은 것은?

> 1. 조선의 민주 독립을 보장한 3상 회의 결정에 의하여 남북을 통한 좌우 합작으로 민주주의 임시 정부를 수립할 것.
> 2. 미·소 공동 위원회 속개를 요청하는 공동 성명을 발(發)할 것.
> 3. 토지 개혁에 있어 몰수, 유조건 몰수, 체감 매상 등으로 토지를 농민에...
> 4. ... 본 합작 위원회에서 입법 기구에 제안하여 입법 기구로 하여금 심리 결정케 하여 실시케 할 것.
> … (후략)

① 입법의원 의원 선거법을 제정하였다.
② 초대 의장으로 여운형이 선임되었다.
③ 관선과 민선 두 종류의 의원이 있었다.
④ 민족 반역자·부일 협력자·간상배에 대한 특별법을 제정하였다.

문제풀이 좌·우 합작 7원칙 발표 이후의 사실

난이도 중

제시문에서 좌우 합작으로 민주주의 임시 정부를 수립한다는 것과 토지 개혁에 있어서 몰수, 유조건 몰수, 체감매상 등으로 농민에게 무상으로 나누어 준다는 내용 등을 통해 좌·우 합작 위원회가 1946년 10월에 발표한 좌·우 합작 7원칙임을 알 수 있다.

④ 임시 민주 정부 수립을 논의하기 위해 제1차 미·소 공동 위원회가 개최된 것은 좌·우 합작 7원칙이 발표되기 이전인 1946년 3월의 사실이다. 한편, 제1차 미·소 공동 위원회는 반탁 운동을 펼치는 우익 세력을 임시 정부 수립을 위한 협의 대상에 포함시키자는 미국과, 이에 반대하는 소련의 주장이 엇갈리면서 결국 무기한 휴회에 돌입하였다.

오답 분석

모두 좌·우 합작 7원칙 발표 이후의 사실이다.

① 3·15 부정 선거에 대항하여 4·19 혁명이 일어난 것은 1960년이다. 이승만과 자유당이 고령의 이승만이 사망할 경우 대통령직을 승계받는 부통령에 자유당의 이기붕을 당선시키기 위해 3·15 부정 선거를 일으키자, 이에 대항하여 4·19 혁명이 일어났다.

② 친일파를 청산하기 위한 반민족 행위 처벌법이 공포된 것은 1948년이다. 반민족 행위 처벌법은 우리 민족의 정기를 바로잡기 위해 일본에 협력한 반민족 행위자들을 처벌하고자 제헌 국회에서 제정·공포되었다.

③ 제헌 국회에서 대통령에 이승만, 부통령에 이시영을 선출한 것은 1948년이다. 5·10 총선거로 구성된 제헌 국회는 대한민국의 초대 대통령으로 이승만, 부통령에 이시영을 선출하였다.

문제풀이 남조선 과도 입법 의원

난이도 상

제시문에서 좌우 합작으로 민주주의 임시 정부를 수립한다는 내용과 토지 개혁을 몰수·유조건 몰수·체감 매상 등으로 한다는 내용을 통해 좌·우 합작 위원회의 좌·우 합작 7원칙임을 알 수 있다. 좌·우 합작 7원칙에서 제시된 입법 기구는 남조선 과도 입법 의원이다.

② 남조선 과도 입법 의원(1946. 12.)의 초대 의장은 김규식이었다.

오답 분석

①, ④ 남조선 과도 입법 의원은 입법의원 의원 선거법을 비롯하여 미성년자 보호법, 사찰령 폐지에 관한 법령, 민족 반역자·부일 협력자·간상배에 대한 특별법 등을 제정하였다.

③ 남조선 과도 입법 의원은 이승만과 한민당 계열 중심의 의원 45명을 선출(민선)하고, 중도 노선의 좌우 합작파 45명을 미 군정이 임명(관선)하여 두 종류의 의원으로 구성되었다.

 이것도 알면 **합격!**

김규식의 활동

- 1919년: 신한 청년당 활동, 임시 정부 외무 총장, 구미 위원부 위원장 역임
- 1935년: 민족 혁명당 조직 → 주석으로 취임
- 1944년: 임시 정부 부주석으로 취임
- 1946년: 좌·우 합작 위원회 참여, 남조선 과도 입법 의원 의장 역임
- 1948년: 남북 협상 추진

11
2023년 계리직 9급

다음 5개 항을 주장한 인물에 대한 설명으로 옳은 것은?

> 1항 전국적으로 정치범과 경제범을 즉시 석방할 것.
> 2항 3개월간의 식량을 확보해 줄 것.
> 3항 치안 유지와 건국 운동을 위한 정치 운동에 대하여 절대로 간섭하지 말 것.
> 4항 학생과 청년을 조직·훈련하는 데 대하여 간섭하지 말 것.
> 5항 노동자와 농민을 건국 사업에 동원하는 데 대하여 절대로 간섭하지 말 것.

① 좌·우 합작을 주도하다가 암살당하였다.
② 만민공생의 신민주주의를 표방하였다.
③ 한민당을 창당하고 훈정론을 주장하였다.
④ 그의 정치 노선은 '8월 테제'에 집약되어 있다.

12
2021년 법원직 9급

다음 성명서가 발표된 시점으로 가장 옳은 것은?

> 마음 속의 38선이 무너지고야 땅 위의 38선도 철폐될 수 있다. …… 나는 통일된 조국을 건설하려다 38선을 베고 쓰러질지언정, 일신의 구차한 안일을 위하여 단독 정부를 세우는 데는 협력하지 않겠다.

	(가)	(나)	(다)	(라)	

8·15 광복 — 정읍 발언 — 제2차 미·소 공동 위원회 개최 — 5·10 총선거 — 대한민국 정부 수립

① (가)　② (나)
③ (다)　④ (라)

문제풀이 여운형 난이도 중

제시된 5개 항을 주장한 인물은 여운형이다. 조선 총독부는 일제의 패망이 임박하자 민족 지도자들과 협상을 시도하였고, 이에 여운형은 정무총감인 엔도에게 조선 내 일본인들의 무사 귀환을 보장하는 대신 정치·경제범의 석방, 치안 유지 및 건국 사업에 대한 간섭 배제 등을 요구하였다.

① 여운형은 좌·우 합작 위원회를 조직하는 등 좌·우 합작을 주도하다가 극우 세력에 의해 암살되었다.

오답 분석

② **안재홍**: 만민공생(모든 사람이 서로 도우며 함께 사는 일)의 신민주주의를 표방한 인물은 안재홍이다. 안재홍은 극좌와 극우를 배격하고 만민공생의 통합된 민족주의 국가 건설을 위해 신민족주의와 신민주주의를 주장하였다.

③ **송진우**: 한민당(한국 민주당)을 창당하고 훈정론을 주장한 인물은 송진우이다. 송진우는 광복 이후에 김성수 등과 한민당을 창당하였으며, 하루빨리 자주 국가를 건설하기 위해서는 미국의 협조가 필요하다는 훈정론을 주장하였다.

④ **박헌영**: '8월 테제'에 정치 노선이 집약되어 있는 인물은 박헌영이다. 박헌영은 조선 공산당의 정치 노선으로 '8월 테제(현 정세와 우리의 임무)'를 제시하였다. 8월 테제는 민족의 완전 독립과 토지 문제의 혁명적 해결을 주요 내용으로 하였다.

문제풀이 '삼천만 동포에게 읍고함' 발표 시기 난이도 하

제시문에서 38선을 베고 쓰러질지언정, 단독 정부를 세우는 데 협력하지 않겠다는 내용을 통해 김구가 발표한 '삼천만 동포에게 읍고함'이라는 것을 알 수 있다.

(가) 8·15 광복(1945. 8.) ~ 정읍 발언(1946. 6.)
(나) 정읍 발언(1946. 6.) ~ 제2차 미·소 공동 위원회 개최(1947. 5.)
(다) 제2차 미·소 공동 위원회 개최(1947. 5.) ~ 5·10 총선거(1948. 5.)
(라) 5·10 총선거(1948. 5.) ~ 대한민국 정부 수립(1948. 8.)

③ 김구가 '삼천만 동포에게 읍고함'을 발표한 것은 (다) 시기인 1948년 2월이다. 제2차 미·소 공동 위원회가 결렬되고 유엔에서 남한만의 단독 선거가 논의되자, 김구는 이에 반발하여 곧바로 '삼천만 동포에게 읍고함'이라는 성명서를 발표(1948. 2.)하였다. 이후 김구는 김규식과 함께 북한에 남북 협상을 제의하였고, 북한의 김일성, 김두봉과 함께 남북 제정당 사회 단체 연석 회의를 개최하였다(1948. 4.). 그러나 남북 협상은 성과 없이 마무리되었고, 결국 남한만의 단독 선거가 실시되었다(5·10 총선거, 1948. 5.).

정답 09 ④ 10 ② 11 ① 12 ③

13

2018년 서울시 7급(6월 시행)

1948년 남북 협상에 대한 설명으로 옳은 것을 〈보기〉에서 모두 고른 것은?

> **보기**
> ㉠ 제1차 미·소 공동 위원회와 2차 미·소 공동 위원회 사이에 추진되었다.
> ㉡ 좌·우 정치 세력의 합작을 위한 7원칙을 발표하였다.
> ㉢ 김구, 김규식 등이 평양에서 열린 회의에 참여하였다.
> ㉣ 회의 결과, 미·소 양군의 철수를 요구하는 결의문을 채택하였다.

① ㉠, ㉡　② ㉠, ㉣
③ ㉡, ㉢　④ ㉢, ㉣

14

2022년 국가직 9급

밑줄 친 '그'에 대한 설명으로 옳은 것은?

> 한국 국민당을 이끌던 <u>그</u>는 독립운동 세력을 통합하고자 한국 독립당을 결성해 항일 운동을 주도하였다. 광복 직후 귀국한 <u>그</u>는 정부 수립을 위한 활동을 이어나갔으며, 남한 단독 선거가 결정되자 김규식과 더불어 남북 협상을 위해 평양을 방문하기도 하였다.

① 좌·우 합작 위원회를 구성해 좌·우 합작 7원칙을 발표하였다.
② 광복 직후 안재홍 등과 함께 조선 건국 준비 위원회를 만들었다.
③ 무장 항일 투쟁을 위해 하와이로 건너가 대조선 국민 군단을 결성하였다.
④ 모스크바 3국 외상 회의의 결정 사항이 알려지자 신탁 통치 반대 운동을 펼쳤다.

문제풀이 남북 협상 난이도 중

④ 옳은 것을 모두 고르면 ㉢, ㉣이다.

㉢ 김구와 김규식은 남북 정치 지도자들에게 남북 분단을 저지하고 통일 정부 수립 방안을 협의하기 위한 남북 협상을 제의하였다. 이에 평양에서 열린 남북 협상에서 김구와 김규식은 김일성, 김두봉 등과 남북 지도자 회의를 개최하였다(1948. 4.).

㉣ 평양에서 열린 남북 협상의 결과, 남·북한의 지도자들은 미·소 양군의 철수와 임시 정부 수립, 남한 단독 선거 반대 등을 요구하는 결의문을 채택하였다.

오답 분석

㉠ 남북 협상은 제2차 미·소 공동 위원회(1947. 5.~10.)가 결렬된 이후인 1948년에 추진되었다. 제1차 미·소 공동 위원회는 1946년 3월에 개최되었으나 임시 정부 구성 단체에 대한 미국과 소련의 입장 차이로 5월부터 무기한 휴회에 들어갔으며, 1947년 5월에 열린 2차 미·소 공동 위원회에서도 타협점을 찾기 못하고 10월에 결렬되었다.

㉡ **좌·우 합작 위원회**: 좌·우 정치 세력의 합작을 위한 7원칙을 발표한 것은 남북 협상 이전에 추진된 좌·우 합작 위원회이다. 좌·우 합작 운동을 주도한 김규식, 여운형 등의 중도 세력은 좌·우 합작 위원회를 조직(1946. 7.)하고, 좌·우 합작에 의한 임시 정부 수립, 미·소 공동 위원회의 속개 촉구, 토지 개혁 실시, 친일파 처단 등을 골자로 한 좌·우 합작 7원칙을 발표하였다(1946. 10.).

문제풀이 김구 난이도 하

제시문에서 한국 독립당을 결성해 항일 운동을 주도하고, 광복 직후 정부 수립을 위한 활동을 이어나가고 김규식과 더불어 남북 협상을 위해 평양을 방문했다는 내용을 통해 밑줄 친 '그'가 김구임을 알 수 있다.

④ 김구는 모스크바 3국 외상 회의에서 미국·소련·영국·중국 4개국이 최고 5년간 한국을 신탁 통치할 것을 결정하였다는 소식이 알려지자, 신탁 통치를 또 다른 식민지 지배로 보고 전국적으로 신탁 통치 반대 운동을 전개하였다.

오답 분석

① **여운형, 김규식 등**: 좌·우 합작 위원회를 구성해 좌·우 합작 7원칙을 발표한 인물은 여운형, 김규식 등이다. 한편, 김구는 좌·우 합작 7원칙을 지지하였으나 좌·우 합작 위원회에 참여하지는 않았다.

② **여운형**: 광복 직후 안재홍 등과 함께 조선 건국 준비 위원회를 만든 인물은 여운형이다. 광복 직후 조선 건국 동맹(1944)을 기반으로 안재홍 등의 중도 우파와 여운형 등의 중도 좌파가 합작하여 조선 건국 준비 위원회를 조직하였다.

③ **박용만**: 무장 항일 투쟁을 위해 하와이로 건너가 대조선 국민 군단을 결성한 인물은 박용만이다. 박용만은 하와이에서 대조선 국민 군단(1914)을 창설하여 군사 훈련을 실시하였다.

15

2018년 지방직 9급

밑줄 친 '그'에 대한 설명으로 옳은 것은?

> 그는 신민회 회원으로 활동하면서 해서 교육 총회에 가담해 교육 사업에 힘을 기울였으며, 안악 사건에 연루되어 일제 경찰에 체포되었다. 1923년에 열린 국민 대표 회의에서 창조파와 개조파가 대립했을 때, 그는 국민 대표 회의의 해산을 명하는 내무부령을 공포하였다. 그 뒤 그는 한국 국민당을 조직하는 등 독립운동 정당을 만들기 위해 노력하였다.

① 대통령 직선제를 골자로 하는 발췌 개헌안을 국회에 제출하였다.
② 안재홍과 함께 조선 건국 준비 위원회를 주도적으로 조직하였다.
③ 조선 민족 혁명당을 조직하고 조선 의용대를 이끌었다.
④ 평양에서 열린 남북 협상 회의에 참석하였다.

문제풀이 김구

난이도 상

제시문에서 국민 대표 회의의 해산을 명하는 내무부령을 공포하였고, 한국 국민당을 조직하였다는 내용을 통해 밑줄 친 '그'가 김구임을 알 수 있다. 또한 김구는 김원봉이 창당한 좌익 계열의 민족 혁명당에 맞서 우익 정당인 한국 국민당을 조직하여 임시 정부의 유지를 옹호하였다(1935).

④ 유엔 소총회에서 남한만의 단독 선거 실시가 결정되자(1948. 2.), 김구는 이에 반대하여 김규식, 김일성, 김두봉 등과 평양에서 열린 남북 협상 회의에 참석하였다(1948. 4.).

오답 분석

① **이승만**: 대통령 직선제를 골자로 하는 발췌 개헌안을 국회에 제출한 것은 이승만이다. 제2대 총선에서 반(反) 이승만 성향의 후보들이 대거 당선되자 기존의 대통령 간선제로는 재선이 어려울 것이라고 판단한 이승만은 대통령 직선제, 양원제 등을 골자로 한 발췌 개헌안을 국회에 제출하였다(1952).

② **여운형**: 안재홍과 함께 조선 건국 준비 위원회를 조직한 것은 여운형이다.

③ **김원봉**: 조선 민족 혁명당을 조직하고 조선 의용대를 이끈 사람은 김원봉이다. 김원봉은 조선 민족 혁명당을 중심으로 조선 민족 전선 연맹을 조직(1937)하고, 산하 부대인 조선 의용대를 조직(1938)하여 중국 국민당 정부군과 함께 대일전에 참여하였다.

16

2018년 국가직 9급

(가)와 (나)를 주장한 각 인물에 대한 설명으로 옳은 것은?

> (가) 우리는 남방만이라도 임시 정부 혹은 위원회 같은 것을 조직하여 38도선 이북에서 소련이 철퇴하도록 세계 공론에 호소해야 할 것이다.
> (나) 나는 통일된 조국을 달성하려다 38도선을 베고 쓰러질지언정 일신의 구차한 안일을 위하여 단독 정부를 세우는 데는 협력하지 아니하겠다.

① (가) – 5·10 총선거에 불참하였다.
② (가) – 좌우 합작 7원칙을 지지하였다.
③ (나) – 탁치 반대 국민 총동원 위원회를 조직하였다.
④ (나) – 남조선 과도 입법 의원의 의장을 역임하였다.

문제풀이 이승만과 김구

난이도 중

제시문에서 (가)는 남방만이라도 임시 정부 혹은 위원회 같은 것을 조직하자는 내용을 통해 남한의 단독 정부 수립을 주장한 이승만의 '정읍 발언(1946. 6.)'임을 알 수 있다. (나)는 통일된 조국을 달성하려다 38도선을 베고 쓰러질지언정 단독 정부를 세우는 데는 협력하지 아니하겠다는 내용을 통해 김구의 '삼천만 동포에게 읍고함'임을 알 수 있다.

③ 김구는 한반도의 신탁 통치를 저지하기 위해 탁치 반대 국민 총동원 위원회를 조직하였다.

오답 분석

① **김구**: 남북 통일 정부 수립을 주장하며 5·10 총선거에 불참한 대표적인 인물은 김구이다. 김구와 김규식 등 남북 협상파와 좌익 세력은 남한의 단독 정부 수립에 반대하여 5·10 총선거(1948)에 참여하지 않았다.

② **김구**: 좌·우 합작 7원칙을 지지한 인물은 김구이다. 김구는 좌·우 합작 7원칙을 광복 이후 민족이 거둔 최대 수확이라고 평가하며 지지하였다. 한편, 이승만은 좌·우 합작 7원칙에 대해 지지가 아닌 조건부 찬성의 입장을 표방하였으며, 좌익과의 협조를 거부하였다.

④ **김규식**: 남조선 과도 입법 의원의 의장을 역임한 인물은 김규식이다. 남조선 과도 입법 의원(1946. 12.)은 통일 임시 정부를 구성할 때까지 사용될 법령의 초안을 작성하기 위해 미 군정의 주도로 설립된 기관으로, 김규식은 이 기관의 의장으로 선출되었다.

정답 13 ④ 14 ④ 15 ④ 16 ③

17

2020년 국회직 9급

(가), (나) 시기에 일어난 사건으로 옳은 것은?

> 모스크바 삼상 회의에서 한국 문제에 관한 4개 항의 결의서를 채택하였다.

↓

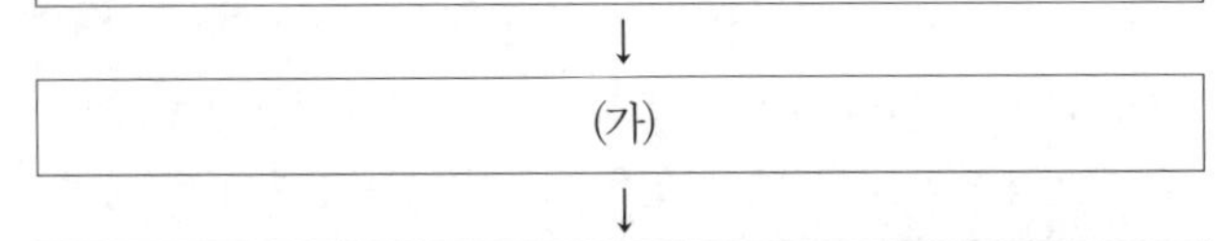

↓

> 서울에서 제1차 미·소 공동 위원회가 열렸으나 협의 대상을 둘러싼 이견으로 결렬되었다.

↓

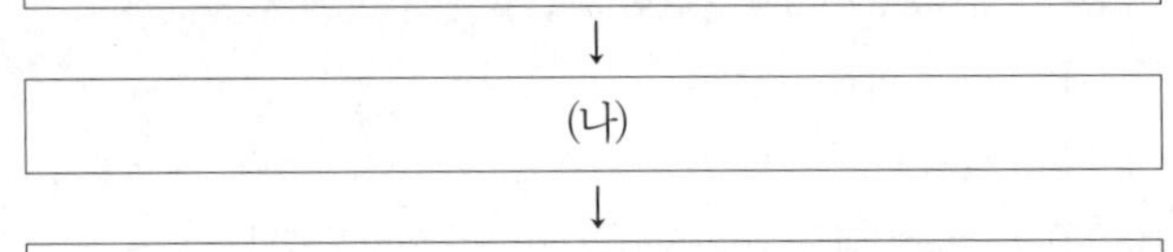

↓

> UN에서 인구 비례에 따른 남북한 총선거를 실시할 것을 결정하였다.

① (가) – 미군이 진주하여 북위 38도선 이남에 군정을 선포하였다.
② (가) – 주한 미국 육군 사령부는 국내 치안을 명분으로 남조선 국방 경비대를 창설하였다.
③ (가) – 이승만이 정읍에서 남한 단독 정부 수립을 주장하였다.
④ (나) – 조선 공산당 북조선 분국이 조직되어 책임 비서로 김일성을 선출하였다.
⑤ (나) – 김구와 김규식 등이 통일 정부 수립을 위한 남북 협상을 벌였다.

문제풀이 현대사의 전개 난이도 중

(가) 모스크바 삼상 회의(1945. 12.) ~ 제1차 미·소 공동 위원회 결렬(1946. 5.)
(나) 제1차 미·소 공동 위원회 결렬(1946. 5.) ~ 유엔 총회(1947. 11.)

② (가) 시기인 1946년 1월 주한 미국 육군 사령부는 국내의 치안 유지에 부족한 경찰력을 지원한다는 명분으로 남조선 국방 경비대를 창설하였다. 남조선 국방 경비대는 이후 대한민국 정부가 수립되자 대한민국 국군으로 편입되었다.

오답 분석
① **(가) 이전**: 미군이 진주하여 미 육군 총사령관인 맥아더 포고령 1호를 통해 38선 이남에 미 군정을 선포한 것은 1945년 9월로, (가) 이전의 사실이다.
③ **(가) 이후**: 제1차 미·소 공동 위원회가 결렬된 이후 이승만이 정읍에서 남한만의 단독 정부 수립을 주장한 것은 1946년 6월로, (가) 이후의 사실이다.
④ **(나) 이전**: 조선 공산당 북조선 분국이 조직(1945. 10.)되어 책임 비서로 김일성이 선출된 것은 1945년 12월로, (나) 이전의 사실이다.
⑤ **(나) 이후**: 남한만의 단독 정부 수립이 대두되자 김구와 김규식 등이 통일 정부 수립을 위한 남북 협상을 전개한 것은 1948년 4월로, (나) 이후의 사실이다.

18

2023년 국가직 9급

다음과 같은 결의문에 근거하여 시행된 조치로 옳은 것은?

> 소총회는 …(중략)… 한국 인민의 대표가 국회를 구성하여 중앙 정부를 수립할 수 있도록 선거를 시행함이 긴요하다고 여기며, 총회의 의결에 따라 국제 연합 한국 임시 위원단이 접근할 수 있는 지역에서 결의문 제2호에 기술된 계획을 시행함이 동 위원단에 부과된 임무임을 결의한다.

① 미 군정청이 설치되었다.
② 5·10 총선거가 실시되었다.
③ 좌·우 합작 위원회가 구성되었다.
④ 미·소 공동 위원회가 개최되었다.

문제풀이 유엔 소총회의 남한만의 단독 총선거 결의문 난이도 하

제시문에서 소총회, 한국 인민의 대표가 중앙 정부를 수립할 수 있도록 선거 시행, 국제 연합 한국 임시 위원단이 접근할 수 있는 지역에서 시행한다는 내용을 통해 유엔 소총회의 남한만의 단독 총선거 결의문(1948. 2.)임을 알 수 있다.

② 유엔 소총회의 남한만의 단독 총선거 결의문에 근거하여 1948년 5월 10일에 우리나라 최초의 민주적인 보통 선거인 5·10 총선거가 실시되었다.

오답 분석
모두 유엔 소총회의 남한만의 단독 총선거 결의문과 관련이 없다.
① 미 군정청이 설치된 것은 1945년 9월이다. 미 군정청은 1945년 9월부터 대한민국 정부가 수립된 1948년 8월 15일까지 남한 통치를 위해 존속한 미국의 군정청이다.
③ 좌·우 합작 위원회가 구성된 것은 1946년 7월이다. 좌·우 합작 위원회는 좌·우 합작에 의한 통일 정부 수립을 위해 김규식·여운형 등 중도 세력을 중심으로 구성되었다.
④ 미·소 공동 위원회가 개최된 것은 1946년 3월(제1차)과 1947년 5월(제2차)이다. 모스크바 3상 회의 결정 사항의 구체적 실행 방안을 마련하기 위해 제1차 미·소 공동 위원회가 개최되었지만 미국과 소련의 의견 대립으로 무기한 연기되었고, 이후 개최된 제2차 미·소 공동 위원회도 이견을 좁히지 못한 채 결국 결렬되었다.

19

2022년 소방간부후보생

다음 사건들이 일어난 순서대로 옳게 나열한 것은?

(가) 김구와 김규식은 통일 정부 수립을 목표로 한 남북 협상을 위해 38도선을 넘었다.
(나) 유엔 한국 임시 위원단의 감시 아래 총선거가 시행되었다.
(다) 임시 정부의 수립을 협의하기 위한 제1차 미·소 공동 위원회가 서울에서 개최되었다.
(라) 모스크바 3국 외상 회의에서 최장 5년 간의 신탁 통치를 거쳐 한국을 독립시킨다는 것이 결의되었다.
(마) 여운형 등 중도 세력은 미 군정의 지원을 바탕으로 좌·우 합작 위원회를 조직하였다.

① (다) – (나) – (가) – (마) – (라)
② (다) – (라) – (마) – (가) – (나)
③ (라) – (다) – (마) – (가) – (나)
④ (라) – (다) – (가) – (마) – (나)
⑤ (라) – (나) – (다) – (가) – (마)

문제풀이 대한민국 정부 수립 과정 난이도 중

③ 순서대로 나열하면 (라) 모스크바 3국 외상 회의(1945. 12.) → (다) 제1차 미·소 공동 위원회 개최(1946. 3.) → (마) 좌·우 합작 위원회 조직(1946. 7.) → (가) 남북 협상 추진(1948. 4.) → (나) 5·10 총선거 시행(1948. 5.)이다.

(라) **모스크바 3국 외상 회의**: 미국, 영국, 소련 3국의 외상이 참여한 모스크바 3국 외상 회의에서 최장 5년 간의 신탁 통치를 거쳐 한국을 독립시킨다는 것이 결의되었다(1945. 12.).

(다) **제1차 미·소 공동 위원회 개최**: 임시 정부의 수립을 협의하기 위해 제1차 미·소 공동 위원회가 서울에서 개최되었다(1946. 3.).

(마) **좌·우 합작 위원회 조직**: 여운형, 김규식 등의 중도 세력은 미 군정의 지원을 바탕으로 좌·우 합작 위원회를 조직하였다(1946. 7.).

(가) **남북 협상 추진**: 남한만의 단독 정부 수립이 대두되자 김구와 김규식은 통일 정부 수립을 목표로 한 남북 협상을 위해 38도선을 넘었다(1948. 4.).

(나) **5·10 총선거 시행**: 유엔 한국 임시 위원단의 감시 아래 우리나라 최초의 보통 선거인 5·10 총선거가 시행되었다(1948. 5.).

20

2020년 지방직 9급

다음의 사건을 시기 순으로 바르게 나열한 것은?

(가) 제헌 국회가 구성되어 헌법을 제정하였다.
(나) 여운형과 김규식은 좌·우 합작 위원회를 조직하였다.
(다) 조선 건국 동맹을 기반으로 조선 건국 준비 위원회가 조직되었다.
(라) 민주주의 임시 정부 수립을 논의하기 위해 제1차 미·소 공동 위원회가 열렸다.

① (가) – (다) – (나) – (라)
② (나) – (다) – (라) – (가)
③ (다) – (라) – (나) – (가)
④ (라) – (나) – (가) – (다)

문제풀이 대한민국 정부 수립 과정 난이도 중

③ 순서대로 나열하면 (다) 조선 건국 준비 위원회 조직(1945. 8. 15.) → (라) 제1차 미·소 공동 위원회(1946. 3.) → (나) 좌·우 합작 위원회 조직(1946. 7.) → (가) 제헌 헌법 제정(1948. 7. 17.)이 된다.

(다) **조선 건국 준비 위원회 조직**: 1945년 8월 15일 안재홍 등의 중도 우파와 여운형 등의 중도 좌파가 합작하여 조선 건국 동맹(1944)을 기반으로 조선 건국 준비 위원회를 조직하였다.

(라) **제1차 미·소 공동 위원회**: 민주주의 임시 정부 수립을 논의하기 위해 제1차 미·소 공동 위원회가 개최(1946. 3.)되었으나, 반탁 운동을 펼치는 우익 세력을 협의 대상에 포함시키자는 미국의 주장과, 신탁 통치에 반대하는 정당·단체와는 협의할 수 없다는 소련의 주장이 맞서면서 제1차 미·소 공동 위원회는 무기한 휴회에 돌입하였다.

(나) **좌·우 합작 위원회 조직**: 좌·우 세력의 대립이 격화되는 가운데 제1차 미·소 공동 위원회가 결렬되고, 이승만은 남한만의 단독 정부 수립을 주장하였다. 이에 남북 분단을 우려한 김규식과 여운형 등이 좌·우 합작 위원회(1946. 7.)를 조직하여 좌·우 합작의 임시 정부를 수립하고자 하였다.

(가) **제헌 헌법 제정**: 제헌 국회는 3권 분립, 국회의 간접 선거에 의한 대통령 선출 등을 요지로 하는 헌법을 제정하여 공포하였다(1948. 7. 17.).

정답 17 ② 18 ② 19 ③ 20 ③

21

2019년 국가직 9급

(가)~(라)를 시기 순으로 바르게 나열한 것은?

> (가) 좌·우 합작 7원칙이 발표되었다.
> (나) 조선 건국 준비 위원회가 결성되었다.
> (다) 모스크바 3국 외상 회의가 개최되었다.
> (라) 김구와 김규식이 남북 협상을 제의하였다.

① (나) → (가) → (라) → (다)
② (나) → (다) → (가) → (라)
③ (다) → (가) → (나) → (라)
④ (다) → (나) → (가) → (라)

문제풀이 대한민국 정부 수립 과정 난이도 중

② 시기 순으로 나열하면 (나) 조선 건국 준비 위원회 결성(1945. 8.) → (다) 모스크바 3국 외상 회의 개최(1945. 12.) → (가) 좌·우 합작 7원칙 발표(1946. 10.) → (라) 남북 협상(1948. 4.)이 된다.

(나) **조선 건국 준비 위원회 결성**: 해방 직후 여운형 등의 중도 좌파와 안재홍 등의 중도 우파가 연합하여 조선 건국 준비 위원회를 조직(1945. 8.)하고, 조선 총독부로부터 치안 유지권과 일부 행정권을 인수받았다.

(다) **모스크바 3국 외상 회의 개최**: 미국·영국·소련의 3국 외상은 한반도 문제에 대해 협의하기 위해 모스크바 3국 외상 회의를 개최하였다(1945.12.). 이 회의의 결과 미·소 공동 위원회 설치, 임시 민주 정부의 수립 지원 약속, 신탁 통치 실시 등이 결정되었다.

(가) **좌·우 합작 7원칙 발표**: 제1차 미·소 공동 위원회가 결렬되고 남한만의 단독 정부를 수립하려는 움직임이 확산되자, 김규식과 여운형을 비롯한 중도 좌·우익 세력은 좌·우 합작 위원회를 조직(1946. 7.)하고 좌·우 합작 7원칙을 발표(1946. 10.)하였다.

(라) **남북 협상**: 유엔 소총회에서 남한만의 단독 총선거 실시가 결정되자 김구, 김규식 등은 김일성, 김두봉 등에게 남북 협상을 제의하였고, 그 결과 평양에서 남북 협상이 개최되었다(1948. 4.).

22

2015년 국가직 9급

(가) ~ (라)는 광복을 전후해 일어난 사건을 시기 순으로 나열한 것이다. (다)에 들어갈 수 있는 내용으로 적절하지 않은 것은?

> (가) 삼균주의를 바탕으로 대한민국 임시 정부가 '대한민국 건국 강령'을 발표하였다.
> (나) 이승만을 중심으로 독립 촉성 중앙 협의회가 발족되었다.
> (다) ______________________
> (라) 제헌 국회에서 대한민국의 헌법이 제정·공포되었다.

① 좌·우 합작 위원회의 '좌·우 합작 7원칙'이 선포되었다.
② 김구의 '삼천만 동포에게 읍고함'이라는 글이 발표되었다.
③ 여운형, 안재홍 등을 중심으로 조선 건국 준비 위원회가 조직되었다.
④ 유엔 총회에서 유엔 감시하에 인구 비례에 의한 남북한 총선거의 실시가 결의되었다.

문제풀이 광복 직후의 대한민국 난이도 중

(가) 시기는 임시 정부가 대한민국 건국 강령을 발표하였던 1941년이다. (나) 시기는 독립 촉성 중앙 협의회가 발족되었던 1945년 10월이다. (라) 시기는 대한민국 헌법이 제정·공포되었던 1948년 7월이다.
따라서 (다) 시기는 1945년 10월부터 1948년 7월 사이에 해당한다.

③ 조선 건국 준비 위원회는 (나) 시기 이전인 1945년 8월 광복 직후에 조직되었다.

오답 분석
모두 (다)에 들어갈 수 있는 내용이다.

① '좌·우 합작 7원칙'은 1946년 10월에 선포되었다. 토지 문제와 친일파 처리 문제 등으로 의견이 엇갈리면서 좌익은 5원칙, 우익은 8원칙을 제시하였는데 서로 논의한 끝에 신탁 통치 문제 해결, 몰수·유조건 몰수·체감 매상에 의한 무상 분배 원칙하의 토지 개혁 등을 주요 내용으로 하는 '좌·우 합작 7원칙'에 합의하였다.
② 김구의 '삼천만 동포에게 읍고함'은 1948년 2월에 발표되었다. 유엔에서 남한만의 단독 선거가 논의되자 이에 반대하며 김구가 성명을 발표하였고, 북한 지도자들에게 남북 협상을 제의하였다.
④ 유엔 총회에서 인구 비례에 의한 남북한 실시가 결의된 것은 1947년 11월의 일이다. 유엔 총회는 한국 임시 위원단을 구성하고 이들의 감시 아래 인구 비례에 의한 남북한 총선거 실시를 결정하였다.

23

2015년 법원직 9급

해방 이후 건국 과정을 시대 순으로 바르게 나열한 것은?

> ㉠ 좌·우 합작 7원칙 발표
> ㉡ 조선 인민 공화국 수립 선포
> ㉢ 모스크바 3국 외상 회의 개최
> ㉣ UN 소총회 결의에 따른 총선거 실시

① ㉠ → ㉡ → ㉢ → ㉣
② ㉡ → ㉢ → ㉠ → ㉣
③ ㉢ → ㉣ → ㉡ → ㉠
④ ㉡ → ㉣ → ㉢ → ㉠

24

2015년 서울시 7급

밑줄 친 '총선거'에 대한 설명으로 옳지 않은 것은?

> 1948년 5월 10일, 마침내 남한에서는 유엔 한국 임시 위원단의 감시 아래 총선거가 실시되었다. 이 선거를 통해 구성된 제헌 국회는 국호를 대한민국으로 정하고, 7월 17일에 헌법을 제정·공포하였다.

① 만 19세 이상이면 모든 국민이 이 선거의 투표권을 가졌다.
② 이 선거를 통해 선출된 국회의원의 임기는 2년이었다.
③ 이 선거를 앞두고 남북 협상에 참가했던 김규식은 선거에 나서지 않았다.
④ 제주도에서는 이 선거에 반대한 세력과 경찰이 충돌하면서 많은 민간인 희생자가 발생하였다.

문제풀이 대한민국 수립 과정

난이도 중

② 시대 순으로 나열하면 ㉡ 조선 인민 공화국 수립 선포(1945. 9.) → ㉢ 모스크바 3국 외상 회의 개최(1945. 12.) → ㉠ 좌·우 합작 7원칙 발표(1946. 10.) → ㉣ 5·10 총선거 실시(1948. 5.)가 된다.

㉡ 조선 인민 공화국 수립 선포: 광복 후 조선 건국 준비 위원회는 미 군정과의 협상에서 유리한 위치를 차지하기 위해 1945년 9월 조선 인민 공화국 수립을 선포하였다. 그러나 미 군정은 조선 인민 공화국을 인정하지 않았다.

㉢ 모스크바 3국 외상 회의 개최: 한반도 문제를 논의하기 위해 1945년 12월 미국, 영국, 소련의 외상들이 참가하는 모스크바 3국 외상 회의가 개최되었다. 이 회의에서는 신탁 통치 문제, 미·소 공동 위원회 설치 등이 협의되었다.

㉠ 좌·우 합작 7원칙 발표: 제1차 미·소 공동 위원회가 결렬되고 이승만이 단독 정부 수립 운동을 전개하는 등 분단의 위험성이 대두하자 중도 세력은 좌·우 합작 위원회를 조직하고 1946년 10월 좌·우 합작 7원칙을 발표하였다.

㉣ 5·10 총선거 실시: 제2차 미·소 공동 위원회가 결렬된 후 미국은 한반도 문제를 UN으로 이관하였고, UN에서는 인구 비례에 따른 남북한 총선거 실시를 결의하였다. 그러나 북한과 소련이 유엔 임시 위원단의 입북을 거부하여 총선거가 불가능해지자 UN 소총회에서 선거가 가능한 남한에서만의 총선거 실시가 결정되었다. 이에 따라 1948년 5월, 5·10 총선거가 실시되었다.

문제풀이 5·10 총선거

난이도 중

제시된 자료에서 1948년 5월 10일, 제헌 국회 등의 내용을 통해 밑줄 친 '총선거'가 5·10 총선거라는 것을 알 수 있다. 유엔의 결의에 따라 남한에서는 1948년 5월 10일 정부 수립을 위한 총선거가 실시되었다.

① 5·10 총선거는 만 21세 이상의 모든 국민에게 투표권을 부여한 우리나라 최초의 보통 선거였고, 직접·평등·비밀·자유 원칙에 따른 민주 선거였다.

오답 분석

② 5·10 총선거를 통해 선출된 제헌 국회의원의 임기는 2년이었다. 제헌 국회는 우익 성향의 무소속 의원과 이승만의 지지 세력이었던 대한 독립 촉성 국민회, 한국 민주당이 다수를 차지하였다. 제헌 국회는 국호를 대한민국으로 결정하고, 대한민국 임시 정부의 법통을 계승한 민주 공화국 체제의 헌법을 제정·공포하였다.

③ 5·10 총선거를 앞두고 통일 정부 수립을 주장하며 남북 협상에 참가했던 김구, 김규식 등은 선거에 불참하였다.

④ 5·10 총선거의 실시에 반대한 세력과 경찰이 충돌한 사건인 4·3 사건으로 인해 제주도에서는 많은 사람들이 희생되었고, 선거도 1년 뒤에야 정상적으로 실시할 수 있었다.

정답 21 ② 22 ③ 23 ② 24 ①

25

2017년 지방직 9급(6월 시행)

다음 자료에 나타난 사상을 정립한 인물에 대한 설명으로 옳지 않은 것은?

> 우리나라의 건국 정신은 삼균 제도(三均制度)의 역사적 근거를 두었으니 선조들이 분명히 명한 바 수미균평위(首尾均平位)하야 흥방보태평(興邦保泰平)하리라 하였다. 이는 사회 각층 각급의 지력과 권력과 부력의 향유를 균평하게 하야 국가를 진흥하며 태평을 보유(保維)하려 함이니 홍익인간(弘益人間)과 이화세계(理化世界)하자는 우리 민족의 지킬 바 최고 공리(公理)임

① 한국 독립당을 창당하였다.
② 임시 정부의 국무위원이었다.
③ 제헌 국회의원에 당선되었다.
④ 정치·경제·교육의 균등을 주장하였다.

26

2022년 국가직 9급

제헌 국회에 대한 설명으로 옳은 것은?

① 반민족 행위 특별 조사 위원회를 구성하였다.
② 한·일 기본 조약 체결에 반대하는 성명을 내놓았다.
③ 통일 3대 원칙이 언급된 7·4 남북 공동 성명을 발표하였다.
④ 통일 주체 국민회의에서 대통령을 뽑는다는 내용의 개헌안을 통과시켰다.

문제풀이 조소앙 난이도 상

제시문에서 우리나라의 건국 정신의 근거를 삼균 제도에 두었다는 것을 통해 1941년에 대한민국 임시 정부에서 발표한 건국 강령의 내용임을 알 수 있다. 건국 강령의 바탕이 된 삼균주의는 조소앙이 독립운동의 기본 방략 및 미래 조국 건설의 지침으로 삼기 위해 체계화한 정치 사상이다.

③ 조소앙은 남한만의 단독 선거를 반대하여, 김구·김규식 등과 함께 평양에서 열린 남북 협상에 참여하였으며, 제헌 국회의원 선거(5·10 총선거)에 출마하지 않았다. 이후 1950년의 제2대 총선에서 전국 최다 득표를 얻어 국회의원에 당선되었다.

오답 분석

① 조소앙은 1930년에 상하이에서 안창호, 김구 등과 함께 임시 정부의 지지 정당인 한국 독립당을 창당하였다. 한편 조소앙은 1940년에 한국 국민당(김구), 한국 독립당(조소앙), 조선 혁명당(지청천)이 통합된 한국 독립당이 재창당 될 때에도 참여하였다.

② 조소앙은 대한민국 임시 정부의 초대 국무원 비서장을 지낸 이후(1919) 국무위원에 선임되었다. 이후 대한민국 임시 정부 선전 위원회 주임(1942), 충칭 임시 정부 외무부장(1945)을 역임하였다.

④ 조소앙은 보통 선거에 의한 정치의 균등, 토지 및 주요 생산 기관의 국유화를 통한 경제의 균등, 의무 교육 제도를 통한 교육의 균등을 주장하였다. 그는 이러한 세 가지 균등을 통해 개인과 개인을 넘어 민족과 민족, 국가와 국가간의 완전한 균등이 이루어질 수 있다고 보았다.

문제풀이 제헌 국회(1948~1950) 난이도 하

① 제헌 국회에서는 '단기 4278년(1945년) 8월 15일 이전의 악질적인 반민족 행위를 처벌하는 특별법을 제정할 수 있다'는 제헌 헌법의 조항에 따라 반민족 행위 처벌법을 제정(1948. 9.)하고, 법령을 추진하기 위해 반민족 행위 특별 조사 위원회와 특별 재판부를 구성하였다.

오답 분석

모두 제헌 국회와는 관련이 없는 설명이다.

② 한·일 기본 조약 체결에 반대하는 성명을 내놓은 것은 박정희 정부 시기에 일어난 6·3 항쟁(1964)에 대한 설명이다. 박정희 정부 시기에 한·일 기본 조약 체결을 통한 일본과의 국교 정상화에 반대하여 국민들은 대일 굴욕 외교 반대 범국민 투쟁 위원회를 결성하고 6·3 항쟁을 전개하였다.

③ 자주·평화·민족적 대단결이라는 통일 3대 원칙이 언급된 7·4 남북 공동 성명(1972)을 발표한 것은 박정희 정부 시기의 사실이다.

④ 통일 주체 국민회의에서 대통령을 뽑는다는 내용의 개헌안(유신 헌법, 1972)을 통과시킨 것은 박정희 정부 시기의 사실이다.

 이것도 알면 **합격!**

반민족 행위 처벌법의 제정 근거

> 이 헌법을 제정한 국회는 단기 4278년(1945년) 8월 15일 이전의 악질적인 반민족 행위를 처벌하는 특별법을 제정할 수 있다.

사료 분석 | 반민족 행위 처벌법은 제헌 헌법의 제101조에 근거하여 제정되었다.

27

2024년 서울시 9급

〈보기〉의 자료가 공포된 이후에 일어난 일로 가장 옳지 않은 것은?

> **보기**
> 유구한 역사와 전통에 빛나는 우리들 대한 국민은 기미 3·1 운동으로 대한민국을 건립하여 세계에 선포한 위대한 독립 정신을 계승하여 이제 민주 독립 국가를 재건함에 있어서 정의, 인도와 동포애로써 민족의 단결을 공고히 하며 모든 사회적 폐습을 타파하고 민주주의 제제도를 수립하여 정치, 경제, 사회, 문화의 모든 영역에 있어서 각인의 기회를 균등히 하고 능력을 최고도로 발휘케 하며 각인의 책임과 의무를 완수케 하여……

① 제주 4·3 사건이 발생했다.
② 친일 청산을 위해 '반민특위'가 설치되었다.
③ 북한에 조선 민주주의 인민 공화국이 수립되었다.
④ '유상 매수, 유상 분배'의 원칙에 따라 농지 개혁이 실시되었다.

28

2015년 기상직 9급

다음에서 설명하고 있는 선거로 구성된 국회에서 처리한 것을 〈보기〉에서 모두 고르면?

> 21세 이상 모든 국민에게 투표권이 부여된 우리나라 최초의 보통 선거로, 직접, 평등, 비밀, 자유 원칙에 따라 실시된 민주 선거였다.

> **보기**
> ㉠ 발췌 개헌
> ㉡ 농지 개혁법
> ㉢ 사사오입 개헌
> ㉣ 반민족 행위 처벌법

① ㉠, ㉡ ② ㉡, ㉣
③ ㉠, ㉢ ④ ㉢, ㉣

문제풀이 제헌 헌법 공포 이후의 사실 난이도 상

제시문에서 3·1 운동으로 대한민국을 건립하여 세계에 선포한 위대한 독립 정신을 계승하여 이제 민주 독립 국가를 재건한다는 내용을 통해 제헌 헌법(1948. 7.)임을 알 수 있다. 제헌 헌법에서는 대한민국이 3·1 운동을 계기로 수립된 대한민국 임시 정부의 법통을 계승한 민주 공화국 체제임을 명시하였다.

① 제주 4·3 사건이 발생한 것은 제헌 헌법 공포 이전인 1948년 4월의 일이다. 제주 4·3 사건은 남한만의 단독 정부 수립과 5·10 총선거 실시를 반대한 좌익 세력을 진압하는 과정에서 무고한 제주도민들이 희생된 사건이다.

오답 분석
모두 제헌 헌법 공포 이후의 사실이다.

② 친일 청산을 위해 '반민특위(반민족 행위 특별 조사 위원회)'가 설치된 것은 1948년 10월이다. 이승만 정부 시기에 반민족 행위자를 처벌하여 일제의 잔재를 청산하기 위해 반민족 행위 처벌법을 제정(1948. 9.)하고, 법령을 추진하기 위해 반민특위와 특별 재판부를 구성하였다.
③ 북한에서 김일성을 수상으로, 박헌영을 부수상으로 하는 조선 민주주의 인민 공화국이 수립된 것은 1948년 9월이다.
④ '유상 매수, 유상 분배'의 원칙에 따라 농지 개혁이 실시된 것은 1950년 3월이다. 이승만 정부 시기에 농지 분배를 하기 위하여 농지 개혁법(1949. 6.)을 제정하였고, 1950년 3월에 법의 일부가 개정되어 농지 개혁이 본격적으로 실시되었다.

문제풀이 제헌 국회 난이도 중

제시문에서 우리나라 최초의 보통 선거였다는 것을 통해 5·10 총선거에 대한 내용임을 알 수 있으며, 이 선거로 구성된 국회는 제헌 국회이다.

② 옳은 것을 모두 고르면 ㉡, ㉣이다.
㉡ 제헌 국회에서는 농가 경제의 자립과 농업 생산력 증진을 위해 농지 개혁법을 제정하였다(1949. 6.).
㉣ 제헌 국회는 반민족 행위자를 처벌하여 일제의 잔재를 청산하고, 사회 정의를 확립하기 위해 반민족 행위 처벌법을 제정하였다(1948. 9.)

오답 분석
㉠ **제2대 국회:** 대통령 선거를 직선제로 변경하는 발췌 개헌은 제2대 국회 때인 1952년에 통과되었다.
㉢ **제3대 국회:** 초대 대통령의 중임 제한을 철폐하는 사사오입 개헌은 제3대 국회 때인 1954년에 통과되었다.

이것도 알면 **합격!**

제헌 국회에서 제정한 법령

법령	내용
반민족 행위 처벌법	반민족 행위자를 처벌하고 공민권 제한
농지 개혁법	3정보 이상의 토지 소유를 금지하고 지주들의 땅을 유상 매입하여 농민들에게 유상 분배
귀속 재산 처리법	국공유 재산을 제외한 귀속 재산의 불하 사업 추진

정답 25 ③ 26 ① 27 ① 28 ②

29

2022년 지방직 9급

다음 조항을 포함한 법률에 대한 설명으로 옳지 않은 것은?

> 제1조 일본 정부와 통모하여 한·일 합병에 적극 협력한 자, 한국의 주권을 침해하는 조약 또는 문서에 조인한 자와 이를 모의한 자는 사형 또는 무기 징역에 처하고, 그 재산과 유산의 전부 혹은 2분의 1 이상을 몰수한다.

① 이 법률은 제헌 국회에서 제정되었다.
② 이 법률은 농지 개혁법이 제정된 후 제정되었다.
③ 이 법률에 의해 반민특위와 특별 재판부가 구성되었다.
④ 이 법률에 의해 친일 경력을 지닌 고위 경찰 간부가 체포되었다.

문제풀이 반민족 행위 처벌법

난이도 하

제시문에서 한·일 합병에 협력한 자, 한국의 주권을 침해하는 조약 또는 문서에 조인한 자와 모의한 자를 처벌하고 그 재산을 몰수한다는 내용을 통해 반민족 행위 처벌법임을 알 수 있다.

② 반민족 행위 처벌법은 농지 개혁법이 제정(1949. 6.)되기 이전인 1948년 9월에 제정되었다.

오답 분석

① 반민족 행위 처벌법은 제헌 국회(1948. 5.~1950. 6.)에서 제정되었다. 제헌 국회는 반민족 행위자를 처벌하여 일제의 잔재를 청산하고, 사회 정의를 확립하기 위해 반민족 행위 처벌법을 제정하였다.
③ 반민족 행위 처벌법이 제정된 후, 이 법률에 의해 반민족 행위 특별 조사 위원회(반민특위)와 특별 재판부가 구성되었다.
④ 반민족 행위 처벌법에 의해 노덕술 등 친일 경력을 지닌 고위 경찰 간부가 체포되었다.

30

2017년 지방직 9급(6월 시행)

다음 법령에 대한 설명으로 옳지 않은 것은?

> 제1조 일본 정부와 통모하여 한·일 합병에 적극 협력한 자, 한국의 주권을 침해하는 조약 또는 문서에 조인한 자와 모의한 자는 사형 또는 무기 징역에 처하고, 그 재산과 유산의 전부 혹은 2분의 1 이상을 몰수한다.
> 제2조 일본 정부로부터 작위를 받은 자 또는 일본 제국 의회의 의원이 되었던 자는 무기 또는 5년 이상의 징역에 처하고 그 재산과 유산의 전부 혹은 2분의 1 이상을 몰수한다.
> 제3조 일본 치하 독립운동자나 그 가족을 악의로 살상·박해한 자 또는 이를 지휘한 자는 사형, 무기 또는 5년 이상의 징역에 처하고 그 재산의 전부 혹은 일부를 몰수한다.

① 이 법령에 따라 특별 재판부가 설치되었다.
② 이 법령의 제정은 제헌 헌법에 명시된 사항이었다.
③ 이 법령에 따라 반민족 행위자들이 실형을 선고 받았다.
④ 이 법령은 여수·순천 10·19 사건 직후에 국회에서 통과되었다.

문제풀이 반민족 행위 처벌법

난이도 중

제시문에서 한·일 합병에 협력한 자, 일본 정부로부터 작위를 받은 자, 독립운동자와 그의 가족을 박해한 자 등을 처벌하는 조항들을 통해 제헌 국회에서 제정된 반민족 행위 처벌법에 대한 내용임을 알 수 있다.

④ 반민족 행위 처벌법은 1948년 9월에 제헌 국회에서 제정되었으므로, 여수·순천 사건(1948. 10. 19.) 이전에 통과되었다. 한편 군대 내 좌익 세력이 제주 4·3 사건의 진압 명령을 거부하고 반란을 일으킨 여수·순천 사건은 제헌 국회가 국가 보안법을 제정하는 계기가 되었다(1948. 12.).

오답 분석

① 반민족 행위 처벌법 제정 이후, 이 법령에 따라 반민족 행위 특별 조사 위원회와 특별 재판부가 구성되었다.
② 반민족 행위 처벌법의 제정은 제헌 헌법 101조의 '단기 4278년 8월 15일 이전의 악질적인 반민족행위를 처벌하는 특별법을 제정할 수 있다.'는 조항에 명시되어 있던 사항이었다.
③ 반민족 행위 처벌법에 의해 노덕술, 최남선, 이광수 등이 체포되었고, 총 7명이 실형을 선고 받았다. 반민족 행위 특별 조사 위원회의 조사를 받은 680여 명 중 실형을 선고 받은 사람은 7명으로 매우 적었으며, 실형을 선고 받은 반민족 행위자들도 대부분 1년도 안 되어 석방되었다.

31

2018년 서울시 7급(3월 시행)

〈보기〉의 역사적 사건들을 시간 순으로 옳게 배열한 것은?

> **보기**
> ㉠ 모스크바에서 세 나라의 외상들이 회의하였다.
> ㉡ 제주도 파병과 정부에 반대하는 군인들이 반란을 일으켰다.
> ㉢ 경교장에서 백범 김구가 육군 소위 안두희에게 암살당하였다.
> ㉣ 좌우의 정치 세력이 힘을 합치려는 운동을 전개하였다.
> ㉤ 평양에서 남북의 정치, 사회 단체 지도자들이 모였다.

① ㉠ - ㉡ - ㉢ - ㉣ - ㉤
② ㉠ - ㉢ - ㉣ - ㉤ - ㉡
③ ㉠ - ㉣ - ㉤ - ㉡ - ㉢
④ ㉠ - ㉤ - ㉡ - ㉢ - ㉣

문제풀이 대한민국 정부의 수립 과정 난이도 중

③ 순서대로 나열하면 ㉠ 모스크바 3국 외상 회의(1945) → ㉣ 좌·우 합작 운동(1946) → ㉤ 남북 협상(1948. 4.) → ㉡ 여수·순천 10·19 사건(1948. 10.) → ㉢ 김구 암살 사건(1949)이 된다.

㉠ **모스크바 3국 외상 회의**: 1945년 12월에 소련 모스크바에서 미국, 영국, 소련 3국의 외상이 모여 한반도 문제를 협의하였다.

㉣ **좌·우 합작 운동**: 제1차 미·소 공동 위원회가 결렬되고, 이승만의 정읍 발언 등으로 남북 분단의 가능성이 심화되자, 이를 막기 위해 중도 세력인 김규식, 여운형 등이 1946년 7월에 좌·우 합작 위원회를 조직하고 좌·우 합작 운동을 전개하였다.

㉤ **남북 협상**: 유엔 소총회에서 남한만의 단독 선거가 결정되자 이에 반대한 김구와 김규식은 북측 지도자인 김일성과 김두봉에게 남북 협상을 제의하였고, 북측에서 이를 수락하여 1948년 4월 평양에서 남북 지도자 회의가 개최되었다.

㉡ **여수·순천 10·19 사건**: 이승만 정부는 단독 정부 수립을 반대하며 일어난 제주 4·3 사건을 진압하기 위해 여수에 주둔해 있던 부대의 출동을 지시하였다. 그러나 부대 내의 좌파 세력이 이를 거부하고, 1948년 10월에 반란을 일으켜 순천, 광양, 벌교 등을 점령하였다. 이 반란을 진압하는 과정에서 무고한 민간인이 다수 희생되었으며, 이 사건을 계기로 제헌 국회에서 국가 보안법이 제정되었다.

㉢ **김구 암살 사건**: 김구는 1949년에 자택인 경교장에서 육군 소위 안두희에게 암살당하였다.

32

2016년 서울시 9급

대한민국 정부 수립 이후에 일어난 사건을 〈보기〉에서 모두 고른 것은?

> **보기**
> ㉠ 반민족 행위 특별 조사 위원회 설치
> ㉡ 농지 개혁법 시행
> ㉢ 안두희의 김구 암살
> ㉣ 제주 4·3 사건 발생
> ㉤ 여수·순천 10·19 사건 발생

① ㉠, ㉡, ㉤
② ㉠, ㉡, ㉢, ㉤
③ ㉠, ㉡, ㉣, ㉤
④ ㉠, ㉡, ㉢, ㉣, ㉤

문제풀이 대한민국 정부 수립 이후의 사건 난이도 중

② 대한민국 정부 수립은 1948년 8월 15일로, 정부 수립 이후의 사건으로는 ㉠ 반민족 행위 특별 조사 위원회 설치(1948. 10.), ㉡ 농지 개혁법 시행(1950. 3.), ㉢ 안두희의 김구 암살(1949. 6.), ㉤ 여수·순천 10·19 사건 발생(1948. 10.)이 해당된다.

㉠ 반민족 행위 특별 조사 위원회는 정부 수립 이후 이승만 정부가 친일파 청산을 위하여 설치하였다(1948. 10.).

㉡ 농지 개혁법은 정부 수립 이후 이승만 정부가 시행한 정책이다(1950. 3.)

㉢ 육군 소위 안두희가 김구를 암살한 사건은 정부 수립 이후에 발생하였다(1949. 6.).

㉤ 여수·순천 사건은 통일 정부 수립을 내세우며 여수 주둔 군대가 일으킨 사건으로 정부 수립 이후에 발생하였다(1948. 10.).

오답 분석

㉣ 제주 4·3 사건은 남한만의 단독 정부 수립과 5·10 총선거 실시를 반대한 좌익 세력을 진압하는 과정에서 무고한 제주도민들이 희생된 사건으로 정부 수립 이전에 발생하였다.

이것도 알면 합격!

제주 4·3 사건

배경	제주에서 좌익 세력이 단독 정부 수립 반대를 주장하며 무장 봉기
전개	유격대(공산주의자)와 토벌대(군·경·우익 세력) 간의 전투
결과	5·10 총선거가 제대로 실시되지 못함, 수많은 양민 학살

정답 29 ② 30 ④ 31 ③ 32 ②

3 | 6·25 전쟁

01

2023년 지방직 9급

6·25 전쟁 중 있었던 사실로 옳지 않은 것은?

① 국군과 유엔군이 인천 상륙 작전을 감행하였다.

② 대통령 직선제를 포함한 발췌 개헌안이 국회에서 통과되었다.

③ 이승만 정부가 북한 송환을 거부하는 반공 포로를 석방하였다.

④ 미국이 한반도를 미국의 태평양 지역 방위선에서 제외한다는 애치슨 선언을 발표하였다.

문제풀이 6·25 전쟁 중 있었던 사실 난이도 하

④ 미국이 한반도를 미국의 태평양 지역 방위선에서 제외한다는 애치슨 선언을 발표한 것은 6·25 전쟁 발발 이전인 1950년 1월의 사실이다. 애치슨 선언이 발표되자 북한은 남한을 공격하여도 미국이 개입하지 않을 것이라고 판단하게 되었고, 이는 6·25 전쟁이 일어나는 계기 중 하나가 되었다.

오답 분석

모두 6·25 전쟁(1950. 6. 25. ~ 1953. 7. 27.) 중 있었던 사실이다.

① 국군과 유엔군이 인천 상륙 작전을 감행한 것은 1950년 9월이다. 낙동강을 사이에 두고 북한군과 치열하게 전투를 벌이던 국군과 유엔군은 맥아더의 지휘 아래 인천 상륙 작전을 감행하여 전세를 역전시켰다.

② 임시 수도인 부산에서 대통령 직선제를 포함한 발췌 개헌안이 국회에서 통과된 것은 1952년 7월이다. 1950년 5월에 시행된 제2대 국회의원 선거에서 반(反) 이승만 성향의 후보들이 대거 당선되자, 이승만은 국회에서 치르는 간선제로는 대통령 재임이 힘들다고 생각하였다. 이에 이승만은 대통령 직선제 개헌을 추진하였고, 대통령 직선제를 골자로 하는 여당의 개헌안과 내각 책임제를 골자로 하는 야당 측 개헌안을 발췌하여 절충한 발췌 개헌안이 국회에서 기립 투표로 통과되었다.

③ 이승만 정부가 북한 송환을 거부하는 반공 포로를 석방한 것은 1953년 6월이다. 이승만 정부는 휴전 협정 체결에 반대하며 북한 송환을 거부하는 반공 포로를 일방적으로 석방하였다.

02

2022년 서울시 9급(6월 시행)

〈보기〉의 상황을 한국 전쟁의 전개 과정에 따라 순서대로 바르게 나열한 것은?

> **보기**
> ㉠ 유엔군이 인천 상륙 작전에 성공하였다.
> ㉡ 중국군이 대규모 병력을 파견하기 시작하였다.
> ㉢ 판문점 부근에서 휴전 회담이 열리기 시작하였다.
> ㉣ 이승만 정부가 반공 포로 석방 조치를 실행하였다.

① ㉠ → ㉡ → ㉢ → ㉣

② ㉠ → ㉢ → ㉣ → ㉡

③ ㉡ → ㉠ → ㉢ → ㉣

④ ㉡ → ㉣ → ㉠ → ㉢

문제풀이 한국 전쟁(6·25 전쟁)의 전개 과정 난이도 중

① 일어난 순서대로 바르게 나열하면 ㉠ 인천 상륙 작전(1950. 9.) → ㉡ 중국군 개입(1950. 10.) → ㉢ 휴전 회담 시작(1951. 7.) → ㉣ 이승만 정부의 반공 포로 석방(1953. 6.)이다.

㉠ **인천 상륙 작전**: 유엔군 총사령관 맥아더의 지휘하에 국군과 유엔군이 인천 상륙 작전에 성공하였다(1950. 9.).

㉡ **중국군 개입**: 인천 상륙 작전에 성공한 국군과 유엔군이 압록강까지 진출하자 위기를 느낀 중국군이 북한군을 돕기 위해 대규모의 군대를 파견하였다(1950. 10.).

㉢ **휴전 회담 시작**: 한국 전쟁(6·25 전쟁)이 38도선 부근에서 교착 상태에 빠지자 전쟁이 확대될 것을 우려한 소련의 제의로 휴전 회담이 열리기 시작하였다(1951. 7.). 한편 휴전 회담은 처음에 개성에서 시작된 후, 판문점으로 이동하여 진행되었다.

㉣ **이승만 정부의 반공 포로 석방**: 휴전에 반대하는 이승만 정부가 회담의 쟁점이었던 반공 포로를 석방하는 조치를 실행하였다(1953. 6.).

 이것도 알면 **합격!**

6·25 전쟁 전개 과정

> 6·25 전쟁 발발(1950. 6. 25.) → 유엔군 참전(1950. 7.) → 인천 상륙 작전(1950. 9. 15.) → 서울 수복(1950. 9. 28.) → 평양 탈환(1950. 10. 19.) → 중국군 개입(1950. 10. 25.) → 국군과 유엔군 서울 철수(1951. 1. 4.) → 휴전 회담(1951. 7.) → 휴전 협정 체결(1953. 7.)

03

2017년 국가직 7급(8월 시행)

(가) 시기에 있었던 사실로 옳은 것은?

1950. 6.		1950. 9.		1951. 1.		1951. 6.		1953. 7.
			(가)					
6·25 전쟁 발발		서울 수복		1·4 후퇴		휴전 회담 시작		정전 협정 체결

① 대규모 해상 작전인 흥남 철수가 이루어졌다.

② 이승만 정부가 반공 포로의 석방을 단행하였다.

③ 맥아더 장군이 유엔군 총사령관직에서 해임되었다.

④ 미국은 극동 방위선에서 한국을 제외한다고 선언하였다.

04

2018년 기상직 9급

(가) 시기에 있었던 내용으로 옳은 것을 〈보기〉에서 고른 것은?

대한민국 정부 수립		6·25 전쟁		휴전 협정 조인		진보당 사건		3·15 부정 선거
			(가)					

보기

㉠ 평화선 선언

㉡ 반민족 행위 처벌법 제정

㉢『우리말 큰사전』 완간

㉣ 국민 방위군 사건

① ㉠, ㉡ ② ㉡, ㉢

③ ㉢, ㉣ ④ ㉠, ㉣

문제풀이 서울 수복과 1·4 후퇴 사이의 사실 난이도 중

유엔군의 참전 이후 맥아더가 주도한 인천 상륙 작전으로 전세가 역전되어 국군과 유엔군은 서울을 수복하였다(1950. 9.). 이후 국군과 유엔군의 북상으로 위기 의식을 느낀 중국이 대규모의 지원군을 북한에 파병하자 국군과 유엔군은 서울을 다시 빼앗기고 한강 남쪽으로 밀려났다(1·4 후퇴, 1951. 1. 4.).

① 중국군의 참전(1950. 10.)으로 국군과 유엔군은 남쪽으로 밀려났으며, 특히 함경도 지역에서는 북한의 임시 수도를 공격하려던 장진호 전투의 패배로 국군과 유엔군의 퇴로가 차단되는 위기가 발생하였다. 이로 인해 1950년 12월에는 대규모 해상 철수 작전인 흥남 철수가 이루어졌다.

오답 분석

② **(가) 이후:** 휴전 회담이 시작된 이후 휴전에 불만을 품은 이승만 정부가 회담의 쟁점이었던 2만 7천 여명의 반공 포로를 석방한 것(1953. 6.)은 (가) 시기 이후의 일이다.

③ **(가) 이후:** 중국군의 참전 이후 세계 전쟁으로 확대될 것을 우려한 미국 정부가 만주 폭격 등 전선의 확대를 주장하던 맥아더 장군을 유엔군 총사령관직에서 해임한 것(1951. 4.)은 (가) 시기 이후의 일이다.

④ **(가) 이전:** 미국 국무 장관 애치슨이 미국의 태평양 극동 방위선에서 한국과 대만을 제외한다고 발표한 애치슨 선언(1950. 1.)은 (가) 시기 이전의 일로, 이 선언은 6·25 전쟁이 일어나는 결정적인 원인 중 하나가 되었다.

문제풀이 6·25 전쟁 시기의 사건 난이도 중

제시된 연표에서 대한민국 정부가 수립된 것은 1948년 8월, 6·25 전쟁이 발발한 것은 1950년 6월, 휴전 협정이 조인된 것은 1953년 7월, 진보당 사건이 일어난 것은 1958년 1월, 3·15 부정 선거는 1960년 3월의 사실이다. 따라서 (가) 시기는 1950년 6월부터 1953년 7월까지이다.

④ 옳은 것을 모두 고르면 ㉠, ㉣이다.

㉠ 6·25 전쟁 중인 1952년에 이승만 정부는 우리 나라 연안 수역 보호를 목적으로 '인접 해양의 주권에 관한 대통령 선언(평화선 선언)'을 발표하였다. 이를 통해 이승만 정부는 평화선을 설정하여 일본과의 어업 분쟁을 방지하고, 독도를 평화선 안에 포함하여 독도 영유권을 보호하였다.

㉣ 6·25 전쟁 중인 1951년에 국민 방위군 사건이 일어났다. 국민 방위군은 6·25 전쟁 과정에서 중공군의 참전(1950. 10.)에 대응하여 편성된 군대로, 중공군에 밀려 국민 방위군이 남하하는 과정에서 장교들이 미군의 지원 물자를 착복하여 많은 국민 방위군 소속의 젊은이들이 굶거나 얼어 죽은 사건이 발생하였다(국민 방위군 사건).

오답 분석

㉡ **(가) 이전:** 반민족 행위 처벌법은 (가) 시기 이전인 1948년에 제정되었다.

㉢ **(가) 이후:**『우리말 큰사전』이 완간된 시기는 1957년으로 (가) 시기 이후이다. 일제의 탄압으로 조선어 학회가 해산되면서 중단되었던『우리말 큰사전』 편찬 사업은 광복 이후 조선어 학회를 계승한 한글 학회(1949)에 의해 완성되었다.

정답 01 ④ 02 ① 03 ① 04 ④

05

2018년 경찰직(2차)

6·25 전쟁 중의 정전 회담과 1953년 7월 체결된 정전 협정에 대한 설명으로 가장 적절하지 않은 것은?

① 정전 회담의 주요 쟁점은 군사 분계선 설정 문제, 포로 교환 문제 등이었다.

② 소련이 정전을 제안하였고 유엔군과 공산군이 이를 받아들이면서 정전 회담이 시작되었다.

③ 유엔군과 한국군, 중국군, 북한군은 1953년 7월 27일에 정전 협정에 조인하였다.

④ 정전 협정에서 양측은 현 전선을 군사 분계선으로 정하고, 군사 분계선 남북 각각 2km 지역을 비무장 지대로 설치하였다.

06

2015년 국가직 7급

다음 회담과 관련한 내용으로 옳지 않은 것은?

제2의제	전투 행위를 정지한다는 전제 아래 양측 군대 사이에 비무장 지대를 설치하고자 군사 분계선을 정하는 일
	… (중략) …
제5의제	외국 군대의 철수와 한반도 문제의 평화적 해결에 관해서 쌍방 관련 국가의 정부에 권고하는 일

① 개성과 판문점 등지에서 회담이 진행되었다.

② 공산군 측은 38도선을 경계로 휴전할 것을 요구하였다.

③ 유엔군 측은 제네바 협정에 따른 포로의 자동 송환을 주장하였다.

④ 쌍방은 소련을 제외한 4개국 중립국 감시 위원회의 구성에 합의하였다.

문제풀이 6·25 전쟁의 정전 협정

난이도 중

③ 한국군은 정전 협정에 조인하지 않았다. 휴전에 반대한 이승만 정부는 북진 통일을 주장하며 정전 협정 서명을 거부하였고, 이로 인해 유엔군, 중국군, 북한군만이 1953년 7월 27일에 정전 협정에 조인하였다.

오답 분석

① 정전 회담에서는 군사 분계선의 설정과 중립국 감시 기구의 구성, 포로 교환 문제 등이 주요 쟁점으로 논의되었다. 특히 유엔군은 포로의 자유 의사를 존중하는 자유 송환을 주장한 반면, 공산군은 무조건 송환을 주장하며 대립하였는데, 이는 정전 협정의 체결이 지연되는 주요 원인이 되었다.

② 6·25 전쟁이 38도선 부근에서 교착 상태에 빠지자 전쟁이 확대될 것을 우려한 소련은 정전을 제안하였고, 이를 유엔군과 공산군이 받아들이면서 1951년 7월에 개성에서 정전 회담이 시작되었다.

④ 정전 협정에서 연합군과 공산군 양측은 현 전선을 군사 분계선으로 정하고, 이를 기준으로 남북의 각각 2km 지역을 완충 지대인 비무장 지대로 설치하는 데 합의하였다.

문제풀이 휴전 회담

난이도 중

제시된 자료에서 군사 분계선 설정 문제와 외국 군대의 철수에 대한 내용을 통해 휴전 회담의 의제임을 알 수 있다. 휴전 회담에서는 군사 분계선의 설정, 중립국 감시 기구의 구성, 포로 교환 등의 문제를 두고 난항을 겪었다.

③ 제네바 협정에 따른 포로의 자동 송환을 주장한 것은 북한(공산군) 측의 주장이다. 유엔군 측은 전쟁 포로를 자유 송환할 것을 주장하였다. 한편 제네바 협정은 '전쟁 포로의 대우에 관한 제네바 협약'으로, 전쟁 희생자들을 보호할 목적으로 스위스 제네바에서 체결된 일련의 국제 조약이다. 이 협정에서는 포로가 범죄를 저지른 경우가 아니라면 전쟁이 끝난 뒤 곧 본국으로 귀환시키라는 내용이 있다.

오답 분석

① 휴전 회담은 처음에 개성에서 시작하였는데, 이후 회담 장소를 판문점으로 옮겼고, 휴전 협정도 판문점에서 체결되었다.

② 휴전 회담은 진행 과정에서 여러 이견으로 진통을 겪었다. 대표적으로 휴전선 설정 문제에 대해 공산군측은 38도선으로 설정하자고 하였고, 유엔군측은 현재의 접촉선으로 하자고 하였는데, 결국 1951년 11월에 유엔측의 주장대로 합의되었다.

④ 1953년 7월 북한, 중공, 유엔(미군) 대표는 판문점에 모여 비무장 지대 설치, 군사 정전 위원회와 쌍방을 제외한 4개국(스위스, 스웨덴, 체코슬로바키아, 폴란드) 중립국 감독 위원회 설치 등을 주요 내용으로 하는 휴전 협정을 체결하였다.

07

2015년 사회복지직 9급

다음의 협정과 관련한 설명으로 옳지 않은 것은?

> 군사 분계선을 확정하고 쌍방이 이 선에서 2km씩 후퇴하여 비무장 지대를 설정한다. 비무장 지대는 완충 지대로서 적대 행위로 인해 우려되는 사건을 미리 방지한다.

① 협상 과정에서 휴전 반대 운동이 있었다.
② 협정 조인으로 발췌 개헌 파동이 야기되었다.
③ 협상 과정에서 정부는 반공 포로를 석방하였다.
④ 협정 조인 이후 정부는 미국과 한·미 상호 방위 조약을 체결하였다.

문제풀이 휴전 협정

난이도 중

제시문에서 군사 분계선을 확정하고 비무장 지대를 설정한다는 것을 통해 휴전 협정에 대한 내용임을 알 수 있다.

② 발췌 개헌 파동은 1952년에 일어난 것으로 휴전 협정이 체결되는 1953년 7월보다 이전에 있었던 일이다. 발췌 개헌은 이승만이 대통령에 재선되기 위해 대통령 선거를 기존의 간선제에서 직선제로 바꾼 것이다.

오답 분석

① 휴전 협상 과정에서 대한민국 정부와 국민들은 국토 분단이 영구화될 것을 우려하여 휴전 반대 운동을 전개하기도 하였다.
③ 휴전 협상에 반대하며 이승만 정부는 회담의 쟁점이었던 반공 포로를 석방하기도 하였다.
④ 휴전 협정 조인 이후 미국은 이승만 정부를 안심시키기 위해 한·미 상호 방위 조약을 체결하였다.

이것도 알면 **합격!**

6·25 전쟁의 휴전 협정

조인	1953년 7월 27일에 판문점에서 유엔군, 북한군, 중국군 대표에 의해 조인됨
내용	• 군사 분계선 확정, 비무장 지대(군사 분계선을 기준으로 남북 각각 2km 지역) 설치 • 군사 정전 위원회 설치 • 4개국(스웨덴, 스위스, 체코슬로바키아, 폴란드) 중립국 감시 위원단 구성 등 합의

08

2023년 법원직 9급

다음 조약이 조인된 시기를 연표에서 가장 옳게 고른 것은?

> 제3조 각 당사국은 타 당사국의 행정 지배하에 있는 영토와 각 당사국이 타 당사국의 행정 지배하에 합법적으로 들어갔다고 인정하는 금후의 영토에 있어서 타 당사국에 대한 태평양 지역에 있어서의 무력 공격을 자국의 평화와 안전을 위태롭게 하는 것이라 인정하고 공통한 위험에 대처하기 위하여 각자의 헌법상의 수속에 따라 행동할 것을 선언한다.
>
> 제4조 상호적 합의에 의하여 미합중국의 육군, 해군과 공군을 대한민국의 영토 내와 그 부근에 배치하는 권리를 대한민국은 이를 허여하고 미합중국은 이를 수락한다.

	(가)	(나)	(다)	(라)	
대한민국 정부 수립	6·25 전쟁 발발	제2차 개정 헌법 공포	5·16 군사 정변	한·일 기본 조약 조인	

① (가)　② (나)
③ (다)　④ (라)

문제풀이 한·미 상호 방위 조약 조인 시기

난이도 중

제시문에서 상호적 합의에 의하여 미합중국의 육군, 해군과 공군을 대한민국의 영토 내와 그 부근에 배치하는 권리를 대한민국이 허락한다는 내용을 통해 한·미 상호 방위 조약임을 알 수 있다.

(가) 대한민국 정부 수립(1948) ~ 6·25 전쟁 발발(1950)
(나) 6·25 전쟁 발발(1950) ~ 제2차 개정 헌법 공포(1954)
(다) 제2차 개정 헌법 공포(1954) ~ 5·16 군사 정변(1961)
(라) 5·16 군사 정변(1961) ~ 한·일 기본 조약 조인(1965)

② 한·미 상호 방위 조약은 (나) 시기인 1953년에 조인되었다. 한·미 상호 방위 조약은 휴전 이후 북한의 재침을 우려한 이승만 정부의 요청에 따라 미국이 이승만 정부를 안심시키기 위해 준비한 것으로, 공동의 위험에 대처하기 위해 각자의 헌법 절차에 따라 행동하고, 미합중국의 육군, 해군과 공군을 대한민국의 영토 내와 그 부근에 배치하는 권리를 대한민국이 허락한다는 내용 등을 명시하였다.

이것도 알면 **합격!**

한·미 상호 방위 조약(1953. 10.)

배경	미국이 휴전에 반대하는 이승만 정부를 안심시키기 위해 준비한 것으로, 북한의 재침 방지와 한국 문제에 대한 미국의 정식 개입을 보장함
내용	미군의 한반도 주둔과 미군 기지 유지, 한국군의 작전 통제권을 유엔군 사령부에 양도, 유효 기간 없음 등

정답 05 ③ 06 ③ 07 ② 08 ②

1 | 4·19 혁명

01

2021년 국회직 9급

다음 자료와 관계된 개헌안에 대한 설명으로 옳은 것은?

> 투표 결과 찬성표가 135표였다. 당시 국회의 재적의원 203명의 2/3는 135.333…명이었으므로 당연히 136명이 찬성해야 개헌안이 통과될 수 있었으나, 정부 여당은 사사오입, 즉 반올림하면 135가 된다는 논리를 내세워 통과시켰다.

① 대통령 직선제와 국회 양원제를 골자로 하였다.
② 대통령 간선제와 국회의원 비례대표제를 채택하였다.
③ 국무총리제 폐지, 개별 국무위원에 대한 불신임 인정 등이 포함되었다.
④ 대통령 중심제와 국회 단원제 실시를 골자로 하였다.
⑤ 대통령의 삼선 연임과 국회의원의 국무위원 겸직을 허용하였다.

문제풀이 제2차 개헌안(사사오입 개헌안) 난이도 상

제시문에서 정부 여당은 사사오입, 즉 반올림하면 135가 된다는 논리를 내세워 통과시켰다는 내용을 통해 1954년에 통과된 제2차 개헌안(사사오입 개헌안)에 대한 설명임을 알 수 있다.

③ 제2차 개헌안에는 국무총리제 폐지, 개별 국무위원에 대한 불신임 인정 등이 포함되었으며, 초대 대통령에 한하여 중임 제한을 폐지한다는 조항이 담겨 있었다.

오답 분석

① **제1차 개헌안**(발췌 개헌안): 대통령 직선제와 국회 양원제를 골자로 한 것은 제1차 개헌안이다. 국회에서 치르는 간선제로는 대통령 재임이 힘들다고 생각한 이승만은 대통령 직선제와 양원제를 골자로 하는 제1차 개헌안을 통과시켰다(1952).

② **제8차 개헌안**: 대통령 간선제와 국회의원 비례대표제를 채택한 것은 제8차 개헌안이다. 전두환 정부는 대통령 선거인단에 의한 대통령 간선제와 7년 단임제, 국회의원 비례대표제를 채택한 제8차 개헌안을 공포하였다(1980).

④ **제5차 개헌안**: 대통령 중심제와 국회 단원제 실시를 골자로 한 것은 제5차 개헌안이다. 5·16 군사 정변을 일으킨 박정희 군사 정부는 대통령 중심제와 국회 단원제 실시를 골자로 하는 제5차 개헌안을 통과시켰으며(1962), 이후 제5차 개헌을 바탕으로 실시된 제5대 대통령 선거에서 박정희가 당선되었다(1963).

⑤ **제6차 개헌안**(3선 개헌안): 대통령의 3선 연임과 국회의원의 국무위원 겸직을 허용한 것은 제6차 개헌안이다(1969).

02

2021년 법원직 9급

다음 개헌이 이루어진 정부 시기에 있었던 사실로 가장 옳은 것은?

> 제55조 대통령과 부통령의 임기는 4년으로 한다. 단, 재선에 의하여 1차 중임할 수 있다. 대통령이 궐위된 때에는 부통령이 대통령이 되고 잔임 기간 중 재임한다.
> 부칙 이 헌법 공포 당시의 대통령에 대하여는 제55조 제1항 단서의 제한을 적용하지 아니한다.
>
> – 대한민국 관보 제1228호

① 소련, 중국과 교류를 확대하였다.
② 일본과 국교 정상화를 추진하였다.
③ 진보당 사건으로 조봉암을 처형하였다.
④ 지방 자치제를 전면적으로 실시하였다.

문제풀이 이승만 정부 시기의 사실 난이도 하

제시문에서 부칙으로 해당 헌법 공포 당시의 대통령에 한해 중임 제한을 적용하지 아니한다는 내용을 통해 1954년에 통과된 사사오입 개헌(제2차 개헌)임을 알 수 있으며, 이 개헌이 통과된 것은 이승만 정부 시기의 사실이다.

③ 이승만 정부 시기에 조봉암이 진보당을 창당하고 평화 통일론을 주장하여 국민들에게 많은 지지를 받자, 이에 위협을 느낀 이승만 정부는 조봉암을 비롯한 진보당 간부들을 북한의 간첩과 내통하였다는 혐의로 구속하였다(진보당 사건, 1958). 이후 진보당은 해체되고 조봉암은 간첩 협의로 처형당하였다(1959).

오답 분석

① **노태우 정부**: 소련, 중국과 교류를 확대한 것은 노태우 정부 시기의 사실이다. 노태우 정부는 대외적으로 동·서 진영의 긴장이 완화되는 데탕트 국면 속에서 서울 올림픽을 계기로 소련(1990), 중국(1992) 등과 외교 관계를 수립하는 북방 정책을 추진하였다.

② **박정희 정부**: 일본과 국교 정상화를 추진한 것은 박정희 정부 시기의 사실이다. 박정희 정부는 경제 개발 자금을 마련하기 위해 미국의 권고에 따라 비밀리에 한·일 회담(1962)을 열고, 한·일 기본 조약(1965)을 체결하여 일본과의 국교를 정상화하였다.

④ **김영삼 정부**: 지방 자치제를 전면적으로 실시한 것은 김영삼 정부 시기의 사실이다. 김영삼 정부는 1995년에 그 동안 유보되었던 지방 자치 단체장 선거를 시행하여 지방 자치제를 전면적으로 실시하였다.

03

2023년 국회직 9급

다음 강령을 발표한 정당·정치인에 대한 설명으로 옳은 것만을 〈보기〉에서 모두 고르면?

> 1. 우리는 원자력 혁명이 재래할 새로운 시대의 출현에 대응하여 사상과 제도의 선구적 창도로서 세계 평화와 인류 복지의 달성을 기한다.
> 2. 우리는 공산 독재는 물론 자본가와 부패 분자의 독재도 이를 배격하고 진정한 민주주의 체제를 확립하여 책임 있는 혁신 정치의 실현을 기한다.
>
> ……
>
> 5. 우리는 교육체계를 혁신하여 점진적으로 국가보장제를 수립하고, 민족적 새 문화의 창조로써 세계 문화에 기여를 기한다.

보기

ㄱ 대중의 자각과 단결을 강조했다.
ㄴ 평화적 방식에 의한 조국 통일을 주장했다.
ㄷ 민생 안정을 내세워 농어촌 고리채 정리법을 제정했다.
ㄹ 자본주의와 공산주의를 모두 비판하며 대안으로 일민주의를 제시했다.

① ㄱ, ㄴ　② ㄱ, ㄷ　③ ㄴ, ㄷ
④ ㄴ, ㄹ　⑤ ㄷ, ㄹ

문제풀이 진보당과 조봉암

난이도 상

제시문은 조봉암이 발표한 진보당의 강령이다. 진보당은 혁신 계열 정당으로, 책임 있는 혁신 정치, 수탈 없는 계획 경제, 민주적인 평화 통일을 주장하였다.

① 옳은 것을 모두 고르면 ㄱ, ㄴ이다.

ㄱ 조봉암은 진정한 혁신은 피해를 받고 있는 대중 자신의 자각과 단결 위에서만 실현될 수 있음을 강조하면서 진보당 창당을 추진하였다.

ㄴ 진보당은 평화적 방식에 의한 조국 통일을 주장하며 국민들에게 많은 지지를 받았다.

오답 분석

ㄷ **박정희**: 민생 안정을 내세워 농어촌 고리채 정리법을 제정(1961)한 것은 박정희이다. 농어촌 고리채 정리법은 농어촌민들의 생활고를 해결하기 위하여, 농어촌민들의 채무 중에서 연리 20% 이상의 고리채를 일정 부분 국가가 부담한 법령이다.

ㄹ **이승만**: 자본주의와 공산주의를 모두 비판하며 대안으로 일민주의를 제시한 것은 이승만이다. 일민주의는 이승만이 반공 체제를 구축하기 위해 제시한 이념으로, 하나의 국민으로서의 통일을 지향하기 때문에 자본주의와 공산주의 모두 비판하였다. 이승만은 자본주의는 돈을 유일한 것으로 보는 '돈 숭배주의'이고, 공산주의는 계급 갈등을 조장하여 통일을 부정한다며 비판하였다.

04

2022년 지방직 9급

다음 글은 어떤 사건이 일어났을 때 발표되었는가?

> 1. 마산, 서울 기타 각지의 데모는 주권을 빼앗긴 국민의 울분을 대신하여 궐기한 학생들의 순수한 정의감의 발로이며 부정과 불의에는 언제나 항거하는 민족 정기의 표현이다.
>
> …(중략)…
>
> 3. 합법적이고 평화적인 데모 학생에게 총탄과 폭력을 거리낌 없이 남용하여 참극을 빚어낸 경찰은 자유와 민주를 기본으로 한 대한민국의 국립 경찰이 아니라 불법과 폭력으로 권력을 유지하려는 일부 정부 집단의 사병이다.
>
> – 대학 교수단 4·25 선언문

① 4·19 혁명　② 5·18 민주화 운동
③ 6·3 시위　④ 6·29 민주화 선언

문제풀이 4·19 혁명

난이도 하

제시문은 각 대학 교수 대표들이 3·15 부정 선거와 폭력적인 시위 진압을 규탄하며, 시국을 수습하기 위해 발표한 대학 교수단 4·25 선언문의 내용으로, 4·19 혁명 당시에 발표되었다.

① 4·19 혁명은 3·15 부정 선거에 반발하여 학생들을 중심으로 시위가 전개되던 상황에서, 실종되었던 김주열의 시신이 마산 앞바다에서 발견되면서 시위가 전국적으로 확대되었다. 이에 이승만 정부는 시위를 해산하기 위해 계엄령을 선포하고 군대를 동원하여 진압하였으나, 대학 교수들까지 시국 선언문을 발표하고 시위에 참여하자 이승만은 정·부통령의 재선거를 약속하고 하야하였다.

오답 분석

② **5·18 민주화 운동**: 5·18 민주화 운동은 12·12 사태로 실권을 장악한 신군부가 전국에 비상 계엄을 확대하자, 광주 지역의 학생들과 시민들이 이에 반발하여 민주화 운동을 전개한 것이다.

③ **6·3 시위**: 6·3 시위는 한·일 국교 정상화를 위한 한·일 회담에 반대하여 일어난 것으로, 박정희 정부는 계엄령을 선포하여 이를 철저하게 탄압하였다.

④ **6·29 민주화 선언**: 6·29 민주화 선언은 6월 민주 항쟁의 결과, 여당 대통령 후보였던 노태우가 대통령 직선제 개헌을 약속한 선언으로, 이를 통해 5년 단임의 대통령 직선제를 골자로 한 제9차 개헌이 이루어졌다.

정답 01 ③ 02 ③ 03 ① 04 ①

05

2022년 국회직 9급

다음 자료와 관련된 역사적 사실로 옳은 것은?

> 11일 상오 11시 30분경 마산 중앙 부두 앞바다에서 오른쪽 눈에 파편이 박힌 17, 8세의 학생풍 변사체가 발견되어, 3·15 사건 이후 행방불명자를 못 찾고 있던 당지 시민들을 긴장시켰다. 시체는 낚시꾼에 의하여 발견되어 경찰에 신고된 것인데 ……(하략)……
>
> -『매일신보』

① 한·일 학생 간 충돌이 있었다.

② 신군부가 비상 계엄을 확대하였다.

③ 일부 국회의원들은 사사오입 개헌을 비판하였다.

④ 정·부통령 부정 선거에 학생, 시민들이 항의하였다.

⑤ 직선제 개헌을 요구하는 학생, 시민들의 시위가 있었다.

06

2020년 지방직 9급

밑줄 친 '새 헌법'에 대한 설명으로 옳은 것은?

> 정부에서는 6월 15일 국회에서 통과된 개헌안을 이송받자 이날 긴급 국무회의를 소집하고 정식으로 이를 공포하였다. 이로써 개정된 새 헌법은 16일 0시를 기해 효력을 발생케 되었다. 새 헌법이 공포됨으로써 16일부터는 실질적인 내각 책임체제의 정부를 갖게 되었으며 허정 수석국무위원은 자동으로 국무총리가 된다.
>
> -『경향신문』, 1960. 6. 16.

① 임시 수도 부산에서 개정되었다.

② '사사오입'의 논리로 통과되었다.

③ 통일 주체 국민회의 설치를 규정한 조항이 있다.

④ 민의원과 참의원으로 구성된 국회 조항이 있다.

문제풀이 4·19 혁명

난이도 중

제시문에서 마산 중앙 부두 앞바다에서 오른쪽 눈에 파편이 박힌 학생풍 변사체(김주열)가 발견되었다는 내용을 통해 4·19 혁명(1960)과 관련된 사실임을 알 수 있다.

④ 4·19 혁명은 1960년 3월 15일에 시행된 정·부통령 선거에서 수많은 부정 행위가 있었음이 밝혀지자, 학생들과 시민들이 부정 선거를 규탄하며 항의하는 시위를 전개하면서 시작되었다. 이후 시위 도중 실종되었던 김주열의 시신이 마산 앞바다에서 발견되자, 시위가 전국적으로 확대되었다.

오답 분석

① **광주 학생 항일 운동**: 한·일 학생 간 충돌이 있었던 것은 광주 학생 항일 운동이다. 광주 학생 항일 운동은 통학 열차 안에서 발생한 한·일 학생 간의 충돌을 계기로 학생들이 전개한 운동이다.

② 4·19 혁명은 신군부가 비상 계엄을 확대한 것과 관련이 없다. 한편, 12·12 사태로 실권을 장악한 신군부가 전국에 비상 계엄을 확대하자, 광주 지역의 학생들과 시민들이 5·18 민주화 운동을 전개하였다.

③ 4·19 혁명은 사사오입 개헌(1954) 이후에 전개되었다. 사사오입 개헌은 초대 대통령에 한하여 중임 제한을 철폐하는 내용의 개헌안으로 이승만 정부와 자유당은 이를 통과시켜 이승만 대통령의 영구 집권을 도모하였다.

⑤ **6월 민주 항쟁**: 직선제 개헌을 요구하는 학생, 시민들의 시위가 있었던 것은 6월 민주 항쟁이다. 전두환 정부가 현행 헌법인 대통령 간선제를 유지한다는 내용의 4·13 호헌 조치를 발표하자, 이에 반대한 학생과 시민들은 6월 민주 항쟁을 전개하였다.

문제풀이 제3차 개헌

난이도 중

제시문에서 1960년 6월 15일에 통과된 개헌안이라고 설명하고 있으므로 밑줄 친 '새 헌법'이 제3차 개헌임을 알 수 있다. 제3차 개헌은 4·19 혁명의 결과 이승만이 하야하고, 허정을 수반으로 하는 과도 정부가 출범한 상태에서 이루어진 개헌으로, 내각 책임제와 국회 양원제를 골자로 하였다.

④ 제3차 개헌에서는 민의원과 참의원의 양원제 국회를 규정하였다.

오답 분석

① **제1차 개헌(발췌 개헌)**: 임시 수도 부산에서 개정된 헌법은 제1차 개헌이다. 국회에서 치르는 간선제로는 대통령 재임이 힘들다고 생각한 이승만은 대통령 직선제를 골자로 하는 여당의 개헌안과 내각 책임제를 골자로 하는 야당 측 개헌안을 발췌하여 절충한 발췌 개헌안을 임시 수도인 부산에서 강압적으로 통과시켰다.

② **제2차 개헌(사사오입 개헌)**: '사사오입'의 논리로 통과된 개헌은 제2차 개헌이다. 자유당은 초대 대통령에 한해 중임 제한을 철폐한다는 내용의 개헌안을 제출하여 국회 표결에 부쳤으나 1표 차이로 부결되었다. 그러나 자유당은 이틀 후에 사사오입의 논리(반올림)를 내세워 개헌안을 강압적으로 통과시켰다.

③ **제7차 개헌(유신 헌법)**: 통일 주체 국민회의 설치를 규정한 조항이 있는 헌법은 7차 개헌(유신 헌법)이다. 유신 헌법에서는 통일 주체 국민회의에서 간접 선거로 대통령을 선출하도록 하였고, 대통령의 임기를 6년으로 하되 중임 제한을 폐지하는 등 박정희 장기 집권의 발판을 마련하였다.

07

2024년 서울시 9급(2월 시행)

〈보기〉의 사건을 시간 순으로 바르게 나열한 것은?

> **보기**
> ㉠ 윤보선이 대통령으로 취임하였다.
> ㉡ 내각 책임제 개헌안이 의결되어 총선거가 실시되었다.
> ㉢ 이승만 대통령의 하야로 허정 과도 정부가 구성되었다.
> ㉣ 마산 시민들이 3·15 부정 선거 규탄 시위를 전개하였다.

① ㉢ - ㉡ - ㉠ - ㉣

② ㉢ - ㉡ - ㉣ - ㉠

③ ㉣ - ㉢ - ㉠ - ㉡

④ ㉣ - ㉢ - ㉡ - ㉠

문제풀이 4·19 혁명의 전개 과정 난이도 중

④ 시간 순으로 나열하면 ㉣ 마산 의거 전개(1960. 3.) → ㉢ 허정 과도 정부 구성(1960. 4.) → ㉡ 내각 책임제 개헌안 의결 및 총선거 실시(1960. 6~7.) → ㉠ 윤보선 대통령 취임(1960. 8.)이 된다.

㉣ 마산 의거 전개: 자유당이 고령인 이승만의 사망을 대비하여 부통령에 이기붕을 당선시키기 위해 4할 사전 투표, 3~5인조 공개 투표 등의 부정 선거를 일으키자, 마산 시민들이 3·15 부정 선거 규탄 시위를 전개하였다(1960. 3.). 마산 의거를 시작으로 전국적으로 3·15 부정 선거 규탄 시위가 확산되었으며, 이는 4·19 혁명의 도화선이 되었다.

㉢ 허정 과도 정부 구성: 4·19 혁명으로 인해 이승만 대통령이 하야하고 자유당 정권이 붕괴되자, 당시 외무 장관 허정을 수반으로 하는 과도 정부가 구성되었다(1960. 4.).

㉡ 내각 책임제 개헌안 의결 및 총선거 실시: 허정 과도 정부 당시 내각 책임제와 양원제를 골자로 하는 제3차 개헌안이 의결(1960. 6.)되어 제5대 총선거가 실시되었다(1960. 7.).

㉠ 윤보선 대통령 취임: 제5대 총선거 이후 구성된 의회에서는 대통령으로 윤보선을 선출하였으며, 윤보선이 국무총리에 장면을 임명하면서 장면 내각이 출범하였다(1960. 8.).

08

2021년 경찰직(1차)

다음 시정 연설을 했던 정부 시기에 있었던 사실로 옳은 것은?

> 셋째로, 부정 선거의 원흉들과 발포 책임자에 대해서는 이미 공소가 제기되어 있으므로 사법부에서 법과 혁명 정신에 의하여 엄정한 판결을 내릴 것으로 믿고 ……
> 여섯째로, 경제 건설과의 균형상 국방비의 과중한 부담을 경감시키기 위하여 점차적 감군을 주장하여 온 우리 당의 정책을 실현하고자 국제 연합군 사령부와 협의하여 신년도부터 약간 감군할 것을 계획 중에 있으며, 동시에 새로운 장비를 도입하기 위한 계획도 이미 수립되어 있음을 양해하시기를 바란다.

① 화폐 개혁이 단행되었다.

② 잡지 『사상계』가 창간되었다.

③ 주민등록증 발급이 시작되었다.

④ 경제 개발 5개년 계획이 수립되었다.

문제풀이 장면 내각 시기의 사실 난이도 중

제시문에서 부정 선거의 원흉과 발포 책임자에 대해 공소가 제기되었다는 것과 감군할 것을 계획하고 있다는 내용을 통해서 장면 내각 시기임을 알 수 있다.

④ 장면 내각은 경제 제일주의를 내세워 외자 도입과 경제 원조 확대를 통한 경제 개발 5개년 계획을 수립하였다. 그러나 경제 개발 5개년 계획은 5·16 군사 정변으로 실행에 옮기지는 못하였고, 박정희 정부 때 시행되었다.

오답 분석

① 장면 내각 시기에는 화폐 개혁이 단행되지 않았다. 화폐 개혁은 이승만 정부 때인 1950년과 1953년, 5·16 군사 정변 이후 성립된 군사 정부 시기인 1962년에 화폐 개혁이 단행되었다.

② **이승만 정부**: 장준하를 발행인으로 하는 잡지 『사상계』가 창간된 것은 1953년으로 이승만 정부 시기의 사실이다.

③ **박정희 정부**: 주민등록법에 따라 일정한 거주지에 거주하는 주민임을 나타내는 증명서인 주민등록증의 발급이 시작된 것은 1968년으로 박정희 정부 시기의 사실이다.

정답 05 ④ 06 ④ 07 ④ 08 ④

2 | 5·16 군사 정변과 유신 체제

01

2023년 국회직 9급

다음 성명을 발표한 정권이 시행한 정책으로 옳지 않은 것은?

> 첫째, 반공을 국시의 제1의(義)로 삼고 지금까지 형식적이고 구호에만 그친 반공 체제를 재정비 강화한다.
> 둘째, '유엔' 헌장을 준수하고 국제협약을 충실히 이행할 것이며 미국을 위시한 자유우방과의 유대를 더욱 공고히 한다.
> ……
> 다섯째, 민족의 숙원인 국토통일을 위하여 공산주의와 대결할 수 있는 실력 배양에 전력을 집중한다.

① 한·일 회담 타결을 추진했다.
② 경제 개발 5개년 계획을 추진했다.
③ 중앙정보부를 창설해 권력 기반을 마련했다.
④ 사회 정화를 명분으로 다수의 폭력배를 검거했다.
⑤ 국가 보위 비상 대책 위원회를 설치하고 언론 매체를 통폐합했다.

문제풀이 박정희 군사 정권의 정책 난이도 중

제시문에서 반공을 국시의 제1의로 삼고 반공 체제를 재정비 강화한다는 내용을 통해 5·16 군사 정변 때 박정희 군사 정권(1961~1963)이 발표한 혁명 공약임을 알 수 있다. 박정희 등의 일부 군부 세력이 사회 혼란과 무질서를 명분으로 5·16 군사 정변을 일으켰으며, 정권을 장악한 군부 세력은 반공·경제 발전 등의 내용을 담은 6개 항의 혁명 공약을 발표하였다.

⑤ 국가 보위 비상 대책 위원회를 설치하고 언론 매체를 통폐합 한 것은 전두환을 비롯한 신군부 세력이다. 신군부 세력은 국정 전반에 대한 실권을 장악하기 위하여 임시 기구로 국가 보위 비상 대책 위원회를 조직하고, 언론 매체를 통폐합하였다.

오답 분석
모두 박정희 군사 정권이 시행한 정책이다.

① 박정희 군사 정권은 한·일 회담 타결을 추진하기 위해 1962년에 중앙정보부장 김종필을 특사로 파견하여 '대일 청구권 자금과 경제 협력 자금 공여(김종필·오히라 메모)'에 합의하였다. 이후 한·일 회담은 1965년 한·일 기본 조약이 체결되면서 마무리되었다.
② 박정희 군사 정권은 제1차 경제 개발 5개년 계획을 추진하여 1962년부터 1966년까지 노동 집약적인 경공업과 사회 간접 자본 확충을 위한 비료·시멘트·정유 산업 등을 육성하였다.
③ 박정희 군사 정권은 중앙정보부를 창설해 군사 정권에 반대하는 활동을 하는 사람들을 감시·통제하는 등 권력 기반을 마련하였다.
④ 박정희 군사 정권은 사회 정화를 명분으로 4,000여명의 폭력배를 검거하였다.

02

2018년 서울시 9급(6월 시행)

1965년 6월 22일 체결된 한·일 기본 조약에 대한 설명으로 가장 옳은 것은?

> 제2조: 1910년 8월 22일 및 그 이전에 대한 제국과 일본 제국 간에 체결된 모든 조약 및 협정이 이미 무효임을 확인 한다.
> 제3조: 대한민국 정부가 국제 연합 총회의 결의 제195(Ⅲ)호에 명시된 바와 같이 한반도에 있어서의 유일한 합법 정부임을 확인한다.

① 위안부 문제가 주요한 의제로 논의되었다.
② 조약에 반대하여 학생들이 6·10 민주 항쟁을 일으켰다.
③ 조약 협의를 위해 중앙 정보부장 이후락이 특사로 파견되었다.
④ 재일 교포의 법적 지위 및 대우에 관한 협정도 함께 체결되었다.

문제풀이 한·일 기본 조약 난이도 중

제시문은 한·일 국교 정상화를 위해 체결된 한·일 기본 조약의 내용이다. 박정희 정부는 경제 개발 자금 확보와 선진 기술 도입을 위해 일본과의 국교 정상화를 추진하였다. 그 결과 1965년에 한·일 기본 조약이 체결되어 한·일 국교 정상화가 이루어 졌다.

④ 한·일 기본 조약과 함께 부속 협정으로 재일 교포의 법적 지위 및 대우에 관한 협정이 체결되어 재일 한국인이 일본 영주권을 획득할 수 있게 되었다. 이와 함께 어업에 관한 협정, 문화재·문화 협력에 관한 협정 등의 부속 협정이 체결되었다.

오답 분석
① 한·일 기본 조약에서는 위안부 문제가 논의되지 않았다. 한·일 기본 조약은 일본의 침략 사실 인정과 사죄가 선행되지 않았으며, 위안부 문제와 독도 문제 등이 논의되지 않아 국민들로부터 굴욕적인 외교라는 비판을 받았다.
② 한·일 기본 조약 체결에 반대하여 학생들을 중심으로 일어난 민주 항쟁은 6·3 항쟁이다. 한·일 기본 조약의 체결을 위한 한·일 회담(1962)이 비밀리에 진행되었다는 사실이 폭로되자 학생들을 중심으로 굴욕적인 대일 외교에 반대한 6·3 항쟁이 일어났다(1964).
③ 한·일 기본 조약의 협의를 위해 파견된 사람은 중앙 정보부장 김종필이다. 김종필은 1962년에 일본 외무 대신 오히라 마사요시와 비밀 회담을 갖고 한국의 대일 청구권 자금과 경제 협력 자금 공여에 합의하였다. 한편 중앙 정보 부장 이후락은 1972년에 7·4 남북 공동 성명의 합의를 위해 평양으로 파견되었던 인물이다.

03

2023년 국가직 9급

밑줄 친 '나'가 집권하여 추진한 사실로 옳은 것은?

> 나는 우리 국민이 선천적으로 타고난 재질을 최대한으로 활용하여 다각적인 생산 활동을 더욱 활발하게 하고, …(중략)… 공산품 수출을 진흥시키는 데 가일층 노력할 것을 요망합니다. 끝으로 나는 오늘 제1회 수출의 날 기념식에 즈음하여 …(중략)… 이 뜻깊은 날이 자립 경제를 앞당기는 또 하나의 계기가 될 것을 기원합니다.

① 대통령 직선제 개헌을 추진하였다.
② 3·1 민주 구국 선언을 발표하였다.
③ 반민족 행위 특별 조사 위원회를 구성하였다.
④ 베트남 파병에 필요한 조건을 명시한 브라운 각서를 체결하였다.

04

2019년 지방직 9급

다음은 1960년대 어느 일간지에 실린 사설이다. 밑줄 친 '파병'에 대한 설명으로 옳은 것만을 모두 고르면?

> 우리는 원했든 원하지 안했든 이미 이 전쟁에 직접적인 관계를 맺었고 파병을 찬반(贊反)하던 국민이 이젠 다 힘과 마음을 합해서 파병된 용사들을 성원하고 있거니와 근대 전쟁이 전투하는 사람만의 전쟁이 아니라 온 국민이 참가하는 '총력전'이라는 것을 알고 이 전쟁의 승리를 위해 모든 국민의 단합을 호소하는 바이다.

> ㉠ 발췌 개헌안 통과에 영향을 주었다.
> ㉡ 브라운 각서를 체결하는 이유가 되었다.
> ㉢ 1960년대 경제 개발 계획의 추진에 기여하였다.
> ㉣ 한·미 상호 방위 원조 협정을 체결하는 계기가 되었다.

① ㉠, ㉡
② ㉠, ㉢
③ ㉡, ㉢
④ ㉢, ㉣

문제풀이 박정희가 집권하여 추진한 사실

난이도 중

제시된 자료에서 공산품 수출을 진흥시키는 데 노력하고, 제1차 수출의 날 기념식(1964) 등의 내용을 통해 밑줄 친 '나'가 박정희임을 알 수 있다. 박정희는 1963년에 시행된 제5대 대통령 선거에서 대통령으로 당선되면서 집권하였다.

④ 박정희는 1966년에 베트남 파병에 대한 대가로 미국과 브라운 각서를 체결하였다. 박정희는 미국의 요청으로 베트남에 추가 파병하는 대신 한국군의 현대화 및 경제 발전을 위한 원조를 제공받기로 명시한 브라운 각서를 체결하였다.

오답 분석

① **이승만, 전두환**: 대통령 직선제 개헌을 추진한 인물은 이승만, 전두환이다. 한편, 박정희는 1972년에 장기 집권을 위해 통일 주체 국민회의에서 대통령을 선출하는 대통령 간선제 개헌(7차 개헌)을 추진하였다.
② **윤보선, 김대중 등**: 유신 체제에 대한 저항으로 긴급 조치 철폐, 박정희 정권 퇴진, 민족 통일 추구 등을 요구하는 3·1 민주 구국 선언을 발표한 인물은 윤보선, 김대중 등이다.
③ 박정희는 반민족 행위 특별 조사 위원회를 구성하지 않았다. 한편, 반민족 행위 특별 조사 위원회는 친일파의 반민족 행위를 처벌하기 위하여 제헌 국회에 설치되었던 특별 기구이다.

문제풀이 베트남 파병

난이도 중

제시된 자료의 밑줄 친 '파병'은 1960년대 박정희 정부 시기에 추진된 베트남 파병이다.

③ 옳은 것을 모두 고르면 ㉡, ㉢이다.
㉡ 베트남 추가 파병의 대가로 박정희 정부는 미국과 브라운 각서를 체결(1966)하여 미국으로부터 한국군의 현대화를 위한 장비, 추가적인 기술·경제적 원조를 약속받았다.
㉢ 베트남 파병의 대가로 미국으로부터 지원받은 차관과, 파병 군인들의 외화 송금, 건설 업체의 베트남 진출로 인한 외화 수입은 1960년대에 박정희 정부가 경제 개발 계획을 추진하는데 기여하였다.

오답 분석

모두 베트남 파병과 관련 없는 내용이다.

㉠ 발췌 개헌안이 통과된 것은 이승만 정부 시기인 1952년의 사실이다. 이승만 정부는 재선을 위해 여당 측과 야당 측의 개헌안을 절충한 발췌 개헌안을 통과시켰다.
㉣ 대한민국 정부와 미국 정부 간의 경제 및 군사 원조에 관한 협정인 한·미 상호 방위 원조 협정을 체결한 것은 이승만 정부 시기인 1950년의 사실이다.

정답 01 ⑤ 02 ④ 03 ④ 04 ③

05

2018년 국가직 9급

(가)와 (나)는 외국과 맺은 각서이다. 두 각서 사이에 있었던 사실로 옳은 것은?

> (가) 일본 측은 한국 측에 무상 원조 3억 달러, 유상 원조(해외 경제 협력 기금) 2억 달러, 그리고 수출입 은행 차관 1억 달러 이상을 제공한다.
> (나) 미국 정부가 한국과 약속했던 1억 5천만 달러 규모의 차관 공여와 더불어 … (중략) … 한국의 경제 발전을 돕기 위한 추가 AID차관을 제공한다.

① 경부 고속 국도가 개통되었다.
② 마산에 수출 자유 지역이 건설되었다.
③ 국가 기간 산업인 울산 정유 공장이 가동되었다.
④ 유엔의 지원으로 충주에 비료 공장을 설립하였다.

06

2021년 지방직 9급

(가) 시기에 있었던 사실로 옳은 것은?

	(가)	

4·19 혁명이 일어나다.　　유신 헌법이 공포되다.

① 반민족 행위 처벌법이 제정되다.
② 7·4 남북 공동 성명이 발표되다.
③ 남북한이 유엔에 동시 가입하다.
④ 5·18 민주화 운동이 일어나다.

문제풀이 한·일 회담과 브라운 각서 사이의 사실 　난이도 상

(가)는 일본 측이 한국 측에 무상 원조 3억 달러와 유상 원조 2억 달러, 은행 차관 1억 달러 등을 제공한다는 내용을 통해 한·일 회담 중 작성된 김종필-오히라 비밀 메모(1962)임을 알 수 있다.

(나)는 미국 정부가 한국에게 1억 5천만 달러의 차관 공여와 AID차관을 제공한다는 내용을 통해 베트남 추가 파병을 대가로 미국으로부터 차관 제공과 한국군의 현대화 등을 약속받은 브라운 각서(1966)임을 알 수 있다.

③ **(가)와 (나) 사이의 시기인 1964년에 울산 정유 공장이 가동되었다. 박정희 정부는 제1·2차 경제 개발 5개년 계획 시기(1962~1971)에 산업 구조 개편과 에너지원 확보, 사회 간접 자본 확충 등을 위해 비료, 시멘트, 정유 산업을 육성하였다.**

오답 분석

① **(나) 이후:** 경부 고속 국도가 개통된 것은 (나) 이후인 1970년이다.
② **(나) 이후:** 마산에 수출 자유 지역이 완공된 것은 (나) 이후인 1973년이다.
④ **(가) 이전:** 유엔의 지원으로 충주에 비료 공장이 완공된 것은 (가) 이전인 1961년이다. 한국 전쟁으로 설립된 유엔 한국 재건단(UNKRA)의 지원으로 1950년대 후반부터 문경 시멘트 공장, 충주 비료 공장 등의 설립이 추진되었다.

문제풀이 4·19 혁명과 유신 헌법 공포 사이의 사실 　난이도 하

제시된 자료를 통해 (가) 시기는 1960년 4월(4·19 혁명)에서 1972년 12월(유신 헌법 공포)까지의 시기임을 알 수 있다.

② **(가) 시기인 1972년 7월에 자주·평화·민족 대단결의 통일 원칙을 세운 7·4 남북 공동 성명이 발표되었다. 박정희 정부는 7·4 남북 공동 성명 발표 이후 대통령의 긴급 조치권, 국회 해산권 등을 포함하는 유신 헌법을 공포함으로써 독재 체제를 강화하였다.**

오답 분석

① **4·19 혁명 이전:** 반민족 행위 처벌법이 제정된 것은 1948년 9월로, 4·19 혁명 이전의 사실이다. 제헌 국회는 반민족 행위자를 처벌하여 일제의 잔재를 청산하고, 사회 정의를 확립하기 위해 반민족 행위 처벌법을 제정하였다.
③ **유신 헌법 공포 이후:** 남북한이 유엔에 동시 가입한 것은 1991년 9월로, 유신 헌법 공포 이후의 사실이다. 1991년 9월에 열린 유엔 총회에서 남북이 각각 독립된 국가의 자격으로 동시에 유엔의 회원국이 되었다.
④ **유신 헌법 공포 이후:** 5·18 민주화 운동이 일어난 것은 1980년 5월로, 유신 헌법 공포 이후의 사실이다. 12·12 사태(1979)로 실권을 장악한 전두환 등의 신군부 세력이 전국에 비상 계엄을 확대하고 김대중을 비롯한 정치 인사들을 구속하자, 광주 지역의 학생들과 시민들이 이에 반발하여 민주화 운동을 전개하였다(5·18 민주화 운동).

07

2020년 법원직 9급

(가)에 들어갈 내용으로 가장 옳은 것은?

> 3차 개헌(1960. 6.) – 의원 내각제, 양원제 채택
> 5차 개헌(1962. 12.) – 대통령 직선제
> 6차 개헌(1969. 10.) – (가)
> 7차 개헌(1972. 12.) – 대통령 권한 강화

① 대통령 간선제
② 중임 제한 철폐
③ 국회 양원제 규정
④ 대통령의 3선 허용

08

2022년 지방직 9급

다음과 같은 대통령 선출 방식이 포함된 헌법의 내용으로 옳지 않은 것은?

> 제39조 ① 대통령은 통일 주체 국민회의에서 토론 없이 무기명 투표로 선거한다.
> ② 통일 주체 국민회의에서 재적 대의원 과반수의 찬성을 얻은 자를 대통령 당선자로 한다.

① 대통령은 국회를 해산할 수 있다.
② 대통령의 임기는 7년으로 하며, 중임할 수 없다.
③ 대법원장은 대통령이 국회의 동의를 얻어 임명한다.
④ 대통령은 국정 전반에 걸쳐 필요한 긴급 조치를 할 수 있다.

문제풀이 3선 개헌

난이도 하

④ 박정희 정부는 1969년 10월 제6차 개헌(3선 개헌)을 실시하였는데, 주요 내용은 대통령의 3선을 허용하는 것이었다.

오답 분석
① 제6차 개헌은 대통령 직선제를 규정하였다.
② 제6차 개헌은 중임 제한을 철폐한 것이 아니라 대통령의 3선 연임을 허용하였다.
③ 제6차 개헌에서는 국회 단원제를 규정하였다.

이것도 알면 합격!

우리나라의 헌법 개정

구분	대통령 선출 방식
제헌 헌법(1948)	간선제
제1차 개헌(1952, 발췌 개헌)	직선제
제2차 개헌(1954, 사사오입 개헌)	
제3차 개헌(1960)	간선제
제4차 개헌(1960, 소급 입법 개헌)	
제5차 개헌(1962)	직선제
제6차 개헌(1969, 3선 개헌)	
제7차 개헌(1972, 유신 헌법)	간선제
제8차 개헌(1980)	
제9차 개헌(1987, 현행 헌법)	직선제

문제풀이 유신 헌법

난이도 하

제시문에서 대통령은 통일 주체 국민회의에서 토론 없이 무기명 투표로 선거한다는 것을 통해 박정희 정부 때 개정된 유신 헌법(1972, 제7차 개헌)임을 알 수 있다.

② 대통령의 임기는 7년으로 하며, 중임할 수 없다는 것은 전두환 정부 때 개정된 제8차 개헌(1980)의 내용이다. 유신 헌법에서는 대통령의 임기를 6년으로 하고, 중임 제한이 없다고 규정하였다.

오답 분석
① 유신 헌법에서는 대통령에게 국회를 해산할 수 있는 권한이 부여되었다.
③ 유신 헌법에서 대법원장은 대통령이 국회의 동의를 얻어 임명할 수 있다고 규정하였다.
④ 유신 헌법에서는 대통령에게 국가의 안전 보장 등 중대한 사태가 발생하였을 때 국민의 기본권을 제한할 수 있는 긴급 조치권이 부여되었다.

이것도 알면 합격!

유신 헌법(제7차 개헌, 1972)

장기 독재 체제 마련	• 통일 주체 국민회의에서 간선제로 대통령 선출 • 대통령 임기 6년(중임 제한 폐지)
박정희 당선	제8대 대통령에 박정희 당선(제4공화국)
대통령 권한 강화	국회의원 1/3 지명권, 국회 해산권, 긴급 조치권 부여

정답 05 ③ 06 ② 07 ④ 08 ②

09

2022년 소방간부후보생

(가) 시기에 대한 설명으로 옳은 것은?

> 재야인사들이 명동 성당에 모여 [(가)] 체제를 비판하며 '3·1 민주 구국 선언'을 아래와 같이 발표하였다.
> 1. 이 나라는 민주주의 기반 위에 서야 한다.
> 2. 경제 입국의 구상과 자세가 근본적으로 재검토되어야 한다.
> 3. 민족 통일은 오늘 이 겨레가 짊어진 지상의 과업이다.

① 발췌 개헌안이 통과되었다.

② 국민 교육 헌장이 선포되었다.

③ 4·13 호헌 조치가 발표되었다.

④ 긴급 조치가 잇달아 공포되었다.

⑤ 국가 보위 비상 대책 위원회가 설치되었다.

문제풀이 유신 체제 시기의 사실

난이도 중

제시문에서 재야인사들이 명동 성당에 모여 비판하며, '3·1 민주 구국 선언'을 발표하였다는 내용을 통해 (가) 체제는 유신 체제(1972~1979)임을 알 수 있다.

④ 유신 체제 시기에는 국가의 안전 보장 등 중대한 사태가 발생하였을 때 국민의 기본권을 제한할 수 있는 긴급 조치가 9차에 걸쳐 공포되었다.

오답 분석

① **(가) 이전**: 대통령 직선제를 골자로 하는 발췌 개헌안이 통과된 것은 1952년으로, (가) 시기 이전의 사실이다. 제2대 총선에서 반(反) 이승만 성향의 후보들이 대거 당선되자 국회에서 치르는 간선제로는 대통령 재임이 힘들다고 생각한 이승만은 1952년에 대통령 직선제를 골자로 하는 여당의 개헌안과 내각 책임제를 골자로 하는 야당 측 개헌안을 발췌하여 절충한 발췌 개헌안을 임시 수도인 부산에서 강압적으로 통과시켰다.

② **(가) 이전**: 국민 교육 헌장이 선포된 것은 1968년으로, (가) 시기 이전의 사실이다. 국민 교육 헌장은 우리 교육이 지향해야 할 이념과 목표를 제시한 것으로, 민족 주체성 확립과 새로운 민족 문화 창조, 반공 민주주의 정신 강조 등의 내용을 담고 있다.

③ **(가) 이후**: 현행 헌법인 대통령 간선제를 유지한다는 내용의 4·13 호헌 조치가 발표된 것은 1987년으로, (가) 시기 이후의 사실이다.

⑤ **(가) 이후**: 신군부의 주도로 국가 보위 비상 대책 위원회가 설치된 것은 1980년으로, (가) 시기 이후의 사실이다. 국가 보위 비상 대책 위원회는 대통령의 자문 기구로, 전두환이 대통령에 선출된 이후, 국가 보위 입법 회의로 개편되었다.

10

2021년 국가직 9급

밑줄 친 '헌법'이 시행 중인 시기에 일어난 사건은?

> 이 헌법은 한 사람의 집권자가 긴급 조치라는 형식적인 법 절차와 권력 남용으로 양보할 수 없는 국민의 기본 인권과 존엄성을 억압하였다. 그리고 이러한 권력 남용에 형식적인 합법성을 부여하고자 …(중략)… 입법, 사법, 행정 3권을 한 사람의 집권자에게 집중시키고 있다.

① 부·마 민주 항쟁이 일어났다.

② 국민 교육 헌장을 선포하였다.

③ 7·4 남북 공동 성명이 발표되었다.

④ 한·일 협정 체결을 반대하는 6·3 시위가 있었다.

문제풀이 유신 헌법 시행 시기의 사건

난이도 하

제시문에서 긴급 조치와 입법, 사법, 행정 3권을 한 사람의 집권자에게 집중시키고 있다는 내용을 통해 밑줄 친 '헌법'이 유신 헌법임을 알 수 있다. 유신 헌법은 박정희 정부 시기인 1972년 12월부터 시행되어 8차 개헌(1980) 전까지 시행되었다.

① 유신 헌법 시행 시기인 1979년에 부산과 마산에서는 유신 체제에 반대하는 부·마 민주 항쟁이 일어났다. YH 무역 사건을 계기로 신민당 총재 김영삼이 국회에서 제명되자 이에 대한 반발로 부·마 민주 항쟁이 일어났으며, 이는 유신 체제가 붕괴되는 결정적인 계기가 되었다.

오답 분석

모두 유신 헌법 시행 이전의 사건이다.

② 1968년에 선포된 국민 교육 헌장은 우리 교육이 지향해야 할 이념과 목표를 제시한 것으로, 민족 주체성 확립과 새로운 민족 문화 창조, 반공 민주주의의 정신 강조 등의 내용을 담고 있다.

③ 1972년 7월에 발표된 7·4 남북 공동 성명에서는 자주·평화·민족적 대단결이라는 통일의 3대 원칙을 합의하였다. 이를 계기로 남북은 서울과 평양 사이에 상설 직통 전화를 개설하고 남북 조절 위원회를 설치하였다.

④ 1964년에 박정희 정부가 한·일 협정을 체결하려 하자 국민들은 대일 굴욕 외교 반대 범국민 투쟁 위원회를 결성하고, 일본의 사과와 정당한 보상을 요구하는 6·3 시위를 벌였다. 이에 대해 정부는 계엄령을 선포하여 무력으로 시위를 진압하였다.

11

2019년 서울시 9급(6월 시행)

〈보기〉와 같은 내용의 헌법으로 개정된 이후 발생한 사건으로 가장 옳은 것은?

> **보기**
> 제39조 대통령은 통일 주체 국민회의에서 토론 없이 무기명 투표로 선거한다.
> 제40조 통일 주체 국민회의는 국회의원 정수의 1/3에 해당하는 수의 국회의원을 선거한다.
> 제43조 대통령은 조국의 평화적 통일을 위한 성실한 의무를 진다.

① 굴욕적인 한·일 회담에 반대하는 학생 시위가 전개되었다.
② 재야 인사들이 명동 성당에 모여 '3·1 민주 구국 선언'을 발표하였다.
③ 친일파 청산을 위해 반민족 행위 특별 조사 위원회를 설치하였다.
④ 민생 안정을 위해 농가 부채 탕감, 화폐 개혁 등을 실시하였다.

문제풀이 유신 헌법 개정 이후의 사실 난이도 하

제시문에서 통일 주체 국민회의에서 대통령을 투표로 선거한다는 내용을 통해 박정희 정부 시기에 제정·공포된 유신 헌법(1972, 제7차 개헌)의 내용임을 알 수 있다. 유신 헌법이 공포되면서 통일 주체 국민회의에서 간접 선거로 대통령을 선출하게 되었으며, 대통령의 중임 제한이 철폐되었다. 또한 유신 헌법으로 대통령에게 국회 해산권, 긴급 조치권 등이 부여되었으며, 통일 주체 국민회의에서 대통령이 추천한 후보(국회 정원의 3분의 1)들을 대상으로 찬반 투표를 실시하여 국회의원을 선출하였다.

② 1976년에 유신 체제에 대한 저항으로 재야 인사들이 명동 성당에서 긴급 조치 철폐, 박정희 정권 퇴진, 민족 통일 추구 등을 요구하는 3·1 민주 구국 선언을 발표하였다.

오답 분석
모두 유신 헌법이 제정되기 이전의 사실이다.
① 박정희 정부가 추진한 굴욕적인 한·일 회담에 반대하며 학생들을 중심으로 6·3 항쟁이 전개된 것은 1964년의 사실이다.
③ 친일파 청산을 위해 반민족 행위 특별 조사 위원회가 설치된 것은 이승만 정부 시기인 1948년의 사실이다.
④ 민생 안정을 위한 농어촌 부채 탕감과 화폐 개혁 등은 5·16 군사 정변(1961) 이후 정권을 장악한 박정희의 군사 정부에 의해 추진되었다. 이후 대통령 중심제와 단원제를 골자로 한 제5차 개헌을 바탕으로 실시된 제5대 대통령 선거에서 박정희가 당선되었다(1963).

12

2021년 서울시 9급(특수 직렬)

〈보기〉의 법령이 실시된 시기에 일어난 민주화 운동으로 가장 옳은 것은?

> **보기**
> 모두 9차례 발표된 법령으로 마지막으로 선포된 9호에 따르면 헌법을 부정·반대 또는 개정을 요구하거나 이를 보도하면 영장 없이 체포할 수 있었다. 이로 인해 많은 학생, 지식인, 야당 정치인, 기자 등이 구속되었다.

① 3선 개헌 반대 운동이 일어났다.
② 3·1 민주 구국 선언이 발표되었다.
③ 민주 헌법 쟁취 국민 운동 본부가 결성되었다.
④ 신민당이 직선제 개헌을 위한 서명 운동을 전개하였다.

문제풀이 긴급 조치 시기의 민주화 운동 난이도 중

제시문에서 모두 9차례 발표되었고, 9호에 따르면 헌법을 부정·반대 또는 개정을 요구하거나 이를 보도하면 영장 없이 체포할 수 있었다는 내용을 통해 유신 체제 때 발표된 긴급 조치(1974~1979)임을 알 수 있다.

② 긴급 조치 실시 시기인 1976년에 3·1 민주 구국 선언이 발표되었다. 당시 재야 인사들을 중심으로 명동 성당에서 긴급 조치 철폐, 언론·출판·집회의 자유, 박정희 정권 퇴진 등을 요구하는 3·1 민주 구국 선언을 발표하였다.

오답 분석
① 3선 개헌 반대 운동이 일어난 것은 1969년으로, 긴급 조치 실시 이전의 사실이다. 박정희 대통령의 장기 집권을 위해 3선 연임을 허용하는 개헌이 추진되자 이에 반대하는 시위가 전개되었으나, 정부는 북한의 도발을 빌미로 반대 여론을 억압하고 3선 개헌을 통과시켰다.
③ 민주 헌법 쟁취 국민 운동 본부가 결성된 것은 1987년으로, 긴급 조치 해제 이후의 사실이다. 전두환 정부가 현행 헌법인 대통령 간선제를 유지한다는 내용의 4·13 호헌 조치를 발표하자, 이에 맞서 민주 세력이 민주 헌법 쟁취 국민 운동 본부를 결성하고 6월 민주 항쟁을 주도하였다.
④ 신민당이 대통령 직선제 개헌을 위한 1천만 명 서명 운동을 전개한 것은 1986년으로, 긴급 조치 해제 이후의 사실이다.

정답 09 ④ 10 ① 11 ② 12 ②

13

2018년 법원직 9급

(가) ~ (마)를 일어난 순서대로 바르게 나열한 것은?

(가) 브라운 각서 체결
(나) 한·일 기본 조약 조인
(다) 전태일 분신 자살 사건
(라) 7·4 남북 공동 성명 발표
(마) 김대중의 제7대 대통령 선거 출마

① (가) → (나) → (다) → (라) → (마)
② (가) → (다) → (나) → (마) → (라)
③ (나) → (가) → (다) → (라) → (마)
④ (나) → (가) → (다) → (마) → (라)

14

2016년 서울시 9급

다음 사건들을 일어난 순서대로 바르게 나열한 것은?

(가) 김영삼 신민당 당수 국회 제명
(나) 김대중 납치 사건 발생
(다) 유신 헌법의 국민 투표 통과
(라) 국민 교육 헌장 제정
(마) 7·4 남북 공동 성명 발표

① (라) → (마) → (다) → (가) → (나)
② (라) → (마) → (다) → (나) → (가)
③ (마) → (다) → (라) → (가) → (나)
④ (마) → (다) → (라) → (나) → (가)

문제풀이 박정희 정부 시기의 주요 사건

난이도 중

④ 순서대로 나열하면 (나) 한·일 기본 조약 조인(1965) → (가) 브라운 각서 체결(1966) → (다) 전태일 분신 자살 사건(1970) → (마) 제7대 대통령 선거(1971) → (라) 7·4 남북 공동 성명 발표(1972)가 된다.

(나) **한·일 기본 조약 조인**: 박정희 정부는 경제 개발을 추진하기 위한 자본과 선진 기술을 확보하고자 한·일 기본 조약에 조인하였다(1965). 한·일 기본 조약을 통해 한·일 양국의 국교가 정상화되었고, 일본은 배상과 사과 대신 독립 축하금 형식으로 우리나라에 차관을 제공하였다.

(가) **브라운 각서 체결**: 박정희 정부는 베트남 전쟁에 한국군을 추가 파병하는 대가로, 브라운 각서를 체결하여 미국으로부터 한국군의 현대화 및 경제 발전에 필요한 원조를 제공받기로 합의하였다(1966).

(다) **전태일 분신 자살 사건**: 동대문 평화시장에서 재단사로 일하던 전태일은 근로 기준법 준수를 요구하며 분신 자살하였다(1970).

(마) **제7대 대통령 선거**: 대통령 3선을 허용하는 제6차 개헌(1969) 이후에 실시된 제7대 대통령 선거에 신민당의 후보로 김대중이 출마하였다(1971). 그러나 근소한 차이로 민주 공화당의 박정희 후보가 당선되었다.

(라) **7·4 남북 공동 성명 발표**: 박정희 정부 때 남북은 7·4 남북 공동 성명을 발표하여 자주·평화·민족적 대단결이라는 통일의 3대 원칙에 합의하였다(1972). 이를 계기로 남북은 상설 직통 전화를 개설하고, 남북 조절 위원회를 설치하였다.

문제풀이 박정희 정부 시기의 사건

난이도 중

② 사건들을 순서대로 나열하면 (라) 국민 교육 헌장 제정(1968) → (마) 7·4 남북 공동 성명 발표(1972. 7.) → (다) 유신 헌법의 국민 투표 통과(1972. 11.) → (나) 김대중 납치 사건(1973) → (가) 김영삼 신민당 당수 국회 제명(1979)이 된다.

(라) **국민 교육 헌장 제정**: 우리 교육이 지향해야 할 이념과 목표를 제시한 국민 교육 헌장은 1968년에 제정되었다.

(마) **7·4 남북 공동 성명 발표**: 7·4 남북 공동 성명은 1972년 7월에 발표되었다. 이 성명을 통해 자주·평화·민족적 대단결이라는 통일의 3대 원칙에 합의하는 등 남북 대화가 시작되었다.

(다) **유신 헌법의 국민 투표 통과**: 유신 헌법의 국민 투표가 통과된 것은 1972년 11월이다. 유신 헌법이 통과됨에 따라 박정희 정부의 장기 집권의 발판이 마련되었고, 대통령은 국회 해산권, 긴급 조치권, 국회의원 1/3 지명권 등을 부여받았다.

(나) **김대중 납치 사건**: 김대중 납치 사건은 1973년에 발생하였다. 김대중 납치 사건은 일본에서 유신 반대 운동을 벌이던 김대중이 중앙정보부에 의해 납치된 사건이다.

(가) **김영삼 신민당 당수 국회 제명**: 김영삼 신민당 당수가 국회에서 제명된 것은 1979년이다. 유신 체제에 비판적이었던 김영삼이 국회에서 제명되면서 부산과 마산 등지에서는 유신 독재에 반대하는 부·마 항쟁이 발생하였다.

15

2023년 법원직 9급

다음 헌법이 적용된 시기에 일어난 사실로 가장 옳은 것은?

> 제38조 ① 대통령은 통일에 관한 중요 정책을 결정하거나 변경함에 있어서, 국론 통일을 위하여 필요하다고 인정할 때에는 통일 주체 국민회의의 심의에 붙일 수 있다.
> ② 제1항의 경우에 통일 주체 국민회의에서 재적 대의원 과반수의 찬성을 얻은 통일 정책은 국민의 총의로 본다.
> 제40조 통일 주체 국민회의는 국회의원 정수의 3분의 1에 해당하는 수의 국회의원을 선거한다.

① 광주 대단지 사건이 일어났다.
② 7·4 남북 공동 성명이 발표되었다.
③ 국가 보위 비상 대책 위원회가 조직되었다.
④ 전태일이 근로 기준법 준수를 요구하며 분신하였다.

문제풀이 유신 헌법이 적용된 시기의 사실

난이도 상

제시문에서 통일 주체 국민회의는 국회의원 정수의 3분의 1에 해당하는 수의 국회의원을 선거한다는 내용을 통해 유신 헌법(제7차 개헌안)임을 알 수 있다. 유신 헌법은 1972년 12월부터 제8차 개헌이 이루어진 1980년 10월까지 적용되었다.

③ 유신 헌법이 적용된 시기인 1980년 5월에 전두환을 비롯한 신군부 세력이 국정 전반에 대한 실권을 장악하기 위하여 임시 기구로 국가 보위 비상 대책 위원회를 조직하였다. 한편, 같은 해 10월에 전두환이 대통령으로 당선되고 제8차 개헌이 이루어진 이후에 국가 보위 비상 대책 위원회는 국가 보위 입법 회의로 개편되었다.

오답 분석
모두 유신 헌법 적용 이전의 사실이다.

① 광주 대단지 사건이 일어난 것은 1971년이다. 광주 대단지 사건은 광주 대단지(지금의 성남시)로 이주한 이주민들이 정부의 무계획적인 도시 정책과 졸속 행정에 반발하며 도시를 점거한 사건이다.

② 7·4 남북 공동 성명이 발표된 것은 1972년 7월이다. 7·4 남북 공동 성명에서는 자주·평화·민족적 대단결이라는 통일의 3대 원칙에 합의하였으며, 통일 문제 해결을 목적으로 남북 조절 위원회를 구성하기로 하였다.

④ 전태일이 근로 기준법 준수를 요구하며 분신한 것은 1970년이다. 동대문 평화시장에서 재단사로 일하던 전태일이 근로 기준법의 준수 등 노동자의 권리를 요구하며 분신하였다. 이 사건은 노동자는 물론 지식인과 대학생들이 노동 문제에 관심을 기울이는 계기가 되었다.

16

2021년 법원직 9급

밑줄 친 ㉠, ㉡의 내용으로 옳은 것은?

> • 투표는 ㉠이 헌법 제39조의 규정에 따라 토론 없이 무기명으로 투표용지에 후보자 성명을 기입하는 방법으로 진행되었다. 투표 결과는 찬성 2,357표, 반대는 한 표도 없이 무효 2표로 박정희 후보를 선출하였다.
> • 집권 준비를 마친 전두환은 통일 주체 국민 회의를 통해 제11대 대통령으로 선출되었다. 그러나 국민의 반발과 악화된 국제 여론을 의식하여 개헌을 단행하였다. ㉡새 헌법에 따라 실시된 선거에서 전두환은 다시 대통령에 당선되었다.

① ㉠ - 대통령의 연임을 3회까지만 허용한다.
② ㉠ - 대통령이 국회를 해산할 권한을 갖는다.
③ ㉡ - 대통령의 임기는 5년으로 한다.
④ ㉡ - 통일 주체 국민 회의에서 대통령을 선출한다.

문제풀이 유신 헌법과 제8차 개헌

난이도 중

첫번째 제시문은 제8대 대통령 선거에 대한 내용으로, 토론 없이 무기명으로 투표하고, 박정희 후보를 선출했다는 내용을 통해 밑줄 친 ㉠ '이 헌법'이 유신 헌법임을 알 수 있다.

두번째 제시문은 제12대 대통령 선거에 대한 내용으로, 전두환이 제11대 대통령으로 선출된 이후 여론을 의식하여 개헌을 단행했다는 내용을 통해 밑줄 친 ㉡ '새 헌법'이 제8차 개헌(제5공화국 헌법)임을 알 수 있다.

② 유신 헌법에서는 대통령이 국회를 해산할 권한을 갖고 있었다. 이 밖에도 유신 헌법에서 대통령은 국회의원 1/3을 추천할 수 있고, 긴급 조치를 통해 국민의 기본권을 제한할 수 있는 권한이 있었다.

오답 분석

① 유신 헌법에서는 대통령의 중임 제한을 폐지하여 3회 이상 연임이 가능했다.

③ 제8차 개헌에서 대통령 임기는 5년이 아닌 7년 단임제이다. 대통령의 임기를 5년으로 하는 개헌은 제9차 개헌이다.

④ 제8차 개헌에서는 통일 주체 국민 회의가 아닌 대통령 선거인단에 의해 대통령을 선출하였다. 통일 주체 국민 회의를 통해 대통령을 선출한 것은 유신 헌법(제7차 개헌)이다.

정답 13 ④ 14 ② 15 ③ 16 ②

3 | 민주주의의 발전

01

2013년 국가직 9급

다음은 같은 해에 벌어졌던 사건들이다. 이러한 사건들로 말미암아 나타난 사실로 옳은 것은?

- 박종철 사건
- 4·13 호헌 조치
- 6·10 국민 대회 개최
- 민주 헌법 쟁취 국민 운동 본부 결성

① 국가 보위 비상 대책 위원회가 구성되었다.
② 5년 단임의 대통령 직선제 개헌이 이루어졌다.
③ 전국에 계엄령을 선포하고, 모든 정치 활동을 정지시켰다.
④ 대통령의 중임 제한을 없애고 간선제를 골자로 하는 헌법을 제정하였다.

문제풀이 6월 민주 항쟁 난이도 중

제시된 사건은 모두 전두환 정부 시기인 1987년에 발생한 6월 민주 항쟁과 관련이 있다.

② 전두환 정부는 4·13 호헌 조치로 헌법 개정 논의를 금지시켰지만, 국민들의 개헌 열망이 더욱 거세져 6월 민주 항쟁으로 이어졌다. 그 결과 당시 여당의 대통령 후보였던 노태우가 직선제 개헌과 기본권 보장 등을 주요 내용으로 하는 6·29 선언을 발표하였고, 이후 5년 단임의 대통령 직선제 개헌이 이루어졌다.

오답 분석
① 국가 보위 비상 대책 위원회는 1980년 5·18 광주 민주화 운동을 무력으로 진압한 전두환 등 신군부가 국가의 통치권을 장악하기 위해 구성되었다. 국가 보위 비상 대책 위원회에서는 각 부처의 공직자 숙청, 정치 활동 정화 조치, 언론 통폐합, 삼청 교육대 운영 등의 조치를 실행하였다.
③ 전국에 계엄령이 선포되고 정치 활동이 금지되었던 것은 5·16 군사 정변(1961), 박정희 정부의 10월 유신 선포(1972), 신군부의 5·17 계엄 확대 조치(1980) 등을 통해서이다.
④ 대통령의 중임 제한을 철폐하고 간선제를 골자로 하는 헌법을 제정한 것은 박정희 정부가 1972년에 시행한 유신 체제 때의 일이다. 박정희 정부는 장기 독재 체제를 마련하기 위해 유신 헌법을 제정하여 대통령의 임기를 6년으로 하되 중임 제한을 폐지하고, 통일 주체 국민회의에서 대통령을 간접 선거로 선출하도록 하였다.

02

2022년 서울시 9급(6월 시행)

〈보기〉의 선언문이 발표된 이후에 일어난 변화로 가장 옳은 것은?

> **보기**
> 오늘 우리는 전 세계 이목이 우리를 주시하는 가운데, 40년 독재 정치를 청산하고 희망찬 민주 국가를 건설하기 위한 거보를 전 국민과 함께 내딛는다. 국가의 미래요 소망인 꽃다운 젊은이를 야만적인 고문으로 죽여놓고 그것도 모자라 뻔뻔스럽게 국민을 속이려 했던 현 정권에게 국민의 분노가 무엇인지를 분명히 보여주고, 국민적 여망인 개헌을 일방적으로 파기한 4·13 폭거를 철회시키기 위한 민주 장정을 시작한다.

① 해방 이후 단절되었던 일본과의 국교가 정상화되었다.
② 내각 책임제와 양원제 국회를 특징으로 하는 개헌이 이루어졌다.
③ 장기적인 경제 발전을 위해 경제 개발 5개년 계획을 수립하였다.
④ 연임이 안 되는 임기 5년의 대통령을 직선제로 선출하게 되었다.

문제풀이 6월 민주 항쟁 이후의 변화 난이도 하

제시문은 젊은이를 야만적인 고문으로 죽여놓았다는 내용과 4·13 호헌 조치를 철회시키기 위한 민주 장정을 시작한다는 내용을 통해 1987년의 6월 민주 항쟁 때 발표된 6·10 국민 대회 선언문임을 알 수 있다.

④ 6월 민주 항쟁의 결과 여당 대통령 후보인 노태우가 대통령 직선제 개헌을 약속한 6·29 선언을 발표하였고, 제9차 개헌(1987. 10.)을 통해 연임이 불가능한 5년 단임의 대통령을 직선제로 선출하게 되었다.

오답 분석
모두 6월 민주 항쟁(1987) 이전에 일어난 사실이다.
① 박정희 정부는 경제 개발 자금을 마련하기 위해 미국의 권고에 따라 비밀리에 한·일 회담(1962)을 열고, 한·일 기본 조약(1965)을 체결하여 일본과의 국교를 정상화하였다.
② 4·19 혁명으로 이승만 대통령이 하야한 뒤 수립된 허정 과도 정부는 내각 책임제와 국회 양원제를 특징으로 하는 제3차 개헌(1960)을 단행하였다.
③ 장면 내각(1960. 8.~1961. 5.)은 외자 도입과 경제 원조 확대를 통한 장기적인 경제 발전을 위해 경제 개발 5개년 계획을 수립하였다. 그러나 경제 개발 5개년 계획은 5·16 군사 정변으로 실행에 옮기지는 못하였고, 박정희 정부 때 시행되었다.

03

2018년 지방교행직

다음 민주화 운동의 원인으로 가장 적절한 것은?

> 1. 당일 10시 각 본부별 종파별로 고문 살인 조작 규탄 및 호헌 철폐 국민 대회를 개최한 후 오후 6시를 기하여 성공회 대성당에 집결, 국민 운동 본부가 주관하는 국민 대회를 개최한다.
> 2. (1) 오후 6시 국기 하강식을 기하여 전국민은 있는 자리에서 애국가를 제창하고
>   (2) 애국가가 끝난 후 자동차는 경적을 울리고
>   (3) 전국 사찰, 성당, 교회는 타종을 하고
>   (4) 국민들은 형편에 따라 만세 삼창(민주 헌법 쟁취 만세, 민주주의 만세, 대한민국 만세)을 하던지 제자리에서 11분간 묵념을 함으로써 민주 쟁취의 결의를 다진다.
>
> – 국민 운동 본부, 「국민 대회 행동 요강」

① 대통령이 긴급 조치 1호를 발동하였다.

② 정부와 자유당이 3·15 부정 선거를 자행하였다.

③ 정부가 4·13 조치로 대통령 직선제 요구를 거부하였다.

④ 한·일 기본 조약을 체결하여 일본과 국교를 정상화하였다.

문제풀이 6월 민주 항쟁

난이도 중

제시문에서 고문 살인 조작 규탄 및 호헌 철폐 국민 대회를 개최한다는 내용을 통하여 6월 민주 항쟁임을 알 수 있다.

③ 전두환 정부는 대통령 직선제 요구를 거부하고, 기존의 간선제를 유지한다는 4·13 호헌 조치를 발표하였다. 이에 민주 헌법 쟁취 국민 운동 본부의 주도로 직선제 개헌을 위한 6·10 국민 대회가 계획되었으며, 대회 개최 하루 전에 일어난 이한열 최루탄 피격 사건으로 6월 민주 항쟁은 전국적으로 확산되었다.

오답 분석

① 긴급 조치 1호가 발동된 것은 박정희 정부 시기로, 6월 민주 항쟁과 관련이 없다. 박정희 정부는 장준하 등의 재야 인사들을 중심으로 개헌 청원 백만인 서명 운동(1973)이 전개되자 이를 저지하기 위해 긴급 조치 1호를 선포하였다.

② **4·19 혁명**: 이승만 정부와 자유당이 이기붕을 부통령에 당선시키기 위해 자행한 3·15 부정 선거가 원인이 되어 전개된 민주화 운동은 4·19 혁명이다.

④ **6·3 항쟁**: 한·일 기본 조약 체결을 통한 일본과의 국교 정상화에 반대하여 발생한 민주화 운동은 6·3 항쟁이다. 1964년에 국민들은 대일 굴욕 외교 반대 범국민 투쟁 위원회를 결성하고 항쟁을 전개하였다.

04

2019년 기상직 9급

다음 자료와 관련된 사건이 발생한 정권 시기의 사실로 옳지 않은 것은?

> …… 헌법 개정의 주체는 오로지 국민이다. 국민 이외의 어느 누구도 이 신성한 권리를 대행하거나 파기할 수 없다. 그러므로 국민적 의사를 전적으로 묵살한 4·13 폭거는 시대적 대세인 민주화를 거스르려는 음모요, 국가 권력의 주인인 국민을 향한 도전장이 아닐 수 없다. ……

① 신한 민주당이 창당되어 국회에 진출하였다.

② 부천 경찰서에서 성고문 사건이 발생하였다.

③ 천주교 정의 구현 전국 사제단이 조직되었다.

④ 금강산댐 사건으로 위기를 조성하였다.

문제풀이 전두환 정부 시기의 사실

난이도 상

제시문에서 4·13 폭거는 민주화를 거스르는 음모라고 비판하는 내용을 통해 6월 민주 항쟁 때 발표된 6·10 국민 대회 선언임을 알 수 있으며, 이는 전두환 정부 시기(1981~1988)의 사실이다.

③ 천주교 정의 구현 전국 사제단이 조직된 것은 박정희 정부 시기인 1974년의 사실이다. 젊은 카톨릭 신부들을 중심으로 결성된 천주교 정의 구현 사제단은 유신 헌법 반대 운동을 전개하였으며, 1987년에는 박종철 고문 치사 사건의 축소·은폐 사실을 폭로하기도 하였다.

오답 분석

① 전두환 정부 시기인 1985년에 제12대 총선을 앞두고 야당 인사들을 중심으로 신한 민주당이 창당되었다. 신군부의 탄압으로 1980년부터 야당 인사들에 대한 정치 활동이 법적으로 제한되어 있었으나, 1984년에 이러한 규제가 해제되면서 신한 민주당이 창당되었으며, 12대 국회의 제1야당이 되었다.

② 전두환 정부 시기인 1986년에 노동 현장에 위장 취업하다가 체포된 서울대학생 권인숙이 부천 경찰서에서 성고문을 당하는 사건이 발생하였다.

④ 전두환 정부 시기인 1986년에 북한이 금강산 발전소 건설을 명분으로 금강산댐 축조를 시작하였다. 이에 전두환 정부는 북한이 무단으로 금강산댐의 물을 방류할 경우 서울 대부분 지역이 침수될 것이라는 위기감을 조성하였고, 국민 모금을 통해 강원도 화천에 평화의 댐을 기공하였다(1987).

정답 01 ② 02 ④ 03 ③ 04 ③

05

2022년 서울시 9급(2월 시행)

〈보기 1〉의 선언문을 발표한 정부 시기에 있었던 사실을 〈보기 2〉에서 모두 고른 것은?

보기 1

남과 북은 … 쌍방 사이의 관계가 나라와 나라 사이의 관계가 아닌 통일을 지향하는 과정에서 잠정적으로 형성되는 특수 관계라는 것을 인정하고, …

제1조 남과 북은 서로 상대방의 체제를 인정하고 존중한다.

제4조 남과 북은 상대방을 파괴·전복하려는 일체 행위를 하지 아니한다.

보기 2

㉠ 남북한 동시 유엔(UN) 가입
㉡ 서울 올림픽 개최
㉢ 금융 실명제 실시
㉣ 6·29 선언

① ㉠, ㉡　　② ㉡, ㉢
③ ㉡, ㉣　　④ ㉢, ㉣

06

2017년 법원직 9급

다음 (가), (나) 운동에 대한 설명으로 가장 옳은 것은?

(가) 마산, 서울 기타 각지의 데모는 주권을 빼앗긴 국민의 울분을 대신하여 궐기한 학생들의 순수한 정의감의 발로이며 부정과 불의에 항거하는 민족 정기의 표현이다. …… 3·15 선거는 불법 선거이다. 공명 선거에 의하여 정·부통령 선거를 다시 실시하라.

(나) 국가의 미래요 소망인 꽃다운 젊은이를 야만적인 고문으로 죽여놓고 …… 현 정권에게 국민의 분노가 무엇인지를 분명히 보여 주고, 국민적 여망인 개헌을 일방적으로 파기한 4·13 호헌 조치를 철회시키기 위한 민주 장정을 시작한다.

① (가)는 유신 체제에 대한 저항이었다.
② (가)로 인해 신군부가 권력을 장악하게 되었다.
③ (나)는 대통령이 하야하는 계기가 되었다.
④ (가), (나)의 결과로 헌법이 개정되었다.

문제풀이 노태우 정부 시기의 사실

난이도 중

제시문에서 남북이 나라와 나라의 관계가 아닌 특수한 관계임을 인정한다는 내용을 통해 노태우 정부 시기에 발표된 남북 기본 합의서(1991)임을 알 수 있다.

① 옳은 것을 모두 고르면 ㉠, ㉡이다.
㉠ 노태우 정부 시기인 1991년 9월에 남북한이 동시에 유엔(UN)에 가입하였다.
㉡ 노태우 정부 시기인 1988년에 서울 올림픽 대회가 개최되었다.

오답 분석

㉢ **김영삼 정부**: 금융 실명제가 실시된 것은 김영삼 정부 시기의 사실이다. 김영삼 정부 때는 투명한 경제 활동을 위해 대통령 긴급 명령으로 금융 실명제를 실시하였다.

㉣ **전두환 정부**: 6·29 선언이 발표된 것은 전두환 정부 시기의 사실이다. 전두환 정부 때 현행 헌법인 대통령 간선제를 유지한다는 내용의 4·13 호헌 조치를 발표하자, 6월 민주 항쟁이 전개되었고, 이에 당시 여당 대통령 후보였던 노태우가 대통령 직선제 개헌, 기본권 보장 등을 주요 내용으로 하는 6·29 민주화 선언을 발표하였다.

문제풀이 4·19 혁명과 6월 민주 항쟁

난이도 하

(가)에서 3·15 선거는 불법 선거라는 내용이 언급되었으므로, (가) 운동은 4·19 혁명(1960)임을 알 수 있다.

(나)에서 젊은이를 야만적인 고문으로 죽여놓았다는 내용과 4·13 호헌 조치를 철회시키기 위한 민주 장정을 시작한다는 내용을 통해 (나) 운동은 6월 민주 항쟁(1987)임을 알 수 있다.

④ 4·19 혁명으로 이승만 대통령이 하야하고, 허정 과도 정부가 구성되어 내각 책임제와 양원제를 골자로 하는 제3차 개헌이 추진되었다. 또한, 6월 민주 항쟁의 결과 5년 단임의 대통령 직선제의 제9차 개헌이 이루어졌다.

오답 분석

① 유신 체제(1972 ~ 1979)에 대한 저항으로는 3·1 민주 구국 선언(1976), 부·마 항쟁(1979) 등이 있다.

② 신군부가 권력을 장악하게 된 사건은 12·12 사태(1979)이다. 당시 보안 사령관인 전두환을 비롯한 신군부 세력은 병력을 동원하여 계엄 사령관 정승화를 체포한 후 군권과 정치적 실권을 장악하였다.

③ **4·19 혁명**: 대통령이 하야하는 계기가 된 민주화 운동은 4·19 혁명으로, 이승만 대통령이 하야하였다. 전두환 대통령은 6월 민주 항쟁 이후인 1988년 2월에 7년의 임기를 마치고 퇴임하였다.

07

2019년 법원직 9급

(가)~(라)에 해당하는 구호와 관련된 설명이 잘못된 것은?

> (가) 3·15 부정 선거 다시 하라!
> (나) 계엄령 해제하고 신군부 퇴진하라!
> (다) 굴욕적인 대일 외교 결사 반대한다!
> (라) 호헌 철폐, 대통령 직선제 개헌 쟁취하자!

① (가) – 이승만이 하야하는 계기가 되었다.
② (나) – 종신 집권이 가능한 대통령제로 개헌했다.
③ (다) – 한·일 회담에 반대하고 정권의 퇴진을 요구했다.
④ (라) – 이한열 등의 희생을 통해 직선제 개헌에 성공했다.

문제풀이 민주화 운동 난이도 중

(가)는 3·15 부정 선거가 원인이 되어 발생한 4·19 혁명(1960)의 구호이다.

(나)는 신군부 세력의 비상 계엄 확대가 원인이 되어 발생한 5·18 광주 민주화 운동(1980)의 구호이다.

(다)는 굴욕적인 한·일 회담이 원인이 되어 발생한 6·3 항쟁(1964)의 구호이다.

(라)는 전두환 정부가 일체의 개헌 논의를 금지시키는 호헌 조치를 발표한 것이 원인이 되어 발생한 6월 민주 항쟁(1987)의 구호이다.

② 5·18 광주 민주화 운동 이후 전두환 등 신군부 세력은 7년 단임제와 선거인단에 의한 대통령 간선제를 골자로 하는 제8차 개헌을 추진하였다. 대통령의 중임 제한이 철폐된 것은 사사오입 개헌(1954, 초대 대통령에 한해 중임 제한 철폐)과 유신 헌법(1972)이다.

오답 분석

① 4·19 혁명의 결과 이승만 대통령이 하야하고 허정을 수반으로 하는 과도 정부가 수립되었다.
③ 6·3 항쟁 과정에서 국민들은 굴욕적인 한·일 회담에 반대하고, 박정희 정권의 퇴진을 요구하였다. 그러나 박정희 정부는 비상 계엄령을 선포하고 무력으로 시위를 진압하였다.
④ 6월 민주 항쟁 과정에서 사망한 이한열 등의 희생을 통해 대통령 직선제 개헌을 주요 내용으로 하는 6·29 선언이 발표되었고, 이어서 5년 단임의 대통령 직선제를 내용으로 하는 제9차 개헌이 이루어졌다.

08

2024년 서울시 9급(2월 시행)

〈보기〉의 특별 담화문을 발표한 대통령의 재임 시기에 있었던 사실로 가장 옳은 것은?

> **보기**
> "광역 및 기초 단체장과 의원을 뽑는 이번 선거를 계기로, 우리나라는 전면적인 지방 자치를 실시하게 됩니다. …… 지방 자치는 주민 개개인의 건설적 에너지가 지역 발전으로 수렴이 되고, 나아가서 국가 발전으로 이바지하는 데 참뜻이 있습니다."

① 금융 실명제를 실시하고, 하나회를 해체하였다.
② 여소 야대 정국을 돌파하기 위하여 3당 합당을 하였다.
③ 평양에서 남북 정상 회담을 갖고 6·15 남북 공동 선언을 발표하였다.
④ 친일 반민족 행위 진상 규명 위원회를 조직하였다.

문제풀이 김영삼 정부 시기의 사실 난이도 중

제시문에서 광역 및 기초 단체장과 의원을 뽑는 이번 선거를 계기로, 우리나라는 전면적인 지방 자치를 실시하게 된다는 내용을 통해 김영삼 정부 시기에 발표된 담화문임을 알 수 있다.

① 김영삼 정부 시기에는 탈세를 척결하고 투명한 경제 활동을 위해 대통령 긴급 명령으로 금융 실명제를 실시하고, 부정부패를 차단하기 위해 군부 내의 사조직인 하나회를 해체하였다.

오답 분석

② **노태우 정부**: 여소 야대 정국을 돌파하기 위하여 여당인 민주 정의당과 야당인 김영삼의 통일 민주당, 김종필의 신민주 공화당의 3당이 합당을 하여 거대 여당인 민주 자유당을 창당한 것은 노태우 정부 시기이다.
③ **김대중 정부**: 평양에서 남북 정상 회담을 갖고 6·15 남북 공동 선언을 발표한 것은 김대중 정부 시기이다.
④ **노무현 정부**: 친일 반민족 행위 진상 규명 위원회를 조직한 것은 노무현 정부 시기이다.

정답 05 ① 06 ④ 07 ② 08 ①

09

2021년 국회직 9급

김영삼 정부 시기에 대한 설명으로 옳지 않은 것은?

① 공직자 윤리법을 개정하여 고위 공직자 재산을 공개하였다.

② 탈세와 부정부패를 차단하기 위한 금융 실명제를 실시하였다.

③ 지방 자치 단체장 선출을 포함한 지방 자치제를 전면적으로 실시하였다.

④ 국민 기초 생활 보장법을 제정하여 저소득층·장애인·노인 복지를 향상시켰다.

⑤ 전두환, 노태우 두 전직 대통령이 반란죄 및 내란죄로 수감되었다.

문제풀이 김영삼 정부

난이도 하

④ 국민 기초 생활 보장법을 제정하여 저소득층·장애인·노인 복지를 향상시킨 것은 김영삼 정부가 아닌 김대중 정부 시기이다(1999).

오답 분석

① 김영삼 정부 시기에 공직자 윤리법을 개정하여 고위 공직자 재산 공개 및 고위 공직자 재산 등록제를 실시하였다(1993).

② 김영삼 정부 시기에 탈세와 부정부패를 차단하기 위해 은행 예금이나 증권 투자 등의 금융 거래를 할 때에 실제 명의로 하여야 하며, 가명이나 무기명 거래는 인정하지 않는 금융 실명제를 실시하였다(1993).

③ 김영삼 정부 시기에 그동안 유보되었던 지방 자치 단체장 선거를 시행하여 지방 자치제를 전면적으로 실시하였다(1995).

⑤ 김영삼 정부 시기에 역사 바로 세우기 운동을 실시하여 12·12 사태가 군사 반란으로 규정되었고, 이로 인해 전두환, 노태우 두 전직 대통령이 반란죄 및 내란죄로 수감되었다(1995).

10

2022년 소방직

(가)~(라)의 민주화 운동을 일어난 순서대로 옳게 나열한 것은?

(가) 부·마 민주 항쟁 (나) 3·1 민주 구국 선언 (다) 6월 민주 항쟁 (라) 5·18 민주화 운동

① (가) → (나) → (라) → (다)

② (가) → (라) → (다) → (나)

③ (나) → (가) → (라) → (다)

④ (나) → (라) → (가) → (다)

문제풀이 우리나라의 민주화 운동

난이도 중

③ 순서대로 나열하면 (나) 3·1 민주 구국 선언(1976) → (가) 부·마 민주 항쟁(1979) → (라) 5·18 민주화 운동(1980) → (다) 6월 민주 항쟁(1987)이다.

(나) **3·1 민주 구국 선언**: 유신 체제에 대한 저항으로 재야 인사들이 명동 성당에서 긴급 조치 철폐, 박정희 정권 퇴진 등을 요구하는 3·1 민주 구국 선언을 발표하였다(1976).

(가) **부·마 민주 항쟁**: 유신 체제에 비판적이었던 신민당 총재 김영삼이 YH 무역 사건을 계기로 국회에서 제명되자 이에 대한 반발로 부·마 민주 항쟁이 일어났다(1979).

(라) **5·18 민주화 운동**: 12·12 사태(1979)로 실권을 장악한 전두환 등의 신군부 세력이 전국에 비상 계엄을 확대하고 김대중 등의 정치 인사들을 구속하자, 광주 지역의 학생과 시민들이 계엄령 철폐와 김대중 석방을 요구하며 민주화 운동을 전개하였다(5·18 민주화 운동, 1980).

(다) **6월 민주 항쟁**: 전두환 대통령이 대통령 간선제를 유지하겠다는 4·13 호헌 조치를 발표하자, 이에 반대한 국민들은 6월 민주 항쟁을 전개하였다(1987). 그 결과 여당인 민주 정의당 대통령 후보인 노태우가 대통령 직선제를 주요 내용으로 하는 6·29 민주화 선언을 발표하였고, 이후 5년 단임의 대통령 직선제를 골자로 하는 제9차 개헌이 이루어졌다.

11

2017년 서울시 9급

다음 자료와 관련된 사건을 순서대로 바르게 나열한 것은?

> ㉠ 무엇보다 우리는 이른바 4·13 대통령의 특별 조치를 국민의 이름으로 무효임을 선언한다.
> ㉡ 우리 시민군은 온갖 방해에도 불구하고 여러분의 안전을 끝까지 지킬 것입니다. 또한 협상이 올바른 방향대로 진행되면 우리는 즉각 총을 놓겠습니다.
> ㉢ 오늘의 이 시점에서 저는 사회적 혼란을 극복하고, 국민적 화해를 이룩하기 위하여 대통령 직선제를 택하지 않을 수 없다는 결론에 이르게 되었습니다.

① ㉠ → ㉡ → ㉢
② ㉡ → ㉠ → ㉢
③ ㉡ → ㉢ → ㉠
④ ㉢ → ㉡ → ㉠

12

2024년 서울시 9급

〈보기〉의 사건을 시간 순으로 바르게 나열한 것은?

> **보기**
> ㉠ 5·18 민주화 운동　　㉡ 12·12 군사 반란
> ㉢ 부마 민주 항쟁　　㉣ 4·13 호헌 조치

① ㉢ - ㉠ - ㉡ - ㉣　　② ㉢ - ㉡ - ㉠ - ㉣
③ ㉣ - ㉡ - ㉢ - ㉠　　④ ㉣ - ㉢ - ㉡ - ㉠

문제풀이 민주화 운동의 전개 (11)

난이도 하

② 순서대로 나열하면 ㉡ 5·18 광주 민주화 운동(1980) → ㉠ 6·10 국민 대회(1987. 6. 10.) → ㉢ 6·29 민주화 선언(1987. 6. 29.)이 된다.

㉡ **5·18 광주 민주화 운동**: 1980년 5월 25일 광주 시민군이 발표한 '광주 시민군 궐기문'의 내용으로, 5·18 광주 민주화 운동에서는 계엄군의 탄압에 맞서 총으로 무장한 시민군이 조직되었다.

㉠ **6·10 국민 대회**: 4·13 대통령 특별 조치(호헌 조치)의 무효화를 주장한 것은 1987년 6월 10일에 발표된 '6·10 국민 대회 선언문'이다. 1987년 6월 9일에 발생한 이한열 최루탄 피격 사건을 계기로 6월 10일 전국 각지에서 국민 대회가 열렸으며, 시민과 학생들이 호헌 철폐와 독재 타도, 민주 헌법 쟁취 등을 구호로 시위를 전개하였다(6월 민주 항쟁).

㉢ **6·29 민주화 선언**: 민주화를 요구하는 국민들의 열망에 민주 정의당 대표이자 대통령 후보인 노태우는 대통령 직선제 개헌 등 8개 항으로 구성된 시국 수습을 위한 특별 선언을 발표하였다(6·29 민주화 선언).

이것도 알면 **합격!**

6월 민주 항쟁의 전개 과정

1천만 서명 운동 전개(직선제 개헌 요구, 1986. 2.) → 박종철 고문 치사 사건(1987. 1.) → 전두환 정부의 4·13 호헌 조치 발표(현행 헌법 유지) → 이한열 최루탄 피격 사건(1987. 6. 9.) → 6·10 국민 대회가 열려 전국 각지에서 국민 대회와 시위 전개, "호헌 철폐·독재 타도·민주 헌법 쟁취" 요구 → 6·29 선언(1987. 6. 29.) → 5년 단임의 대통령 직선제로 개헌(제9차 개헌)

문제풀이 현대사의 전개 (12)

난이도 중

② 시간 순으로 나열하면 ㉢ 부마 민주 항쟁(1979. 10.) → ㉡ 12·12 군사 반란(1979. 12.) → ㉠ 5·18 민주화 운동(1980) → ㉣ 4·13 호헌 조치(1987)가 된다.

㉢ **부·마 민주 항쟁**: 유신 체제에 비판적이었던 신민당 총재 김영삼이 YH 무역 사건을 계기로 국회에서 제명되자 이에 대한 반발로 부·마 민주 항쟁이 일어났다(1979. 10.).

㉡ **12·12 군사 반란**: 박정희가 사망한 이후 전두환을 비롯한 신군부 세력이 12·12 군사 반란을 일으켜 군권과 정치적 실권을 장악하였다(1979. 12.).

㉠ **5·18 민주화 운동**: 12·12 사태로 실권을 장악한 전두환 등의 신군부 세력이 전국에 비상 계엄을 확대하고 김대중 등의 정치 인사들을 구속하자, 광주 지역의 학생과 시민들이 계엄령 철폐와 김대중 석방을 요구하며 민주화 운동을 전개하였다(5·18 민주화 운동, 1980).

㉣ **4·13 호헌 조치**: 전두환 정부는 국민들의 대통령 직선제 요구를 거부하고 기존의 대통령 간선제를 고수하겠다는 취지의 4·13 호헌 조치를 발표하였다(1987).

정답 09 ④ 10 ③ 11 ② 12 ②

13

2023년 국회직 9급

다음 사건을 시기순으로 바르게 나열한 것은?

> ㉠ 6월 민주 항쟁
> ㉡ 농지 개혁법 공포
> ㉢ 금융 실명제 실시
> ㉣ 7·4 남북 공동 성명
> ㉤ 남북 기본 합의서 채택

① ㉡ → ㉠ → ㉤ → ㉣ → ㉢

② ㉡ → ㉢ → ㉣ → ㉠ → ㉤

③ ㉡ → ㉣ → ㉠ → ㉤ → ㉢

④ ㉣ → ㉡ → ㉢ → ㉤ → ㉠

⑤ ㉣ → ㉤ → ㉠ → ㉡ → ㉢

14

2021년 서울시 9급(특수 직렬)

〈보기〉는 대한민국 헌법 개정을 시기 순으로 나열한 것이다. (가)와 (나)에 들어갈 내용으로 옳은 것은?

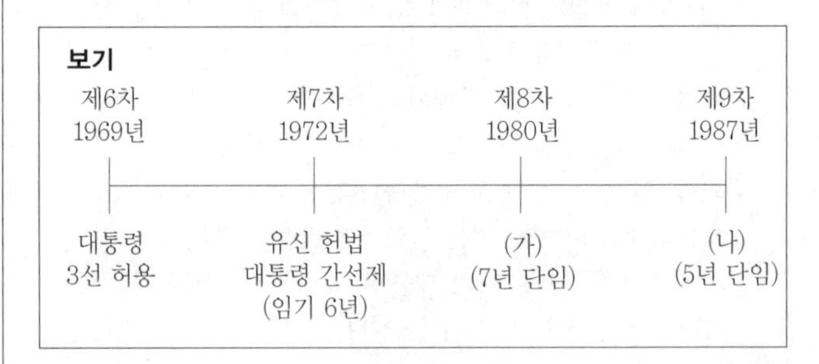

	(가)	(나)
①	대통령 간선제	대통령 직선제
②	대통령 직선제	대통령 직선제
③	대통령 간선제	대통령 간선제
④	대통령 직선제	대통령 간선제

문제풀이 현대사의 전개

난이도 하

③ 시기순으로 바르게 나열하면 ㉡ 농지 개혁법 공포(1949) → ㉣ 7·4 남북 공동 성명(1972) → ㉠ 6월 민주 항쟁(1987) → ㉤ 남북 기본 합의서 채택(1991) → ㉢ 금융 실명제 실시(1993)가 된다.

㉡ **농지 개혁법 공포**: 이승만 정부 때 경자유전의 원칙에 따라 농민에게 농지를 적절히 분배하기 위해 농지 개혁법을 공포하였다(1949). 농지 개혁법은 3정보를 초과하는 농지를 소유한 지주에게 농지를 유상으로 매입하고, 농지가 없는 농민에게 3정보의 한도로 유상 분배할 것을 규정한 법령이다.

㉣ **7·4 남북 공동 성명**: 박정희 정부 때 남과 북은 7·4 남북 공동 성명을 발표하여 통일의 3대 원칙(자주·평화·민족 대단결)과 상호간의 체제 인정 및 불가침, 교류·협력의 확대 등에 합의하였다(1972).

㉠ **6월 민주 항쟁**: 전두환 정부 때 기존의 대통령 간선제를 유지한다는 4·13 호헌 조치가 발표되자 이에 반대한 국민들이 6월 민주 항쟁을 전개하였다(1987).

㉤ **남북 기본 합의서 채택**: 노태우 정부 때 남북 기본 합의서를 채택하여 남북 간의 상호 불가침, 교류·협력의 확대 등을 규정하였고, 상호 체제 및 남북이 국가와 국가의 관계가 아닌 특수한 관계임을 인정하는 것에 대해 합의하였다(1991).

㉢ **금융 실명제 실시**: 김영삼 정부 때 투명한 경제 활동을 위해 대통령 긴급 명령으로 금융 실명제를 실시하였다(1993).

문제풀이 대한민국 헌법 개정 과정

난이도 하

① (가), (나)에 들어갈 내용으로 옳은 것은 (가) 대통령 간선제, (나) 대통령 직선제이다.

(가) 제8차 개헌의 결과 7년 단임의 대통령 간선제가 시행되었다. 통일 주체 국민회의에서 실시된 선거를 통해 전두환이 제11대 대통령으로 당선된 후, 전두환 정부는 대통령 선거인단에 의한 대통령 간선제와 7년 단임제를 골자로 하는 제8차 개헌을 공포하였다(1980). 이후 제8차 개헌안에 따라 실시된 제12대 대통령 선거에서 전두환이 당선되었다.

(나) 제9차 개헌의 결과 5년 단임의 대통령 직선제가 시행되었다. 전두환 대통령이 대통령 간선제를 유지하겠다는 4·13 호헌 조치를 발표하자, 이에 반대한 국민들은 6월 민주 항쟁을 전개하였다. 그 결과 여당인 민주 정의당의 대통령 후보였던 노태우가 대통령 직선제를 주요 내용으로 하는 6·29 민주화 선언을 발표하였고, 이후 5년 단임의 대통령 직선제를 골자로 하는 제9차 개헌이 이루어졌다(1987).

15

2020년 서울시 9급(특수 직렬)

〈보기〉의 개헌 시기를 순서대로 바르게 나열한 것은?

> **보기**
> ㉠ 대통령 3회 연임 허용
> ㉡ 대통령 직선제 및 5년 단임
> ㉢ 대통령 직선제, 국회 양원제
> ㉣ 대통령은 통일 주체 국민회의에서 간선

① ㉠ - ㉡ - ㉣ - ㉢
② ㉡ - ㉢ - ㉠ - ㉣
③ ㉢ - ㉠ - ㉣ - ㉡
④ ㉣ - ㉡ - ㉢ - ㉠

문제풀이 대한민국의 개헌 난이도 하

③ 순서대로 나열하면 ㉢ 제1차 개헌(발췌 개헌, 1952) **→ ㉠ 제6차 개헌**(3선 개헌, 1969) **→ ㉣ 제7차 개헌**(유신 헌법, 1972) **→ ㉡ 제9차 개헌**(현행 헌법, 1987)**이 된다.**

㉢ **제1차 개헌**(발췌 개헌): 제1차 개헌은 1952년 6·25 전쟁 중 이루어진 개헌으로, 당시 임시 수도 부산에 계엄령이 선포되고 개헌에 반대하는 의원들을 강제로 연행하는 등 강압적인 분위기 속에서 국회에서 기립 표결로 통과된 개헌안이다. 대통령 직선제, 국회 양원제를 주요 내용으로 한다.

㉠ **제6차 개헌**(3선 개헌): 제6차 개헌은 1969년에 이루어진 개헌으로, 대통령의 3선 연임을 허용하는 것을 주요 내용으로 한다.

㉣ **제7차 개헌**(유신 헌법): 제7차 개헌은 1972년에 이루어진 개헌으로, 통일 주체 국민회의에서의 대통령 간선, 대통령 임기 6년, 대통령 중임 제한 철폐 등을 주요 내용으로 한다.

㉡ **제9차 개헌**(현행 헌법): 제9차 개헌은 1987년 6월 민주 항쟁의 결과 이루어진 개헌으로, 대통령 직선제 및 5년 단임제를 주요 내용으로 한다.

16

2017년 지방직 9급(6월 시행)

다음 (가)~(라)를 내용으로 하는 헌법이 적용되던 시기에 일어난 사건으로 바르게 연결한 것은?

> (가) 대통령의 임기는 7년이며 중임할 수 없다.
> (나) 대통령과 부통령은 국회에서 무기명 투표로 각각 선거한다.
> (다) 대통령과 부통령의 임기는 4년으로 하며, 1차 중임할 수 있다. 단, 이 헌법 공포 당시의 대통령에 대하여 중임 제한을 적용하지 아니한다.
> (라) 6년 임기의 대통령은 통일 주체 국민회의에서 선출된다.

① (가) – 남한과 북한은 함께 유엔에 가입하였다.
② (나) – 판문점에서 휴전 협정이 체결되었다.
③ (다) – 평화 통일론을 주장한 진보당의 정당 등록이 취소되었다.
④ (라) – 민족 통일을 위한 남북 공동 성명이 발표되었다.

문제풀이 헌법 적용 시기의 정치적 사건 난이도 상

(가)는 1980년 10월에 전두환 정부가 주도한 제8차 개헌안(1980~1987)으로, 선거인단에 의한 대통령 간선제와 7년 단임제가 주요 내용이었다.

(나)는 1948년에 제헌 국회에서 제정한 제헌 헌법(1948~1952)의 주요 내용으로, 대통령·부통령 간선제를 원칙으로 하였다.

(다)는 1954년에 이승만의 자유당이 주도한 제2차 개헌(사사오입 개헌, 1954~1960)의 내용으로, 초대 대통령에 한하여 중임 제한을 철폐하는 것을 주요 내용으로 하였다.

(라)는 1972년에 박정희 정부가 주도한 제7차 개헌(유신 헌법, 1972~1980)의 내용이다.

③ 이승만 정부가 평화 통일론을 주장한 진보당의 정당 등록을 취소한 진보당 사건(1958)**은 제2차 개헌안이 적용되던 시기**(1954~1960)**에 일어났다. 이승만의 강력한 도전자로 떠오른 조봉암을 중심으로 조직된 진보당이 대중적 지지를 얻자, 이승만 정부는 조봉암을 간첩 혐의로 구속한 이후 진보당의 정당 등록을 취소하였다.**

오답 분석

① 남한과 북한이 유엔에 동시 가입한 것(1991)은 제9차 개헌안이 적용되던 노태우 정부 때의 일이다.

② 판문점에서 휴전 협정이 체결된 것(1953)은 제1차 개헌안이 적용되던 시기(1952~1954)의 일이다.

④ 민족 통일을 위한 7·4 남북 공동 성명이 발표된 것(1972. 7.)은 제6차 개헌안이 적용되던 시기(1969~1972)의 일이다.

정답 13 ③ 14 ① 15 ③ 16 ③

03 평화 통일의 과제

1 | 북한 사회의 변화

01

2018년 서울시 9급(3월 시행)

〈보기〉의 북한 정권 수립 과정을 시간 순으로 바르게 나열한 것은?

> **보기**
> ㉠ 북조선 임시 인민 위원회 성립
> ㉡ 조선 인민군 창설
> ㉢ 토지 개혁 실시
> ㉣ 최고 인민 회의 대의원 선거 실시
> ㉤ 북조선 노동당 결성
> ㉥ 조선 민주주의 인민 공화국 성립

① ㉠ → ㉡ → ㉢ → ㉣ → ㉤ → ㉥
② ㉠ → ㉢ → ㉤ → ㉡ → ㉣ → ㉥
③ ㉠ → ㉤ → ㉢ → ㉣ → ㉡ → ㉥
④ ㉠ → ㉤ → ㉡ → ㉢ → ㉣ → ㉥

문제풀이 북한 정권 수립 과정 난이도 상

② 순서대로 나열하면 ㉠ 북조선 임시 인민 위원회 설립(1946. 2.) → ㉢ 토지 개혁 실시(1946. 3.) → ㉤ 북조선 노동당 결성(1946. 8.) → ㉡ 조선 인민군 창설(1948. 2.) → ㉣ 최고 인민 회의 대의원 선거(1948. 8.) → ㉥ 조선 민주주의 인민 공화국 성립(1948. 9.)이 된다.

㉠ **북조선 임시 인민 위원회 설립**: 1946년 2월에 소련의 주도로 북한의 중앙 행정 기관인 북조선 임시 인민 위원회가 구성되고 위원장에 김일성, 부위원장에 김두봉이 선출되었다.

㉢ **토지 개혁 실시**: 1946년 3월에 북조선 임시 인민 위원회에서는 5정보를 상한으로 무상 몰수, 무상 분배를 원칙으로 하는 토지 개혁을 실시하였다.

㉤ **북조선 노동당 결성**: 1946년 8월에 조선 공산당 북조선 분국이 개칭된 북조선 공산당이 북조선 신민당과 통합되면서 북조선 노동당이 결성되었다.

㉡ **조선 인민군 창설**: 1948년 2월에 북한의 최고 집행 기관인 북조선 인민 위원회의 정규군으로 조선 인민군이 창설되었다.

㉣ **최고 인민 회의 대의원 선거**: 대한민국 정부가 수립된 직후인 1948년 8월에 일종의 북한 헌법 제정을 위한 제1기 최고 인민 회의 대의원 선거가 실시되었다.

㉥ **조선 민주주의 인민 공화국 성립**: 1948년 9월에 북한은 김일성을 수상으로, 박헌영을 부수상으로 한 조선 민주주의 인민 공화국의 수립을 선포하였다.

02

2018년 경찰간부후보생

1945년 8월 15일부터 6·25 전쟁 발발 이전까지 북한 상황에 관한 다음 설명 중 가장 옳지 않은 것은?

① 북조선 임시 인민 위원회를 구성하고 위원장에 김일성, 부위원장에 조만식을 선출하였다.
② 북한은 무상 몰수, 무상 분배 방식의 토지 개혁을 시행하였다.
③ 북한은 인민군을 창설하고 조선 민주주의 인민 공화국 수립을 선포하였다.
④ 북한은 소련의 지원을 받아 최신 무기를 갖추는 등 군사력을 강화하였다.

문제풀이 해방 이후~6·25 전쟁 발발 이전까지의 북한 상황 난이도 상

① 1946년 2월, 북조선의 중앙 행정 기관으로서 북조선 임시 인민 위원회가 구성되고 위원장에 김일성, 부위원장에 김두봉이 선출되었다. 조만식은 북조선 임시 인민 위원회가 구성되기 직전인 1946년 1월에 소련과 공산주의자들에 의해 연금당한 후 6·25 전쟁 중 숙청되었다.

오답 분석

② 북조선 임시 인민 위원회에서 무상 몰수, 무상 분배 방식의 토지 개혁법을 제정하였다(1946. 3.)
③ 북조선 인민 위원회가 수립(1947. 2.)되고 산하의 정규군으로서 인민군이 창설되었다. 또한, 남한에서 대한민국 정부가 수립된 이후 북한에서도 조선 민주주의 인민 공화국이 수립되었다(1948. 9.)
④ 북한은 6·25 전쟁 발발 이전에 소련과 중국의 지원을 받아 최신 무기를 갖추는 등 남침을 위한 군사력을 강화하였다.

이것도 알면 **합격!**

북한 정부의 수립 과정

평남 건국 준비 위원회 조직(1945. 8.) → 소련군 진주 → 조선 공산당 북조선 분국 설치(1945. 10.) → 북조선 5도 행정국 설치(1945. 11.) → 북조선 임시 인민 위원회 설치(1946. 2.) → 사회주의 민주 개혁 실시(토지 개혁, 1946. 3.) → 북조선 노동당 결성(1946. 8.) → 북조선 인민 위원회 창설(1947. 2.) → 조선 인민군 창설(1948. 2.) → 제1기 최고 인민 회의 대의원 선거 개최(1948. 8.) → 조선 민주주의 인민 공화국 수립(1948. 9.)

03

2011년 서울시 9급

다음 중 1950년대 북한 상황에 대한 설명으로 옳지 않은 것은?

① 박헌영 등 남로당계 간부들이 숙청되었다.

② 연안파의 김무정 장군이 숙청되었다.

③ 주민들의 생산 노동 참여를 경쟁시키기 위해 '천리마 운동'을 전개하였다.

④ '주체 사상'을 노동당의 유일 사상으로 규정하였다.

⑤ 농업 협동화에 의한 협동 농장 건설이 추진되었다.

문제풀이 1950년대의 북한

난이도 중

④ 북한은 1967년 주체 사상을 국가의 지도 사상으로 반영하였고, 1972년 사회주의 헌법을 통해 주체 사상을 제도화하였다. 이후 1980년에 당 대회에서 주체 사상을 노동당의 유일 지도 사상으로 선포하였다.

오답 분석

①, ② 1950년대에 갑산파(김일성)는 6·25 전쟁 중 전쟁 수행과 관련된 책임을 물어 연안파(김무정)를 숙청하고, 종전 후에는 남로당(박헌영)에게 패전의 책임을 물어 대대적으로 숙청하였다.

③ 천리마 운동은 1956년에 시작되어 1958년부터 본격적으로 전개된 노동 강화 운동으로, 1960년대 전반까지 사회주의 경제 건설에 큰 역할을 하였다.

⑤ 1950년대에 북한은 전쟁으로 노동력이 부족해지자 토지들을 협동 농장으로 귀속시켰다.

 이것도 알면 **합격!**

시기별 북한의 변화

시기	내용
1950년대	• 연안파, 소련파, 남로당 숙청 • 8월 종파 사건, 천리마 운동
1960년대	온건파 숙청, 자주 노선 확립
1970년대	사회주의 헌법 공포, 국가 주석제(김일성)
1980~1990년대	• 김정일 후계 체제 확립, 김일성 사망 → 유훈 통치 • 김일성 헌법(주석제 폐지, 국방 위원장 권력 강화) 개정

04

2010년 경북교행직

다음 글과 같은 경제 위기 상황을 극복하기 위한 북한의 노력 과정에 해당하는 것을 〈보기〉에서 모두 고른 것은?

> 북한의 경제는 생산 수단의 사회적 소유와 중앙 집권적 계획 경제가 가져온 생산력 저하, 동유럽 사회주의 국가의 몰락으로 인한 교역 상대국 상실, 에너지와 원자재 부족으로 인한 공장 가동률의 저하 등으로 1990년 이래 계속적으로 마이너스 경제 성장을 하였다. 그 결과 북한 주민은 식량 부족으로 심각한 어려움에 처하게 되고, 산업 활동은 원자재와 에너지, 외화 부족 등으로 제대로 이루어지지 않았다.

보기

㉠ 외국인 투자법 제정
㉡ 주체 사상의 확립
㉢ 천리마 운동의 전개
㉣ 고려 연방제 통일 방안 제시
㉤ 나진·선봉 자유 무역 지대 설치

① ㉠, ㉤
② ㉡, ㉣
③ ㉢, ㉤
④ ㉡, ㉣, ㉤
⑤ ㉡, ㉢, ㉣, ㉤

문제풀이 1990년대 이후 북한의 개혁·개방 정책

난이도 중

북한의 경제는 중국·소련으로부터의 원조 삭감과 군사·경제 병진 정책 추진에 따라 종래의 폐쇄적·소극적 대외 무역 정책에 한계를 느끼기 시작하였다. 이에 1970년대 말부터 수출 증대와 외화 수입 증대를 위한 대외 무역 정책의 변화를 추진하게 되었다.

① 옳은 것을 모두 고르면 ㉠, ㉤이다.

㉠ 북한은 1992년 외국인 투자법을 비롯해 합작법·외국인 기업법 등 총 13건의 외국인 투자 관련법들을 제정 또는 개정하여 외국 기업과의 합작과 자본 도입을 적극적으로 추진하였다.

㉤ 북한은 구소련과 동유럽 사회주의 체제의 붕괴 후 경제난이 가중되자 서방의 자본 유치를 위해 1991년 12월 나진·선봉 지역을 자유 경제 무역 지대로 설정하였다.

오답 분석

㉡ 주체 사상은 김일성 유일 체제를 확립하는 과정에서 나온 통치 이데올로기이며, 북한의 정치·경제·사회·문화 등 모든 분야의 기초가 되는 지도 이념이다.

㉢ 천리마 운동은 '하루에 천리를 달리는 천리마와 같은 속도로 사회주의 경제를 건설하자.'라는 구호를 기치로 내건 노동 강화 운동으로, 1958년부터 본격적으로 전개되었다.

㉣ 고려 연방제 통일 방안은 북한이 1960년부터 주장한 것으로, 남북 정부가 내정을 맡고 외교와 국방은 중앙 정부가 맡는 '1민족 1국가 2제도 2정부' 형태를 형성하는 것을 말한다.

정답 01 ② 02 ① 03 ④ 04 ①

2 | 평화 통일을 위한 노력

01

2018년 지방직 9급

다음 합의문에 대한 설명으로 옳은 것은?

> 쌍방은 오랫동안 서로 만나보지 못한 결과로 생긴 남북 사이의 오해와 불신을 풀고 긴장의 고조를 완화시키며 나아가서 조국 통일을 촉진시키기 위하여 다음과 같은 문제들에 완전한 견해의 일치를 보았다.
>
> 1. 쌍방은 다음과 같은 조국 통일 원칙들에 합의를 보았다.
> 첫째, 통일은 외세에 의존하거나 외세의 간섭을 받음이 없이 자주적으로 해결하여야 한다.
> 둘째, 통일은 서로 상대방을 반대하는 무력 행사에 의거하지 않고 평화적 방법으로 실현하여야 한다.
> … (중략) …
> 4. 쌍방은 지금 온 민족의 거대한 기대 속에 진행되고 있는 남북 적십자 회담이 하루 빨리 성사되도록 적극 협조하는 데 합의하였다.
> … (후략) …

① 금강산 관광 사업을 추진하기로 결정했다는 내용이 수록되어 있다.
② 분단 후 최초로 열린 남북 정상 회담의 결과로 발표된 성명서이다.
③ 남북 조절 위원회를 구성하기로 합의한 내용이 담겨 있다.
④ 남북 기본 합의서와 동시에 작성된 문서이다.

문제풀이 7·4 남북 공동 성명 난이도 중

제시된 자료에서 통일은 자주적으로 해결하고, 평화적인 방법으로 실현한다는 내용과 남북 적십자 회담의 성사에 적극 협조하겠다는 내용을 통해 7·4 남북 공동 성명임을 알 수 있다. 7·4 남북 공동 성명(1972)을 통해 남북은 자주·평화·민족 대단결의 평화 통일 원칙에 합의하였고, 이산가족 찾기 운동의 추진을 위한 남북 적십자 본회담이 속히 개최될 수 있도록 적극 협조할 것을 합의하였다.

③ 7·4 남북 공동 성명에서는 합의 사항의 추진을 위한 남북 조절 위원회를 구성할 것을 합의하였다. 또한 이 성명에는 상호 도발 금지, 서울과 평양 간의 직통 전화 개설 등을 합의한 내용이 담겨있다.

오답 분석

① 금강산 관광 사업은 7·4 남북 공동 성명과 연관이 없다. 햇볕 정책이 추진된 김대중 정부 시기에 현대 그룹의 정주영 회장은 소 1000마리와 함께 북한을 방문(1998)하여 남북한의 화해 분위기 조성에 기여하였고, 방문의 성과로 현대 그룹은 북한과 금강산 관광 사업에 대해 합의하였다. 이를 계기로 1998년에 금강산 해로 관광이 시작되었다.
② **6·15 남북 공동 선언**: 분단 후 최초로 열린 남북 정상 회담의 결과로 발표된 것은 김대중 정부 시기에 발표된 6·15 남북 공동 선언(2000)이다.
④ 남북 기본 합의서는 7·4 남북 공동 성명(1972) 이후인 노태우 정부 시기에 작성되었다(1991).

02

2014년 법원직 9급

다음 문서에 대한 설명으로 가장 옳은 것은?

> 첫째, 통일은 외세에 의존하거나 외세의 간섭을 받음이 없이 자주적으로 해결하여야 한다.
> 둘째, 통일은 서로 상대방을 반대하는 무력 행사에 의거하지 않고 평화적 방법으로 실현하여야 한다.
> 셋째, 사상과 이념, 제도의 차이를 초월하여 우선 하나의 민족으로서 민족적 대단결을 도모하여야 한다.

① 합의 직후 이산가족 상봉이 실현되었다.
② 남과 북에서 정치 권력의 강화에 이용되었다.
③ 남북한이 유엔에 동시 가입한 직후 발표되었다.
④ 한반도 비핵화에 대한 공동 선언에 남북한이 합의하였다.

문제풀이 7·4 남북 공동 성명 난이도 중

제시문에서 '자주적으로 해결, 평화적 방법, 민족적 대단결'의 내용을 통해 이 문서가 7·4 남북 공동 성명임을 알 수 있다.

② 7·4 남북 공동 성명은 박정희 정부 때 발표된 것으로, 이후 남한에서는 유신 체제 수립, 북한에서는 사회주의 헌법 제정에 이용되어 남북한의 독재 권력을 더욱 강화시켰다.

오답 분석

① **6·15 남북 공동 선언**: 합의 직후 이산가족 상봉이 실현된 것은 6·15 남북 공동 선언이다(2000).
③ **남북 기본 합의서**: 남북한이 유엔에 동시 가입한 직후 발표한 문서는 남북 기본 합의서이다(1991).
④ 남북한은 한반도를 비핵화함으로써 한반도에 평화를 정착하자는 취지로 한반도 비핵화에 대한 공동 선언(1991. 12. 31.)에 합의하였다.

이것도 알면 **합격!**

7·4 남북 공동 성명

내용	• 자주·평화·민족 대단결의 통일 원칙 천명 • 서울·평양 간 상설 직통 전화 개설과 남북 조절 위원회 설치
의의	통일에 관해 남북이 최초로 합의한 내용을 공동 성명 형식으로 동시 발표
한계	공동 성명 직후 남측은 10월 유신을 단행하고 북측은 사회주의 헌법을 제정하여 남북 대화를 독재 체제 강화에 이용

03

2020년 법원직 9급

(가)에 들어갈 사실로 가장 옳은 것은?

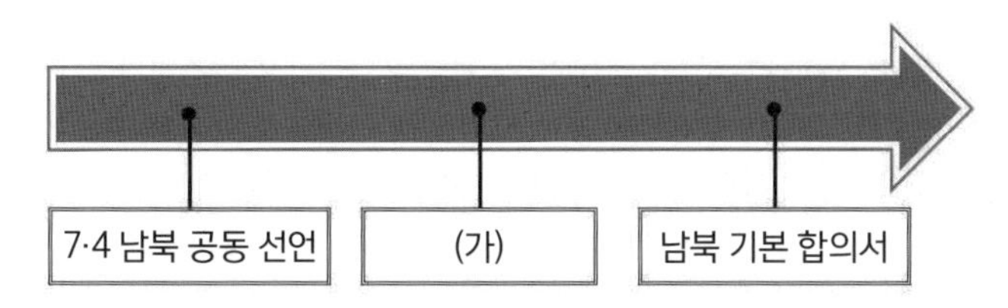

① 개성 공업 지구가 조성되었다.
② 최초로 금강산 관광이 시작되었다.
③ 남북한이 동시에 유엔에 가입하였다.
④ 남북한이 비핵화 공동 선언을 체결하였다.

문제풀이 7·4 남북 공동 선언과 남북 기본 합의서 사이의 사실 난이도 중

(가) 이전의 7·4 남북 공동 선언(1972)은 분단 이후 최초로 남북이 기본 원칙에 합의한 것으로, 한반도 통일이 자주·평화·민족 대단결의 원칙에 입각하여 이루어져야 함을 합의하였다. (가) 이후의 남북 기본 합의서(1991. 12.)는 남북 상호 간에 상대방의 체제를 존중하고 쌍방의 관계가 서로 다른 국가가 아닌 잠정적 특수 관계임을 인정한 합의서이다. 따라서 (가)는 1972년~1991년 사이의 사실임을 알 수 있다.

③ (가) 시기에 노태우 정부는 북방 외교 정책을 추진하여 공산주의 국가와 외교 관계를 형성하였다. 그 일환으로 남북 고위급 회담(1990)이 시작되었고, 남북은 유엔에 동시 가입(1991. 9.)하였다.

오답 분석
모두 남북 기본 합의서 이후의 사실이다.

① 김대중 정부 때 분단 이후 최초로 남북 정상 회담(2000)이 개최되었으며, 6·15 남북 공동 선언이 채택되었다. 이때 남북한이 개성 공업 지구 조성에 합의하였으며, 노무현 정부 때인 2003년에 개성 공단 착공식이 열렸다.
② 김대중 정부의 대북 화해 협력 정책에 따라 1998년부터 최초로 금강산 해로 관광 사업이 추진되었고, 이후 2003년부터는 금강산 육로 관광 사업이 추진되었다.
④ 노태우 정부 때 남북 기본 합의서가 채택된 이후, 남북한은 한반도에 평화를 정착시키자는 취지로 한반도 비핵화 공동 선언(1991. 12. 31.)을 체결하였다.

04

2014년 국가직 7급

밑줄 친 '합의'에 대한 설명으로 옳은 것을 〈보기〉에서 모두 고르면?

> 쌍방 사이의 관계가 나라와 나라 사이의 관계가 아닌 통일을 지향하는 과정에서 잠정적으로 형성되는 특수 관계라는 것을 인정하고, 평화 통일을 성취하기 위한 공동의 노력을 경주할 것을 다짐하면서, 다음과 같이 <u>합의</u>하였다.
> 제1조 남과 북은 서로 상대방의 체제를 인정하고 존중한다.

보기
㉠ 남북의 정상이 만나서 약속한 것이다.
㉡ 남북이 동시에 유엔에 가입하는 계기가 되었다.
㉢ 군사 당국자 간의 직통 전화를 가설하기로 하였다.
㉣ 남북 불가침을 위한 남북 군사 공동 위원회 설치를 명시하였다.

① ㉠, ㉡
② ㉠, ㉣
③ ㉡, ㉢
④ ㉢, ㉣

문제풀이 남북 기본 합의서(1991) 난이도 중

제시문에서 통일을 지향하는 과정에서 잠정적으로 형성되는 특수 관계라는 내용과 상대방의 체제를 인정한다는 내용을 통해 밑줄 친 '합의'가 남북 기본 합의서라는 것을 확인할 수 있다. 1991년 12월에 남북 기본 합의서가 채택되었는데, 이 합의서를 통해 상호 불가침, 교류·협력의 확대 등을 규정하였고, 상호 체제 및 남북이 국가와 국가의 관계가 아닌 특수한 관계임을 인정하는 것에 대해 합의하였다.

④ 옳은 것을 모두 고르면 ㉢, ㉣이다.
㉢ 남북 기본 합의서에서 남북은 군사 당국자 간의 직통 전화를 가설하기로 합의하였다.
㉣ 남북 기본 합의서에서 남북은 남북 화해 및 불가침 등을 이행하기 위해 남북 군사 공동 위원회, 화해 공동 위원회 등을 설치하기로 하였다.

오답 분석
㉠ 남북의 정상이 만나 합의한 문서는 김대중 정부 시기의 6·15 공동 선언(2000)과 노무현 정부 시기의 10·4 남북 공동 선언(2007), 문재인 정부 시기의 4·27 판문점 선언(2018)이다.
㉡ 남북이 유엔에 동시 가입한 것은(1991. 9.) 남북 기본 합의서를 발표(1991. 12.)하기 전의 일이다.

정답 01 ③ 02 ② 03 ③ 04 ④

05

2022년 소방직

다음 연설을 한 정부의 통일 노력으로 옳은 것은?

> 의장, 사무총장, 그리고 존경하는 각국 대표 여러분. 나는 3년 전 바로 이 자리에서 온 세계의 젊은이들이 인종과 종교, 이념과 체제의 벽을 넘어 화합의 한마당을 이룬 서울 올림픽의 신선한 감명을 전했습니다. (중략) 이제 남북한의 유엔 가입으로 한반도는 평화 공존의 시대를 맞았습니다. 남북한은 이를 바탕으로 평화를 정착시키고 통일을 앞당기는 적극적인 관계를 이루어 나가야 합니다.

① 남북 기본 합의서를 채택하였다.
② 7·4 남북 공동 성명을 발표하였다.
③ 6·15 남북 공동 선언을 발표하였다.
④ 제2차 남북 정상 회담을 개최하였다.

문제풀이 노태우 정부의 통일 노력 난이도 중

제시문에서 3년 전 이 자리에서 서울 올림픽의 신선한 감명을 전하였다는 것과 남북한의 유엔 가입으로 평화 공존의 시대를 맞았다는 내용을 통해 노태우 정부 때임을 알 수 있다.

① 노태우 정부는 1991년 12월에 남북의 상호 체제를 인정하되 국가로서는 불승인하고, 상호 불가침과 교류·협력 확대 등에 대해 합의한 남북 기본 합의서를 채택하였다.

오답 분석

② **박정희 정부**: 7·4 남북 공동 성명을 발표한 것은 박정희 정부이다. 7·4 남북 공동 성명(1972)은 분단 이후 최초로 남북이 기본 원칙에 합의한 것으로, 한반도 통일이 자주·평화·민족 대단결의 원칙에 입각하여 이루어져야 함을 합의하였다.

③ **김대중 정부**: 6·15 남북 공동 선언을 발표한 것은 김대중 정부이다. 6·15 남북 공동 선언(2000)은 제1차 남북 정상 회담의 결과로 채택되었으며, 남측의 연합제 안과 북측의 낮은 단계의 연방제 안의 공통성을 인정하였다.

④ **노무현 정부**: 제2차 남북 정상 회담을 개최한 것은 노무현 정부이다. 제2차 남북 정상 회담(2007)의 결과 6·15 남북 공동 선언을 재확인하고 종전 선언 추진 등에 합의한 10·4 남북 공동 선언이 발표되었다.

06

2017년 서울시 9급

다음과 같은 남북 합의가 이루어진 정부에서 일어난 사실은?

> 제1조 남과 북은 서로 상대방의 체제를 인정하고 존중한다.
> 제2조 남과 북은 상대방의 내부 문제에 간섭하지 아니한다.
> 제3조 남과 북은 상대방에 대한 비방, 중상을 하지 아니한다.
> 제4조 남과 북은 상대방을 파괴, 전복하는 일체 행위를 하지 아니한다.

① 남북 조절 위원회 회담
② 금융 실명제 전면 실시
③ 남북 정상 회담 개최
④ 북방 외교의 적극 추진

문제풀이 노태우 정부 시기의 사실 난이도 하

제시문에서 남과 북은 서로 상대방의 체제를 인정하고 존중한다는 내용을 통해 노태우 정부 시기에 채택된 남북 기본 합의서(1991. 12.)의 내용임을 알 수 있다.

④ 노태우 정부 시기에는 북방 외교 정책을 적극적으로 추진하여 소련(1990), 중국(1992) 등 공산권 국가와 수교를 맺었다. 노태우 정부의 북방 외교 정책은 북한의 개방과 개혁을 유도하기 위한 것이었으며, 이러한 정책의 영향으로 남북 고위급 회담(1990)이 개최되었고, 남북이 유엔에 동시 가입(1991. 9.)하였다.

오답 분석

① **박정희 정부**: 남북 조절 위원회를 설치하고, 남북 조절 위원회 회담이 열린 것은 박정희 정부 때의 일이다. 남북 조절 위원회는 7·4 남북 공동 성명(1972)의 합의 사항을 추진하고, 남북 관계를 개선·발전시키기 위해 설립된 남북한 당국 간의 정치적 협의 기구이다.

② **김영삼 정부**: 금융 실명제를 실시한 것은 김영삼 정부 때인 1993년의 일이다.

③ **김대중·노무현·문재인 정부**: 남북 정상 회담이 개최된 것은 김대중 정부(1차), 노무현 정부(2차), 문재인 정부(3차) 때의 일이다. 김대중 정부 때 개최된 제1차 남북 정상 회담(2000)에서는 6·15 남북 공동 선언, 노무현 정부 때 개최된 제2차 정상 회담(2007)에서는 10·4 남북 공동 선언, 문재인 정부 때 개최된 제3차 정상 회담(2018)에서는 4·27 판문점 선언을 발표하였다.

07

2018년 국가직 7급

(가)와 (나) 사이에 있었던 사실로 옳은 것은?

> (가) 남북한은 자주·평화·민족적 대단결의 통일 원칙을 명시한 7·4 남북 공동 성명을 발표하였다.
> (나) 남북한은 유엔에 동시 가입하였고, 같은 해에 '남북 사이의 화해와 불가침 및 교류·협력에 관한 합의서(남북 기본 합의서)'를 채택하였다.

① 4·19 혁명 발발
② 금융 실명제 실시
③ 5·18 민주화 운동 발발
④ 제2차 경제 개발 5개년 계획 시작

08

2019년 법원직 9급

다음 선언이 발표된 시기를 (가) ~ (라) 중 찾으시오.

> 2. 남과 북은 나라의 통일을 위한 남측의 연합제와 북측의 낮은 단계의 연방제 안이 공통성이 있다고 인정하고 이 방향에서 통일을 지향시켜 나가기로 하였다.
> 4. 남과 북은 경제 협력을 통하여 민족 경제를 균형적으로 발전시키고, 사회, 문화, 체육, 보건, 환경 등 제반 분야의 협력과 교류를 활성화하여 서로의 신뢰를 다져나가기로 하였다.

	(가)	(나)	(다)	(라)	

5·16 군사 정변 ↑ 유신 헌법 공포 ↑ 전두환 구속 ↑ 김대중 대통령 당선 ↑ 개성 공단 조성

① (가) ② (나)
③ (다) ④ (라)

문제풀이 7·4 남북 공동 성명과 남북 기본 합의서 사이의 사실 난이도 중

제시된 자료에서 (가)는 박정희 정부 시기인 1972년에 발표된 7·4 남북 공동 성명이며, (나)는 노태우 정부 때인 1991년에 채택된 남북 기본 합의서이다.

③ (가)와 (나) 사이의 시기인 1980년에 광주에서 계엄령 철폐와 신군부의 퇴진을 요구한 5·18 광주 민주화 운동이 일어났다.

오답 분석
① **(가) 이전**: 4·19 혁명이 발발한 것은 1960년으로 (가) 시기 이전이다.
② **(나) 이후**: 금융 실명제가 실시된 것은 1993년으로 (나) 시기 이후이다.
④ **(가) 이전**: 제2차 경제 개발 5개년 계획(1967~1971)이 시작된 것은 1967년으로 (가) 시기 이전이다.

 이것도 알면 **합격!**

노태우 정부 시기의 통일 노력

구분	내용
7·7 선언 (1988)	남북 관계를 선의의 동반자이며 함께 번영해야 할 민족 공동체 관계로 규정하고 모든 부분에서의 교류 표방
한민족 공동체 통일 방안 (1989)	자주·평화·민주의 3대 원칙 아래 과도적인 체제로 남북 연합을 구성하여 통일 헌법을 제정한 다음 총선거를 실시하여 통일 민주 공화국을 구성하자는 방안 제시
남북 기본 합의서 (1991)	상호 체제를 인정하고 상호 불가침, 교류와 협력 확대 등에 대해 합의

문제풀이 6·15 남북 공동 선언 난이도 하

제시문에서 남측의 연합제 안과 북측의 낮은 단계의 연방제 안이 공통성이 있다고 인정한다는 내용을 통해 6·15 남북 공동 선언(2000)임을 알 수 있다.

(가) 5·16 군사 정변(1961) ~ 유신 헌법 공포(1972)
(나) 유신 헌법 공포(1972) ~ 전두환 구속(1995)
(다) 전두환 구속(1995) ~ 김대중 대통령 당선(1997)
(라) 김대중 대통령 당선(1997) ~ 개성 공단 조성(착공: 2003/조성: 2004)

④ 6·15 남북 공동 선언은 (라) 시기인 김대중 정부 시기에 발표되었다. 김대중 정부가 남북 관계의 개선을 위한 햇볕 정책을 적극적으로 추진한 결과, 2000년에 평양에서 최초로 남북 정상 회담이 개최되었으며, 6·15 남북 공동 선언이 채택되었다. 양국 정상은 6·15 남북 공동 선언을 통해 남한(연합제 안)과 북한(낮은 단계의 연방제 안)이 추구하는 통일 방안에 공통성이 있음을 인정하고, 남북 교류, 경제 협력의 활성화와 이산가족 문제의 해결 등에 합의하였다. 그 결과 김대중 정부 시기에 이산가족 상봉이 재개되고, 경의선 복원과 개성 공단 건설에 대한 합의 등이 이루어졌다.

정답 05 ① 06 ④ 07 ③ 08 ④

09

2015년 법원직 9급

다음은 정부가 발표한 통일 관련 선언문이다. 이에 관한 서술로 가장 옳지 않은 것은?

> (가)
> 쌍방은 다음과 같은 조국 통일 원칙들에 합의를 보았다.
> 첫째, 통일은 외세에 의존하거나 외세의 간섭을 받음이 없이 자주적으로 해결하여야 한다.
> 둘째, 통일은 상대방을 반대하는 무력행사에 의거하지 않고 평화적 방법으로 실현하여야 한다.
> 셋째, 사상과 이념, 제도의 차이를 초월하여 우선 하나의 민족으로서 민족적 대단결을 도모하여야 한다.
>
> (나)
> 1. 남과 북은 나라의 통일 문제를 그 주인인 우리 민족끼리 서로 힘을 합쳐 자주적으로 해결해 나가기로 하였다.
> 2. 남과 북은 나라의 통일을 위한 남측의 연합제 안과 북측의 낮은 단계의 연방제 안이 서로 공통성이 있다고 인정하고 앞으로 이 방향에서 통일을 지향시켜 나가기로 하였다.

① (가) 발표 직후, 긴급 조치권이 포함된 헌법 개정이 이루어졌다.
② (나)는 남북한 정부 간에 최초로 공식 합의한 남북 기본 합의서이다.
③ (나) 이후 남북한 이산가족 간의 서신 교환이 실시되었다.
④ (가)와 (나) 사이에 해로를 통한 금강산 관광이 처음으로 시작되었다.

문제풀이 7·4 남북 공동 성명과 6·15 남북 공동 선언 난이도 중

(가)는 통일의 자주적 해결, 평화적 방법, 민족적 대단결의 내용을 통해 7·4 남북 공동 성명임을 알 수 있다.

(나)는 통일 문제의 자주적 해결, 서로 공통성이 있다고 인정하는 내용을 통해 6·15 남북 공동 선언임을 알 수 있다.

② (나)는 김대중 정부 때 최초로 남북 정상 회담을 개최하고 그 결과로 발표한 6·15 남북 공동 선언이다. 남북 기본 합의서는 노태우 정부 때 발표된 것으로, 이 합의서를 통해 남북은 상호 불가침, 교류·협력 확대 등에 대해 합의하였다.

오답 분석

① 7·4 남북 공동 성명은 남북의 독재 체제 강화에 이용되었는데 남한에서는 긴급 조치권이 포함된 유신 헌법이 제정되었고, 북한에서는 국가 주석제를 내포한 사회주의 헌법이 제정되었다.
③ 6·15 남북 공동 선언 이후인 2001년부터 남북 이산가족의 서신 교환이 시작되었다.
④ (가)와 (나) 사이 시기인 1998년부터 김대중 정부의 대북 화해 협력 정책에 따라 금강산 해로 관광 사업이 시작되었고, 2003년부터는 육로 관광 사업이 시작되었다.

10

2022년 법원직 9급

(가), (나) 사이 시기에 있었던 사실로 가장 옳은 것은?

> (가) 남과 북은 상대방에 대하여 무력을 사용하지 않으며 상대방을 무력으로 침략하지 아니한다. …… 민족 전체의 복리 향상을 도모하기 위하여 자원의 공동 개발, 민족 내부 교류로서의 물자 교류, 합작 투자 등 경제 교류와 협력을 실시한다.
> (나) 남과 북은 나라의 통일을 위한 남측의 연합제 안과 북측의 낮은 단계의 연방제 안이 서로 공통성이 있다고 인정하고 앞으로 이 방향에서 통일을 지향시켜 나가기로 하였다.

① 남북 조절 위원회가 설치되었다.
② 금강산 관광 사업이 시작되었다.
③ 제2차 남북 정상 회담이 개최되었다.
④ 남북 이산가족 상봉이 최초로 이루어졌다.

문제풀이 남북 기본 합의서와 6·15 남북 공동 선언 사이의 사실 난이도 중

(가)는 남과 북은 상대방에 대해 무력을 사용하지 않는다는 것을 통해 노태우 정부 시기인 1991년에 발표된 남북 기본 합의서임을 알 수 있다.

(나)는 남측의 연합제 안과 북측의 낮은 단계의 연방제 안이 서로 공통성이 있다고 인정한다는 것을 통해 김대중 정부 시기인 2000년에 발표된 6·15 남북 공동 선언임을 알 수 있다.

② (가)와 (나) 사이 시기인 1998년에 김대중 정부의 햇볕 정책으로 남북한의 교류와 협력 사업이 확대되면서 금강산 해로 관광 사업이 시작되었다.

오답 분석

① **(가) 이전:** 남북 조절 위원회가 설치된 것은 1972년으로, (가) 시기 이전의 사실이다. 남북 조절 위원회는 7·4 남북 공동 성명의 합의 사항들을 추진하기 위해 박정희 정부 때 설치되었다.
③ **(나) 이후:** 제2차 남북 정상 회담이 개최된 것은 2007년으로, (나) 시기 이후의 사실이다. 노무현 정부 때 제2차 남북 정상 회담을 개최하고 10·4 남북 공동 선언을 발표하였다.
④ **(가) 이전:** 남북 이산가족 상봉이 최초로 이루어진 것은 1985년으로, (가) 시기 이전의 사실이다. 전두환 정부 때 남북 이산가족 고향 방문이 이루어져 최초의 남북 이산가족 상봉과 남북 예술단 교환 공연이 성사되었다.

11

2018년 서울시 9급(6월 시행)

〈보기 1〉의 (가)와 (나)가 발표된 시기의 사이에 있었던 사실을 〈보기 2〉에서 모두 고른 것은?

보기 1

(가) 첫째, 통일은 외세에 의존하거나 외세의 간섭을 받음이 없이 자주적으로 해결하여야 한다.
둘째, 통일은 서로 상대방을 반대하는 무력 행사에 의거하지 않고 평화 방법으로 실현하여야 한다.
셋째, 사상과 이념, 제도의 차이를 초월하여 우선 하나의 민족으로서 민족적 대단결을 도모하여야 한다.

(나) 1. 남과 북은 나라의 통일 문제를 그 주인인 우리 민족끼리 서로 힘을 합쳐 자주적으로 해결한다.
2. 남과 북은 남측의 연합제 안과 북측의 낮은 단계의 연방제 안이 서로 공통성이 있다고 인정한다.

보기 2

㉠ 금강산 관광이 시작되었다.
㉡ 남북 조절 위원회를 설치하였다.
㉢ 경의선과 동해선 철도가 연결되었다.
㉣ 남과 북이 동시에 유엔에 가입하였다.

① ㉠, ㉡, ㉢
② ㉠, ㉡, ㉣
③ ㉠, ㉢, ㉣
④ ㉡, ㉢, ㉣

문제풀이 평화 통일을 위한 노력 난이도 중

(가)는 자주적으로 해결, 평화 방법으로 실현, 민족적 대단결이라는 내용을 통해 1972년에 발표된 7·4 남북 공동 성명임을 알 수 있다.

(나)는 남측의 연합제 안과 북측의 낮은 연방제 안이 공통성이 있음을 인정하는 내용을 통해 2000년에 발표된 6·15 남북 공동 선언임을 알 수 있다.

② 옳은 사실을 모두 고르면 ㉠, ㉡, ㉣이다.
㉠ 김대중 정부 시기에는 햇볕 정책을 통하여 남북 교류와 협력 사업이 확대되었고, 이에 1998년에 금강산 해로 관광이 시작되었다.
㉡ 7·4 남북 공동 성명에서 합의된 사항들을 추진하고, 남북 관계를 개선, 발전시키기 위해 1972년 11월에 남북 조절 위원회가 설치되었다.
㉣ 노태우 정부 시기인 1991년에 남한과 북한은 동시에 UN에 가입하였다.

오답 분석

㉢ **(나) 이후**: 경의선과 동해선 철도가 연결된 것은 (나) 이후이다. 6·15 공동 선언으로 남북간의 교류가 더욱 확대되어 경의선과 동해선 철도 연결에 합의하였다. 이후 2000년 9월에 경의선 복구 기공식이 열려 2002년 12월에 완공되었고, 2002년에 경의선·동해선 철도 및 도로 연결 착공식이 열렸다.

12

2018년 법원직 9급

다음 (가), (나)의 선언문 사이의 시기에 있었던 사실로 가장 옳은 것은?

(가) 남과 북은 …… 쌍방의 관계가 나라와 나라 사이의 관계가 아닌 통일을 지향하는 과정에서 잠정적으로 형성되는 특수 관계라는 것을 ……
제1조 남과 북은 서로 상대방의 체제를 인정하고 존중한다.
제9조 남과 북은 상대방에 대해 무력을 사용하지 않으며 상대방을 무력으로 침략하지 아니한다.

(나) 1. 나라의 통일 문제를 우리 민족끼리 서로 힘을 합쳐 자주적으로 해결해 나가기로 하였다.
2. 나라의 통일을 위한 남측의 연합제 안과 북측의 낮은 단계의 연방제 안이 서로 공통성이 있다고 인정하고, 이 방향에서 통일을 지향하기로 하였다.

① 금강산 관광이 시작되었다.
② 개성 공단 건설 사업이 시작되었다.
③ 최초로 남·북 이산가족이 상봉하였다.
④ 경의선 철로 복원 사업이 착공되었다.

문제풀이 남북 기본 합의서와 6·15 남북 공동 선언 사이의 사실 난이도 중

(가)는 쌍방의 관계를 잠정적 특수 관계임을 인정한 내용을 통해 노태우 정부 시기인 1991년에 발표된 남북 기본 합의서임을 알 수 있다.

(나)는 남측의 연합제 안과 북측의 낮은 단계의 연방제 안의 공통성을 인정하였다는 내용을 통해 김대중 정부 시기인 2000년에 발표된 6·15 남북 공동 선언임을 알 수 있다.

① (가)와 (나) 사이 시기인 1998년에는 김대중 정부의 햇볕 정책으로 남북한의 교류와 협력 사업이 확대되어 금강산 해로 관광이 처음으로 시작되었다.

오답 분석

②, ④ **(나) 이후**: 개성 공단 건설 사업과 경의선 철로 복원 사업은 (나) 6·15 공동 선언의 결과로 시행되었다. 6·15 공동 선언의 결과 남북간의 교류가 더욱 확대되어 경의선 복구가 시작(2000)되었으며, 김대중 정부의 햇볕 정책을 계승한 노무현 정부 시기에 개성 공단 건설이 본격적으로 시작되었다(2003).

③ **(가) 이전**: 최초로 남·북 이산가족이 상봉한 것은 1985년으로 (가) 시기 이전의 일이다. 전두환 정부 때 남북 대화가 재개되어 남북 이산가족 고향 방문이 이루어져 최초의 이산가족 상봉과 남북 예술단 교환 공연이 성사되었다.

정답 09 ② 10 ② 11 ② 12 ①

13

2022년 소방간부후보생

다음 합의문의 결과로 옳은 것은?

> 합의문
> - ㅇ 나라의 통일을 위한 남측의 연합제 안과 북측의 낮은 단계의 연방제 안이 서로 공통성이 있다고 인정하고, 이 방향에서 통일을 지향하기로 하였다.
> - ㅇ 이산가족 방문단을 교환하며, 비전향 장기수 문제를 해결하는 등 인도적 문제를 조속히 풀어나가기로 하였다.
> - ㅇ 경제 협력을 통해 민족 경제를 균형적으로 발전시키고, 사회, 문화, 체육 등의 협력과 교류를 활성화하여 서로의 신뢰를 다져 나가기로 하였다.

① 남북한이 유엔에 동시 가입하였다.

② 개성 공단 조성 사업이 추진되었다.

③ 한반도 비핵화에 관한 공동 선언이 발표되었다.

④ 남북 이산가족 상봉 행사가 처음으로 평양에서 개최되었다.

⑤ 한민족 공동체 건설을 위한 3단계 통일 방안이 제시되었다.

문제풀이 6·15 남북 공동 선언의 결과 난이도 중

제시문에서 남측의 연합제 안과 북측의 낮은 단계의 연방제 안이 서로 공통성이 있다고 인정한다는 내용 등을 통해 다음 합의문이 6·15 남북 공동 선언(2000)임을 알 수 있다.

② 김대중 정부 때 발표된 6·15 남북 공동 선언의 결과 개성 공단 조성 사업이 추진되었으며, 노무현 정부 때인 2003년에 개성 공단 착공식이 열렸다.

오답 분석

모두 6·15 남북 공동 선언 발표 이전의 사실이다.

① 남북한이 유엔에 동시 가입한 것은 노태우 정부 때인 1991년의 사실이다. 노태우 정부는 북방 외교 정책을 추진하여 공산주의 국가와 외교 관계를 형성하였다. 그 일환으로 남북 고위급 회담(1990)이 시작되었고, 남북은 유엔에 동시 가입(1991. 9.)하였다.

③ 한반도를 비핵화하여 핵 전쟁의 위험을 제거하고 한반도에 평화를 정착하자는 취지로 한반도 비핵화에 관한 공동 선언이 발표된 것은 노태우 정부 때인 1991년의 사실이다.

④ 남북 이산가족 상봉 행사가 처음으로 평양에서 개최된 것은 전두환 정부 때인 1985년의 사실이다.

⑤ 한민족 공동체 건설을 위해 화해·협력, 남북 연합, 통일 국가의 3단계 통일 방안이 제시된 것은 김영삼 정부 때인 1994년의 사실이다.

14

2022년 간호직 8급

다음 선언이 발표된 이후 시작된 남북간 협력 내용으로 옳은 것은?

> 남과 북은 나라의 통일 문제를 서로 힘을 합쳐 자주적으로 해결해 나가기로 하였다. 남과 북은 나라의 통일을 위한 남측의 연합제 안과 북측의 낮은 단계의 연방제 안이 서로 공통성이 있다고 인정하고, 앞으로 이 방향에서 통일을 지향해 나가기로 하였다.

① 유엔 동시 가입

② 금강산 해로 관광

③ 개성 공단 건설 사업

④ 제1차 이산가족 고향 방문

문제풀이 6·15 남북 공동 선언 이후의 남북간 협력 난이도 하

제시문에서 나라의 통일 문제를 자주적으로 해결한다는 것과 남측의 연합제 안과 북측의 낮은 단계의 연방제 안이 서로 공통성이 있다고 인정하는 내용을 통해 2000년에 발표된 6·15 남북 공동 선언임을 알 수 있다.

③ 김대중 정부 때 채택된 6·15 남북 공동 선언 이후 남북한은 경제 협력 사업의 하나로 개성 공업 지구 조성에 합의하였으며, 노무현 정부 때인 2003년에 개성 공단 사업이 시작되었다.

오답 분석

모두 6·15 남북 공동 선언(2000) 이전의 사실이다.

① 노태우 정부 때인 1991년에 남북한은 각각 독립된 국가의 자격으로 유엔에 동시 가입하였다.

② 김대중 정부 때 현대 그룹의 정주영 회장이 소떼를 이끌고 북한을 방문하여 남북한의 화해 분위기 조성에 기여하였고, 방문의 성과로 현대 그룹은 북한과 금강산 관광 사업에 대해 합의하였다. 이를 계기로 1998년에 금강산 해로 관광 사업이 시작되었다.

④ 전두환 정부 때인 1985년에 서울과 평양에서 제1차 이산가족 고향 방문이 이루어져 최초로 남북 이산가족이 상봉하였다.

15

2024년 서울시 9급

〈보기〉의 사건을 시간 순으로 나열할 때 세 번째에 해당하는 사건은?

> **보기**
> ㉠ 남북 기본 합의서 채택
> ㉡ 6·15 남북 공동 선언
> ㉢ 남북 동시 유엔 가입
> ㉣ 남북 조절 위원회 설치

① ㉠　　② ㉡
③ ㉢　　④ ㉣

문제풀이　역대 정부의 통일 정책　　난이도 상

제시된 사건을 시간 순으로 나열하면 ㉣ 남북 조절 위원회 설치(1972) → ㉢ 남북 동시 유엔 가입(1991. 9.) → ㉠ 남북 기본 합의서 채택(1991. 12.) → ㉡ 6·15 남북 공동 선언(2000)이 된다.

① 세 번째에 해당하는 사건은 ㉠ 남북 기본 합의서 채택이다.

㉣ 남북 조절 위원회 설치: 박정희 정부 때 7·4 남북 공동 성명의 합의 사항을 추진하고, 남북 관계를 개선·발전시키기 위해 정치적 협의 기구인 남북 조절 위원회를 설치하였다.

㉢ 남북 동시 유엔 가입: 노태우 정부 때 북방 외교 정책을 추진하여 공산주의 국가와 외교 관계를 형성하였다. 그 일환으로 남북 고위급 회담(1990)이 시작되었고, 남북은 유엔에 동시 가입(1991. 9.)하였다.

㉠ 남북 기본 합의서 채택: 노태우 정부 때 남북의 상호 체제 인정, 상호 불가침, 교류·협력 확대 등을 협의한 남북 기본 합의서(남북 사이의 화해와 불가침 및 교류·협력에 관한 합의서)를 채택하였다(1991. 12.).

㉡ 6·15 남북 공동 선언: 김대중 정부 때 개최된 제1차 남북 정상 회담을 통해 남북이 추구하는 통일 방안의 유사성을 인정하고 남북 교류 및 경제 협력 활성화 등의 내용에 합의한 6·15 남북 공동 선언을 발표하였다(2000).

16

2017년 지방직 9급(12월 시행)

다음 사실들을 시기 순으로 바르게 나열한 것은?

> ㉠ 남북이 유엔에 동시 가입하였다.
> ㉡ 분단 후 처음으로 금강산 관광 사업이 실현되었다.
> ㉢ '남북 사이의 화해와 불가침 및 교류·협력에 관한 합의서'가 체결되었다.
> ㉣ 북한 핵 시설 동결과 경수로 발전소 건설 지원 등을 명시한 '북·미 제네바 기본 합의서'가 채택되었다.

① ㉠ → ㉡ → ㉢ → ㉣
② ㉠ → ㉢ → ㉣ → ㉡
③ ㉢ → ㉠ → ㉣ → ㉡
④ ㉢ → ㉣ → ㉠ → ㉡

문제풀이　남북한 통일 정책의 전개　　난이도 중

② 순서대로 나열하면 ㉠ 남북한 유엔 동시 가입(1991. 9.) → ㉢ 남북 기본 합의서 체결(1991. 12.) → ㉣ 북·미 제네바 기본 합의서 채택(1994) → ㉡ 금강산 관광 사업 시작(1998)이 된다.

㉠ 남북한 유엔 동시 가입: 1991년 9월에 열린 유엔 총회에서 남북이 각각 독립된 국가의 자격으로 동시에 유엔의 회원국이 되었다.

㉢ 남북 기본 합의서: 노태우 정부는 1991년 12월에 남북의 상호 체제를 인정하되 국가로서는 불승인하고, 상호 불가침과 교류·협력 확대 등에 대해 합의한 남북 기본 합의서를 채택하였다.

㉣ 북·미 제네바 기본 합의서: 북한과 미국은 1994년에 북한 핵 문제 해결을 위해 북·미 제네바 기본 합의서를 체결하였다. 이에 미국은 북한이 핵 연구를 포기하는 대신 대체 에너지를 제공할 것을 약속하고, 합의문 이행을 위한 국제 기구로 한국·미국·일본 등을 중심으로 한 한반도 에너지 개발 기구(KEDO)가 설립되었다(1995).

㉡ 금강산 관광 사업 시작: 김대중 정부 시기에는 햇볕 정책이 추진되어 남북 교류가 활성화 되었고, 그 결과 1998년에 최초로 금강산 해로 관광 사업이 시작되었다.

정답　13 ②　14 ③　15 ①　16 ②

1 | 현대의 경제 발전

01

2021년 국가직 9급

이승만 정부의 경제 정책으로 옳지 않은 것은?

① 한·미 원조 협정을 체결하였다.
② 농지 개혁에 따른 지가 증권을 발행하였다.
③ 제분, 제당, 면방직 등 삼백 산업을 적극 지원하였다.
④ 제1차 경제 개발 5개년 계획을 추진하였다.

문제풀이 이승만 정부의 경제 정책 난이도 하

④ 제1차 경제 개발 5개년 계획을 추진한 것은 박정희 정부이다. 박정희 정부는 1962년부터 1966년까지 의류·신발 등 노동 집약적인 경공업과 사회 간접 자본 확충을 위한 비료·시멘트·정유 산업 등을 중점적으로 육성하는 제1차 경제 개발 5개년 계획을 추진하였다.

오답 분석

모두 이승만 정부의 경제 정책에 해당된다.

① 이승만 정부는 1948년 12월 한·미 원조 협정을 체결하여, 한국의 경제적 위기를 극복하고 국력 부흥을 위해 미국 정부가 한국 정부에게 제공할 재정적·기술적 원조와 관련한 원칙과 기준 등을 명문화하였다.
② 이승만 정부는 농지 개혁에 따라 농지를 매각한 지주에게 지가 증권을 발행함으로써 지주층의 토지 자본을 산업 자본으로 전환하려 하였다. 하지만 지가 증권의 현금화가 제대로 이루어지지 않아 산업 자본으로의 전환에 실패하였다.
③ 이승만 정부는 미국의 원조 물품인 밀, 원당, 목화를 원료로 한 제분·제당·면방직 사업(삼백 산업)을 적극 지원하였다.

02

2020년 법원직 9급

다음 법령이 반포되었을 당시의 경제적 상황으로 가장 옳은 것은?

> 제2조 본 법에서 귀속 재산이라 함은 … 대한민국 정부에 이양된 일체의 재산을 지칭한다. 단, 농경지는 따로 농지 개혁법에 의하여 처리한다.
> 제3조 귀속 재산은 본 법과 본 법의 규정에 의하여 발하는 명령이 정하는 바에 의하여 국용 또는 공유 재산, 국영 또는 공영 기업체로 지정되는 것을 제외하고는 대한민국의 국민 또는 법인에게 매각한다.
>
> – 귀속 재산 처리법

① 삼백 산업이 발달하였다.
② 금융 실명제가 실시되었다.
③ 수출 100억 달러를 달성하였다.
④ OECD 회원국으로 가입하였다.

문제풀이 이승만 정부의 경제 정책 난이도 중

제시문은 미 군정기에 몰수된 일본인 소유의 농지, 주택, 기업 등의 귀속 재산을 처리하기 위해 제정된 귀속 재산 처리법에 대한 내용으로, 이승만 정부 시기인 1949년 12월에 제정되었다. 이승만 정부는 귀속 재산 처리법을 통해 국·공유 재산으로 지정된 것을 제외한 나머지 귀속 재산을 민간인에게 매각하였다.

① 이승만 정부 시기에는 미국의 원조로 밀, 목화, 원당을 원료로 한 제분·면방직·제당 공업 등의 이른바 삼백 산업이 발달하였다.

오답 분석

② **김영삼 정부**: 금융 실명제는 김영삼 정부 시기인 1993년에 실시되었다. 금융 실명제는 은행 예금이나 증권 투자 등의 금융 거래를 할 때에 실제 명의로 하여야 하며, 가명이나 무기명 거래는 인정하지 않는 제도이다.
③ **박정희 정부**: 수출 100억 달러를 달성한 것은 박정희 정부 때인 1977년의 일이다.
④ **김영삼 정부**: OECD(경제 개발 협력 기구)에 회원국으로 가입한 것은 김영삼 정부 때인 1996년의 일이다.

03

2024년 지방직 9급

다음 법령에 의해 실시된 정책에 대한 설명으로 옳은 것은?

> 제1조 본법은 헌법에 의거하여 농지를 농민에게 적정히 분배함으로써 … (중략) … 농민 생활의 향상 내지 국민 경제의 균형과 발전을 기함을 목적으로 한다.
> 제12조 농지의 분배는 농지의 종목, 등급 및 농가의 능력 기타에 기준한 점수제에 의거하되 1가당 총 경영 면적 3정보를 초과하지 못한다.

① 한국 민주당과 지주층의 반발로 중단되었다.
② 주택 개량, 도로 및 전기 확충 등도 추진하였다.
③ 유상 매수, 유상 분배의 방식으로 시행되었다.
④ 자작농이 감소하고 소작농이 증가하는 결과를 낳았다.

문제풀이 농지 개혁 난이도 중

제시문에서 농지를 농민에게 적정히 분배한다는 내용과 1가(구)당 총 경영 면적 3정보를 초과하지 못한다는 내용을 통해 농지 개혁법에 대한 설명임을 알 수 있다. 농지 개혁법은 농사를 짓는 사람이 땅을 가져야 한다는 경자 유전의 원칙에 입각하여 1949년 6월에 제정된 법령으로, 1950년 3월에 법의 일부가 개정되고 시행됨으로써 농지 개혁이 본격적으로 실시되었다.

③ 농지 개혁은 3정보를 상한으로 하여 그 이상의 보유 농지를 국가에서 유상으로 매수하고, 유상으로 농민에게 분배하는 방식으로 시행되었다.

오답 분석

① 한국 민주당은 농지 개혁이 시작되기 전인 1949년 2월에 해체되었다. 또한 농지 개혁은 지주층의 반발이 아닌 6·25 전쟁으로 잠시 중단되었으나, 휴전 이후 재개되었다.
② **새마을 운동**: 주택 개량, 도로 및 전기 확충 등을 추진한 것은 박정희 정부 시기에 추진된 새마을 운동이다. 한편, 농지 개혁은 자영농을 육성하기 위해 시행된 토지 개혁 정책으로 농지만을 대상으로 하였다.
④ 농지 개혁의 결과 농민 중심의 토지 제도가 확립되어 자작농이 증가하였으며, 지주제가 점차 소멸하였다.

04

2017년 국가직 9급(10월 시행)

다음 법을 시행하기 이전 상황에 대한 설명으로 옳은 것은?

> 제1조 본법은 헌법에 의거하여 농지를 농민에게 적절히 분배함으로써 농가 경제의 자립과 농업 생산력의 증진으로 인한 농민 생활의 향상 내지 국민 경제의 균형과 발전을 기함을 목적으로 한다.
> 제17조 일체의 농지는 소작, 임대차 또는 위탁 경영 등 행위를 금지한다.

① 반민족 행위 처벌법의 시효가 단축되었다.
② 제2대 국회의원 총선거가 실시되었다.
③ 미국의 공법 480호(PL480)에 따른 잉여 농산물이 도입되었다.
④ 국민 방위군 사건이 일어났다.

문제풀이 농지 개혁법 시행 이전의 상황 난이도 상

제시문에서 농지를 농민에게 적절히 분배함으로써 농가 경제의 자립과 농업 생산력의 증진을 목적으로 한다는 내용을 통해 농지 개혁법임을 알 수 있다. 농지 개혁법은 1949년 6월에 제정되어 1950년 3월에 법의 일부가 개정되고 시행되기 시작하였다.

① 반민족 행위 처벌법의 시효가 단축된 것은 1949년이다. 반민족 행위 처벌법은 1948년 9월에 제정 및 공포되고, 이에 의거하여 반민족 행위 특별 조사 위원회(반민특위)가 구성되었다. 그러나 국회 프락치 사건과 반민특위 습격 사건 등과 함께 이승만 정부의 미온적인 반응으로 1949년 7월에 반민법의 공소 시효가 기존 2년에서 1년 가량 단축되었고, 1949년 8월에 법의 시효가 만료되었다.

오답 분석

모두 농지 개혁법 시행 이후의 상황이다.
② 제2대 국회의원 총선거는 1950년 5월에 시행되었다.
③ 1954년에 제정된 미국의 공법 480호(PL480)에 따라 한·미 잉여 농산물 협정이 체결(1955)되고, 1956년부터 미국에서 잉여 농산물이 도입되었다. 미국은 당시 자국 내의 잉여 농산물을 처리하고, 동시에 6·25 전쟁 이후 한반도의 공산화를 막기 위해 미국의 농산물을 원조의 형식으로 한국에 도입시켰다.
④ 국민 방위군 사건(1951)은 6·25 전쟁 당시 군사 간부들이 군사 물자를 빼돌려 많은 젊은이들이 굶어 죽거나 얼어 죽은 사건이다.

정답 01 ④ 02 ① 03 ③ 04 ①

05

2019년 지방직 9급

다음 법령과 관련한 설명으로 옳은 것은?

> 제5조 정부는 다음에 의하여 농지를 취득한다.
> 1. 다음의 농지는 정부에 귀속한다.
> (가) 법령 및 조약에 의하여 몰수 또는 국유로 된 토지
> (나) 소유권의 명의가 분명하지 않은 농지

① 농지 이외 임야도 포함되었다.

② 신한 공사가 보유하던 토지를 분배하였다.

③ 중앙 토지 행정처가 분배 업무를 주무하였다.

④ 분배 받은 농민은 평년 생산량의 30%를 5년간 상환하였다.

문제풀이 농지 개혁법

난이도 중

제시된 자료에서 정부가 법령 및 조약에 의하여 몰수 또는 국유로 된 토지나 소유권의 명의가 분명하지 않은 농지는 정부에 귀속한다는 내용을 통해 이승만 정부 시기에 시행된 농지 개혁법임을 알 수 있다.

④ 농지 개혁법에 따라 농지를 분배 받은 농민들은 연평균 토지 수확량의 30%씩을 5년간 국가에 상환하도록 하였다.

오답 분석

① 농지 개혁법에서는 산림이나 임야를 제외한 농지만을 대상으로 하였다.

②, ③ 신한 공사와 중앙 토지 행정처는 미 군정 산하의 기구이다. 신한 공사는 미 군정 시기에 일제의 귀속 재산 관리를 위해 설치(1946)된 기구로, 1948년 3월에 중앙 토지 행정처로 개편되었다. 이후 중앙 토지 행정처가 소유하고 있던 일제의 귀속 농지는 대한민국 정부의 농림부에 이관되었다.

이것도 알면 **합격!**

남한의 농지 개혁

구분	내용
배경	북한의 무상 몰수, 무상 분배 원칙의 토지 개혁에 자극받아 소작농의 토지 분배와 지주제 개혁에 대한 요구 고조
내용	경자유전의 원칙 적용, 토지 소유의 상한선을 3정보로 제한, 유상 매수·유상 분배의 원칙 적용

06

2019년 국회직 9급

다음 법령에 대한 설명으로 옳지 않은 것은?

> 제5조 정부는 농가가 아닌 자의 농지를 매수한다.
> 제12조 농지의 분배는 1가구당 총 경영 면적 3정보를 초과하지 못한다.
> 제13조 상환은 5년간 균분 연부로 하고 매년 정부에 납입해야 한다.

① 3정보 이상 농지는 국가에서 유상으로 몰수하였다.

② 유상 매수와 유상 분배 원칙을 적용하였다.

③ 상환 자금을 대충 자금으로 활용하였다.

④ 정부는 재정 부족으로 지가 증권을 발행하였다.

⑤ 농지 매수자는 평년 생산량의 30%씩을 5년간 나누어 상환하였다.

문제풀이 농지 개혁법

난이도 중

제시문에서 정부가 농가 아닌 자의 농지를 매수하며, 농지의 분배는 1가구당 총 경영 면적을 3정보로 제한한 것을 통해 농지 개혁법의 내용임을 알 수 있다.

③ 대충 자금은 미국으로부터 받은 원조 물자를 국내 시장에 판매한 후 그 수입을 적립한 것으로, 농지 개혁법과는 관련이 없다. 대충 자금은 1950년대 한국 정부의 재정 수입의 큰 비중을 차지하였으며, 미국 정부와의 협의를 거쳐 미군 유지 및 우리나라의 경제 재건 비용, 국방비 등으로 활용되었다. 한편 미국의 무상 원조 정책이 1950년대 후반부터 점차 유상 차관으로 전환되면서 대충 자금의 규모 역시 점차 감소하였다.

오답 분석

①, ② 농지 개혁은 유상 매수와 유상 분배의 원칙 아래 실시되었으며, 3정보를 상한으로 하여 그 이상의 보유 농지는 국가에서 유상으로 몰수하였다.

④ 이승만 정부는 재정 부족 때문에 매수 토지에 대한 지가를 현금으로 보상할 수 없던 상황이었기 때문에 평년 농지 생산량의 1.5배를 5년에 걸쳐 보상한다는 내용의 지가 증권을 지주에게 발행하였다. 그러나 보상의 지연과 6·25 전쟁에 따른 지가 증권의 가치 하락으로 경제적 손실을 겪은 지주들이 많았다.

⑤ 농지 개혁으로 농지를 분배받은 자는 평년 생산량의 30%씩을 5년간(총 1년 생산량의 1.5배) 상환하도록 하였다.

07

2019년 서울시 9급(2월 시행)

1960년대 정부의 경제 정책에 대한 설명으로 가장 옳은 것은?

① 귀속 재산 처리법을 공포하였다.

② 한·미 경제 조정 협정을 체결하였다.

③ 경제 협력 개발 기구(OECD)에 가입하였다.

④ 제1차 경제 개발 5개년 계획이 실시되었다.

문제풀이 1960년대의 경제 정책 난이도 중

④ 박정희 정부 시기인 1962 ~ 1966년에 제1차 경제 개발 5개년 계획이 실시되어 의류·신발 산업 등 노동 집약적인 경공업과 사회 간접 자본 확충을 위한 비료·시멘트·정유 산업 등에 대한 육성이 이루어졌다.

오답 분석

① **1940년대:** 귀속 재산 처리법은 이승만 정부 시기인 1949년에 제정·공포되었다. 이 법에 근거하여 일본인 소유였던 공장과 주택 등이 민간에 불하되었으며, 이 과정에서 정경 유착이 발생하면서 재벌이 형성되기도 하였다.

② **1950년대:** 한·미 경제 조정 협정은 6·25 전쟁 중이던 1952년에 체결되었다. 이승만 정부와 미국 정부는 기존에 제공되고 있던 미국의 경제 원조와 관련하여 한·미 양자 간의 역할과 관계를 조정한 한·미 경제 조정 협정을 체결하였다.

③ **1990년대:** 우리나라가 경제 협력 개발 기구(OECD)에 가입한 것은 김영삼 정부 시기인 1996년이다.

08

2017년 지방직 9급(12월 시행)

밑줄 친 '시기'에 있었던 사실에 대한 설명으로 옳은 것은?

> 제1차 경제 개발 5개년 계획을 시행할 무렵에 우리나라 정부는 국내에서 산업 개발 자금을 확보하려 하였다. 이에 통화 개혁을 실시했으나 목적을 달성하지 못했고, 결국 외국 차관을 들여왔다. 이러한 배경 속에서 섬유·가발 등의 수출 산업이 육성되었다. 제2차 경제 개발 5개년 계획이 적용된 때에는 화학, 철강 산업에 대한 투자도 이루어졌다. 이 두 차례의 경제 개발 계획이 시행된 시기에 수출 주도 성장 전략이 자리를 잡았다.

① 경부 고속 국도가 건설되었다.

② 금융 실명제가 전격적으로 실시되었다.

③ 경제 협력 개발 기구(OECD)에 가입하였다.

④ 연간 수출 총액이 늘어나 100억 달러를 돌파하였다.

문제풀이 제1·2차 경제 개발 5개년 계획 시기의 사실 난이도 중

제시문에서 제1·2차 경제 개발 계획이 시행되어 수출 주도 성장 전략이 자리 잡았다는 내용을 통해 밑줄 친 '시기'가 박정희 정부 때 실시된 제1·2차 경제 개발 5개년 계획 시기(1962 ~ 1971)임을 알 수 있다. 박정희 정부는 산업 개발 자금을 목적으로 1962년에 기존의 환(圜)화를 원화로 대체하는 통화 개혁을 실시하였으나 큰 성과를 거두지 못하였다. 이후 박정희 정부는 외국 차관 도입을 통한 산업 개발 자금 확보를 위해 일본과의 국교를 정상화하고, 베트남전에 한국군을 파병하였다.

① 제2차 경제 개발 5개년 계획(1967 ~ 1971) 시행기인 1970년에 경부 고속 국도가 완공되었다.

오답 분석

②, ③ **김영삼 정부 시기:** 금융 실명제가 전격적으로 실시되고, 경제 협력 개발 기구(OECD)에 가입한 시기는 제1·2차 경제 개발 이후인 김영삼 정부 때이다. 김영삼 정부는 투명한 금융 거래를 위하여 금융 실명제를 실시(1993)하였고, 경제 협력 개발 기구(OECD)에 가입(1996)하였다.

④ **제4차 경제 개발 5개년 계획 시기:** 연간 수출 총액이 100억 달러를 돌파한 시기는 1977년으로, 제4차 경제 개발 5개년 계획(1977~1981)이 시행되던 시기이다. 이 시기에는 중화학 공업의 생산이 경공업을 앞서면서 고도 성장을 이루었다.

정답 05 ④ 06 ③ 07 ④ 08 ①

09

2019년 법원직 9급

다음과 같은 기념물이 만들어지던 시기에 추진되었던 정부의 경제 정책으로 가장 적절한 것은?

① 중화학 공업을 적극 육성하였다.

② 경제 협력 개발 기구(OECD)에 가입하였다.

③ 미국의 잉여 농산물을 가공하는 삼백 산업을 육성하였다.

④ 자유 무역 협정(FTA)을 통해 시장 개방을 확대하였다.

10

2020년 국가직 9급

다음은 우리나라 경제 성장 과정을 시간 순으로 나열한 것이다. (가)에 들어갈 내용으로 옳은 것은?

수출액 100억 달러를 돌파하다.
↓
제2차 석유 파동으로 경제가 침체에 빠지다.
↓
(가)
↓
경제 협력 개발 기구에 가입하다.

① 제3차 경제 개발 5개년 계획이 실시되다.

② 저금리, 저유가, 저달러의 3저 호황을 경험하다.

③ 베트남 파병을 시작하고 브라운 각서를 체결하다.

④ 일본과 대일 청구권 문제에 합의하고 한·일 기본 조약을 체결하다.

문제풀이 1970년대 박정희 정부의 경제 정책

난이도 하

제시된 사진에 '100억불 수출의 날'이라는 문구가 적힌 것을 통해 박정희 정부 시기인 1970년대에 세워진 기념물임을 알 수 있다. 박정희 정부는 적극적인 외자 도입을 바탕으로 정부 주도의 경제 개발 5개년 계획을 전개하였으며, 특히 1970년대에는 '100억 불 수출과 1000불 국민 소득'을 목표로 경제 성장 정책을 추진한 결과 1977년에 연간 수출 총액이 100억 달러를 돌파하였다.

① 박정희 정부는 1970년대에 제3·4차 경제 개발 5개년 계획(1972~1981)을 추진하며 수출 주도형의 중화학 공업을 적극적으로 육성하였다.

오답 분석

② **1990년대(김영삼 정부)**: 경제 협력 개발 기구(OECD)에 가입한 것은 김영삼 정부 시기인 1996년의 사실이다.

③ **1950년대(이승만 정부)**: 미국으로부터 원조받은 잉여 농산물을 가공하는 이른바 제분(밀가루)·제당(설탕)·면방직(면화)의 삼백 산업을 육성한 것은 이승만 정부 시기인 1950년대의 사실이다.

④ **2000년대 이후**: 자유 무역 협정(FTA)을 통해 시장 개방을 확대한 것은 2000년대 이후의 사실이다. 노무현 정부 시기에 한·칠레 자유 무역 협정(2004)과 한·미 자유 무역 협정(2007) 등이 체결된 이래로, 현재까지 세계 각국과의 자유 무역 협정에 대한 협상·체결이 지속적으로 이루어지고 있다.

문제풀이 제2차 석유 파동과 경제 협력 개발 기구 가입 사이의 사실

난이도 중

제시된 자료의 수출액 100억 달러 돌파(1977)와 제2차 석유 파동(1978)은 박정희 정부 때의 사실이다. 경제 협력 개발 기구(OECD) 가입은 1996년의 사실로 김영삼 정부 때의 사실이다. 따라서 (가)에는 1978년~1996년 사이 시기의 사실이 들어가야 한다.

② (가) 시기인 1980년대에 우리나라 경제는 저금리, 저유가, 저달러의 일명 3저 호황으로 물가가 안정되고, 경제 성장을 계속해 나갈 수 있었다.

오답 분석

① 제3차 경제 개발 5개년 계획은 1972년부터 1976년에 실시되었던 것으로, 제2차 석유 파동 이전의 사실이다. 제3차 경제 개발 5개년 계획에서는 수출 주도형 중화학 공업 육성 정책을 실행하였고, 이에 따라 포항·광양 제철소, 울산·거제 조선소 등이 건설되었다.

③ 베트남 파병 시작(1964)과 브라운 각서 체결(1966)은 모두 제2차 석유 파동 이전의 일이다. 베트남 전쟁이 확대되자 미국은 한국에 파병을 요청하였다. 이에 박정희 정부는 미국과의 정치·군사 동맹을 강화하고, 경제 개발에 도움을 얻기 위해 파병을 결정하였다. 1964년 베트남 파병을 시작하였고, 1966년 브라운 각서를 체결하여 미국으로부터 한국군의 현대화 및 경제 발전을 위한 원조를 제공받기로 합의하였다.

④ 한·일 기본 조약을 체결(1965)한 것은 제2차 석유 파동 이전의 일이다. 한국은 일본에게 '청구권·경제 협력에 관한 협정'을 포함하는 한·일 기본 조약(한·일 협정)을 통해 독립 축하금 명목의 무상 자금 3억 달러, 정부 차관 2억 달러, 민간 상업 차관 3억 달러를 공여받기로 합의하였다.

11

2023년 법원직 9급

다음 연설을 한 대통령의 집권기에 일어난 사실로 가장 옳은 것은?

> 저는 이 순간 엄숙한 마음으로 헌법 제76조 제1항의 규정에 의거하여, 「금융 실명 거래 및 비밀보장에 관한 대통령 긴급 명령」을 반포합니다. …… 금융 실명제에 대한 우리 국민의 합의와 개혁에 대한 강렬한 열망에 비추어 국회의원 여러분이 압도적인 지지로 승인해 주실 것을 믿어 의심치 않습니다. 친애하는 국민 여러분, 드디어 우리는 금융 실명제를 실시합니다. 이 시간 이후 모든 금융거래는 실명으로만 이루어집니다. 금융 실명제가 실시되지 않고는 이 땅의 부정부패를 원천적으로 봉쇄할 수가 없습니다.

① YH 무역 사건이 일어났다.
② 제4차 경제 개발 계획이 추진되었다.
③ 국민 기초 생활 보장법이 시행되었다.
④ 한국이 경제 협력 개발 기구(OECD)에 가입하였다.

12

2015년 법원직 9급

다음 각 시기의 경제에 관한 서술로 가장 옳지 않은 것은?

1945		1962		1972		1980		1998
광복	(가)	제1차 경제 개발 5개년 계획	(나)	유신 헌법	(다)	5 · 18 광주 민주화 운동	(라)	김대중 정부 출범

① (가) – 무상 몰수, 유상 분배 방식의 농지 개혁법이 실시되었다.
② (나) – 미국으로부터 브라운 각서를 통한 경제 지원을 약속 받았다.
③ (다) – 중화학 공업화 정책을 추진했으며 수출액이 100억 달러를 넘어섰다.
④ (라) – 자유 무역이 확대되는 가운데 외환 보유고 부족으로 위기를 맞았다.

문제풀이 김영삼 정부 시기의 사실 난이도 하

제시문에서 금융 실명제를 실시하여 모든 금융 거래는 실명으로만 이루어질 것이라는 내용을 통해 김영삼 정부 시기임을 알 수 있다. 김영삼 정부 시기에는 투명한 경제 활동을 위해 대통령 긴급 명령으로 금융 실명제를 실시하였다.

④ 김영삼 정부 시기인 1996년에 우리나라는 시장 개방 정책의 일환으로 경제 협력 개발 기구(OECD)에 가입하였다.

오답 분석

① **박정희 정부**: YH 무역 사건이 일어난 것은 1979년으로, 박정희 정부 시기의 사실이다. YH 무역 사건은 가발 제조 업체인 YH 무역이 부당한 폐업을 공고하자, YH 무역의 여성 노동자들이 회사 운영의 정상화와 노동자의 생존권 보장을 요구하며 신민당사에서 농성을 전개한 사건이다.
② **박정희~전두환 정부**: 제4차 경제 개발 계획이 추진된 것은 1977년부터 1981년으로, 박정희 정부 시기부터 전두환 정부 시기의 사실이다.
③ **김대중 정부**: 국민 기초 생활 보장법이 시행된 것은 2000년으로, 김대중 정부 시기의 사실이다. 국민 기초 생활 보장법은 생활이 어려운 국민에게 필요한 급여를 지급하여 이들의 최저생활을 보장하고 스스로의 힘으로 살아갈 수 있도록 지원하는 것을 목적으로 제정된 법이다.

문제풀이 현대의 경제 난이도 중

① 1950년에 실시된 농지 개혁법은 유상 매수, 유상 분배를 원칙으로 하였다.

오답 분석

② (나) 시기인 1966년에 베트남 파병의 대가로 미국과 체결한 브라운 각서를 통해 한국은 미국으로부터 각종 경제 지원을 약속 받았다.
③ (다) 시기인 1970년대에 한국은 제3·4차 경제 개발 5개년 계획을 실시하면서 중화학 공업화 정책을 추진하였고, 그 결과 산업 구조의 고도화에 성공하면서 1977년에 수출액이 100억 달러를 넘어섰다.
④ (라) 시기인 1990년대에 우루과이 라운드 협정(UR) 체결(1994), 세계 무역 기구(WTO) 가입(1995) 등을 통해 자유 무역이 확대되는 가운데 외환 보유고 부족으로 1997년 외환 위기가 초래되었다.

이것도 알면 **합격!**

시기별 경제 정책

시기	내용
1950년대	전후 복구 및 원조 경제, 소비재 산업 발달, 농지 개혁, 귀속 재산 불하
1960년대	제1·2차 경제 개발 5개년 계획(경공업 중심)
1970년대	제3·4차 경제 개발 5개년 계획(중화학 공업 육성), 제1·2차 석유 파동, 새마을 운동
1980년대	3저 호황, 국제 무역 수지 흑자 달성
1990년대	금융 실명제 실시, UR 협정 체결, OECD 가입, 외환 위기

정답 09 ① 10 ② 11 ④ 12 ①

2 | 현대 사회와 문화의 변화

01

2020년 국가직 9급

다음 그래프에 표시된 시기에 일어난 사회 현상으로 옳지 않은 것은?

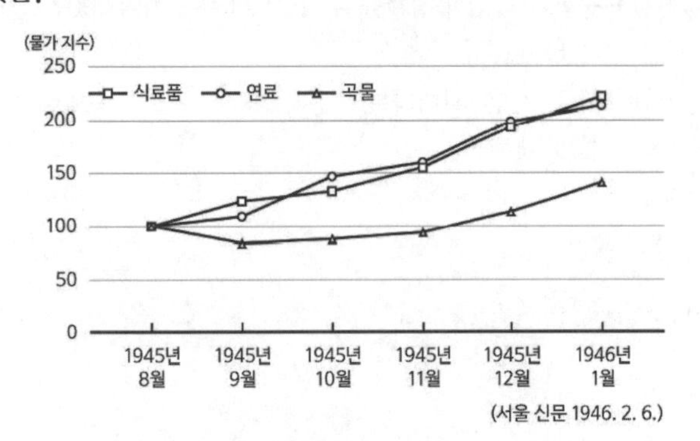

(서울 신문 1946. 2. 6.)

① 해외로부터 귀환인이 급증하여 식량이 부족했다.

② 38도선 분할 점령 이후 식료품 부문의 생산이 크게 위축되었다.

③ 미 군정이 재정 적자를 메우기 위해 화폐를 과도하게 발행했다.

④ 미곡 수집제 폐지, 토지 개혁 실시를 주장하는 대규모 시위가 일어났다.

문제풀이 광복 직후의 사회 현상 난이도 상

제시된 그래프는 1945년 8월에서 1946년 1월까지의 물가 지수를 표시한 것이다. 광복 이후에는 일본의 자본과 기술로 운영되었던 산업 활동이 위축되었고, 해외 동포들의 귀환으로 인구가 증가하여 식량이 부족해지면서 식료품과 곡물의 가격이 상승하였다.

④ 미곡 수집제 폐지, 토지 개혁 실시를 주장하는 대규모 시위는 1946년 10월, 대구에서 일어났다. 당시의 한국 경제 상황은 산업 활동의 위축, 식량 부족 등으로 오히려 일제 강점기보다 더 궁핍한 상태에 놓여 있었다. 이와 같은 상황에서 대구에서 미 군정의 식량 정책에 항의하는 대규모 시위가 발생하였다.

오답 분석

모두 그래프에 표시된 시기(1945. 8. ~ 1946. 1.)에 일어난 사실이다.

① 광복 이후 독립운동가, 해외 이주민 등 해외로부터의 귀환인이 급증하였고 이에 따라 식량이 부족해졌다.

② 38도선 분할 점령(1945. 9.) 이후 북한이 남한에 대한 전기 공급을 중단하는 등의 조치로 식료품을 비롯한 생산물의 생산이 크게 위축되었다.

③ 38도선 분할 점령(1945. 9.) 이후 미 군정은 재정 적자를 메우기 위해 화폐를 과도하게 발행하였고, 이는 극심한 물가 상승 현상으로 이어졌다.

02

2017년 국가직 9급(10월 시행)

다음은 연대별 인구 정책을 상징하는 표어이다. 각 연대별로 일어난 일에 대한 설명으로 옳은 것만을 〈보기〉에서 모두 고른 것은?

연대	표어
(가)	덮어 놓고 낳다 보면 거지꼴을 못 면한다.
(나)	딸 아들 구별 말고 둘만 낳아 잘 기르자.
(다)	잘 키운 딸 하나 열 아들 안 부럽다.

보기

㉠ (가) 군사 정부가 '경제 개발 5개년 계획'을 추진하였다.

㉡ (나) 유신 체제가 성립되었고, 2차례의 오일 쇼크와 중화학 공업 과잉 중복 투자에 따른 경제 불황이 있었다.

㉢ (다) 6월 민주 항쟁과 저금리, 저유가, 저달러의 3저 호황이 있었다.

① ㉠, ㉡ ② ㉠, ㉢ ③ ㉡, ㉢ ④ ㉠, ㉡, ㉢

문제풀이 현대의 연대별 인구 정책 난이도 상

(가) 덮어 놓고 낳다 보면 거지꼴을 못 면한다는 1960년대의 인구 정책 표어이다.

(나) 딸 아들 구별 말고 둘만 낳아 잘 기르자는 1970년대의 인구 정책 표어이다.

(다) 잘 키운 딸 하나 열 아들 안 부럽다는 1980년대의 인구 정책 표어이다.

④ 옳은 설명을 모두 고르면 ㉠, ㉡, ㉢이다.

㉠ 박정희를 중심으로 하는 군사 정부는 1962년 제1차 경제 개발 5개년 계획을 추진하였다.

㉡ 1970년대에 유신 체제가 성립되었고, 두 차례의 오일 쇼크(1973, 1978)와 중화학 공업에 대한 과잉 중복 투자로 경제 불황이 심화되었다.

㉢ 1980년대에 6월 민주 항쟁(1987)이 일어났으며, 저금리·저유가·저달러의 3저 호황에 따라 높은 경제 성장률을 보였다.

03

2017년 지방직 9급(6월 시행)

시대별 교육 문화의 변화에 대한 설명으로 옳지 않은 것은?

① 미군정기: 미국식 민주주의 교육과 6-3-3학제가 도입되었다.

② 1950년대: 경제적 어려움 속에서도 초등학교 의무 교육제가 시행되었다.

③ 1960년대: 입시 과열을 막기 위해 중학교 무시험 추첨제가 도입되었다.

④ 1970년대: 국가주의 이념을 강조한 국민 교육 헌장이 제정되었다.

문제풀이 현대의 시대별 교육 문화 난이도 상

④ 국민 교육 헌장은 박정희 정부 시기인 1968년에 제정되었다. 국민 교육 헌장은 우리 교육이 지향해야 할 이념과 목표를 제시한 것으로, 민족 주체성 확립과 새로운 민족 문화 창조, 반공 민주주의 정신 강조 등의 내용을 담고 있다.

오답 분석

① 미 군정기(1945~1948)에는 미국식 민주주의 교육 원리가 반영되어 초등학교 6학년, 중학교 3학년, 고등학교 3학년의 6-3-3 학제가 도입되었으며, 민주 시민의 양성을 교육 목표로 하였다.

② 1950년대에는 경제적 어려움 속에서도 초등학교(당시 국민학교) 의무 교육제가 시행되었다. 의무 교육은 1948년 제정된 제헌 헌법에 처음 명시되었으며, 1950년에 초등학교 의무 교육이 본격적으로 실시되었다.

③ 입시 경쟁의 과열을 막기 위해 시행된 중학교 무시험 추첨제는 1969년 서울에서 처음 시작되어 1970년대에 전국으로 확대되었다.

04

2017년 지방직 7급

우리나라의 시기별 교육 변화 양상으로 옳지 않은 것은?

① 1960년대 – 중학교 무시험 진학 제도가 처음 실시되었다.

② 1970년대 – 처음으로 고등학교 입학 시험이 연합고사로 바뀌었다.

③ 1980년대 – 학교 교육과 별개로 사교육인 과외가 활성화되었다.

④ 1990년대 – 대학 수학 능력 시험이 실시되었다.

문제풀이 우리나라의 시기별 교육 제도 난이도 중

③ 1980년대인 전두환 정부 시기에 학교 교육 정상화와 과열된 과외 해소 정책으로 과외가 전면 금지되었다. 이외에도 대학 입학 본고사가 폐지되었으며, 대학 졸업 정원제가 시행되었다.

오답 분석

① 박정희 정부 때인 1969년에 중학교 무시험 진학 제도가 도입되었다.

② 박정희 정부 때인 1974년에 고등학교 입학 시험이 연합고사로 바뀌었다.

④ 김영삼 정부 때인 1993년에 대학 수학 능력 시험이 실시되었다.

이것도 알면 **합격!**

우리나라의 시기별 교육 제도

시기	내용
미 군정기	6·3·3 학제 도입
이승만 정부	초등학교(당시는 국민학교) 의무 교육 실시
박정희 정부	국민 교육 헌장 선포(1968), 중학교 무시험 진학제 도입(1969), 고교 평준화 정책 실시(1974)
전두환 정부	• 과외 전면 금지, 대입 본고사 폐지 • 대학교 졸업 정원제 실시
김영삼 정부	대학 수학 능력 시험 실시(1993)
김대중 정부	중학교 무상 의무 교육 실시(2002)

정답 01 ④ 02 ④ 03 ④ 04 ③

최빈출 다지선다 문제로 단원 마무리

01 광복과 대한민국 수립

다음 선언문을 발표한 단체에 대한 설명으로 옳은 것을 모두 고른 것은? 2019년 국가직 7급

> 본 위원회는 우리 민족을 진정한 민주주의적 정권에로 재조직하기 위한 새 국가 건설의 준비 기관인 동시에 모든 진보적 민주주의적 세력을 집결하기 위하여 각층 각계에 완전히 개방된 통일 기관이요, 결코 혼잡된 협동 기관은 아니다.

① 각지에 치안대를 설치하였다. 19. 국가직 7급

② 조선 인민 공화국의 수립을 선포하였다. 21. 법원직 9급

③ 반민족 행위 처벌법에 근거하여 설치되었다. 19. 국가직 7급

④ 독립 촉성 중앙 협의회의 결성을 주도하였다. 21. 법원직 9급

⑤ 중도 우파와 온건 좌파를 중심으로 구성되었다. 19. 국회직 9급

⑥ 38도선을 넘어 북한 지도부와 남북 협상을 가졌다. 21. 법원직 9급

⑦ 임정 지지를 주장하면서 한국 민주당에 참가하였다. 19. 국가직 7급

⑧ 이승만을 주석으로, 여운형을 부주석으로 추대하였다. 19. 국회직 9급

⑨ 친일 청산 등을 명시한 좌·우 합작 7원칙을 결정하였다. 19. 국가직 7급

⑩ 여운형이 중심이 되어 조직된 조선 건국 동맹이 모태가 되었다. 08. 지방직 9급

정답 및 해설

정답

①, ②, ⑤, ⑧, ⑩

자료분석

새 국가 건설의 준비 기관 + 모든 진보적 민주주의적 세력을 집결하기 위함
→ 조선 건국 준비 위원회

선택지 체크

① 조선 건국 준비 위원회 **② 조선 건국 준비 위원회** ③ 반민족 행위 특별 조사 위원회 ④ 이승만 등 **⑤ 조선 건국 준비 위원회** ⑥ 김구, 김규식 등 ⑦ 송진우, 김성수 등 **⑧ 조선 건국 준비 위원회** ⑨ 좌·우 합작 위원회 **⑩ 조선 건국 준비 위원회**

02 민주주의의 시련과 발전

다음 헌법이 시행된 시기의 사실이 아닌 것을 모두 고른 것은? 2019년 경찰직(1차)

> 제39조 제1항 대통령은 통일 주체 국민회의에서 토론 없이 무기명 투표로 선거한다.
> 제40조 제1항 통일 주체 국민 회의는 국회의원 정수의 1/3에 해당하는 수의 국회의원을 선거한다.
> 제47조 대통령의 임기는 6년으로 한다.

① 국민 교육 헌장을 선포하였다. 21. 국가직 9급

② 민주 헌법 쟁취 국민 운동 본부가 결성되었다. 21. 서울시 9급(특수)

③ 신민당이 직선제 개헌을 위한 서명 운동을 전개하였다. 21. 서울시 9급(특수)

④ 부산 정치 파동으로 야당 국회의원이 정치적 공격을 받았다. 13. 국가직 7급

⑤ 재야 인사들이 명동 성당에 모여 '3·1 민주 구국 선언'을 발표하였다. 19. 서울시 9급(6월)

⑥ 방직 회사인 YH 무역의 여성 노동자들이 신민당사에서 농성을 벌였다. 19. 경찰직(1차)

⑦ 학생, 지식인, 언론, 종교 단체, 야당 등의 반대 속에서 한·일 협정이 조인되었다. 18. 서울시 7급(6월)

⑧ 헌법을 부정·반대·왜곡하는 일체의 행위를 금하는 긴급 조치 1호가 공포되었다. 19. 경찰직(1차)

⑨ 부·마 민주 항쟁이 일어났다. 21. 국가직 9급

⑩ 고위 공무원의 재산 등록을 의무화하였다. 21. 소방직

정답 및 해설

정답

①, ②, ③, ④, ⑦, ⑩

자료분석

대통령은 통일 주체 국민회의에서 선거함 → 유신 헌법(1972~1980)

선택지 체크

① 1968년(제5차 개헌안) **② 1987년(제8차 개헌안)** **③ 1986년(제8차 개헌안)** **④ 1952년(제헌 헌법)** ⑤ 1976년(유신 헌법) ⑥ 1979년(유신 헌법) **⑦ 1965년(제5차 개헌안)** ⑧ 1974년(유신 헌법) ⑨ 1979년(유신 헌법) **⑩ 1993년(제9차 개헌안)**

03 평화 통일의 과제

김대중 정부 시기에 일어난 일로 옳은 것을 모두 고른 것은?

2019년 국회직 9급

① 남북 조절 위원회가 설치되었다. 22. 법원직 9급

② 7·4 남북 공동 성명이 발표되었다. 21. 국가직 9급

③ 제2차 남북 정상 회담이 개최되었다 22. 법원직 9급

④ 경의선 철로 복원 사업이 착공되었다. 18. 법원직 9급

⑤ 남과 북이 동시에 유엔에 가입하였다. 18. 서울시 9급(6월)

⑥ 한민족 공동체 통일 방안이 발표되었다. 19. 국회직 9급

⑦ 해로를 통한 금강산 관광이 시작되었다. 19. 국회직 9급

⑧ 남북한이 비핵화 공동 선언을 체결하였다. 20. 법원직 9급

⑨ 남북 경제 협력 사업으로 개성 공단이 착공되었다. 19. 국회직 9급

⑩ 고위급 회담을 통해 남북 기본 합의서가 채택되었다. 19. 국회직 9급

⑪ 분단 이후 최초로 이산가족 상봉 행사가 개최되었다. 19. 국회직 9급

⑫ 친일 반민족 행위 진상 규명 위원회를 조직하였다. 24. 서울시 9급(2월)

⑬ 여소 야대 정국을 돌파하기 위하여 3당 합당을 하였다. 24. 서울시 9급(2월)

정답 및 해설

정답

④, ⑦

선택지 체크

① 박정희 정부 ② 박정희 정부 ③ 노무현 정부 **④ 김대중 정부** ⑤ 노태우 정부 ⑥ 노태우 정부 **⑦ 김대중 정부** ⑧ 노태우 정부 ⑨ 노무현 정부 ⑩ 노태우 정부 ⑪ 전두환 정부 ⑫ 노무현 정부 ⑬ 노태우 정부

04 경제 발전과 사회·문화의 변화

다음 법령이 반포되었을 당시의 경제적 상황으로 옳은 것을 모두 고른 것은?

2020년 법원직 9급

> 제2조 본 법에서 귀속 재산이라 함은 … 대한민국 정부에 이양된 일체의 재산을 지칭한다. 단, 농경지는 따로 농지 개혁법에 의하여 처리한다.
>
> 제3조 귀속 재산은 본 법과 본 법의 규정에 의하여 발하는 명령이 정하는 바에 의하여 국용 또는 공유 재산, 국영 또는 공영 기업체로 지정되는 것을 제외하고는 대한민국의 국민 또는 법인에게 매각한다.
>
> – 귀속 재산 처리법

① 삼백 산업이 발달하였다. 20. 법원직 9급

② 금융 실명제가 실시되었다. 20. 법원직 9급

③ 경부 고속 국도가 건설되었다. 17. 지방직 9급(12월)

④ OECD 회원국으로 가입하였다. 20. 법원직 9급

⑤ 수출 100억 달러를 달성하였다. 20. 법원직 9급

⑥ 한·미 경제 조정 협정을 체결하였다. 19. 서울시 9급(2월)

⑦ 제1차 경제 개발 5개년 계획이 실시되었다. 19. 서울시 9급(2월)

⑧ 농지 개혁에 따른 지가 증권을 발행하였다. 21. 국가직 9급

⑨ 저금리, 저유가, 저달러의 3저 호황이 나타났다. 22. 소방간부후보생

⑩ 자유 무역이 확대되는 가운데 외환 보유고 부족으로 위기를 맞았다. 15. 법원직 9급

⑪ 마산과 익산을 수출 자유 무역 지역으로 선정하여 외자를 유치하였다. 12. 기상직 9급

정답 및 해설

정답

①, ⑥, ⑧

자료분석

귀속 재산 처리법 → 이승만 정부

선택지 체크

① 이승만 정부 ② 김영삼 정부 ③ 박정희 정부 ④ 김영삼 정부 ⑤ 박정희 정부 **⑥ 이승만 정부** ⑦ 박정희 정부 **⑧ 이승만 정부** ⑨ 전두환 정부 ⑩ 김영삼 정부 ⑪ 박정희 정부

해커스공무원 단원별 기출문제집
한국사

회독용 답안지

답안지 활용 방법

1. 회독 차수에 따라 본 답안지에 문제 풀이를 진행해 주세요. 추가 회독을 할 때는 해커스공무원(gosi.Hackers.com) ▶ 사이트 상단의 [교재·서점 ▶ 무료 학습 자료]에서 답안지를 다운받아 진행하실 수 있습니다.
2. 채점 시 O, △, X로 구분하여 채점해주세요. O: 정확하게 맞음 △: 찍었는데 맞음 X: 틀림

회독 차수: 진행 날짜:

VI 근대 사회의 전개

01-1 흥선 대원군의 개혁 정치

01	①	②	③	④	⑤
02	①	②	③	④	⑤
03	①	②	③	④	⑤
04	①	②	③	④	⑤
05	①	②	③	④	⑤
06	①	②	③	④	⑤
07	①	②	③	④	⑤
08	①	②	③	④	⑤
09	①	②	③	④	⑤
10	①	②	③	④	⑤
11	①	②	③	④	⑤
12	①	②	③	④	⑤
13	①	②	③	④	⑤
14	①	②	③	④	⑤
15	①	②	③	④	⑤
16	①	②	③	④	⑤
17	①	②	③	④	⑤
18	①	②	③	④	⑤
19	①	②	③	④	⑤
20	①	②	③	④	⑤
O: 개	△: 개	X: 개			

01-2 개항과 불평등 조약 체제

01	①	②	③	④	⑤
02	①	②	③	④	⑤
03	①	②	③	④	⑤
04	①	②	③	④	⑤
05	①	②	③	④	⑤
06	①	②	③	④	⑤
07	①	②	③	④	⑤
08	①	②	③	④	⑤
09	①	②	③	④	⑤
10	①	②	③	④	⑤
11	①	②	③	④	⑤
12	①	②	③	④	⑤
13	①	②	③	④	⑤
14	①	②	③	④	⑤
15	①	②	③	④	⑤
16	①	②	③	④	⑤
O: 개	△: 개	X: 개			

02-1 개화를 둘러싼 갈등

01	①	②	③	④	⑤
02	①	②	③	④	⑤
03	①	②	③	④	⑤
04	①	②	③	④	⑤
05	①	②	③	④	⑤
06	①	②	③	④	⑤
07	①	②	③	④	⑤
08	①	②	③	④	⑤
09	①	②	③	④	⑤
10	①	②	③	④	⑤
11	①	②	③	④	⑤
12	①	②	③	④	⑤
O: 개	△: 개	X: 개			

02-2 임오군란과 갑신정변

01	①	②	③	④	⑤
02	①	②	③	④	⑤
03	①	②	③	④	⑤
04	①	②	③	④	⑤
05	①	②	③	④	⑤
06	①	②	③	④	⑤
07	①	②	③	④	⑤
08	①	②	③	④	⑤
09	①	②	③	④	⑤
10	①	②	③	④	⑤
11	①	②	③	④	⑤
12	①	②	③	④	⑤
O: 개	△: 개	X: 개			

03-1 동학 농민 운동

01	①	②	③	④	⑤
02	①	②	③	④	⑤
03	①	②	③	④	⑤
04	①	②	③	④	⑤
05	①	②	③	④	⑤
06	①	②	③	④	⑤
07	①	②	③	④	⑤
08	①	②	③	④	⑤
09	①	②	③	④	⑤
10	①	②	③	④	⑤
11	①	②	③	④	⑤
12	①	②	③	④	⑤
O: 개	△: 개	X: 개			

03-2 갑오·을미개혁

01	①	②	③	④	⑤
02	①	②	③	④	⑤
03	①	②	③	④	⑤
04	①	②	③	④	⑤
05	①	②	③	④	⑤
06	①	②	③	④	⑤
07	①	②	③	④	⑤
08	①	②	③	④	⑤
09	①	②	③	④	⑤
10	①	②	③	④	⑤
11	①	②	③	④	⑤
12	①	②	③	④	⑤
O: 개	△: 개	X: 개			

03-3 독립 협회와 대한 제국

01	①	②	③	④	⑤
02	①	②	③	④	⑤
03	①	②	③	④	⑤
04	①	②	③	④	⑤
05	①	②	③	④	⑤
06	①	②	③	④	⑤
07	①	②	③	④	⑤
08	①	②	③	④	⑤
09	①	②	③	④	⑤
10	①	②	③	④	⑤
11	①	②	③	④	⑤
12	①	②	③	④	⑤
13	①	②	③	④	⑤
14	①	②	③	④	⑤
15	①	②	③	④	⑤
16	①	②	③	④	⑤
17	①	②	③	④	⑤
18	①	②	③	④	⑤
19	①	②	③	④	⑤
20	①	②	③	④	⑤
21	①	②	③	④	⑤
22	①	②	③	④	⑤
23	①	②	③	④	⑤
24	①	②	③	④	⑤
○: 개	△: 개	X: 개			

03-4 항일 의병 운동과 애국 계몽 운동

01	①	②	③	④	⑤
02	①	②	③	④	⑤
03	①	②	③	④	⑤
04	①	②	③	④	⑤
05	①	②	③	④	⑤
06	①	②	③	④	⑤
07	①	②	③	④	⑤
08	①	②	③	④	⑤
09	①	②	③	④	⑤
10	①	②	③	④	⑤
11	①	②	③	④	⑤
12	①	②	③	④	⑤
13	①	②	③	④	⑤
14	①	②	③	④	⑤
15	①	②	③	④	⑤
16	①	②	③	④	⑤
○: 개	△: 개	X: 개			

03-5 일제의 국권 피탈

01	①	②	③	④	⑤
02	①	②	③	④	⑤
03	①	②	③	④	⑤
04	①	②	③	④	⑤
05	①	②	③	④	⑤
06	①	②	③	④	⑤
07	①	②	③	④	⑤
08	①	②	③	④	⑤
09	①	②	③	④	⑤
10	①	②	③	④	⑤
11	①	②	③	④	⑤
12	①	②	③	④	⑤
13	①	②	③	④	⑤
14	①	②	③	④	⑤
15	①	②	③	④	⑤
16	①	②	③	④	⑤
○: 개	△: 개	X: 개			

04-1 개항 이후의 경제와 사회

01	①	②	③	④	⑤
02	①	②	③	④	⑤
03	①	②	③	④	⑤
04	①	②	③	④	⑤
05	①	②	③	④	⑤
06	①	②	③	④	⑤
07	①	②	③	④	⑤
08	①	②	③	④	⑤
09	①	②	③	④	⑤
10	①	②	③	④	⑤
11	①	②	③	④	⑤
12	①	②	③	④	⑤
○: 개	△: 개	X: 개			

04-2 근대 문물의 수용과 근대 문화의 형성

01	①	②	③	④	⑤
02	①	②	③	④	⑤
03	①	②	③	④	⑤
04	①	②	③	④	⑤
05	①	②	③	④	⑤
06	①	②	③	④	⑤
07	①	②	③	④	⑤
08	①	②	③	④	⑤
09	①	②	③	④	⑤
10	①	②	③	④	⑤
11	①	②	③	④	⑤
12	①	②	③	④	⑤
13	①	②	③	④	⑤
14	①	②	③	④	⑤
15	①	②	③	④	⑤
16	①	②	③	④	⑤
○: 개	△: 개	X: 개			

해커스공무원 단원별 기출문제집
한국사

회독용 답안지

답안지 활용 방법

1. 회독 차수에 따라 본 답안지에 문제 풀이를 진행해 주세요. 추가 회독을 할 때는 해커스공무원(gosi.Hackers.com) ▶ 사이트 상단의 [교재·서점 ▶ 무료 학습 자료]에서 답안지를 다운받아 진행하실 수 있습니다.
2. 채점 시 ○, △, X로 구분하여 채점해주세요. ○: 정확하게 맞음 △: 찍었는데 맞음 X: 틀림

회독 차수: 진행 날짜:

Ⅶ 민족 독립운동의 전개

01-1 일제의 식민 통치와 민족 경제의 변화

01	①	②	③	④	⑤
02	①	②	③	④	⑤
03	①	②	③	④	⑤
04	①	②	③	④	⑤
05	①	②	③	④	⑤
06	①	②	③	④	⑤
07	①	②	③	④	⑤
08	①	②	③	④	⑤
09	①	②	③	④	⑤
10	①	②	③	④	⑤
11	①	②	③	④	⑤
12	①	②	③	④	⑤
13	①	②	③	④	⑤
14	①	②	③	④	⑤
15	①	②	③	④	⑤
16	①	②	③	④	⑤
17	①	②	③	④	⑤
18	①	②	③	④	⑤
19	①	②	③	④	⑤
20	①	②	③	④	⑤
21	①	②	③	④	⑤
22	①	②	③	④	⑤
23	①	②	③	④	⑤
24	①	②	③	④	⑤
25	①	②	③	④	⑤
26	①	②	③	④	⑤
27	①	②	③	④	⑤
28	①	②	③	④	⑤
○: 개	△: 개	X: 개			

02-1 3·1 운동

01	①	②	③	④	⑤
02	①	②	③	④	⑤
03	①	②	③	④	⑤
04	①	②	③	④	⑤
05	①	②	③	④	⑤
06	①	②	③	④	⑤
07	①	②	③	④	⑤
08	①	②	③	④	⑤
09	①	②	③	④	⑤
10	①	②	③	④	⑤
11	①	②	③	④	⑤
12	①	②	③	④	⑤
13	①	②	③	④	⑤
14	①	②	③	④	⑤
15	①	②	③	④	⑤
16	①	②	③	④	⑤
17	①	②	③	④	⑤
18	①	②	③	④	⑤
19	①	②	③	④	⑤
20	①	②	③	④	⑤
○: 개	△: 개	X: 개			

02-2 대한민국 임시 정부

01	①	②	③	④	⑤
02	①	②	③	④	⑤
03	①	②	③	④	⑤
04	①	②	③	④	⑤
05	①	②	③	④	⑤
06	①	②	③	④	⑤
07	①	②	③	④	⑤
08	①	②	③	④	⑤
09	①	②	③	④	⑤
10	①	②	③	④	⑤
11	①	②	③	④	⑤
12	①	②	③	④	⑤
○: 개	△: 개	X: 개			

03-1 국내 무장 항일 투쟁과 의열 투쟁

01	①	②	③	④	⑤
02	①	②	③	④	⑤
03	①	②	③	④	⑤
04	①	②	③	④	⑤
05	①	②	③	④	⑤
06	①	②	③	④	⑤
07	①	②	③	④	⑤
08	①	②	③	④	⑤
○: 개	△: 개	X: 개			

03-2 독립군의 무장 독립 전쟁

01	①	②	③	④	⑤
02	①	②	③	④	⑤
03	①	②	③	④	⑤
04	①	②	③	④	⑤
05	①	②	③	④	⑤
06	①	②	③	④	⑤
07	①	②	③	④	⑤
08	①	②	③	④	⑤
09	①	②	③	④	⑤
10	①	②	③	④	⑤
11	①	②	③	④	⑤
12	①	②	③	④	⑤
13	①	②	③	④	⑤
14	①	②	③	④	⑤
15	①	②	③	④	⑤
16	①	②	③	④	⑤
17	①	②	③	④	⑤
18	①	②	③	④	⑤
19	①	②	③	④	⑤
20	①	②	③	④	⑤
21	①	②	③	④	⑤
22	①	②	③	④	⑤
23	①	②	③	④	⑤
24	①	②	③	④	⑤
25	①	②	③	④	⑤
26	①	②	③	④	⑤
27	①	②	③	④	⑤
28	①	②	③	④	⑤
29	①	②	③	④	⑤
30	①	②	③	④	⑤
31	①	②	③	④	⑤
32	①	②	③	④	⑤
○: 개	△: 개	X: 개			

04-1 민족의 저항 운동

01	①	②	③	④	⑤
02	①	②	③	④	⑤
03	①	②	③	④	⑤
04	①	②	③	④	⑤
05	①	②	③	④	⑤
06	①	②	③	④	⑤
07	①	②	③	④	⑤
08	①	②	③	④	⑤
09	①	②	③	④	⑤
10	①	②	③	④	⑤
11	①	②	③	④	⑤
12	①	②	③	④	⑤
○: 개	△: 개	X: 개			

04-2 민족 유일당 운동과 국외 이주 동포

01	①	②	③	④	⑤
02	①	②	③	④	⑤
03	①	②	③	④	⑤
04	①	②	③	④	⑤
05	①	②	③	④	⑤
06	①	②	③	④	⑤
07	①	②	③	④	⑤
08	①	②	③	④	⑤
09	①	②	③	④	⑤
10	①	②	③	④	⑤
11	①	②	③	④	⑤
12	①	②	③	④	⑤
○: 개	△: 개	X: 개			

05-1 일제의 식민지 문화 정책

01	①	②	③	④	⑤
02	①	②	③	④	⑤
03	①	②	③	④	⑤
04	①	②	③	④	⑤
○: 개	△: 개	X: 개			

05-2 민족 문화의 발전

01	①	②	③	④	⑤
02	①	②	③	④	⑤
03	①	②	③	④	⑤
04	①	②	③	④	⑤
05	①	②	③	④	⑤
06	①	②	③	④	⑤
07	①	②	③	④	⑤
08	①	②	③	④	⑤
09	①	②	③	④	⑤
10	①	②	③	④	⑤
11	①	②	③	④	⑤
12	①	②	③	④	⑤
13	①	②	③	④	⑤
14	①	②	③	④	⑤
15	①	②	③	④	⑤
16	①	②	③	④	⑤
○: 개	△: 개	X: 개			

해커스공무원 단원별 기출문제집
한국사

회독용 답안지

답안지 활용 방법

1. 회독 차수에 따라 본 답안지에 문제 풀이를 진행해 주세요. 추가 회독을 할 때는 해커스공무원(gosi.Hackers.com) ▶ 사이트 상단의 [교재·서점 ▶ 무료 학습 자료]에서 답안지를 다운받아 진행하실 수 있습니다.
2. 채점 시 O, △, X로 구분하여 채점해주세요. O: 정확하게 맞음 △: 찍었는데 맞음 X: 틀림

회독 차수: 진행 날짜:

Ⅷ 현대 사회의 발전

01-1 대한민국 건국 준비 과정

01	①	②	③	④	⑤
02	①	②	③	④	⑤
03	①	②	③	④	⑤
04	①	②	③	④	⑤
05	①	②	③	④	⑤
06	①	②	③	④	⑤
07	①	②	③	④	⑤
08	①	②	③	④	⑤
O: 개	△: 개	X: 개			

01-2 대한민국의 수립

01	①	②	③	④	⑤
02	①	②	③	④	⑤
03	①	②	③	④	⑤
04	①	②	③	④	⑤
05	①	②	③	④	⑤
06	①	②	③	④	⑤
07	①	②	③	④	⑤
08	①	②	③	④	⑤
09	①	②	③	④	⑤
10	①	②	③	④	⑤
11	①	②	③	④	⑤
12	①	②	③	④	⑤
13	①	②	③	④	⑤
14	①	②	③	④	⑤
15	①	②	③	④	⑤
16	①	②	③	④	⑤
17	①	②	③	④	⑤
18	①	②	③	④	⑤
19	①	②	③	④	⑤
20	①	②	③	④	⑤
21	①	②	③	④	⑤
22	①	②	③	④	⑤
23	①	②	③	④	⑤
24	①	②	③	④	⑤
25	①	②	③	④	⑤
26	①	②	③	④	⑤
27	①	②	③	④	⑤
28	①	②	③	④	⑤
29	①	②	③	④	⑤
30	①	②	③	④	⑤
31	①	②	③	④	⑤
32	①	②	③	④	⑤
O: 개	△: 개	X: 개			

01-3 6·25 전쟁

01	①	②	③	④	⑤
02	①	②	③	④	⑤
03	①	②	③	④	⑤
04	①	②	③	④	⑤
05	①	②	③	④	⑤
06	①	②	③	④	⑤
07	①	②	③	④	⑤
08	①	②	③	④	⑤
O: 개	△: 개	X: 개			

02-1 4·19 혁명

01	①	②	③	④	⑤
02	①	②	③	④	⑤
03	①	②	③	④	⑤
04	①	②	③	④	⑤
05	①	②	③	④	⑤
06	①	②	③	④	⑤
07	①	②	③	④	⑤
08	①	②	③	④	⑤
O: 개	△: 개	X: 개			

02-2 5·16 군사 정변과 유신 체제

01	①	②	③	④	⑤
02	①	②	③	④	⑤
03	①	②	③	④	⑤
04	①	②	③	④	⑤
05	①	②	③	④	⑤
06	①	②	③	④	⑤
07	①	②	③	④	⑤
08	①	②	③	④	⑤
09	①	②	③	④	⑤
10	①	②	③	④	⑤
11	①	②	③	④	⑤
12	①	②	③	④	⑤
13	①	②	③	④	⑤
14	①	②	③	④	⑤
15	①	②	③	④	⑤
16	①	②	③	④	⑤
O: 개	△: 개	X: 개			

02-3 민주주의의 발전

01	①	②	③	④	⑤
02	①	②	③	④	⑤
03	①	②	③	④	⑤
04	①	②	③	④	⑤
05	①	②	③	④	⑤
06	①	②	③	④	⑤
07	①	②	③	④	⑤
08	①	②	③	④	⑤
09	①	②	③	④	⑤
10	①	②	③	④	⑤
11	①	②	③	④	⑤
12	①	②	③	④	⑤
13	①	②	③	④	⑤
14	①	②	③	④	⑤
15	①	②	③	④	⑤
16	①	②	③	④	⑤
○: 개 △: 개 X: 개					

03-1 북한 사회의 변화

01	①	②	③	④	⑤
02	①	②	③	④	⑤
03	①	②	③	④	⑤
04	①	②	③	④	⑤
○: 개 △: 개 X: 개					

03-2 평화 통일을 위한 노력

01	①	②	③	④	⑤
02	①	②	③	④	⑤
03	①	②	③	④	⑤
04	①	②	③	④	⑤
05	①	②	③	④	⑤
06	①	②	③	④	⑤
07	①	②	③	④	⑤
08	①	②	③	④	⑤
09	①	②	③	④	⑤
10	①	②	③	④	⑤
11	①	②	③	④	⑤
12	①	②	③	④	⑤
13	①	②	③	④	⑤
14	①	②	③	④	⑤
15	①	②	③	④	⑤
16	①	②	③	④	⑤
○: 개 △: 개 X: 개					

04-1 현대의 경제 발전

01	①	②	③	④	⑤
02	①	②	③	④	⑤
03	①	②	③	④	⑤
04	①	②	③	④	⑤
05	①	②	③	④	⑤
06	①	②	③	④	⑤
07	①	②	③	④	⑤
08	①	②	③	④	⑤
09	①	②	③	④	⑤
10	①	②	③	④	⑤
11	①	②	③	④	⑤
12	①	②	③	④	⑤
○: 개 △: 개 X: 개					

04-2 현대 사회와 문화의 변화

01	①	②	③	④	⑤
02	①	②	③	④	⑤
03	①	②	③	④	⑤
04	①	②	③	④	⑤
○: 개 △: 개 X: 개					

2025 대비 최신개정판

해커스공무원

단원별 기출문제집 한국사

2권 | 근현대사

개정 9판 2쇄 발행 2025년 2월 3일
개정 9판 1쇄 발행 2024년 9월 2일

지은이	해커스 공무원시험연구소
펴낸곳	해커스패스
펴낸이	해커스공무원 출판팀
주소	서울특별시 강남구 강남대로 428 해커스공무원
고객센터	1588-4055
교재 관련 문의	gosi@hackerspass.com 해커스공무원 사이트(gosi.Hackers.com) 교재 Q&A 게시판 카카오톡 플러스 친구 [해커스공무원 노량진캠퍼스]
학원 강의 및 동영상강의	gosi.Hackers.com
ISBN	2권: 979-11-7244-257-6 (14910) 세트: 979-11-7244-255-2 (14910)
Serial Number	09-02-01